UN CERTAIN GOÛT POUR LA MORT

Couronnée « nouvelle reine du crime » par les Anglo-Saxons (le *Time Magazine* lui a consacré sa cover-story le 6 octobre 1986), l'Anglaise P.D. James est née à Oxford en 1920. Elle est l'auteur de plusieurs romans, tous des best-sellers. Son style impeccable, ses intrigues imprévisibles, ses protagonistes non conformistes ont fait d'elle la virtuose du roman policier moderne.

DU MÊME AUTEUR

La Proie pour l'ombre (Mazarine, 1987 ; Le Livre de Poche, 1987).

La Meurtrière (Mazarine, 1987 ; Le Livre de Poche, 1987).

L'Ile des morts (Mazarine, 1985 ; Le Livre de Poche, 1987).

Meurtre dans un fauteuil (Mazarine, 1986 ; Le Livre de Poche, 1988).

Sans les mains (Mazarine, 1987).

Une folie meurtrière (Fayard, 1988).

P.D. JAMES

Un certain goût
pour la mort

ROMAN TRADUIT DE L'ANGLAIS
PAR LISA ROSENBAUM

MAZARINE

L'édition originale de cet ouvrage est parue chez Faber and Faber sous le titre : *A Taste for Death*.

D'aucuns peuvent regarder sans nausée,
Moi, je n'ai jamais acquis cette faculté.
Le sang et l'haleine ont ceci de particulier
Qu'ils donnent à l'homme un certain goût pour la mort.

A.E. HOUSMAN.

AVERTISSEMENT DE L'AUTEUR

Je m'excuse auprès des habitants de Campden Hill Square d'avoir eu l'audace de rompre la symétrie de leur place en y érigeant une maison de sir John Soane ; ainsi qu'auprès du diocèse de Londres, pour l'avoir gratifié, en excédent de ses besoins pastoraux, d'une basilique de sir Arthur Blomfield, sur le bord de Grand Union Canal. Les autres lieux décrits dans le roman font partie de quartiers reconnaissables de Londres. Je tiens donc d'autant plus à préciser que tous les événements relatés dans ce roman relèvent de la fiction, et que tous les personnages, morts et vivants, sont purement imaginaires.

Je remercie le directeur et le personnel du laboratoire scientifique de la police métropolitaine de m'avoir si généreusement aidée sur des points techniques.

Première partie

LA MORT D'UN BARONNET

1

Les cadavres furent découverts le mercredi
18 septembre, à huit heures quarante-cinq du matin,
par deux témoins : miss Emily Wharton, une vieille
fille de soixante-cinq ans appartenant à la paroisse
de Saint-Matthew, Paddington, Londres, et Darren
Wilkes, dix ans, qui, pour autant qu'il le sût et y
attachât de l'importance, n'appartenait à aucune
paroisse en particulier. Cette invraisemblable paire
de compagnons avait quitté l'appartement de miss
Wharton, situé à Crowhurst Gardens, peu avant huit
heures et demie, et longé le Grand Union Canal sur
environ huit cents mètres pour parvenir à l'église
Saint-Matthew. Comme tous les mercredis et vendredis, miss Wharton changerait les fleurs placées
devant la statue de la Vierge, nettoierait les chandeliers, épousseterait les deux rangées de chaises
utilisées par les quelques fidèles qui assistaient à la
première messe, célébrée dans la chapelle de la
Sainte Vierge, et préparerait tout ce qu'il fallait
pour l'arrivée du père Barnes, à neuf heures vingt.

C'est dans des circonstances similaires qu'elle
avait rencontré Darren pour la première fois, sept
mois plus tôt. Il jouait seul sur le chemin de halage,

si l'on peut appeler jouer une occupation aussi absurde que de jeter de vieilles boîtes de bière dans le canal. Elle s'était arrêtée pour lui dire bonjour. Peut-être s'était-il étonné qu'un adulte le saluât sans accompagner cet acte de politesse d'une réprimande ou d'un interrogatoire en règle. Toujours est-il qu'après l'avoir dévisagée d'un air inexpressif, il s'était attaché à ses pas. Il l'avait d'abord suivie à une certaine distance, puis s'était mis à décrire des cercles autour d'elle comme un chien perdu. Finalement, il avait trotté à ses côtés. En arrivant à Saint-Matthew, il l'avait suivie à l'intérieur aussi naturellement que s'ils étaient partis ensemble de chez elle.

Miss Wharton comprit ce jour-là que l'enfant n'avait encore jamais mis les pieds dans une église. Mais ni alors, ni au cours des visites suivantes, il n'exprima la moindre curiosité quant à l'usage de l'édifice. Pendant qu'elle accomplissait ses tâches, il avait circulé gaiement entre la sacristie et la salle située sous le clocher. D'un œil critique, il l'avait regardée arranger son bouquet de six jonquilles étoffé de verdure dans un vase, aux pieds de la Sainte Vierge. Et l'enfant n'avait pas paru surpris de la voir faire une génuflexion chaque fois qu'elle passait devant l'autel. De toute évidence, ces brusques plongées ne représentaient pour lui qu'une autre des nombreuses bizarreries des adultes.

Elle l'avait de nouveau rencontré sur le halage la semaine d'après, puis, derechef, huit jours plus tard. Cette troisième fois, il était carrément rentré à la maison avec elle, sans qu'elle l'y invitât. Dans son appartement, ils avaient partagé une boîte de soupe de tomate et des bâtonnets de poisson. Comparable à une communion, ce repas avait consolidé l'insolite — et tacite — dépendance mutuelle qui s'était créée entre eux. Mais à ce moment-là, à sa joie comme à son inquiétude, elle avait déjà compris que Darren lui était devenu nécessaire. Pendant leurs visites à Saint-Matthew, il quittait toujours l'église dès que les premiers fidèles arrivaient, mystérieusement présent un instant, disparu celui d'après. Après la messe, elle le trouvait en train de flâner sur le chemin de halage. Alors il se joignait à elle comme s'ils ne s'étaient pas séparés. Miss Wharton n'avait jamais mentionné son nom au père Barnes ni à aucun paroissien et, à sa connaissance, l'enfant n'avait jamais parlé d'elle dans ce monde secret qu'il habitait. Elle n'en savait pas plus sur lui, sur ses parents, sur sa vie, que lors de leur première rencontre.

Celle-ci remontait à février. Les buissons qui séparaient la berge des grands ensembles avoisinants présentaient l'aspect d'un fouillis de ronces mortes. De petits bourgeons noirs, si serrés qu'on avait peine à croire qu'ils déploieraient un jour leur verdure, couvraient les branches des frênes. Les rameaux dénudés des saules pendant au-dessus du canal dessinaient de fins plumets sur l'eau rapide. Maintenant l'été prenait déjà les teintes brunes, plus douces, de l'automne. Marchant sur les feuilles mortes humides, miss Wharton ferma un instant les yeux. Derrière l'odeur d'eau croupie et de terre mouillée, elle crut pouvoir encore sentir le parfum entêtant que dégageaient les fleurs de sureau au mois de juin. Cette odeur des matins d'été lui rappelait les sentiers de son Shropshire natal. Elle redoutait le début de l'hiver et, à son réveil, elle avait cru percevoir son souffle dans l'air. Bien qu'il n'eût pas plu depuis une semaine, le chemin était couvert d'une boue glissante qui amortissait les bruits. Ils passèrent sous les arbres dans un silence inquiétant. Même le pépiement métallique des oiseaux s'était tu. Mais, sur leur droite, le fossé qui bordait le canal verdoyait encore comme en été : une herbe drue recouvrait les pneus crevés, les vieux matelas, les chiffons qui pourrissaient en ses profondeurs. Et les rameaux déchiquetés, touffus, du saule laissaient tomber leurs feuilles sur une eau qui paraissait trop huileuse et stagnante pour les engloutir.

Il était huit heures quarante-cinq. Ils approchaient de l'église et s'apprêtaient à traverser un de ces tunnels bas qui enjambent le canal. Darren, pour lequel c'était la partie préférée de la promenade, poussa un cri et fonça sous la galerie. Il hurlait pour produire un écho, ses mains, pareilles à de pâles étoiles de mer, glissant sur les murs de brique. Miss Wharton suivit sa silhouette sautillante, appréhendant un peu le moment où elle franchirait l'arche, pénétrerait dans cette obscurité humide qui la rendait claustrophobe, entendrait, comme amplifiés, le clapotis de l'eau contre le quai et le bruit des gouttes qui tombaient lentement de la voûte. Elle pressa le pas. Quelques minutes plus tard, le croissant de clarté au bout du tunnel s'élargit et ils débouchèrent de nouveau dans la lumière. Le garçon se remit à marcher, frissonnant, à ses côtés.

« Il fait très froid, Darren, dit-elle. Tu aurais dû prendre ta parka. »

L'enfant haussa ses maigres épaules et secoua la tête. Miss Wharton s'étonnait toujours de le voir aussi légèrement vêtu et si indifférent à la température. Elle avait parfois l'impression qu'il préférait vivre dans un grelottement perpétuel. Le fait de s'habiller chaudement par un matin d'automne passait-il aux yeux de l'enfant pour un manque de virilité ? Et sa parka lui allait si bien. Quand il était arrivé avec, la première fois, elle avait éprouvé un sentiment de soulagement. Bleu vif rayé de rouge, d'excellente qualité et manifestement neuf, ce manteau constituait la preuve que la mère du garçon, qu'elle n'avait jamais rencontrée et dont il ne parlait jamais, essayait de s'occuper convenablement de lui.

Le mercredi était le jour où miss Wharton changeait les fleurs. Ce matin, elle portait un petit bouquet de roses roses enveloppées de cellophane et un autre de petits chrysanthèmes blancs. Elle sentait l'humidité des tiges traverser ses gants de laine. Les roses étaient encore en boutons, mais l'une d'elles commençait à s'ouvrir. Pendant un bref instant, celle-ci lui évoqua l'été, souvenir qui réveilla en elle une vieille angoisse. Les matins où ils allaient ensemble à l'église, Darren arrivait souvent avec des fleurs. Elles provenaient, disait-il, du stand que son oncle Frank avait à Brixton. Cela pouvait-il être vrai ? Il y avait également ce saumon fumé qu'il lui avait apporté vendredi dernier, peu avant le dîner. Le poisson était un présent de Joe, un autre de ses oncles, qui tenait un café du côté de Kilburn. Cependant, entre les tranches délicieusement juteuses étaient intercalées des feuilles de papier sulfurisé et le plateau qui les contenait ressemblait à s'y méprendre à ceux qu'elle avait si souvent lorgnés, sans le moindre espoir, chez Marks et Spencer, à la différence que l'étiquette de celui-ci avait été arrachée. Assis en face d'elle, Darren l'avait regardée manger, refusant avec une grimace de dégoût exagérée de partager le festin. Il était resté là à la fixer avec un air de satisfaction farouche. On aurait dit, songea-t-elle, une mère qui regarde son enfant malade avaler sa première bouchée de convalescent. Elle avait donc mangé le saumon, et, comme le goût exquis du poisson lui restait sur la langue, il lui avait semblé ingrat de soumettre le garçon à un interrogatoire. Les cadeaux, toutefois,

13

se multipliaient. Si cela continuait, elle serait obligée de lui demander des explications.

Soudain Darren poussa un cri, se précipita en avant et bondit vers une branche qui s'étendait au-dessus de lui. Il resta accroché là, gigotant. Ses baskets blanches à grosse semelle paraissaient ridiculement lourdes pour ses jambes osseuses. Darren était enclin à ces brusques accès d'activité. Il la précédait en courant, se dissimulait dans les buissons et s'élançait sur elle quand elle passait à proximité ; il sautait par-dessus des flaques, cherchait dans le fossé des bouteilles cassées et des boîtes de conserve qu'il jetait ensuite dans le canal avec une ardeur désespérée. Lorsqu'il surgissait de sa cachette, elle faisait semblant d'avoir peur ; quand il rampait sur une branche en surplomb et s'y suspendait, les pieds au-dessus de l'eau, elle lui criait d'être prudent. Mais, généralement, elle était contente de le voir plein d'entrain. Cela l'inquiétait moins que cette léthargie qui semblait si souvent s'emparer de lui. Maintenant, regardant sa petite figure de singe hilare, son corps oscillant, sa délicate cage thoracique qui affleurait sous sa peau blanche à l'endroit où la veste se séparait du jean, elle sentit monter en elle un flot d'amour aussi violent qu'un coup au cœur. Cette douleur ramena l'angoisse familière. Quand l'enfant se laissa tomber à côté d'elle, elle dit :

« Darren, es-tu sûr que ta mère ne voit pas d'inconvénient à ce que tu m'aides à l'église ?

— Elle est d'accord, je vous l'ai déjà dit.

— Tu viens si souvent chez moi. Cela me fait plaisir, mais tu crois vraiment que cela ne l'ennuie pas ?

— Puisque je vous dis que c'est O.K. !

— Ne vaudrait-il pas mieux que j'aille la voir,

juste pour faire sa connaissance ? Au moins elle saurait avec qui tu passes ton temps.

— Elle le sait. D'ailleurs, elle est pas là. Elle est partie rendre visite à oncle Ron, à Romford. »

Encore un autre oncle. Comment s'y retrouver ? Mais déjà un nouveau souci faisait surface.

« Qui s'occupe de toi alors ? Y a-t-il quelqu'un chez vous ?

— Non, personne. Jusqu'à son retour, je dors chez des voisins. Pas de problème.

— Et pourquoi n'es-tu pas à l'école ?

— Mais je vous l'ai dit ! On n'a pas classe aujourd'hui. C'est un jour de congé ! »

Le garçon avait pris une voix aiguë, presque hystérique. Puis, comme miss Wharton se taisait, il se mit à marcher à côté d'elle et dit plus calmement : « Dans le nouveau supermarché de Notting Hill, ils ont du papier cul à quarante-huit pence les deux rouleaux. Je pourrais vous en acheter si vous voulez. »

Il devait passer beaucoup de temps dans les supermarchés, se dit-elle. Peut-être faisait-il les courses pour sa mère en rentrant de l'école. Doté d'un véritable flair pour les bonnes affaires, il lui signalait les articles en promotion ou en solde.

« J'essaierai d'y aller moi-même, Darren. C'est un prix intéressant, en effet.

— C'est bien ce que je pensais. J'en avais encore jamais vus à moins de cinquante pence. »

Pendant presque toute leur promenade, ils avaient eu leur but en vue : le grand dôme en cuivre vert qui surmontait le campanile de l'extraordinaire basilique romane d'Arthur Blomfield, construite en 1870 au bord de cette lente voie d'eau urbaine avec autant d'assurance que si on l'avait érigée sur le Grand Canal de Venise. Quand, neuf ans plus tôt, miss Wharton l'avait visitée pour la première fois, elle avait jugé opportun de l'admirer : c'était, après tout, l'église de sa paroisse. De plus, on y trouvait, comme elle le disait, « certains avantages du catholicisme », en particulier le sacrement de la confession. Elle s'était efforcée d'en oublier l'architecture en même temps que ses propres envies d'arcs normands, de retables sculptés et de flèches gothiques. Elle pensait s'y être habituée. Toutefois, elle continuait à être un peu surprise quand le père Barnes montrait le sanctuaire à des groupes de visiteurs, des spécialistes férus d'architecture victorienne qui s'extasiaient sur le baldaquin, s'enthousiasmaient pour les peintures préraphaélites qui ornaient les huit panneaux de la chaire, dressaient des trépieds dans la nef pour photographier l'abside. Sûrs d'eux, parlant scandaleusement fort — car, après tout, même des spécialistes devraient baisser la voix dans la maison du bon Dieu —, ils comparaient Saint-Matthew à la cathédrale de Torcello, près de Venise, ou à une autre basilique de Blomfield, celle du quartier de Jericho, à Oxford.

Comme d'habitude, le monument se dressa d'une façon subite et spectaculaire devant eux. Ils franchirent le tourniquet installé dans le garde-fou du canal et prirent le sentier qui menait au porche sud, celui dont miss Wharton avait la clé. Il donnait accès à la « petite sacristie », où elle pendrait son manteau, et à la « cuisine », où elle laverait les vases et arrangerait les fleurs fraîches. Alors qu'ils atteignaient la porte, elle jeta un coup d'œil à la plate-bande que quelques fidèles, amateurs de jardinage, essayaient d'entretenir, avec plus d'optimisme que de succès, sur le sol très pauvre qui se trouvait en bordure du chemin.

« Oh, regarde ! s'exclama-t-elle. Les premiers dahlias ! Je n'aurais jamais cru qu'ils fleuriraient. Non, ne les cueille pas ! Ils sont si jolis là où ils sont. »

Le garçon s'était penché et fouillait parmi les herbes, mais, tandis qu'elle parlait, il se redressa et fourra son poing sale dans sa poche.

« Vous n'en voulez pas pour la BVM* ?

— Nous avons déjà les roses de ton oncle. »

Si seulement c'était vrai ! Il faut que je le demande à Darren, se dit-elle. Je ne peux pas continuer à offrir des fleurs volées à la Sainte Vierge. Mais supposons qu'elles ne soient pas volées, et que j'accuse Darren à tort ? Je détruirais notre amitié. Et je lui mettrais peut-être cette idée de vol dans la tête. Des phrases à demi-oubliées lui revinrent à l'esprit : corrompre l'innocence, une incitation au péché. Il faudra que je réfléchisse à la question, se dit-elle. Mais pas maintenant, pas encore.

Elle fouilla dans son sac pour trouver la clé attachée à un anneau de bois et essaya de l'introduire dans la serrure. Elle n'y parvint pas. Surprise, mais pas encore inquiète, elle tourna la poignée. La lourde porte ferrée s'ouvrit. Quelqu'un l'avait déjà ouverte : une clé se trouvait de l'autre côté de la serrure. Le couloir était sombre et silencieux, la porte de chêne qui, à gauche, menait à la sacristie, fermée. Le père Barnes était donc déjà là. Bizarre. Il n'arrivait jamais avant elle. Et pourquoi n'avait-il pas éclairé le couloir ? Alors que, de sa main gantée, elle touchait le commutateur, Darren se faufila à côté d'elle et s'approcha de la grille en fer forgé qui séparait le couloir de la nef. Il aimait allumer un cierge en arrivant. Il passait ses maigres bras à travers les barreaux pour atteindre le chandelier et le tronc. Un peu plus tôt, pendant leur promenade, elle lui avait remis sa pièce de dix pence habituelle. Elle entendit un faible tintement, puis vit l'enfant

* Blessed Virgin Mary. *(N.d.T.)*

17

planter son cierge dans la bobèche et prendre les allumettes dans leur support de cuivre.

Ce fut alors, à ce moment précis, qu'elle se sentit envahie d'une brusque angoisse. Une prémonition alerta son inconscient. Son inquiétude antérieure et un vague sentiment de malaise s'ajoutèrent, se cristallisèrent en peur. Une odeur inconnue et pourtant désagréablement familière ; l'impression que quelqu'un venait de partir ; la signification possible du portail non fermé à clé ; le couloir obscur. Soudain, elle sut que quelque chose de terrible était arrivé. Elle appela :

« Darren ! »

Il se tourna, la dévisagea, puis, aussitôt, revint auprès d'elle.

D'abord doucement, puis d'un mouvement brusque, elle ouvrit la porte. La lumière l'aveugla. Le long tube fluorescent du plafonnier était allumé, éclipsant la faible lueur du couloir. Ensuite, elle eut une vision d'horreur.

Il y en avait deux et elle sut immédiatement, avec une certitude absolue, qu'ils étaient morts. Dans la pièce, tout était sens dessus dessous. Comme deux bêtes à l'abattoir, les hommes gisaient dans une mare de sang, la gorge tranchée. Instinctivement, elle tira Darren derrière son dos. Mais il était trop tard. Lui aussi avait vu. Il ne cria pas, mais elle le sentit trembler. Il émit un petit grognement pitoyable, comme un chiot furieux. Elle le repoussa dans le couloir, ferma la porte et s'adossa contre le battant. Elle prit alors conscience d'un froid glacial, du battement tumultueux de son cœur. Énorme, brûlant, celui-ci semblait avoir gonflé dans sa poitrine ; ses douloureuses palpitations secouaient son corps frêle comme décidées à le rompre. Et l'odeur incertaine, indéfinissable de tout à l'heure semblait maintenant s'infiltrer dans le couloir avec de forts relents de mort.

Elle s'appuya contre le panneau, remerciant le ciel du soutien que lui offrait son solide bois de chêne sculpté. Cependant, ni l'épaisseur de la porte ni ses yeux fermés ne purent faire écran entre elle et cette chose affreuse. Elle continuait à voir les cadavres aussi vivement éclairés que s'ils avaient été sur une scène, plus vivement même que lorsqu'ils étaient apparus à ses yeux horrifiés. L'un d'eux avait glissé du lit bas et étroit qui se trouvait à droite de la porte et la regardait, la bouche ouverte, le tête presque détachée du tronc. Elle revit les vaisseaux sectionnés saillant comme des tuyaux annelés du sang coagulé. L'autre était adossé comme une poupée de son contre le mur du fond. Sa tête était tombée en avant et une grande tache de sang s'était étalée comme un bavoir sur sa poitrine. Son bonnet de laine marron et bleu avait glissé sur le côté. On ne voyait pas son œil droit ; le gauche la lorgnait avec une sorte de terrible omniscience. Ainsi mutilés, les corps semblaient avoir perdu avec leur sang tout ce qui faisait leur humanité : vie, identité, dignité. Ils ne ressemblaient plus à des hommes. Et il y avait du sang partout. Elle-même avait l'impression de nager dans du sang. Celui-ci battait dans ses oreilles, gargouillait dans sa gorge comme du vomi, éclaboussait les rétines de ses yeux fermés. Ces images macabres qu'elle était incapable de chasser flottaient devant elle dans un tourbillon rouge, se dissolvaient, se reformaient, se dissolvaient de nouveau, mais toujours dans du sang. Soudain, elle entendit la voix de Darren, sentit la main de l'enfant la tirer par la manche.

« Filons avant que les flics s'amènent, piailla-t-il. Allez, venez, on n'a rien vu. On n'a pas mis les pieds ici. »

Il lui agrippa le bras. A travers le mince tweed de son manteau, les petits doigts crasseux du garçon mordaient comme des dents. Miss Wharton se dégagea doucement. Quand elle parla, le calme de sa propre voix l'étonna.

« Quelle idée Darren ! Comment la police pourrait-elle nous soupçonner ? Par contre, si nous nous enfuyons, elle trouverait ça suspect. »

Elle lui fit descendre le couloir.

« Je reste ici. Toi, va chercher de l'aide. Nous devons fermer la porte. Personne ne doit entrer. Cours chercher le père Barnes. Tu sais où se trouve le presbytère ? C'est l'appartement situé au coin de ce grand immeuble, dans Harrow Road. Le révérend saura quoi faire. Il appellera la police.

— Vous ne pouvez pas rester seule ici ! Et si l'assassin était encore dans l'église, en train de nous guetter ? Faut pas qu'on se sépare. »

Le ton autoritaire qu'avait pris l'enfant la déconcerta.

« Mais nous n'avons pas le droit de les abandonner, Darren. J'ai l'impression que ça serait cruel, que ça ne serait pas bien. Je devrais rester.

— Soyez pas bête. Vous pouvez rien faire. Ils sont morts, z'avez bien vu. »

Le garçon fit le geste de se passer une lame sur le cou, montra le blanc des yeux et eut un haut-le-cœur. Le son avait quelque chose d'affreusement réaliste : un bouillonnement de sang dans la gorge.

« Oh, Darren ! Je t'en prie ! » cria-t-elle.

Aussitôt, le garçon devint plus conciliant. Il mit sa main dans la sienne.

« Vous feriez mieux de m'accompagner chez le père Barnes », dit-il d'une voix plus calme.

Miss Wharton baissa pitoyablement les yeux vers lui. On aurait dit que c'était elle, l'enfant.

« Si tu crois que c'est préférable », fit-elle.

20

Darren s'était ressaisi. C'était tout juste s'il ne plastronnait pas.

« Oui, c'est préférable, dit-il. Allez, venez. »

Sa voix aiguë, devenue plus forte, ses yeux brillants trahissaient son excitation. Il n'était plus en état de choc ni réellement affecté. Penser qu'il fallait le préserver d'un spectacle horrible avait été stupide de sa part. La peur qu'avait provoquée en lui l'idée de la police avait passé. Nourri depuis le plus jeune âge des images scintillantes de la violence, pouvait-il même distinguer entre elles et la réalité ? se demanda-t-elle. Peut-être valait-il mieux que, protégé par son innocence, il en fût incapable. Lui posant son maigre bras sur le dos, Darren l'aida à gagner le portail. Elle s'appuya sur lui et sentit ses os pointus sous son coude.

« Qu'il est gentil, ce cher petit », se dit-elle.

Il faudrait qu'elle lui parle des fleurs et du saumon, mais elle n'avait pas besoin d'y penser maintenant, non, certainement pas maintenant.

Ils arrivaient dehors. L'air frais lui parut aussi embaumé qu'une brise marine. Mais quand, ensemble, ils eurent tiré la lourde porte ferrée, elle constata qu'elle était incapable d'introduire la clé dans la serrure. Ses doigts tressautaient rythmiquement, comme saisis d'un spasme. Darren lui prit la clé et, se haussant sur la pointe des pieds, l'enfonça dans la serrure. A ce moment, miss Wharton sentit ses jambes se dérober. Gauche comme une marionnette, elle s'affaissa lentement sur le seuil.

« Ça ne va pas ?

— Je ne peux pas marcher, Darren. Ça ira mieux dans un petit instant. Mais je suis obligée de rester ici. Va chercher le père Barnes. Vite ! »

Comme l'enfant hésitait encore, elle ajouta :

« L'assassin ne peut plus être dans l'église. A notre arrivée, le portail était ouvert. Il doit être parti

21

après avoir... Il ne resterait pas là à attendre qu'on l'arrête, pas vrai ? »

Comme c'est étrange, se dit-elle, mon cerveau est encore capable de raisonner alors que mon corps m'a complètement lâchée.

Mais c'était vrai : l'assassin ne pouvait plus être là, caché à l'intérieur, son couteau à la main. Sauf si ses victimes venaient tout juste de mourir. Mais leur sang n'avait pas eu l'air frais... Ou si ? Soudain, elle sentit bouger ses entrailles. Oh mon Dieu, supplia-t-elle, épargnez-moi cela. Jamais je n'atteindrais les toilettes. Je ne parviendrais même pas de l'autre côté de cette porte. Elle imagina l'humiliation, l'arrivée du père Barnes, de la police. C'était déjà assez pénible d'être affalée là comme un tas de vieilles nippes.

« Cours ! dit-elle. Ça ira. Cours vite ! »

Darren s'éloigna à toute allure. Après son départ, elle resta couchée là, luttant contre l'affreux relâchement de son intestin, contre la nausée. Elle essaya de prier, mais, chose étrange, les mots semblaient s'être mélangés dans sa tête : « Que les âmes des justes, dans la miséricorde du Christ, reposent en paix. » Mais peut-être ces deux hommes n'avaient-ils pas été des justes. Il devrait y avoir une prière valable pour tous les hommes, tous ceux qu'on assassinait dans le monde. Peut-être y en avait-il une. Il faudrait qu'elle le demande au père Barnes. Il le saurait sûrement.

Puis elle fut prise d'une autre angoisse. Qu'avait-elle fait de sa clé ? Elle regarda celle qu'elle serrait dans sa main : elle était lestée d'une plaquette de bois carbonisée à un bout, le père Barnes l'ayant approchée par inadvertance du gaz allumé. C'était donc la clé de réserve, celle que le pasteur gardait toujours au presbytère. Ça devait être celle qu'elle avait trouvée sur la serrure et qu'elle avait donnée à Darren pour qu'il refermât le portail. Qu'avait-elle fait de la sienne, alors ? Elle fouilla frénétiquement dans son sac à main comme si la clé constituait un indice capital dont la perte eût été désastreuse, voyant en imagination une rangée d'yeux accusateurs, la police lui demandant des explications, le visage las et triste du père Barnes. Mais ses doigts tâtonnants rencontrèrent enfin le bout de métal : il était coincé entre son porte-monnaie et la doublure de son sac. Poussant un soupir de soulagement, elle sortit la clé. Elle devait l'avoir rangée machinalement après avoir trouvé la porte ouverte. Bizarre. Elle ne s'en souvenait pas. Entre le moment de leur arrivée et celui où elle avait ouvert la porte de la petite sacristie, il y avait comme un trou.

Elle prit conscience d'une forme noire debout à côté d'elle ; levant les yeux, elle aperçut le père Barnes. Un intense soulagement l'envahit.

« Avez-vous prévenu la police, mon père ?

— Pas encore. Je me suis dit qu'il valait mieux aller voir les choses par moi-même pour le cas où le garçon m'aurait raconté une histoire. »

Darren et lui devaient donc être passés près d'elle et être entrés dans l'église, dans cette horrible pièce. Comme c'était curieux ! Blottie dans son coin, elle ne s'en était pas rendue compte. De l'impatience lui monta dans la gorge comme une vomissure. Elle faillit crier : « Eh bien, vous avez vu maintenant ! » Elle avait cru qu'après l'arrivée du père Barnes tout irait bien. Non, pas bien, mais mieux. Que tout s'expliquerait. Il devait exister quelque part des paroles appropriées ; l'ecclésiastique les prononcerait. Mais, le regardant, elle comprit qu'il n'apportait aucun réconfort. Elle vit sa figure mal rasée que le froid matinal marbrait de rouge, deux poils raides qui saillaient au coin de sa bouche, une trace noirâtre dans sa narine gauche comme s'il avait saigné du nez, ses yeux encore englués de sommeil. Qu'elle avait été bête de penser qu'il fournirait sa force, que, d'une certaine manière, il rendrait l'horreur supportable ! Il ne savait même pas quoi faire. Exactement comme pour l'histoire des décorations de Noël. Déjà à l'époque du père Collins, ç'avait toujours été Mrs. Noakes qui avait orné la chaire. Un beau jour, Lily Moore avait déclaré que ce n'était pas juste, qu'elles devaient chacune avoir leur tour à la chaire et aux fonts baptismaux. Le père Barnes aurait dû prendre une décision et s'y tenir. C'était toujours pareil. Mais quel drôle de moment pour penser aux décorations de Noël ! Sa tête était pleine d'un fouillis de houx et de poinsettias, rouges comme le sang. En fait, celui des morts était plutôt d'un brun rougeâtre.

Pauvre père Barnes ! songea-t-elle, son irritation faisant place à de la sentimentalité. C'est un raté comme moi ! Elle prit conscience que Darren, debout à côté d'elle, grelottait. Quelqu'un devait ramener le garçon chez lui. Oh, mon Dieu, pensa-t-elle, quelles conséquences ces événements auraient-ils pour lui, pour tous les deux ? Le père Barnes se tenait toujours près d'elle, tournant et retournant la clé dans ses mains nues.

« Nous devons prévenir la police, mon père.

— La police, oui, bien sûr. Je vais faire cela du presbytère. »

Mais il continuait à hésiter. Sur une intuition, miss Wharton demanda :

« Les connaissiez-vous, mon père ?

— Oui, oui, bien sûr. Le clochard, c'est Harry Mack. Pauvre Harry. Il dort parfois sous le porche. »

Ça, il n'avait pas besoin de le lui dire. Elle savait que Harry aimait s'installer là pour la nuit. Plus souvent qu'à son tour, elle avait nettoyé après lui :

miettes, sacs en papier, bouteilles vides, parfois même des choses plus désagréables. Elle aurait dû reconnaître Harry, son bonnet de laine, sa veste. Elle ne s'appesantit pas trop sur la question de savoir pourquoi elle ne l'avait pas fait.

« Et l'autre, mon père, le connaissiez-vous ? »

Le pasteur baissa les yeux vers elle. Son visage exprimait la peur, la perplexité et surtout une sorte d'étonnement devant les énormes complications qui allaient suivre. Sans la regarder, il dit avec lenteur :

« L'autre, c'est Paul Berowne. Sir Paul Berowne. C'est — c'était — un membre du gouvernement. »

2

Aussitôt qu'il eût quitté le bureau du chef de la police métropolitaine et regagné le sien, le commandant Adam Dalgliesh appela l'inspecteur — chef John Massingham. Celui-ci décrocha à la première sonnerie et son impatience contenue passa sur le fil aussi clairement que sa voix.

« Le Patron a parlé au ministre de l'Intérieur. Cette affaire est pour nous, John. De toute façon, la nouvelle brigade devait entrer en fonction lundi. Nous ne démarrons donc qu'avec six petits jours d'avance. Et, d'un point de vue technique, Paul Berowne est peut-être encore député du nord-est du Hertfordshire. Il paraît qu'il a écrit samedi au Chancelier de l'Échiquier pour présenter sa démission et personne ne semble savoir si celle-ci date du jour où la lettre a été reçue ou de celui où le Chancelier a signé l'autorisation. Mais tout cela est théorique. Nous nous chargeons de cette affaire. »

Massingham ne s'intéressait nullement aux détails de la procédure nécessaire pour se démettre d'un siège au Parlement.

« La division est-elle sûre que le cadavre est bien celui de sir Paul Berowne ? demanda-t-il.

— L'un des deux cadavres, oui. N'oubliez pas le clochard. On a trouvé des preuves de son identité sur les lieux et le pasteur le connaît. Il paraît que ce n'était pas la première nuit que Berowne passait dans la sacristie de Saint-Matthew.

— Drôle d'endroit pour dormir.

— Ou pour mourir. Avez-vous parlé à l'inspecteur Miskin ? »

Dès qu'ils auraient commencé à travailler ensemble, les deux hommes l'appelleraient Kate, mais à présent Dalgliesh lui attribuait son grade.

« C'est son jour de congé, sir, mais j'ai réussi à la contacter chez elle. J'ai demandé à Robbins de prendre son équipement. Elle nous rejoindra sur les lieux. J'ai prévenu le reste de l'équipe.

— Très bien, John. Allez chercher la Rover, voulez-vous. Je vous retrouve dehors dans quatre minutes. »

Je parie que Massingham n'aurait pas été fâché, se dit Dalgliesh, si Kate Miskin avait déjà quitté son appartement et eût été impossible à joindre. La nouvelle brigade avait été créée au C1 pour enquêter sur des crimes graves qui, pour des raisons politiques ou autres, exigeaient un doigté particulier. Pour Dalgliesh, il était tellement évident que la brigade devait comprendre un officier de police femme qu'il s'était efforcé de trouver celle qui conviendrait le mieux pour ce travail sans trop se préoccuper de savoir si elle s'intégrerait bien dans l'équipe. Il avait choisi Kate Miskin, vingt-sept ans, sur la base de son dossier et de l'entrevue qu'il avait eue avec elle, convaincu qu'elle possédait les qualités requises. C'était également celles qu'il admirait le plus chez un policier : intelligence, courage, discrétion et bon sens. Restait à voir ce qu'elle pourrait apporter d'autre. Il savait que Massingham et elle avaient déjà travaillé ensemble alors qu'il venait d'être promu inspecteur divisionnaire, et qu'elle n'était encore que brigadier. D'après les rumeurs, ils avaient parfois eu des rapports orageux. Mais, depuis, Massingham avait appris à surmonter certains de ses préjugés ainsi qu'à contrôler son tempérament colérique. Et une influence nouvelle, même iconoclaste, voire un peu de saine rivalité, pouvaient être plus efficaces d'un point de vue opérationnel que cette sorte de franc-maçonnerie macho qui liait souvent une équipe de policiers de sexe masculin.

Dalgliesh commença à ranger rapidement, mais méthodiquement son bureau. Puis il vérifia le contenu de sa trousse de détective. Il avait dit quatre minutes à Massingham, et il serait ponctuel. Comme par un acte de volonté conscient, il était déjà entré dans un monde où les minutes étaient comptées, les détails notés avec un soin maniaque, où les sens en éveil percevaient tous les sons, toutes les odeurs, le battement d'une paupière, le timbre d'une voix. De ce bureau, il avait été appelé auprès de si nombreux cadavres, découverts dans des endroits si variés et dans des états de décomposition si divers — corps âgés, jeunes, pitoyables, terrifiants, qui n'avaient en commun que le fait d'avoir été assassinés. Mais ce corps-ci était différent. Pour la première fois de sa carrière, il avait connu et aimé la victime. Il était futile de se demander ce que cela changerait à son enquête. Il savait déjà que celle-ci ne ressemblerait à aucune autre.

« Il avait la gorge tranchée, probablement de sa propre main, lui avait dit le Patron. Mais il y a un second cadavre, celui d'un clochard. Une sale affaire, à tous points de vue. »

Dalgliesh avait réagi à cette nouvelle comme on pouvait s'y attendre, mais en même temps d'une façon plus complexe et plus troublante. Tout d'abord, il avait ressenti le choc et l'incrédulité que provoque la mort inattendue de toute personne que l'on connaît, ne fût-ce que vaguement. Il aurait été aussi affecté si on lui avait annoncé que Berowne avait eu un infarctus ou un accident de voiture mortels. Mais, dans le cas présent, il avait ensuite considéré ce décès comme une offense personnelle. Il avait éprouvé une sorte de vide, puis un accès de mélancolie, pas assez fort pour qu'on pût l'appeler du chagrin, mais plus qu'un simple regret, et dont l'intensité l'avait surpris. Pas assez fort non plus pour lui faire dire :

« Je ne peux pas me charger de cette affaire. Elle me touche de trop près. »

Alors qu'il attendait l'ascenseur, il se dit qu'elle n'avait pas plus de rapport avec sa propre personne que n'en aurait eu n'importe quelle autre. Berowne était mort. C'était son boulot à lui de découvrir comment et pourquoi. C'était envers son travail, envers les vivants, et non pas envers les morts, qu'il avait des obligations.

A peine avait-il franchi les portes battantes que Massingham gravissait déjà la rampe avec la Rover. Montant à côté de lui, Dalgliesh demanda :

« L'identité judiciaire et le photographe sont-ils en route ?

— Oui, sir.

— Et le labo ?

— Il nous envoie une de ses meilleures biologistes. Elle nous rejoindra là-bas.

— Avez-vous réussi à joindre le docteur Kynaston ?

— Non, sir, seulement sa gouvernante. Il était en Nouvelle-Angleterre, en visite chez sa fille. Il se rend là-bas chaque automne. Il devait arriver à Heathrow à sept heures vingt-cinq sur le vol 214 de la British Airways. L'avion a atterri. Je suppose qu'il est coincé dans un embouteillage.

— Continuez à appeler chez lui.

— Nous pourrions prendre le docteur Greeley. Kynaston souffrira du décalage horaire.

— Ça m'est égal. Je veux Kynaston.

— Rien que le dessus du panier pour ce cadavre. »

Quelque chose dans la voix de Massingham — un soupçon d'amusement, voire de dédain — irrita Dalgliesh. Bon sang, se dit-il, deviendrais-je hyper-sensible à cette mort avant même d'avoir vu le corps ? Sans répondre, il attacha sa ceinture. La Rover descendit doucement dans Broadway, la rue qu'il avait traversée moins de quinze jours plus tôt pour aller voir sir Paul Berowne.

Les yeux fixés droit devant lui, à peine conscient de l'existence d'un monde extérieur au confort étouffant de la voiture, des mains de Massingham caressant le volant, du changement presque silencieux des vitesses, des feux de signalisation, il laissa délibérément son esprit s'évader du présent et de toutes les conjectures au sujet de ce qui les attendait. Puis, par une opération mentale volontaire, il se rappela chaque moment de sa dernière rencontre avec le défunt, comme si quelque chose d'important dépendait de la précision de ses souvenirs.

3

C'était un jeudi, le 5 septembre. Il était sur le point de quitter son bureau pour se rendre au collège de la police métropolitaine à Bramshill, dans le nord du Hampshire, où il allait faire une série de cours. C'est alors qu'il reçut l'appel du ministère. Le chef de cabinet de Berowne parlait comme tous ses homologues. Sir Paul, dit-il, serait très obligé au commandant Dalgliesh si celui-ci voulait bien lui consacrer quelques minutes. Le mieux serait qu'il pût venir tout de suite. Sir Paul devait se rendre à la Chambre pour y rencontrer un groupe d'électeurs dans une heure environ.

Dalgliesh aimait bien Berowne, mais cette convocation le dérangeait. Comme on ne l'attendait qu'en début d'après-midi, à Bramshill, il avait projeté de flâner en route, de visiter quelques églises, de déjeuner dans un pub près de Stratfield Saye, puis d'arriver au collège juste à temps pour bavarder quelques instants avec le directeur avant le début de son cours, à quatorze heures trente. Il avait atteint l'âge, se dit-il, où l'on attend ses petits plaisirs avec moins d'impatience, mais où l'on est exagérément ennuyé par des contretemps. Il venait d'en terminer avec le travail préparatoire nécessaire à la création de la nouvelle brigade au C1. Ç'avait été une tâche absorbante, fatigante, qui avait occasionné quelques grincements de dents, et ses pensées se tournaient déjà avec soulagement vers l'agréable perspective de pouvoir contempler en solitaire des effigies en albâtre, des vitraux du XVIe siècle et les impressionnants ornements de l'église de Winchfield. Paul Berowne, toutefois, n'avait pas l'air de vouloir le retenir très longtemps. Ses projets resteraient peut-être réalisables. Laissant son sac de voyage dans son bureau, il enfila son manteau de tweed pour se protéger contre le vent froid qui soufflait en cette matinée d'automne et, coupant par la station Saint-James, se rendit au ministère.

Alors qu'il franchissait la porte battante, il regretta de nouveau la splendeur gothique de l'ancien ministère, celui de Whitehall. Certes, y travailler n'avait pas dû être facile ni confortable. Il fallait se rappeler que le bâtiment datait d'une époque où l'on chauffait au charbon, où une armée de larbins entretenait les feux, où une vingtaine de rapports manuscrits soigneusement rédigés par les excentriques notoires de ce ministère suffisaient à maîtriser des événements qui, aujourd'hui, nécessitaient trois divisions et deux sous-secrétaires. Cette construction-ci était certainement parfaite dans son genre, mais si on avait voulu lui faire évoquer une autorité incontestée tempérée d'humanité, l'architecte responsable s'était bel et bien fourvoyé : l'édifice aurait mieux convenu à une société multinationale qu'à un important ministère. Dalgliesh regrettait particulièrement les immenses portraits à l'huile qui avaient conféré tant de majesté à l'impressionnant escalier de Whitehall. Il s'était toujours demandé par quelle prouesse technique les artistes de talent inégal qui les avaient peints avaient réussi à dignifier les traits ordinaires, parfois même rébarbatifs, de leurs modèles en exploitant la splendeur des robes et en posant sur les figures replètes cet air sévère qui reflétait l'orgueilleuse puissance de l'empire. Mais au moins avait-on ôté le portrait photographique d'une princesse royale qui, jusque-là, ornait l'entrée, et qui aurait été plus à sa place dans un salon de coiffure du West End.

Le reconnaissant, les réceptionnistes accueillirent Dalgliesh avec le sourire. Cela ne les empêcha pas d'examiner sa carte avec attention et de lui demander d'attendre une hôtesse pour l'accompagner. Il avait pourtant assisté à suffisamment de réunions dans ce bâtiment pour pouvoir y trouver à peu près son chemin. Presque tous les vieux huissiers avaient disparu ; depuis quelques années déjà, le ministère recrutait des femmes. Celles-ci guidaient les personnes confiées à leurs soins avec une compétence enjouée et quasi maternelle. On aurait dit qu'elles voulaient assurer aux visiteurs que, même si cet endroit ressemblait à une prison, il n'en était pas moins aussi bénéfique qu'une maison de repos et qu'ils n'étaient là que pour leur propre bien.

On l'introduisit finalement dans le bureau des secrétaires. La Chambre étant encore en vacances, un silence anormal régnait dans la pièce. Une des machines à écrire était recouverte d'une housse et une seule fonctionnaire collationnait des papiers, mais sans rien de cette fièvre qui anime d'habitude un cabinet ministériel. Quelques semaines plus tôt, la scène eût été fort différente. Une fois de plus, Dalgliesh se dit qu'un système dans lequel les membres du gouvernement devaient diriger leurs ministères, remplir leurs tâches parlementaires et passer leurs week-ends à écouter les doléances de leurs électeurs avait probablement été conçu pour que des décisions de la plus haute importance fussent prises par des hommes et des femmes au bord de l'épuisement. Une chose en tout cas était certaine : cela les rendait extrêmement dépendants de leur équipe permanente. Les ministres forts restaient libres, les faibles dégénéraient en marionnettes. Non que cela les dérangeât nécessairement. Les directeurs de département étaient habiles à cacher à leurs pantins la moindre traction exercée sur le fil. Mais Dalgliesh n'avait pas eu besoin de consulter sa source personnelle de ragots ministériels pour savoir que Paul Berowne n'avait rien d'une lavette.

Le secrétaire d'État se leva à son entrée et lui tendit la main comme s'ils se voyaient pour la première fois. Au repos, il avait un visage sévère, voire légèrement mélancolique, qu'un sourire transfigurait. Il souriait à présent.

« Pardonnez-moi cette requête impromptue. Heureusement, nous avons réussi à vous attraper. Il s'agit d'une affaire peu importante, mais qui pourrait devenir plus sérieuse. »

Dalgliesh ne pouvait jamais voir le baronnet sans penser au portrait de son ancêtre, sir Hugo Berowne, qui trônait à la National Portrait Gallery. Sir Hugo n'avait rien eu d'extraordinaire si ce n'était une fidélité farouche, sinon très efficace, à son roi. La seule de ses actions à être passée dans les annales fut d'avoir commandé son portrait à Van Dyke ; elle avait toutefois suffi à lui assurer l'immortalité, du moins d'un point de vue pictural. Son château situé dans le Hampshire n'appartenait plus depuis longtemps à la famille ; la fortune des Berowne avait diminué ; mais la longue et mélancolique figure de sir Hugo, encadrée d'un exquis col de dentelle, continuait à toiser la foule des visiteurs, spécimen parfait du gentilhomme royaliste du XVIIᵉ siècle. Le baronnet actuel lui ressemblait d'une façon presque hallucinante. Il avait le même visage allongé aux pommettes hautes et au menton pointu, les mêmes yeux écartés à la paupière gauche légèrement tombante, les mêmes mains pâles aux doigts fuselés, le même regard franc quoiqu'un peu ironique.

Dalgliesh remarqua que son bureau était presque vide. Pour un homme surchargé de travail, c'était là une astuce indispensable pour rester sain d'esprit. On ne s'occupe que d'une seule affaire à la fois, on lui accorde toute son attention. Une fois la décision prise, on classe. Pour l'heure, Paul Berowne réussissait à donner l'impression que l'affaire à examiner était peu importante : un court message dactylographié sur une feuille de papier machine in-quarto. Berowne le lui tendit. Dalgliesh lut :

« Malgré ses tendances fascistes, le député du Hertfordshire est très libéral en ce qui concerne les droits de la femme. Toutefois, les femmes feraient peut-être bien de se méfier : la proximité de cet élégant baronnet risque d'être mortelle. Sa femme a péri dans un accident de voiture ; c'était lui qui conduisait. Theresa Nolan, l'infirmière de sa mère qui dormait sous son toit, s'est suicidée à la suite d'un avortement. Ce fut lui qui sut où chercher le cadavre. Le corps nu de Diana Travers, une de ses domestiques, a été trouvé, noyé, lors de l'anniversaire que sa femme donnait au bord de la Tamise, fête à laquelle il était attendu. Une fois, c'est un drame personnel ; deux fois, de la malchance ; trois fois, cela sent la négligence. »

« Ce texte a été tapé avec une machine électrique à boule, dit Dalgliesh. Ces machines-là sont assez difficiles à identifier. Et le papier est d'une qualité tout à fait courante. On en trouve partout. Aucun indice à espérer de ce côté-là. Avez-vous la moindre idée de l'identité de son auteur ?

— Non. On s'habitue aux lettres injurieuses ou obscènes. Cela fait partie du métier.

— Mais celle-ci constitue presque une accusation de meurtre. Si nous en découvrons l'expéditeur, j'imagine que votre avocat vous dirait qu'il y a là matière à procès.

— Je suppose que oui. »

L'auteur du message était quelqu'un d'assez cultivé, se dit Dalgliesh. La ponctuation était correcte, la prose avait un certain rythme. Lui, ou elle, avait présenté les faits avec soin et donné autant de précisions que possible. Cette lettre était indéniablement d'un autre niveau que les ordures anonymes qui arrivaient couramment au courrier d'un ministre. Elle n'en était que plus dangereuse.

Dalgliesh la rendit à Berowne.

« Ceci n'est pas l'original, évidemment. C'est une photocopie. Savez-vous si vous êtes le seul à l'avoir reçue ?

— Elle a été envoyée également à la presse, en tout cas à une publication : la *Paternoster Review*. Son contenu a été repris dans un article paru dans le dernier numéro. Je viens de m'en apercevoir. »

Il ouvrit le tiroir de son bureau, en sortit la revue qu'il remit à Dalgliesh. Un morceau de papier plié marquait la page huit. Dalgliesh commença à lire. Le périodique avait publié une série d'articles sur les jeunes membres du gouvernement et c'était maintenant le tour de Berowne. La première partie du papier était inoffensive, basée sur des faits, peu originale. Elle résumait la carrière de Berowne : ses débuts comme avocat, sa première et vaine tentative d'entrer au Parlement, son succès aux élections de 1979, son ascension phénoménale au rang de secrétaire d'État, ses bons rapports avec le Premier ministre. Le journaliste précisait que sir Paul vivait avec sa mère, lady Ursula Berowne, et sa deuxième femme, dans une des rares maisons encore existantes construites par sir John Soane, et qu'il avait un enfant du premier lit, Sarah Berowne, vingt-quatre ans, une militante d'extrême-gauche qu'on disait brouillée avec son père. L'article était désagréablement sarcastique au sujet des circonstances entourant son remariage. Son frère aîné, sir Hugo Berowne, avait été tué en Irlande du Nord, et Paul Berowne avait épousé la fiancée de son frère cinq mois après l'accident de voiture qui avait coûté la vie à sa femme. « Peut-être convenait-il que la fiancée et le mari endeuillés se consolassent mutuellement, mais qui a vu la belle Barbara Berowne doutera que ce mariage ne fut que l'accomplissement d'un devoir fraternel. » Le journal faisait ensuite des pronostics assez pertinents, sinon charitables, sur l'avenir politique du secrétaire d'État. Pour une grande part, ces prédictions n'étaient guère plus que des bruits de couloir.

La flèche se trouvait au dernier paragraphe. Son origine ne faisait aucun doute. « On sait qu'il aime les femmes et la plupart d'entre elles le lui rendent bien. Cependant, celles de son entourage ont été singulièrement malchanceuses. La première épouse de Paul Berowne est morte dans un accident de voiture ; c'était lui qui conduisait. Une jeune infirmière, Theresa Nolan, qui soignait lady Ursula Berowne, s'est suicidée après un avortement et c'est Berowne qui a trouvé son corps. Il y a quatre semaines, Diana Travers, une jeune fille qui travaillait pour lui, s'est noyée à la fin d'une fête donnée pour l'anniversaire de sa femme, fête à laquelle il devait assister. Pour un homme politique, la guigne est aussi fatale que la mauvaise haleine. Elle pourrait bien le poursuivre jusque dans sa carrière. Et ce sera peut-être l'odeur désagréable de la déveine, plutôt que la crainte que Berowne soit un homme qui ne sait pas ce qu'il veut, qui réfutera la prédiction selon laquelle il sera l'un de nos prochains Premiers ministres. »

« Notre ministère n'est pas abonné à cette revue, dit Berowne. C'est peut-être un tort. A en juger par ce numéro, sa lecture pourrait être amusante, voire instructive. Je la lis parfois à mon club, surtout les critiques littéraires. Savez-vous quelque chose à son sujet ? »

Il aurait pu demander cela au service des relations publiques de son propre ministère. Dalgliesh nota avec intérêt qu'il avait préféré s'en abstenir.

« Je connais Conrad Ackroyd depuis plusieurs années, dit-il. Il est le propriétaire et le directeur de la revue. Comme son père et son grand-père avant lui. De leur temps, la *Review* était imprimée à Paternoster Place, dans la City. Ackroyd n'en tire pas de bénéfices. Son père lui a assuré une certaine aisance grâce à des investissements plus classiques. J'ai toutefois l'impression qu'il couvre ses frais. De temps en temps, il aime publier quelques ragots, mais la revue n'est en aucun cas un second *Private Eye**. Ackroyd n'a pas ce genre de culot. Je crois qu'il n'a jamais pris le risque de se mettre un procès sur les bras. Du fait de cette prudence, la *Review* est moins iconoclaste et moins amusante que *Private Eye*, bien sûr, exception faite des critiques littéraires et dramatiques qui sont d'une délectable rosserie.

— Les faits sont exacts, je suppose ? On les aura vérifiés. Mais je trouve quand même l'article singulièrement malveillant pour la *Review*.

— Oh oui, les faits sont exacts », confirma Berowne d'une voix calme, presque triste, sans autre explication.

Dalgliesh eut envie de demander : « Lesquels ? Ceux dont on parle dans ce périodique ou ceux contenus dans la lettre originale ? » Mais il s'abstint. Cette affaire ne regardait pas encore la police, et lui, encore moins. Pour l'instant, de toute façon, c'était à Berowne de prendre une décision.

« Je me souviens de l'enquête sur la mort de Theresa Nolan, dit-il, mais je n'avais jamais entendu parler de celle concernant Diana Travers.

— La presse nationale n'en a pas parlé. Le journal

---

* Journal satirique, dans l'esprit du *Canard Enchaîné*. (N.d.T.)

local a publié quelques lignes à ce sujet. L'article ne mentionnait pas ma femme. Diana Travers ne faisait pas partie de ses invités, mais toutes deux ont effectivement dîné au même restaurant, le Black Swan, à Cookham, sur la Tamise. Les autorités semblent avoir adopté le slogan de cette grande compagnie d'assurances : "Pourquoi faire un drame d'une crise ?" »

On avait donc étouffé l'affaire, en quelque sorte, et Berowne l'avait su. La mort par noyade d'une fille qui avait travaillé pour un membre du gouvernement, décédée après avoir dîné dans le même restaurant et à la même heure que la femme dudit membre du gouvernement aurait normalement justifié un article, ne fût-ce qu'un entrefilet, dans l'un des journaux nationaux.

« Qu'attendez-vous de moi, monsieur ? » demanda Dalgliesh.

Berowne sourit.

« Eh bien, je n'en sais trop rien. De veiller à mes intérêts, peut-être. Je ne vous demande pas de vous en charger personnellement, bien sûr. Ce serait ridicule. Mais si les choses s'aggravaient au point de causer un scandale public, il faudrait bien que quelqu'un finisse par s'en occuper, de cette affaire. A ce stade, je voulais simplement vous mettre au courant. »

Mais c'était précisément ce qu'il n'avait pas fait. Face à n'importe quel interlocuteur, Dalgliesh n'aurait pas manqué de le souligner, non sans âpreté, d'ailleurs. Il constata avec intérêt qu'il n'était pas tenté de le faire face à Berowne. Il existait certainement des rapports sur ces deux enquêtes, se dit-il. La plupart des renseignements dont il avait besoin lui seraient fournis par des sources officielles. Quant aux autres, il faudrait bien que Berowne les lui donnât si jamais cette histoire tournait à l'accusation ouverte. A ce moment-là, la question de savoir si cette affaire était de son ressort et de celui de la nouvelle brigade dépendrait de l'importance du scandale, de la réalité et de la nature des soupçons. Qu'est-ce que Berowne attendait exactement de lui ? Qu'il découvrît un maître-chanteur en puissance ou qu'il l'interrogeât, lui, sur un double meurtre ? Il était probable qu'un scandale quelconque finirait par éclater. La *Review* ne devait pas être la seule publication à avoir reçu la note anonyme. Les autres journaux ou périodiques avaient sans doute décidé de ne pas ouvrir le feu tout de suite. Cela ne voulait pas dire pour autant qu'ils avaient jeté la lettre au panier. Peut-être la gardaient-ils en réserve, le temps de consulter leurs avocats. Pour l'heure, ce qu'il avait de mieux à faire c'était d'attendre et d'ouvrir l'œil. Toutefois, rien ne l'empêchait d'avoir un petit entretien avec Conrad Ackroyd. Ackroyd était l'une des plus grandes commères de Londres. Une demi-heure de conversation dans l'élégant et confortable salon de sa femme s'avérait généralement plus fructueuse, et beaucoup plus amusante que des heures passées à compulser des dossiers officiels.

« J'ai rendez-vous avec un groupe d'électeurs à la Chambre, dit Berowne. Ils voudraient visiter le bâtiment. Si vous avez le temps, vous pourriez peut-être m'accompagner jusque-là. »

De nouveau, cette demande ressemblait à un ordre.

Quand ils quittèrent le ministère, Berowne tourna sans explication vers la gauche et descendit l'escalier qui menait à Birdcage Walk. Ils allaient donc gagner la Chambre des Communes par le chemin le plus long, en suivant le bord du parc Saint-James. Y avait-il des choses que son compagnon préférait lui confier dehors, plutôt que dans son bureau ? se demanda Dalgliesh. Ces quatre hectares superbes, quoiqu'un peu trop tirés au cordeau, coupés de sentiers si commodes qu'on aurait pu les croire tracés à dessein pour conduire le promeneur d'un antre du pouvoir à un autre, devaient avoir entendu plus de secrets que n'importe quelle autre partie de Londres.

Mais si telle avait été l'intention de Berowne, celle-ci allait être contrariée. A peine avaient-ils traversé Birdcage Walk qu'ils furent hélés par une voix joyeuse : rouge, suant et légèrement hors d'haleine, Jerome Mapleton arriva au trot à leur hauteur. C'était le représentant d'une partie du sud de Londres, circonscription sans problèmes qu'il ne quittait pourtant jamais comme s'il craignait qu'une semaine d'absence pût mettre son siège en péril. Vingt ans de Parlement n'avait pas réussi à émousser l'extraordinaire enthousiasme qu'il éprouvait pour son travail et l'étonnement, assez sympathique au demeurant, d'être à la Chambre. Bavard, moutonnier, insensible, il s'attachait, comme mû par une force magnétique, à tout groupe plus grand ou plus influent que celui auquel il appartenait réellement. La loi et la sécurité étaient ses chevaux de bataille, objectifs qui ne pouvaient qu'être approuvés par son électorat, des bourgeois prospères barricadés derrière des portes blindées et des grillages de fenêtre décoratifs. Adaptant son sujet de conversation à ses auditeurs captifs, il se mit aussitôt à parler boutique, notamment d'une commission parlementaire nouvellement formée. Il montait et descendait entre Berowne et Dalgliesh comme un esquif sur une mer déchaînée.

« Maintien de l'ordre dans une société libre : la prochaine décennie, c'est bien ainsi qu'elle s'intitule, n'est-ce pas ? Vous y examinez les principes de la police ainsi que ses moyens techniques. N'est-ce pas un peu ambitieux ? Du coup, la commission compte beaucoup plus de membres qu'il n'en faut d'habitude pour rester efficace. L'idée de départ n'était-elle pas d'étudier à nouveau les applications des progrès scientifiques et techniques au travail de la police ? J'ai l'impression que la commission a un peu dépassé son programme initial.

— Le problème, déclara Dalgliesh, c'est que les moyens techniques et les principes sont difficilement séparables, surtout quand on en vient à l'exercice pratique du maintien de l'ordre.

— Bien sûr, bien sûr, je m'en rends parfaitement compte, cher ami. Prenez le projet de surveillance électronique de la circulation sur les autoroutes, par exemple. C'est faisable, évidemment, mais devrait-on le faire ? La même question se pose pour le contrôle policier. Peut-on examiner des méthodes scientifiques avancées indépendamment du contexte politique et éthique de leur application ? C'est là la question, commandant. Vous le savez, nous le savons tous. Et, à ce propos, pouvons-nous accepter plus longtemps la doctrine généralement admise selon laquelle c'est le chef de la police qui doit décider de l'affectation des fonds ?

— J'ai l'impression que vous êtes sur le point de proférer une hérésie, fit Berowne. Vous n'allez tout de même pas nous dire qu'il nous faudrait une police nationale ? »

Il parlait d'un air indifférent, le regard fixé droit devant lui. On aurait dit qu'il pensait : puisqu'il nous faut supporter ce casse-pieds, lançons-le sur un sujet rebattu et écoutons sa prévisible réponse.

« Non, quoiqu'il vaudrait mieux que nous en ayons une par choix délibéré plutôt que par défaut. *De juré*, monsieur le secrétaire d'État, et non *de facto*. Enfin, vous avez du pain sur la planche, commandant, et, vu la composition de la commission, vous n'allez pas vous ennuyer. »

Mapleton parlait avec une certaine tristesse. Sans doute avait-il espéré faire partie de ladite commission. Dalgliesh l'entendit ajouter :

« C'est cet aspect-là de votre métier qui doit attirer un homme comme vous. »

Quelle sorte d'homme ? se demanda Dalgliesh. Le poète qui n'écrit plus de poésie ? L'amant qui substitue la technique aux sentiments ? Le policier revenu de la police ? Mapleton n'avait probablement pas voulu l'offenser. Simplement, cet homme était aussi peu sensible aux nuances du langage que psychologue.

« Je n'ai jamais très bien compris quel était l'attrait de mon métier, répondit-il. Tout ce que je sais, c'est qu'il n'est pas ennuyeux et qu'il me permet d'avoir une vie privée.

— Et il exige moins d'hypocrisie que la plupart des autres, intervint Berowne avec une brusque amertume. Un homme politique est obligé d'écouter des balivernes, de débiter des balivernes, d'approuver des balivernes. Encore heureux s'il ne finit pas par y croire lui-même. »

Ce fut le ton, plutôt que le propos, qui déconcerta Mapleton. Finalement, le député décida de prendre ces paroles à la blague. Il pouffa. Se tournant vers Dalgliesh, il demanda :

« Et quels sont vos projets actuels, commandant ? En dehors de votre participation aux débats de la commission, bien sûr.

— Une semaine de cours au collège de la police métropolitaine, à Bramshill. Ensuite, je rentrerai à Londres pour mettre sur pied la nouvelle brigade.

— Un programme chargé, à ce que je vois. Et que se passerait-il si j'assassinais le député de Chesterfield West pendant une des sessions de la commission ? »

Devant sa propre audace, Mapleton pouffa de nouveau.

« J'espère que vous résisterez à cette tentation, monsieur.

— Oui, j'essaierai. La commission est trop importante pour que les intérêts de la direction de la police n'y soient représentés qu'à mi-temps ! A propos de meurtre, il y a un article fort bizarre sur vous, Berowne, dans la *Paternoster Review* qui est parue aujourd'hui. Assez agressif, je trouve.

— Oui, répondit Berowne d'un ton sec. Je l'ai lu. »

Il accéléra le pas. Déjà essoufflé, Mapleton dut choisir entre parler ou employer son énergie à se maintenir à leur hauteur. Quand ils atteignirent le ministère des Finances, il parut décider que le jeu n'en valait pas la chandelle et, sur un petit signe d'adieu, disparut dans Parliament Street. Toutefois, si Berowne avait cherché une occasion de poursuivre ses confidences, celle-ci était passée. Le feu de signalisation était vert. Tout piéton qui le voit s'allumer à Parliament Square n'hésite pas une seconde. Berowne lança à son compagnon un regard attristé, comme pour dire : « Vous voyez ! Même les feux sont contre moi ! », puis il traversa rapidement. Dalgliesh le regarda gagner l'autre côté de Bridge Street, répondre au salut du policier en faction et s'engouffrer dans New Palace Yard. Cette rencontre avait été aussi brève qu'insatisfaisante. Il avait l'impression que les ennuis de Berowne étaient plus sérieux, plus subtils et plus inquiétants que des lettres anonymes. Reprenant le chemin de Scotland Yard, il se dit que si Berowne voulait s'ouvrir à lui, il le ferait quand bon lui semblerait.

Mais il n'avait plus eu de nouvelles et c'était

pendant son retour en voiture de Bramshill, une semaine plus tard, qu'en ouvrant sa radio il avait appris la démission du secrétaire d'État. Les médias avaient fourni peu de renseignements. Berowne n'avait donné qu'une seule explication : il sentait que le moment était venu pour lui de changer le cours de sa vie. La lettre du Premier ministre, publiée le lendemain dans le *Times*, avait été élogieuse, mais brève. Le grand public britannique, dont la majeure partie eût été incapable de nommer trois membres du gouvernement actuel ou de celui d'un gouvernement précédent, était occupé à pourchasser le soleil pendant l'un des étés les plus pluvieux de ces dernières années. Il prit la perte d'un secrétaire d'État avec sérénité. Les commères de la Chambre qui n'avaient pas encore quitté Londres et supportaient stoïquement l'ennui de la saison creuse se mirent à attendre avec impatience qu'un scandale éclatât. Dalgliesh attendit avec eux. Mais tout le monde avait l'air de s'être trompé. Il n'y eut pas de scandale. Les raisons de la démission de Berowne restèrent mystérieuses.

Pendant son séjour à Bramshill, Dalgliesh avait demandé les comptes rendus des enquêtes sur les morts de Theresa Nolan et de Diana Travers. A première vue, ils ne contenaient rien d'inquiétant. Après avoir subi une interruption de grossesse pour des raisons psychiatriques, Theresa Nolan avait laissé un mot d'adieu à ses grands-parents — ceux-ci avaient confirmé que la lettre était bien de sa main — dans lequel elle exprimait sans équivoque son intention de se suicider. Et Diana Travers, après un dîner trop copieux et trop arrosé, avait, semblait-il, plongé dans la Tamise pour rejoindre ses compagnons qui folâtraient sur un bachot. Cette lecture avait donné à Dalgliesh la désagréable impression qu'aucune des deux affaires en question n'était aussi simple que le suggéraient les rapports. Par ailleurs, il n'existait aucun indice qui dans un cas comme dans l'autre, eût pu faire croire à une mort suspecte. Il s'était demandé jusqu'où il devait pousser ses investigations ou si, à la lumière de la démission de Berowne, celles-ci devenaient inutiles. Il avait donc décidé d'en rester là pour l'instant et d'attendre que Berowne reprît contact avec lui.

Et maintenant, Berowne, cet avant-courrier de la mort, était mort lui-même, de la main d'un autre. Quelle qu'ait été la confidence qu'il avait voulu lui faire, celle-ci resterait tue à jamais. Cependant, s'il avait vraiment été assassiné, ses secrets seraient dévoilés : par son cadavre, par les débris intimes de sa vie, par les voix sincères, hypocrites, mal assurées ou réticentes des membres de sa famille, de ses amis et de ses ennemis. Car, de tous les dégâts qu'entraînait un meurtre, le premier était la destruction de la vie privée. Et Dalgliesh considéra comme une ironie du sort le fait que ce fût précisément lui, à qui Berowne avait accordé sa confiance, qui allait maintenant déclencher cet inexorable processus de violation.

4

Ils étaient presque arrivés à destination quand Dalgliesh s'arracha au passé pour revenir dans le présent. Massingham avait conduit dans un silence inhabituel. Peut-être sentait-il que son chef appréciait ce petit hiatus placé entre la simple connaissance des faits et le début proprement dit de l'enquête. Et il n'avait pas eu besoin de demander son chemin. Comme de coutume, il avait consulté une carte de Londres avant de partir. Ils remontaient Harrow Road et venaient de passer devant l'hôpital Saint-Mary quand le campanile de Saint-Matthew se dressa soudain sur leur gauche. Avec ses croisillons de pierre, ses hautes fenêtres cintrées et son dôme de cuivre, il rappela à Dalgliesh les tours qu'il élevait dans son enfance : un cube posé en équilibre instable sur un autre cube jusqu'à ce que toute la construction s'écroulât sur le plancher de sa chambre. A ses yeux, Saint-Matthew avait quelque chose de cette précarité due à la démesure et, pendant qu'il regardait l'édifice, il s'attendit presque à le voir pencher et osciller.

Toujours en silence, Massingham tourna à gauche et roula vers l'église le long d'une rue bordée des deux côtés de petites maisons attenantes les unes aux autres. Bien qu'elles fussent toutes identiques, avec les mêmes fenêtres au premier, les mêmes porches étroits et les mêmes oriels carrés, elles présentaient les signes certains d'une mutation. Quelques-unes portaient encore les stigmates d'une occupation à plusieurs locataires : gazon mal entretenu, peinture écaillée et rideaux hermétiquement fermés. Mais à celles-ci succédaient de pimpants petits symboles d'aspirations sociales : portes d'entrée fraîchement repeintes, lanternes de voiture à cheval, parfois une corbeille suspendue débordant de fleurs, jardins pavés pour permettre le stationnement d'une automobile. Au bout de la rue, la masse imposante de l'église aux murs de briques noircies jurait autant par son style que par ses dimensions avec cette petite unité résidentielle autonome.

L'énorme portail nord, qui aurait convenu à une cathédrale, était fermé. A côté, un panneau encrassé donnait le nom et l'adresse du pasteur ainsi que l'horaire des offices ; à part cela, rien n'indiquait que cette porte fût jamais ouverte. La voiture descendit lentement une étroite allée goudronnée située entre la façade sud et le garde-fou du canal. L'endroit était désert. De toute évidence, la nouvelle du meurtre ne s'était pas encore répandue. Seules deux voitures stationnaient devant le portail sud. L'une d'elles devait appartenir au brigadier Robins. L'autre était la Metro rouge de Kate Miskin. L'inspecteur les avait donc devancés, constata Dalgliesh sans s'étonner. La jeune femme ouvrit la porte avant que Massingham ait eu le temps de sonner. Sous sa frange châtain clair, son beau visage allongé semblait parfaitement calme. Avec son chemisier, son pantalon et son gilet de cuir, elle avait l'élégance décontractée d'une femme qui revient d'une promenade à la campagne.

« Vous avez les salutations de l'inspecteur divisionnaire, sir, dit-elle à Dalgliesh. Il a dû retourner à son commissariat. Ils ont eu un meurtre à Royal Oak. Il est parti dès que le brigadier Robins et moi sommes arrivés. Il vous fait dire qu'il sera libre à partir de midi, si vous avez besoin de lui. Les corps sont ici, sir, dans ce qu'ils appellent la "petite sacristie". »

Cela ressemblait bien à Glyn Morgan de n'avoir touché à rien. Bien que le respectant en tant qu'homme et en tant que policier, Dalgliesh fut content d'apprendre que le devoir, le tact, ou un mélange des deux, l'eût obligé de partir. Ainsi il n'aurait pas à apaiser ni à amadouer un détective expérimenté qui ne pouvait guère se réjouir de ce que le chef de la nouvelle brigade du C1 marchât sur ses plates-bandes.

Kate Miskin ouvrit la première porte sur la gauche et s'effaça pour laisser les autres entrer. La petite sacristie était aussi violemment éclairée qu'un plateau de cinéma. A la lumière fluorescente, toute l'étrange scène — le corps affalé de Berowne, sa gorge tranchée, le sang coagulé, le clochard appuyé comme une marionnette sans fil contre le mur — avait quelque chose de totalement irréel : un tableau de Grand Guignol, trop outré pour être convaincant. Regardant à peine le cadavre de Berowne, Dalgliesh avança sur le tapis en direction de Harry Mack et s'agenouilla à côté de lui. Sans tourner la tête, il demanda :

« Quand miss Wharton a trouvé les corps, les lumières étaient-elles allumées ?

— Pas dans le couloir, sir. Mais, selon le témoin, celle de cette pièce l'était. Le garçon confirme sa déclaration.

— Où sont-ils à présent ?

— Dans l'église, sir, avec le père Barnes.

— Allez les voir, voulez-vous, John. Dites-leur que je viendrai leur parler dès que j'aurai un moment. Et essayez de vous mettre en rapport avec la mère du garçon. Nous devons éloigner au plus vite l'enfant de cet endroit. Ensuite, revenez ici. J'aurai besoin de vous. »

Mort, Harry ressemblait autant à une épave humaine qu'il avait dû le faire dans la vie. S'il n'avait porté ce plastron de sang, on aurait pu le croire simplement endormi, les jambes allongées, la tête sur la poitrine, le bonnet penché sur l'œil droit. Dalgliesh lui passa les doigts sous le menton et leva doucement la tête. Il eut l'impression que celle-ci allait se détacher et lui tomber dans les mains. Il vit ce qu'il s'était attendu à voir : une seule entaille en travers de la gorge, pratiquée, apparemment, de gauche à droite et sectionnant la trachée jusqu'aux vertèbres. La rigidité cadavérique s'était déjà installée. La peau glacée avait la chair de poule, les muscles érecteurs des poils se contractant au début du processus. Quel que fût le concours de circonstances qui avait conduit Harry Mack en ce lieu, la cause de sa mort, elle, n'avait rien de mystérieux.

Le clochard portait un vieux pantalon à carreaux trop grand, bouffant autour des jambes et serré aux chevilles par de la ficelle. En haut, pour autant qu'il était possible d'en juger avec tout le sang qui les imbibait, il avait mis un pullover de laine à rayures par-dessus un polo bleu marine et une veste malodorante, raide de crasse. Ce vêtement était déboutonné et le pan gauche bâillait. Précautionneusement, Dalgliesh en souleva l'extrémité et aperçut au-dessous une tache de sang sur le tapis. Longue d'environ deux centimètres, elle était plus épaisse à droite qu'à gauche. Regardant de plus près, Dalgliesh crut discerner une trace de la même dimension sur la poche de la veste, mais le tissu était trop sale pour qu'il pût en être certain. Toutefois, la signification de cette traînée sur le tapis était assez claire. Quelques gouttes de sang devaient être tombées du corps ou de l'arme avant que Harry ne s'écroule ; ensuite, elles avaient été étalées sur le tapis au moment où l'assassin avait tiré le cadavre du clochard vers le mur. Mais à qui appartenait ce sang ? Si c'était celui de Harry, la découverte n'aurait guère d'importance. Mais si c'était celui de Berowne ? Dalgliesh avait hâte que le biologiste du laboratoire arrivât. Il savait pourtant qu'il ne pouvait espérer une réponse immédiate. Des échantillons du sang des deux victimes seraient prélevés lors de l'autopsie, mais il fallait compter au moins trois jours pour avoir les résultats de l'analyse.

Il se demandait ce qui l'avait poussé à s'approcher d'abord du cadavre de Harry Mack. Foulant le tapis avec attention, il gagna ensuite le lit et contempla silencieusement la dépouille de Berowne. Même à quinze ans, debout à côté du lit de mort de sa mère, il n'avait pas éprouvé le besoin de penser, et encore moins de prononcer, le mot « adieu ». Impossible de parler à quelqu'un qui n'est plus là. On peut tout vulgariser, se dit Dalgliesh, hormis ceci. Raide, gauche, le corps commençait déjà — c'était du moins ce qu'il semblait à l'odorat hypersensible de Dalgliesh — à émettre les premiers effluves aigres-doux de la décomposition. Il n'en conservait pas moins une inaliénable dignité : il avait été un homme. Mais personne ne savait mieux que lui, Dalgliesh, avec quelle rapidité cette apparente humanité allait disparaître. Avant même que le pathologiste eût terminé son travail sur les lieux, que la tête et les mains du cadavre fussent envelop-pées de plastique, avant même que « doc » Kynaston se mît à l'ouvrage avec ses scalpels, le corps serait devenu une pièce à conviction. Une pièce à convic-tion plus importante, plus encombrante et plus difficile à conserver que toutes les autres relatives à cette affaire, mais une pièce à conviction tout de même. Étiquetée, accompagnée de formulaires, dés-humanisée, elle ne susciterait plus qu'intérêt, curio-sité ou dégoût. Mais pas encore. Je connaissais cet homme, se dit-il, pas très bien, mais je le connais-sais. Et il m'était sympathique. Il mérite sûrement mieux que mon regard détaché de policier.

Couché la tête en direction de la porte, Berowne formait un angle de quarante-cinq degrés par rap-port au lit. Ses pieds en touchaient le bout. Il avait le bras gauche étendu, son bras droit se trouvait plus près du corps. En tombant, Berowne semblait avoir agrippé la couverture en patchwork du lit, la tirant à moitié par terre : une partie du tissu s'entassait à sa droite. Un rasoir de coiffeur ouvert, dont la lame était couverte d'une épaisse couche de sang coagulé, gisait sur ce monticule, à quelques centimètres de la main droite. Une quantité extra-ordinaire de détails s'imprimèrent simultanément dans le cerveau de Dalgliesh : un petit morceau de boue séchée coincé entre le talon et la semelle de la chaussure gauche ; les taches de sang qui durcissaient le fin cachemire beige du chandail ; la bouche entrouverte figée en un rictus mi-amusé mi-méprisant ; les yeux morts qui semblaient se ratatiner dans leurs orbites ; la main gauche avec ses longs doigts pâles recourbés et aussi délicats que ceux d'une fille ; la paume ensanglantée de la main droite. Mais quelque chose clochait et Dalgliesh savait exactement quoi : Berowne n'aurait pas pu tenir le rasoir de la main droite et, en même temps, agripper la couverture en tombant. Par ailleurs, s'il avait d'abord laissé tomber le rasoir, pourquoi celui-ci se trouvait-il *sur* la couverture et si près de sa main, comme s'il avait glissé de ses doigts quand ceux-ci s'étaient entrouverts ? Et pourquoi la paume était-elle couverte d'une couche de sang si épaisse ? On aurait presque dit qu'une autre main l'avait soulevée et frottée contre la blessure à la gorge. Si Berowne avait manié le rasoir lui-même, la paume qui enserrait l'arme aurait certainement été plus propre.

Dalgliesh prit conscience d'un léger bruit près de lui. Se tournant, il aperçut l'inspecteur Kate Miskin. Au lieu de regarder le corps, elle le regardait lui. Elle détourna aussitôt les yeux, mais Dalgliesh eut le temps de remarquer avec malaise qu'ils étaient graves et remplis d'une sollicitude quasi maternelle.

« Alors, qu'en dites-vous, inspecteur ? grogna-t-il.

— Cela paraît évident, sir : un meurtre suivi d'un suicide. C'est le schéma classique des blessures auto-infligées : trois entailles dont deux sont des essais infructueux et une autre qui a sectionné la trachée. Cette mort pourrait figurer comme exemple dans un manuel de médecine légale.

— Reconnaître l'évidence est facile, mais on devrait commencer par s'en méfier. Je veux que vous alliez annoncer la nouvelle à sa famille. Voici l'adresse : 62, Campden Hill Square. Berowne y habitait avec sa femme, sa mère, lady Ursula, et une sorte de gouvernante. J'ignore laquelle de ces trois femmes supportera le mieux le choc. Je vous en laisse juge. Emmenez un agent. Dès que la nouvelle deviendra publique, la famille risque d'être importunée et aura besoin de protection.

— Entendu, sir. »

Kate Miskin ne manifesta aucun mécontentement d'avoir à quitter les lieux. Elle savait que la tâche de messagère n'était pas un travail de routine, que Dalgliesh ne l'avait pas simplement choisie parce qu'elle était la seule femme de l'équipe et, de ce fait, considérait que cette corvée lui incombait. Elle annoncerait la tragédie avec tact, discrétion et même de la compassion. Dieu sait si elle avait eu assez d'expérience en la matière au cours de ses dix ans de métier. Mais cela ne l'empêcherait pas de se montrer perfide. Au moment même où elle prononcerait la formule conventionnelle de condoléance, elle guetterait le tressaillement d'une paupière, la contraction d'un muscle du visage ou des mains, le mot imprudent, le moindre signe indiquant que pour un des occupants de cette maison, à Campden Hill Square, cette nouvelle n'en était pas une.

5

Avant de concentrer son attention sur le lieu même du crime, Dalgliesh aimait inspecter brièvement les alentours pour s'orienter et, en quelque sorte, situer la scène du meurtre. Cet exercice avait un but pratique, mais Dalgliesh reconnaissait que, obscurément, il satisfaisait aussi un besoin psychologique. Enfant, quand il explorait une église de campagne, il commençait par en faire le tour. Ensuite, avec un frisson de crainte respectueuse et d'excitation, il poussait la porte et entreprenait une découverte méthodique du sanctuaire, depuis les côtés jusqu'au cœur du mystère. Et maintenant, pendant ces quelques minutes qui restaient avant l'arrivée du photographe, des hommes du service des empreintes et des biologistes du laboratoire, cet endroit était à lui tout seul, ou presque. Descendant le couloir, il se demanda si cet air immobile chargé d'une senteur de cierges et d'encens, et d'une odeur plus typiquement anglicane de livres d'hymnes moisis, de produits à nettoyer les métaux et de fleurs avait constitué aussi pour Berowne la promesse d'une découverte, d'une suite d'événements déjà fixés, d'une tâche inévitable.

Brillamment éclairé, le corridor à carrelage ciré et aux murs blancs s'étendait sur toute l'extrémité ouest de l'église. La petite sacristie était la première pièce à gauche. Plus loin, communiquant avec elle, il y avait une cuisine d'environ trois mètres sur deux mètres cinquante. Puis venaient d'étroites toilettes pourvues de cabinets à l'ancienne en porcelaine décorée et à lunette d'acajou. Enfin, une porte ouverte révéla à Dalgliesh une haute pièce carrée qui devait être placée sous le campanile. C'était sans doute la sacristie proprement dite et l'endroit où l'on sonnait les cloches. En face, le couloir était séparé du corps de l'église par une délicate grille en fer forgé, longue de trois mètres, à travers laquelle on voyait la nef jusqu'à la grotte scintillante de l'abside et, à droite, la chapelle de la Vierge. Une porte pratiquée en son centre et surmontée de deux anges jouant de la trompette servait d'entrée au prêtre et au chœur. A droite, une boîte en bois cadenassée était fixée à la grille. Derrière, à portée d'une main tendue, se dressait un candélabre, également en fer forgé. Enchaîné à son pied, il y avait un porte-boîte d'allumettes en cuivre et, devant, un plateau contenant quelques petits cierges. On l'avait probablement mis là pour permettre aux gens d'allumer un cierge quand la grille était fermée à clé. A en juger par la propreté des bougeoirs, on ne l'utilisait que rarement, sinon jamais. Il n'y avait qu'un seul cierge en place. Planté là comme un pâle doigt de cire, il n'avait jamais été allumé. Deux des lustres de cuivre pendus au-dessus de la nef dispensaient une lumière douce et diffuse, mais, par contraste avec la clarté éblouissante du corridor, l'église paraissait sombre et mystérieuse ; les silhouettes de Massingham et du brigadier conversant à voix basse avec miss Wharton et le garçon, ces deux derniers tassés comme des nains bossus sur les chaises basses de ce qui devait être le coin réservé aux enfants, semblaient aussi distantes et immatérielles que si elles se mouvaient dans une autre dimension temporelle. Alors qu'il se tenait là, Massingham leva la tête. L'apercevant, il descendit la nef dans sa direction.

Dalgliesh retourna dans la petite sacristie. Il s'arrêta sur le seuil, enfila ses gants de latex. Une chose continuait à l'étonner : qu'il fût possible de fixer son attention sur le mobilier d'une chambre avant même que les cadavres n'aient été emballés

54

et enlevés. C'était comme si les morts, dans leur rigide et silencieuse décrépitude, faisaient momentanément partie des objets contenus dans la pièce, aussi significatifs que n'importe quel autre indice tangible, mais ni plus ni moins. Tandis qu'il pénétrait dans la sacristie, il prit conscience de la présence de Massingham derrière lui. Vif comme toujours, l'inspecteur se gantait lui aussi, mais il faisait preuve aujourd'hui d'une docilité anormale, marchant derrière son chef comme un nouvel interne qui suit respectueusement le médecin-consultant pendant la visite. Pourquoi se comporte-t-il comme s'il fallait me ménager, comme si j'avais un chagrin personnel ? se demanda Dalgliesh. Ce travail-ci ne diffère pas des autres. Et il s'annonce déjà assez difficile sans que John et Kate me traitent comme un convalescent par-dessus le marché.

Sentant sa fin approcher, Henry James s'était écrié : « La voilà donc, cette chose si distinguée ! » Si Berowne avait pensé à la Mort en ces termes, se dit Dalgliesh, alors cet endroit ne convenait guère pour recevoir une si illustre visiteuse. La pièce mesurait environ trente-cinq mètres carrés. Elle était éclairée par un tube fluorescent qui couvrait presque toute la longueur du plafond. La seule lumière naturelle provenait de deux fenêtres ogivales. Celles-ci étaient protégées à l'extérieur par un treillis métallique sur lequel la saleté s'était déposée, pendant des décennies, de sorte que les carreaux ressemblaient à des alvéoles remplis d'une crasse verte. Le mobilier lui aussi semblait s'être accumulé au fil des années : dons, articles de rebut, restes dédaignés d'anciennes ventes de charité. En face de la porte, sous les fenêtres, se dressait un vieux bureau en chêne qui comportait trois tiroirs à droite, l'un d'eux dépourvu de poignée. Sur le dessus, on voyait une simple croix de chêne, un buvard très usé dans un sous-main de cuir et un téléphone noir démodé dont le combiné, ôté de son support, était couché sur le côté.

« On dirait qu'il a décroché, constata Massingham. Ça se comprendrait. Personne n'a envie que le téléphone sonne juste au moment où l'on essaie de se couper la jugulaire.

— Ou bien son assassin n'a pas voulu qu'on découvre les corps trop tôt. Supposons que le père Barnes ait soudain eu l'idée d'appeler. N'obtenant pas de réponse, il serait probablement venu voir si tout était en ordre. Mais en entendant plusieurs fois de suite le signal "occupé", il se serait dit que Berowne passait sa soirée au téléphone et n'aurait pas insisté.

— Nous trouverons peut-être une empreinte, sir.

— Cela m'étonnerait, John. S'il s'agit d'un meurtre, nous n'avons pas affaire à un imbécile. »

Dalgliesh poursuivit son exploration. De ses mains gantées, il ouvrit le tiroir supérieur. Dans celui-ci, il trouva un tas de papier à lettres blanc bon marché portant l'en-tête de l'église et une boîte d'enveloppes. A part ces fournitures, le bureau ne contenait rien d'intéressant. Contre le mur de gauche étaient soigneusement empilées des chaises en toile et en métal. Sans doute les utilisait-on pendant les réunions du conseil paroissial. A côté d'elles, il n'y avait qu'un classeur métallique à cinq tiroirs et une petite bibliothèque vitrée. Après avoir soulevé le crochet qui la fermait, il vit qu'elle contenait une collection de vieux livres de prières, de missels, de brochures édifiantes et d'ouvrages sur l'histoire de l'église. Il n'y avait que deux fauteuils. Ils flanquaient la cheminée. L'un, en cuir brun déchiré, était garni d'un coussin en patchwork, l'autre, plus moderne, d'un capitonnage sale. Une des chaises avait été sortie de la pile et mise par terre. Une serviette blanche pendait sur le dossier et un sac de voyage en toile marron, la fermeture Eclair ouverte, reposait sur le siège. Massingham fouilla délicatement dedans.

« Un pyjama, annonça-t-il, une paire de chaussettes de rechange, un pain complet en tranches enveloppé dans une serviette de table, un morceau de fromage — on dirait du roquefort. Et une pomme. Une Cox, si cela peut offrir un intérêt quelconque.

— J'en doute. C'est tout, John ?

— Oui, sir. Pas de vin. J'ignore ce qu'il avait l'intention de faire ici, mais il ne semble pas avoir eu de rendez-vous, pas de rendez-vous galant, en tout cas. D'ailleurs, pourquoi aurait-il choisi cet endroit alors qu'il avait tout Londres à sa disposition ? Le lit est trop étroit, il n'y a aucun confort.

— Quoi qu'il ait cherché ici, ça n'était sûrement pas le confort ! »

Dalgliesh s'était approché de la cheminée, un simple manteau en bois avec un encadrement en fer orné de grappes et de volubilis encastré dans le mur de droite. Cela devait faire des années qu'on ne l'avait pas utilisé pour chauffer la pièce. Devant le foyer, il y avait un grand radiateur électrique à dos rond et à charbons factices pourvu de trois rampes. Après l'avoir déplacé avec précaution, Dalgliesh vit que la cheminée avait récemment servi : quelqu'un avait essayé d'y brûler un agenda. Le carnet gisait, ouvert, sur la grille, ses pages enroulées sur elles-mêmes et carbonisées. Certaines feuilles semblaient avoir été arrachées et brûlées séparément ; les fragments friables de cendre étaient retombés au-dessus du tas de détritus qui se trouvait sous la coquille de fonte : vieux morceaux tordus d'allumettes, poussière de charbon, peluches provenant du tapis. La couverture bleue de l'agenda, sur laquelle on distinguait nettement la date, avait mieux résisté aux flammes : seul un coin du carnet était roussi. De toute évidence, la personne qui l'avait brûlé était pressée ; à moins, bien sûr, qu'elle n'eût voulu détruire que certaines pages précises. Dalgliesh se garda de le toucher. C'était là le boulot de Ferris, le spécialiste des indices matériels, qui piaffait déjà d'impatience dans le couloir. Il n'aimait pas qu'un autre que lui examinât le lieu du crime et Dalgliesh eut l'impression que la hâte qu'avait cet homme de se mettre au travail traversait le mur comme une force palpable. Il s'accroupit et regarda les saletés accumulées sous la grille. Parmi les fragments de papier carbonisé, il distingua une allumette de sûreté usée. La partie intacte du brin de bois était propre et blanche comme si l'allumette avait été frottée récemment.

« Il pourrait avoir utilisé ceci pour brûler le carnet. Mais, dans ce cas, où est la boîte ? Regardez dans les poches de la veste, John. »

Massingham alla à la veste de Berowne qui pendait à un crochet, sur la porte. Il fouilla dans les deux poches extérieures et dans la poche intérieure.

« Un portefeuille, sir, un stylo Parker et un trousseau de clés. Ni briquet ni allumettes. »

Avec une excitation croissante dont ni l'un ni l'autre ne laissaient rien paraître, les deux hommes s'approchèrent du bureau et fixèrent leurs yeux sur le buvard. Comme tous les autres objets dans cette pièce, celui-ci était très vieux. Sur le papier rose, on voyait des zig-zags de couleurs différentes parsemés de taches jaunies. Cela n'avait rien d'étonnant, se dit Dalgliesh : de nos jours, les gens se servaient plutôt de stylos à bille que de stylos à encre. Mais en examinant le papier de plus près, il s'aperçut que quelqu'un avait récemment écrit avec un de ces derniers. Au-dessus des marques anciennes, il y avait des impressions plus fraîches : un dessin de lignes brisées et d'arcs de cercle à l'encre noire qui couvrait environ quinze centimètres du buvard. Dalgliesh alla à la veste de Berowne et en sortit le Parker, un des derniers modèles de cette marque, d'une élégante minceur. Comme le constata Dalgliesh, il était rempli d'encre noire. Même si les caractères restaient indéchiffrables, le laboratoire serait certainement capable de dire si c'était bien la même encre qui imbibait le buvard. Mais si Berowne avait écrit, puis séché une lettre ici, sur ce bureau, qu'était devenu ce document ? S'en était-il débarrassé lui-même, l'avait-il déchiré, jeté dans la cuvette des W.-C. ou brûlé avec les pages de l'agenda ? Ou quelqu'un d'autre l'avait-il trouvé, quelqu'un qui était peut-être même venu exprès pour s'en emparer et l'avait soit détruit, soit emporté ?

Finalement, Massingham et lui franchirent la porte ouverte située à droite de la cheminée, veillant à ne pas frôler le corps de Harry au passage, et inspectèrent la cuisine. Il y avait là un chauffe-eau relativement moderne fixé au-dessus d'un évier en porcelaine carré, profond et tout taché. Un torchon à vaisselle propre, mais chiffonné, pendait à côté. Dalgliesh ôta ses gants et le tâta. Il était légèrement humide, non pas par endroits, mais uniformément, comme si on l'avait trempé dans l'eau, essoré, puis mis à sécher pour la nuit. Dalgliesh le tendit à Massingham qui, à son tour, enleva ses gants et fit coulisser le morceau d'étoffe dans sa main.

« Même si l'assassin était nu ou à moitié nu, il lui aura fallu se laver les mains et les bras, dit-il. Il aurait donc pu s'essuyer avec ce torchon. La serviette de Berowne doit être celle qui pend sur la chaise. Elle m'avait l'air assez sèche. »

Il sortit vérifier. Dalgliesh poursuivit son exploration. A droite, il aperçut un buffet en Formica tout taché sur lequel étaient posées une grande bouilloire, une autre plus petite et plus moderne, et deux théières. Ouvrant le meuble, il vit qu'il contenait une collection de tasses dépareillées, deux torchons propres, pliés et secs tous les deux et, sur l'étagère inférieure, une série de vases, un panier d'osier déformé plein de chiffons à poussière pliés, de boîtes d'encaustique et de produits à nettoyer les métaux. Ça devait être ici que miss Wharton et les autres aides bénévoles arrangeaient les fleurs, lavaient leurs chiffons à poussière et buvaient leur thé.

Il découvrit, attaché au tuyau du chauffe-eau par une chaîne en cuivre, un porte-boîte d'allumettes similaire à celui qui accompagnait le candélabre. Celui-ci comportait un couvercle à charnière de manière à permettre l'insertion d'une nouvelle boîte. Il y en avait eu un tout à fait identique dans la salle paroissiale de l'église de son père, à Norfolk, mais Dalgliesh ne se souvenait pas d'en avoir jamais vu un depuis. Ce genre d'objet était fort peu pratique, le frottoir quasi inutilisable. Dalgliesh avait du mal à croire que les boîtes avaient été enlevées puis remises en place, et encore plus qu'une des allumettes qu'elles contenaient avait été frottée, puis portée allumée et vacillante dans la petite sacristie dans le but de brûler l'agenda.

Massingham revenait.

« La serviette, à côté, est complètement sèche et à peine salie, annonça-t-il. On dirait que Berowne s'est seulement lavé les mains. C'est curieux qu'il ne l'ait pas laissée ici, mais il est vrai qu'il n'y a rien pour l'accrocher. Ce qui est encore plus curieux, c'est que l'assassin, si assassin il y a, ne se soit pas essuyé avec la serviette plutôt qu'avec ce petit torchon rikiki.

— Encore aurait-il fallu qu'il pensât à l'emporter

avec lui à la cuisine. S'il ne l'a pas fait, il ne peut guère avoir eu envie de retourner dans l'autre pièce pour la chercher. Trop de sang, trop de risques d'y laisser un indice. Il valait encore mieux utiliser ce qu'il avait sous la main. »

De toute évidence, la cuisine était la seule pièce pourvue d'eau et d'un évier. Si l'on voulait se laver les mains ou laver la vaisselle, c'était ici qu'il fallait le faire. Au-dessus de l'évier se trouvait un miroir composé de carreaux de verre collés au mur, et, au-dessous, une simple tablette de verre. Sur celle-ci était posée une trousse de toilette, ouverte. Elle contenait une brosse à dents et un tube de dentifrice, un gant de toilette sec et une savonnette entamée. A côté se trouvait un objet plus intéressant : un étui en cuir portant les initiales **PSB** gravées en un or passé. De ses mains gantées, Dalgliesh souleva le couvercle et trouva à l'intérieur ce qu'il s'était attendu à voir : le double du rasoir de coiffeur qui gisait d'une façon si compromettante près de la main droite de Berowne. Sur la doublure en satin du couvercle, une étiquette indiquait en caractères démodés pleins de fioritures le nom et l'adresse du fabricant : P.J. Bellingham, Jermyn Street. Bellingham, le barbier le plus cher et le plus prestigieux de Londres qui continuait à fournir des rasoirs aux clients brouillés avec les méthodes de rasage modernes.

A première vue, il n'y avait rien d'intéressant dans les toilettes. Les deux hommes se rendirent dans la sacristie proprement dite. De toute évidence, c'était là que Harry Mack s'était installé pour la nuit. Une vieille couverture, qui semblait avoir appartenu à l'armée, aux bords effilochés et raide de crasse, était étendue sans trop de soin dans un coin. La puanteur qui s'en dégageait et l'odeur d'encens qui flottait dans la pièce évoquaient en un curieux mélange la misère et la piété. A côté, il y avait une bouteille couchée, un morceau de ficelle sale et une feuille de papier journal sur laquelle on distinguait une croûte de pain complet, un trognon de pomme et quelques miettes de fromage. Massingham ramassa ces dernières, les frotta sur sa paume et les renifla.

« Du roquefort, monsieur. Cela m'étonnerait que ce soit Harry qui l'ait acheté pour son dîner. »

Selon toutes les apparences, Berowne, lui, n'avait pas pris son repas, fait qui pouvait aider à fixer l'heure approximative de sa mort. Il semblait avoir attiré Harry dans l'église avec la promesse d'un peu de nourriture ou, plus vraisemblablement, avait répondu à un besoin évident et immédiat avant d'avoir eu lui-même assez faim pour manger sa part du casse-croûte.

Familier, dans son enfance, des sacristies, Dalgliesh aurait pu jeter un regard à celle-ci, puis fermer les yeux et faire à haute voix l'inventaire des objets du culte qu'elle renfermait : paquets d'encens rangés en haut de l'armoire, encensoir, crucifix et, derrière le rideau de serge rouge fané, les vêtements sacerdotaux bordés de dentelle et les surplis amidonnés du chœur. A présent, toutefois, il pensait à Harry Mack. Qu'est-ce qui pouvait avoir sorti le clochard de son sommeil d'ivrogne ? Un cri, le bruit d'une querelle, d'un corps qui tombe ? Mais aurait-il pu l'entendre de cette pièce ? Comme en écho à ses pensées, Massingham dit :

« Il a peut-être été réveillé par la soif. En allant chercher un peu d'eau à la cuisine, il est tombé en pleine scène de meurtre. A en juger par son aspect, cette chope émaillée était la sienne. Le père Barnes pourra probablement nous le confirmer. Avec un peu de chance, nous relèverons des empreintes dessus. Ou bien Mack s'est rendu aux toilettes, mais je doute qu'il ait pu entendre quoi que ce soit de là. »

Et, pensa Dalgliesh, il était peu probable qu'il fût ensuite allé à la cuisine se laver les mains. Massingham avait sans doute raison. Harry s'était couché, puis avait eu envie d'un verre d'eau. Sans cette soif fatale, il serait peut-être encore en train de dormir tranquillement.

Dehors, dans le couloir, Ferris sautillait sur place comme un coureur qui s'échauffe.

« Le buvard, la chope en métal, le torchon à vaisselle et l'agenda sont importants, l'informa Massingham. Et, dans l'âtre, il y a ce qui paraît être une allumette récemment utilisée. Nous avons besoin de tout cela. Mais, en plus, il nous faudra tous les détritus qui se trouvent dans la cheminée et le siphon de l'évier. Il est fort probable que l'assassin se soit lavé à la cuisine. »

Il aurait pu se passer de dire tout cela, surtout à quelqu'un comme Charlie Ferris. C'était le plus expert des spécialistes des indices matériels de la « Met ». Dalgliesh espérait toujours l'avoir dans son équipe quand il commençait une nouvelle enquête. Naturellement, on l'appelait *the Ferret*, « le Furet », quoique rarement en sa présence. C'était un homme de petite taille aux cheveux blond-roux et aux traits anguleux. La nature l'avait doté d'un extraordinaire odorat. Le bruit courait que grâce à son flair, il avait détecté le corps d'un suicidé dans la forêt d'Epping avant même que les animaux prédateurs n'y eussent touché. A ses moments de loisirs, il chantait dans l'un des plus célèbres chœurs amateurs de Londres. Dalgliesh, qui l'avait entendu à un concert de la police, avait encore du mal à croire qu'une voix de basse si puissante pût sortir d'un corps si menu. Pour tout ce qui concernait son travail Ferris était un véritable fanatique. Il avait même conçu une tenue spéciale pour ses recherches : short et T-shirt blancs, bonnet de bain collant en plastique pour prévenir toute chute de cheveux, gants de latex fins comme ceux d'un chirurgien et caoutchoucs de plage sur ses pieds nus. Il proclamait qu'aucun assassin ne pouvait quitter le lieu du crime sans laisser derrière lui un indice matériel de son forfait. Et, si cet indice était là, lui, Ferris, le trouvait.

Des voix retentirent dans le couloir. Le photographe et les officiers de l'identité judiciaire étaient arrivés. Dalgliesh entendit la grosse voix de George Mathew maudire la circulation dans Harrow Road et celle, moins forte, du brigadier Robins, lui répondre d'un ton calme. Quelqu'un éclata de rire. Ce n'était pas que ces hommes fussent cyniques ou insensibles. Simplement, à la différence des employés des pompes funèbres, ils n'avaient pas à feindre un respect professionnel devant la mort. Seule la biologiste du laboratoire manquait encore à l'appel. Quelques-uns des scientifiques les plus distingués de la P.J. de Londres étaient des femmes. Conscient d'une sensibilité vieux jeu sur ce point, faiblesse qu'il n'aurait jamais avouée aux intéressées, Dalgliesh était toujours content quand les corps les plus horrifiants pouvaient être emmenés avant que ces dames n'arrivent pour relever et photographier les taches de sang et superviser le prélèvement d'échantillons. Il laissa à Massingham le soin de saluer les nouveaux venus et de les mettre au courant. Il était temps d'aller parler au père Barnes. Mais, d'abord, il voulait échanger deux mots avec Darren avant qu'on ne ramenât celui-ci chez lui.

6

« Il serait déjà parti, sir, s'il ne nous avait pas joué un tour, le petit galopin. Impossible de lui arracher une adresse, puis, quand, finalement, il nous en a donné une, elle s'est révélée fausse. Une rue inexistante. Nous aurions pu perdre un temps fou. Je crois qu'il nous dit la vérité maintenant, mais il a fallu que je le menace du tribunal pour enfants, de l'assistance publique et de Dieu sait quoi encore. Puis il a essayé de s'enfuir. Je l'ai rattrapé de justesse. »

Miss Wharton avait déjà été ramenée en voiture chez elle, à Crowhurst Gardens, par une femme-agent. Celle-ci la réconforterait certainement avec du thé et des paroles amicales. Malgré de courageux efforts pour se ressaisir, la vieille dame n'était pas parvenue à se souvenir de la suite exacte des événements entre le moment où elle était arrivée à l'église et celui où elle avait ouvert la porte de la petite sacristie. Le plus important, pour la police, c'était de s'assurer que ni elle ni Darren n'avaient pénétré dans la pièce, ce qui aurait pu contaminer les lieux. Mais tous deux nièrent énergiquement l'avoir fait. A part cela, il n'y avait pas grand-chose que miss Wharton eût pu leur apprendre. Après un bref interrogatoire, Dalgliesh l'avait donc laissée partir.

Que Darren fût encore là l'irrita. S'ils avaient besoin d'interroger de nouveau l'enfant, il fallait qu'ils le fissent chez lui, en présence de ses parents. Dalgliesh savait que l'apparente indifférence du garçon devant le spectacle de la mort ne signifiait pas nécessairement que l'horreur de celui-ci ne l'avait pas affecté. Ce n'était pas toujours un traumatisme évident qui perturbait le plus un enfant.

Et il était curieux que le gamin s'opposât si farouchement à être reconduit chez lui. Normalement, un tour en voiture, même dans une voiture de police, faisait plaisir à un gosse, d'autant plus qu'une petite foule attirée par les mètres de ruban blanc barrant l'accès de la partie sud de l'église, par les voitures de police et le sinistre fourgon noir de la morgue garés entre le mur de l'édifice et le canal assisterait maintenant à son heure de gloire. Dalgliesh s'approcha de la voiture et ouvrit la portière.

« Je suis le commandant Dalgliesh. Il est grand temps que nous te ramenions chez toi, Darren. Ta mère doit commencer à s'inquiéter. »

De plus, le garçon aurait dû être à l'école. La rentrée des classes avait certainement eu lieu. Mais, Dieu merci, ce problème-là n'était pas vraiment de son ressort.

Darren, qui avait l'air tout petit et de très mauvaise humeur, était affalé sur le siège du passager. L'enfant avait un physique curieux : une sympathique figure simiesque, pâle et couverte de taches de rousseur, un nez retroussé et des yeux brillants frangés de longs cils presque incolores. De toute évidence, le brigadier Robins et lui s'étaient poussés mutuellement à bout. Mais, à la vue de Dalgliesh, le garçon se dérida.

« C'est vous le chef ici ? » demanda-t-il avec une agressivité enfantine.

Un peu déconcerté, Dalgliesh répondit prudemment :

« Oui, en quelque sorte. »

De ses yeux brillants, Darren regarda autour de lui avec méfiance.

« C'est pas elle qu'a fait le coup. C'est de miss Wharton que je parle. Elle est innocente.

— Rassure-toi, nous ne la soupçonnons pas, répondit Dalgliesh avec sérieux. Pour accomplir ce crime, il fallait une force que n'ont pas une vieille dame ou un enfant. Vous êtes tous deux hors de cause.

— Ça va, alors.

— Tu l'aimes bien, miss Wharton ?

— Elle est réglo, mais faut qu'on s'occupe d'elle. Elle est un peu tarte. Je veille sur elle, vous voyez.

— Je suis sûr qu'elle est très contente de pouvoir s'appuyer sur toi. Heureusement que vous étiez ensemble quand vous avez trouvé les cadavres. Ç'a dû lui faire un choc terrible.

— Ça l'a complètement retournée. Elle supporte pas la vue du sang, vous comprenez. C'est pour ça qu'elle veut pas avoir la télé couleur chez elle. Elle dit qu'elle n'est pas assez riche pour se l'offrir. Mais c'est pas vrai. Elle arrête pas d'acheter des fleurs pour la BVM*.

— La BVM ? fit Dalgliesh en se demandant de quelle marque de voiture il pouvait bien s'agir.

— Oui, cette statue dans l'église. Une dame en bleu devant laquelle on brûle des cierges. Ça s'appelle une BVM. Eh ben, miss Wharton, elle met toujours des fleurs à ses pieds et elle allume des cierges qui valent dix pence pièce, cinq pour les petits. »

Darren détourna légèrement les yeux comme s'il s'était aventuré sur un terrain dangereux. Il ajouta vivement :

« J'suppose qu'elle veut pas s'acheter de télé couleur parce qu'elle aime pas la couleur du sang.

— Tu as sans doute raison. Tu nous as été d'un grand secours, Darren. Tu es donc tout à fait certain que vous n'êtes pas entrés dans cette pièce, ni l'un ni l'autre ?

* Voir note p. 17.

— Oui, je vous l'ai déjà dit. J'étais tout le temps derrière elle. »

De toute évidence, cette question avait déplu à l'enfant. Pour la première fois, il sembla perdre un peu de son assurance. Il s'affala de nouveau contre le dossier de son siège et, l'air morose, regarda fixement par le pare-brise.

Dalgliesh retourna dans l'église chercher Massingham.

« Je veux que vous rameniez Darren chez lui. J'ai l'impression que le gamin nous cache quelque chose. C'est probablement un détail insignifiant, mais vous glanerez peut-être un renseignement utile quand il parlera en votre présence à ses parents. Vous qui avez des frères, vous devez vous connaître en petits garçons.

— Dois-je y aller tout de suite, sir ?

— Évidemment. »

Dalgliesh savait que son subordonné obéissait à contrecœur. Massingham détestait quitter le lieu d'un crime, même pour un instant, quand le cadavre était encore là et, cette fois, il y rechignait d'autant plus que Kate Miskin, déjà revenue de Campden Hill Square, allait rester. Mais, s'il devait partir, il partirait seul. Avec une brusquerie inhabituelle, il ordonna à l'agent assis au volant de descendre et démarra à une vitesse qui laissait à penser que Darren aurait droit à une excitante petite promenade.

Dalgliesh pénétra dans le corps de l'église par la porte de la grille qu'il referma doucement. Malgré ses précautions, le léger bruit métallique résonna dans le silence et, alors qu'il commençait à descendre la nef, se répercuta alentour. Derrière lui, invisible mais présent à son esprit, il y avait tout l'attirail de son métier : lampes, appareils de photo, équipement, silence affairé que, malgré la présence de la mort, brisaient parfois des voix fortes et assurées. Ici, protégé par les élégantes volutes et les barres de fer forgé de la grille, s'étendait un monde encore intact. L'odeur d'encens augmenta d'intensité. Devant lui, à l'endroit où les mosaïques luisantes de l'abside teintaient l'air, Dalgliesh aperçut une brume dorée et la grande silhouette du Christ dans toute sa gloire, ses mains blessées étendues, ses yeux caves fixés sur la nef. Deux autres lampes avaient été allumées, mais comparée à la lumière aveuglante des projecteurs installés dans la petite sacristie, l'église continuait à paraître obscure. Il mit une minute à repérer le père Barnes, forme noire assise au bout de la première travée, sous la chaire. Il s'approcha de lui, conscient de ses pas sur le dallage et se demandant si ceux-ci étaient aussi sinistres aux oreilles du pasteur qu'aux siennes.

Les yeux fixés sur la courbe brillante de l'abside, le père Barnes était assis raide comme un piquet, le corps tendu comme celui d'un malade qui s'attend à souffrir et s'exhorte à l'endurance. L'approche de Dalgliesh ne lui fit pas tourner la tête. De toute évidence, il était parti en hâte de chez lui. Il n'était pas rasé et ses mains, croisées avec rigidité sur ses genoux, étaient sales comme s'il s'était couché sans se laver. Sa soutane, dont les longues lignes amincissaient encore son maigre corps, était vieille et couverte de ce qui semblait être des taches de sauce. On voyait qu'il s'était évertué sans succès à en enlever une. Ses chaussures noires avaient besoin d'être cirées ; leur cuir craquait sur les côtés et leurs bouts éraflés viraient au gris. Le pasteur dégageait une odeur de vieux vêtements moisis et une autre, désagréablement sucrée, d'encens, le tout recouvert de relents de vieille sueur — pitoyable mélange d'échec et de peur. Alors qu'il glissait ses longues jambes dans la chaise adjacente et posait son bras sur le dossier de celle-ci, Dalgliesh eut l'impression que, du simple fait de sa calme présence, son corps contenait, et même réduisait, chez son compagnon un nœud de tension et d'angoisse si intense qu'il en était presque palpable. Brusquement, il eut des remords. Cet homme devait être venu à jeun pour célébrer la première messe du jour. Il devait avoir envie d'un café chaud et de nourriture. Normalement, quelqu'un préparait du thé sur le lieu du crime, ou près de là, mais Dalgliesh n'allait certainement pas se servir de la cuisine, ne fût-ce que pour y faire bouillir de l'eau, jusqu'à ce que le spécialiste des indices matériels eût terminé son travail.

« Je ne vous retiendrai pas longtemps, mon père. Je n'ai que quelques questions à vous poser. Ensuite, vous pourrez rentrer chez vous. Cette histoire a dû vous faire un drôle de choc. »

Le père Barnes continuait à regarder ailleurs.

« Un choc, oui, certes, répondit-il doucement. Je n'aurais pas dû lui remettre cette clé. Je me demande pourquoi je l'ai fait. C'est difficile à expliquer. »

Sa voix surprit Dalgliesh. Elle était agréablement basse, un peu rauque, et suggérait plus de force que ne semblait en avoir le frêle corps de son propriétaire. Sans être véritablement cultivée, c'était une voix à laquelle l'éducation avait imposé une discipline sans pour autant effacer entièrement l'accent de sa province d'origine, l'East Anglia, probablement. Le pasteur se tourna enfin vers lui.

« Ils diront que je suis responsable. Je n'aurais pas dû lui donner la clé. C'est ma faute.

— Vous n'êtes pas responsable. Vous le savez bien, et eux aussi. »

« Eux », ces juges effrayants et omniprésents. Dalgliesh pensa à part lui que le meurtre communiquait son horrible excitation à ceux qui n'avaient perdu personne, ou n'étaient pas directement concernés, et que les gens se montraient généralement indulgents envers ceux qui contribuaient à les divertir. Le père Barnes serait surpris par le nombre de fidèles qui viendraient à la messe le dimanche suivant.

« Pourrions-nous commencer par le début ? Quand avez-vous fait la connaissance de sir Paul Berowne ?

— Lundi dernier, il y a donc un peu plus d'une semaine. Il est venu au presbytère, vers deux heures et demie, et m'a demandé s'il pouvait visiter l'église. Il était d'abord passé ici et avait trouvé porte close. Nous aimerions garder l'église ouverte en permanence, mais, de nos jours, c'est impossible. Vous savez ce que c'est : il y a des vandales, des gens qui essaient de crocheter le tronc, qui volent des cierges. J'ai mis un avis sur le portail nord pour indiquer qu'on pouvait se procurer la clé au presbytère.

— Il ne vous a sans doute pas dit ce qu'il faisait à Paddington ?

— Si, il me l'a dit. Un de ses vieux amis était à l'hôpital Saint-Mary et il avait été le voir. Mais comme le malade était en train de recevoir des soins, il ne pouvait avoir de visites. Sir Berowne s'est donc retrouvé avec une heure de libre devant lui. Il m'a dit qu'il avait toujours eu envie de visiter Saint-Matthew. »

C'était donc ainsi que cela avait commencé. La vie de Berowne, comme celle de tous les hommes occupés, était réglée par la montre. Sir Paul s'était réservé une heure pour rendre visite à un vieil ami. Cette heure était soudain devenue disponible et il avait pu s'offrir un plaisir personnel. Tout le monde savait qu'il s'intéressait à l'art victorien. Aussi fantastique que fût le labyrinthe dans lequel l'avait conduit ce caprice, sa première visite à Saint-

Matthew, du moins, était marquée de réconfortante façon du coin de la normalité et de la raison.

« Lui avez-vous offert de l'accompagner ?

— Oui, mais il m'a dit que ce n'était pas la peine. Je n'ai pas insisté. J'ai pensé qu'il avait peut-être envie d'être seul. »

Le père Barnes était donc doté d'une certaine sensibilité.

« Vous lui avez alors remis la clé. Laquelle ?

— Un des doubles. Il n'existe que trois clés du portail sud. Miss Wharton en a une, et moi je garde les deux autres au presbytère. Sur chaque anneau, il y a deux clés : l'une pour le portail sud et une autre, la plus petite, pour la porte de la grille. Quand Mr. Capstick ou Mr. Pool — ce sont nos deux bedeaux — en ont besoin, ils viennent au presbytère. Ce n'est pas loin. Il n'existe qu'une seule clé pour le portail principal, au nord. Je la garde dans mon bureau et ne la prête jamais : on pourrait la perdre. De plus, elle est bien trop lourde pour un usage courant. J'ai dit à sir Paul qu'il trouverait une brochure consacrée à l'église sur une table, à côté du portail nord. Elle a été rédigée par le père Collins et nous avons depuis longtemps l'intention de la réviser. Elle est là-bas. Nous ne la vendons que trois pence. »

Le père Barnes tourna péniblement la tête, comme s'il souffrait d'arthrite. On aurait dit qu'il invitait Dalgliesh à acheter un exemplaire de la brochure. Son geste avait quelque chose de pathétique et de touchant à la fois.

« Je crois qu'il a dû en prendre un, poursuivit le pasteur, parce que, deux jours plus tard, j'ai trouvé un billet de cinq livres dans le tronc. La plupart des gens n'y mettent que trois pence.

— Vous a-t-il dit qui il était ?

— Il m'a simplement dit son nom. Je dois avouer

72

que, sur le moment, celui-ci ne me disait rien. Il ne m'a pas précisé qu'il était député ou baronnet. Naturellement, après sa démission, j'ai appris quelle était sa position. On parlait de lui dans les journaux et à la télévision. »

Le père Barnes se tut de nouveau. Dalgliesh attendit. Au bout de quelques secondes, le pasteur reprit, d'une voix plus forte et résolue :

« Je pense qu'il est resté ici une heure, peut-être moins. Puis il m'a rapporté la clé. Il m'a dit qu'il aimerait dormir cette nuit-là dans la petite sacristie. Bien entendu, il ignorait que nous l'appelions ainsi. Il m'a dit : "Dans la petite pièce où il y a un lit". Ce lit est là depuis la guerre. Le père Collins y dormait pendant les alertes pour pouvoir éteindre d'éventuelles bombes incendiaires. Nous l'avons laissé là. Il est bien utile quand un des paroissiens est saisi d'un malaise pendant l'office ou que je veux me reposer avant la messe de minuit. Et puis il prend peu de place. C'est un lit pliant. Enfin... vous l'avez vu.

— Oui. Sir Berowne vous a-t-il donné la moindre explication ?

— Non. Il m'a demandé cette faveur comme si c'était là une chose tout à fait normale et j'ai hésité à lui demander pourquoi. Sir Berowne n'était pas le genre d'homme qu'on questionne. Je lui ai parlé du problème des draps, de la taie d'oreiller. Il m'a répondu qu'il apporterait tout ce dont il avait besoin. »

Il avait apporté un grand drap qu'il avait plié en deux ; il avait mis la vieille couverture de l'armée, qui était déjà là, au-dessous, et s'était couvert avec celle en patchwork. La taie d'oreiller passée au-dessus de ce qui, de toute évidence, était le coussin d'une chaise, devait lui appartenir aussi.

« A-t-il emporté la clé tout de suite avec lui ou est-il venu la reprendre le soir ?

— Il est venu la reprendre. Il devait être huit heures, peut-être un peu plus tôt. Il est apparu à la porte du presbytère, un sac de voyage à la main. Je ne pense pas qu'il soit venu en voiture. Je n'en ai pas vu. Je lui ai donné la clé. Je ne l'ai pas revu jusqu'au lendemain matin.

— Parlez-moi de cela.

— Je suis entré par le portail sud, comme d'habitude. Il était fermé à clé. La porte de la petite sacristie était ouverte et j'ai pu constater que sir Berowne n'y était pas. Le lit était soigneusement fait. Tout était parfaitement en ordre. J'ai vu un drap et une taie d'oreiller pliés à la tête du lit. J'ai regardé dans l'église à travers la grille. Il n'y avait pas de lumière, mais j'ai distingué sa silhouette dans la pénombre. Il était assis dans cette travée, un peu plus loin. Je suis allé à la sacristie m'habiller pour la messe, puis je suis entré dans l'église par la grille. Quand il a vu que j'allais célébrer l'office dans la chapelle de la Vierge, il a traversé la nef et s'est assis au dernier rang. Il n'a rien dit. Il n'y avait personne d'autre. Ce n'était pas le jour de miss Wharton et Mr. Capstick, qui aime assister à la messe de neuf heures et demie, avait la grippe. Il n'y avait donc que nous deux. Quand j'ai terminé la première prière et que je me suis tourné vers lui, j'ai vu qu'il s'était agenouillé. Il a communié. Ensuite, nous avons regagné la petite sacristie ensemble. Il m'a rendu la clé et m'a remercié. Il a pris son sac, puis il est parti.

— Et c'est tout ce qui s'est passé, cette première fois ? » demanda Dalgliesh.

Le père Barnes se tourna vers lui. Dans le clair-obscur qui régnait dans l'église, sa figure paraissait dénuée de vie. Dalgliesh aperçut dans ses yeux un mélange de supplication, de détermination et de souffrance. Il y avait quelque chose que le pasteur craignait de dire et qu'il avait pourtant besoin de confier. Dalgliesh attendit. Il en avait l'habitude. Enfin, le père Barnes répondit :

« Non, ce n'est pas tout. Quand il a levé les mains et que j'y ai déposé l'hostie, j'ai cru voir... » l'ecclésiastique s'interrompit puis reprit « ... comme des marques, des plaies. J'ai cru voir des stigmates. »

Dalgliesh fixa son regard sur la chaire. L'ange préraphaélite qui l'ornait, un lis à la main, les cheveux blonds et frisottants sous une grande auréole, sembla le considérer d'un air suave mais indifférent.

« Sur ses paumes ?

— Non, aux poignets. Il portait une chemise et un pullover. Comme les poignets de ses vêtements étaient un peu larges, les manches ont remonté. C'est à ce moment-là que j'ai vu les marques.

— En avez-vous parlé à qui que ce soit d'autre ?

— Non, seulement à vous. »

Tous deux se turent pendant une bonne minute. Dalgliesh ne se souvenait pas d'avoir jamais reçu, dans toute sa carrière de policier, un témoignage aussi importun et — pourquoi ne pas le dire ? — choquant. Il imagina aussitôt les conséquences que cette nouvelle pourrait avoir pour son enquête si jamais elle était rendue publique : les titres des journaux, les conjectures mi-amusées des cyniques, la foule de badauds, de gens superstitieux, crédules ou sincèrement croyants qui envahirait l'église à la recherche... De quoi, au fait ? D'une sensation forte, d'un nouveau culte, d'un espoir, d'une certitude ? Mais son déplaisir allait plus loin qu'une simple irritation devant une complication imprévue, devant l'intrusion d'un facteur irrationnel dans un travail si solidement ancré dans la recherche de preuves recevables par un tribunal, de preuves concrètes, incontestables. L'émotion qui le secouait presque physiquement était beaucoup plus forte que la contrariété, et moins avouable. Elle lui semblait à la fois ignoble et à peine plus rationnelle que l'événement qui la provoquait. Ce qu'il éprouvait, c'était de la répugnance, presque de l'indignation.

« A mon avis, vous devriez continuer à taire ce détail, fit-il. Il n'a pas de rapport avec la mort de sir Paul. Il n'est même pas nécessaire de le mentionner dans votre déposition. Si vous voulez en parler à quelqu'un, adressez-vous à votre évêque.

— Je ne le dirai à personne, répondit le père Barnes avec simplicité. C'est vrai, j'avais besoin d'en parler, de partager ce secret avec quelqu'un, mais maintenant, c'est fait.

— L'église était sombre, reprit Dalgliesh. Vous avez dit qu'on n'avait pas allumé. Vous étiez à jeun. Vous avez pu imaginer ces choses. Ou bien, il s'est peut-être agi d'un jeu de lumière. Et vous n'avez vu ces marques que quelques secondes, quand sir Paul a levé les mains pour recevoir l'hostie. Vous vous êtes peut-être trompé. »

Qui est-ce que j'essaie de rassurer ? se demanda-t-il. Lui ou moi ?

Puis, contre toute logique, il posa l'inévitable question :

« Quelle impression vous a-t-il fait ? Vous a-t-il paru différent ? Changé ? »

Le pasteur secoua la tête.

« Vous ne comprenez pas, dit-il avec une grande tristesse. Même s'il y avait eu une différence, je ne l'aurais pas reconnue. »

Il sembla se ressaisir et ajouta avec fermeté :

« Quelle que soit la chose que j'ai vue, si elle était réellement là, elle n'a duré que quelques secondes. De plus, ce n'est pas un phénomène tellement extraordinaire. On connaît d'autres cas de ce genre.

L'esprit agit sur le corps d'une étrange manière. Une expérience intense, un rêve puissant. Et comme vous dites, il faisait assez sombre. »

Ainsi, le père Barnes ne voulait pas y croire lui non plus. Il essayait de supprimer l'incident en le rationalisant. Eh bien, se dit Dalgliesh avec ironie, c'était toujours mieux qu'un article dans le bulletin paroissial, un coup de téléphone aux quotidiens nationaux ou un sermon le dimanche suivant sur le phénomène des stigmates et la sagesse insondable de la Providence. Le fait qu'ils partageaient la même méfiance, voire la même répugnance, était intéressant. Plus tard, il aurait peut-être le loisir de l'analyser. Mais, pour l'instant, il avait d'autres préoccupations. Quelle que fût la raison pour laquelle Berowne était retourné dans la sacristie, c'était une main humaine, la sienne ou une autre, qui avait tenu le rasoir.

« Que s'est-il passé hier soir ? Quand vous a-t-il demandé s'il pouvait revenir ?

— Le matin. Il m'a appelé peu après neuf heures. Je lui ai dit que je serais chez moi à partir de six heures. Il est venu chercher la clé ponctuellement.

— Êtes vous certain de l'heure, mon père ?

— Absolument. J'étais en train de regarder le journal de six heures. Il venait juste de commencer quand sir Berowne a sonné.

— Et il ne vous a pas donné d'explications, cette fois non plus ?

— Non. Il portait le même sac de voyage. Je pense qu'il était venu en bus, par le métro ou à pied. Je n'ai pas vu de voiture. Je lui ai remis la clé sur le pas de la porte, la même clé. Il m'a remercié et il est parti. Je ne suis pas allé à l'église ce soir-là. Je n'avais aucune raison de le faire. Puis, ce matin, le garçon est venu me chercher et m'a dit qu'il y avait deux cadavres dans la petite sacristie. Vous connaissez la suite.

— Parlez-moi de Harry Mack. »

Le père Barnes parut heureux de pouvoir changer de sujet. Sur celui du clochard, il se montra fort volubile. Ce pauvre Harry avait constitué un véritable problème pour Saint-Matthew. Pour une raison inconnue, il avait pris l'habitude, depuis quatre mois, de dormir sur le porche sud. Il se couchait généralement sur des journaux et se couvrait avec une vieille couverture qu'il laissait parfois en place pour le lendemain. Ou bien il en faisait un long boudin qu'il s'attachait autour de la taille avec de la ficelle. Quand il trouvait la couverture, le père Barnes répugnait à l'enlever. Après tout, c'était tout ce que Harry avait pour se couvrir. Bien entendu, le fait que le clochard utilisât le porche comme abri ou pour y garder ses affaires plutôt malodorantes était assez gênant. Le conseil paroissial s'était même demandé s'il ne fallait pas installer une grille autour de l'église. Mais cela avait paru peu charitable, et il ne manquait pas d'occasions plus sérieuses de dépenser la quote-part diocésaine, déjà si difficile à réunir. Tout le monde, à Saint-Matthew, avait essayé d'aider le malheureux, mais Harry n'était pas un gars commode. C'était un habitué du Wayfarer's Refuge de Cosway Street, à Saint Marylebone, une œuvre très active où Harry se procurait généralement un déjeuner et se faisait soigner pour les maladies bénignes qu'il pouvait avoir. Il était un peu trop porté sur la boisson et provoquait parfois des bagarres. Saint-Matthew s'était mis en rapport avec le Refuge, mais les responsables de cette organisation n'avaient su que leur conseiller. Eux-mêmes avaient essayé de persuader Harry d'occuper un lit dans leur dortoir, mais le clochard avait toujours refusé. Il ne supportait pas la promiscuité.

Il ne prenait même pas son repas dans le réfectoire de l'œuvre. Il le plaçait entre deux tranches de pain et l'emportait pour le manger dehors, dans la rue. Discret, abrité du vent, le porche sud avait été son abri préféré.

« Il est donc peu probable qu'il ait frappé à la porte hier soir et ait demandé à sir Paul de le laisser entrer ? s'informa Dalgliesh.

— C'est tout à fait impossible. »

D'une façon ou d'une autre, Harry était pourtant entré. Peut-être était-il déjà installé sous sa couverture à l'arrivée de Berowne. Celui-ci l'avait peut-être invité à venir se réchauffer à l'intérieur et à partager son repas. Mais comment avait-il réussi à le convaincre ? Dalgliesh demanda au père Barnes ce qu'il en pensait.

« Je crois que vous avez raison, répondit le pasteur. Les choses ont dû se passer comme ça. Harry était déjà ici, sous le porche. Il se couchait tôt. Et, pour un mois de septembre, il faisait exceptionnellement froid la nuit dernière. Mais c'est tout de même étrange. Sir Berowne a dû lui inspirer confiance. Très peu de gens seraient parvenus à lui faire accepter une offre pareille. Même le directeur du Refuge, qui a pourtant l'expérience des clochards, n'a jamais réussi à persuader Harry de passer la nuit chez eux. Mais il est vrai qu'il n'avait qu'un dortoir à lui proposer. Or, ce que Harry ne supportait pas, c'était de dormir ou de manger avec d'autres personnes. »

Et ici, pensa Dalgliesh, il avait eu toute la grande sacristie à sa disposition. C'était peut-être l'assurance de cette solitude, en sus de la perspective d'un repas, qui l'avait décidé à entrer.

« Quand étiez-vous ici pour la dernière fois ? demanda Dalgliesh. Je veux parler d'hier.

— De quatre heures et demie à cinq heures un

quart, environ. J'ai dit les vêpres dans la chapelle de la Vierge.

— Et quand vous avez fermé à clé derrière vous, comment pouviez-vous avoir la certitude qu'il n'y avait personne ici, caché quelque part, peut-être ? Vous n'avez pas fouillé l'église, évidemment. Vous n'aviez pas de raison de le faire. Mais si quelqu'un s'était caché ici, auriez-vous eu des chances de vous en apercevoir ?

— Je crois que oui. Voyez l'agencement des lieux. Nous n'avons pas de hauts bancs, seulement des chaises. Il n'y a aucun endroit où un intrus aurait pu se dissimuler.

— Sous l'autel, peut-être, l'autel principal ou bien celui de la Vierge ? Ou encore dans la chaire ?

— Sous l'autel ? Quelle horreur ! Ce serait un sacrilège. Mais comment serait-il entré ? A mon arrivée, à quatre heures et demie, j'ai trouvé l'église fermée.

— Personne n'est venu chercher les clés durant la journée, pas même les bedeaux ?

— Personne. »

Et miss Wharton avait assuré à la police que sa clé n'avait pas quitté son sac.

« Quelqu'un aurait-il pu entrer pendant les vêpres, pendant que vous étiez en prière ? Étiez-vous seul dans la chapelle de la Vierge ?

— Oui. Je suis entré par le portail sud, comme d'habitude, et l'ai refermé à clé derrière moi, de même que la porte de la grille. Puis j'ai ouvert le portail central. C'est par là qu'entrerait normalement tout étranger qui désire assister à un office. Mes paroissiens savent que j'ouvre toujours ce portail pour les vêpres. Il est très lourd et grince effroyablement. Cela fait des mois que nous parlons d'en graisser les gonds. Je ne crois pas que quelqu'un aurait pu entrer sans que je l'entende.

— Avez-vous dit à qui que ce soit d'autre que sir Paul passait la nuit ici, hier ?

— Non. Je n'avais personne à qui le dire et, de toute façon, je n'aurais rien dit. Sir Paul ne m'a pas demandé de garder sa visite secrète. Il ne m'a rien demandé du tout. Mais je pense qu'il n'aurait pas aimé que quelqu'un d'autre fût au courant. Ce qui a été le cas jusqu'à ce matin. »

Dalgliesh se mit à questionner le père Barnes au sujet du buvard et de l'allumette usée. Le pasteur l'informa que la petite sacristie avait servi deux jours plus tôt, le lundi 16. Le conseil paroissial s'y était réuni comme d'habitude à cinq heures et demie, aussitôt après les vêpres. C'était lui qui avait présidé la séance, assis au bureau, mais il n'avait pas utilisé le buvard. Il écrivait toujours avec un stylo à bille. Il n'avait pas remarqué de traces récentes sur le papier, mais, pour ce genre de choses, il n'était pas très observateur. Une chose était certaine : l'allumette n'avait pas été laissée là par un membre du conseil. Seul George Capstick fumait, la pipe, et il l'allumait avec un briquet. Mais comme il n'était pas encore tout à fait remis de sa grippe, il n'avait pas assisté à la réunion. Quelqu'un avait d'ailleurs fait remarquer qu'il était très agréable de ne pas être enfumés, pour une fois.

« Ce sont là de petits détails qui n'ont probablement aucune importance, dit Dalgliesh, mais je vous serais reconnaissant de les garder pour vous. Et je vous demande de bien vouloir jeter un coup d'œil au buvard. Voyez si vous pouvez vous rappeler l'aspect qu'il avait lundi. Nous avons également trouvé une chope en métal émaillé assez sale. J'aimerais savoir si elle appartenait à Harry. »

Voyant la figure que faisait le père Barnes, il ajouta :

« Vous n'aurez pas besoin de retourner dans la

petite sacristie. Quand le photographe aura terminé son travail, nous vous apporterons ces objets ici. Ensuite, vous aurez sans doute envie de rentrer chez vous. Plus tard, il nous faudra une déposition, mais ce n'est pas pressé. »

Ils restèrent assis un moment en silence comme si les paroles qu'ils avaient échangées demandaient à être assimilées en paix. C'était donc là, songea Dalgliesh, le secret de la démission donquichottesque de Berowne. Il s'était agi d'une raison plus profonde, mais moins explicable que le désenchantement, l'inquiétude de l'âge mûr, la peur d'un scandale. Quoi qu'il lui fût arrivé cette première nuit dans la sacristie de Saint-Matthew, cet événement l'avait conduit, le lendemain, à changer complètement sa vie. L'avait-il également conduit à sa mort ?

Alors que les deux hommes se levaient, on entendit le bruit métallique de la grille. L'inspecteur Miskin descendait la nef. Parvenue à leur hauteur, elle annonça :

« Le pathologiste est là, sir. »

7

Assise, immobile, dans son salon du quatrième étage du 62 Campden Hill Square, lady Ursula Berowne regardait fixement par-dessus les branches supérieures des platanes comme si elle contemplait quelque panorama invisible. Elle avait l'impression que son esprit était pareil à un verre trop plein qu'elle seule pouvait maintenir en équilibre. Un mouvement brusque, un frisson, la moindre perte de contrôle et son contenu se répandrait, créant un chaos si terrible que celui-ci ne pouvait aboutir qu'à la mort. Il était curieux, se dit-elle, que son corps réagît de la même façon maintenant qu'il l'avait fait quand on lui avait annoncé le décès d'Hugo. Ainsi, à son chagrin présent, s'en ajoutait un autre, plus ancien, mais aussi vif et nouveau que lorsqu'elle avait appris que son fils aîné avait été tué. Elle avait eu les mêmes symptômes physiques : une soif dévorante, le corps déshydraté, la bouche sèche et aigre, comme infectée par sa propre respiration. Mattie lui avait fait un café après l'autre. Elle les avait avalés brûlants, noirs, sans remarquer qu'ils étaient trop sucrés. Ensuite, elle avait dit :

« Je voudrais manger quelque chose de salé. Des toasts à la crème d'anchois. »

Je suis comme une femme enceinte d'un chagrin et prise d'envies bizarres, s'était-elle dit.

Mais cela lui avait passé. Quand Mattie avait voulu lui mettre un châle, elle s'était débarrassé du vêtement d'un brusque mouvement des épaules et avait demandé qu'on la laissât seule. A l'extérieur de ce corps, de cette douleur, il y a un monde, pensa-t-elle. J'en reprendrai possession. Je survivrai. Il le faut. Sept ans, dix ans tout au plus suffiront. Maintenant elle attendait, économisant ses forces pour le premier d'une série de visiteurs. Celui-ci, elle l'avait convoqué elle-même. Elle devait lui dire certaines choses et il restait sans doute peu de temps.

Peu après onze heures, elle entendit retentir la sonnette de l'entrée, puis le gémissement de l'ascenseur et le claquement de la porte grillagée. La porte de son salon s'ouvrit. Stephen Lampart entra silencieusement.

Il lui sembla important de le recevoir debout. Mais elle ne put réprimer une grimace de douleur quand le poids de son corps appuya sur sa hanche arthritique et elle se rendit compte que la main qui serrait le pommeau de sa canne tremblait. Stephen se précipita vers elle.

« Je vous en prie ! Restez assise ! »

Posant une main ferme sur son bras, il l'aida avec sollicitude à réintégrer son fauteuil. Lady Ursula détestait ces contacts désinvoltes. Ce n'était pas parce qu'elle était invalide que ses connaissances, ou des inconnus, avaient le droit de manier son corps comme si celui-ci était un objet encombrant à pousser ou à tirer pour le remettre en place. Elle eut envie de se libérer de cette poigne possessive, mais parvint à réprimer son impulsion. Cependant, malgré elle, elle se raidit. Elle savait que ce mouvement instinctif de répulsion n'avait pas échappé à Stephen. Quand, avec une douceur et une compétence très professionnelle, il l'eût réinstallée dans son fauteuil, lui-même s'assit sur le siège opposé. Ils étaient séparés par une table basse. Ce rond en bois de rose sembla établir sa supériorité : c'était un face-à-face entre la force et la faiblesse, la jeunesse et la vieillesse, le médecin et sa malade docile. Sauf qu'elle n'était pas sa malade.

« Il paraît que pour votre opération de la hanche, vous attendez d'être admise à l'hôpital », fit-il.

C'était évidemment Barbara qui le lui avait dit, mais il se garderait bien de mentionner son nom le premier.

« Oui. Je suis sur la liste d'attente de l'hôpital.

— Excusez ma question : pourquoi n'allez-vous pas dans une clinique privée ? N'est-ce pas souffrir inutilement ? »

Pouvait-on imaginer remarque plus déplacée pour commencer une visite de condoléance ? se dit-elle. C'était presque indécent. Ou bien Stephen avait-il décidé d'affronter le deuil et le stoïcisme de son hôtesse en se réfugiant sur le terrain médical, le seul sur lequel il eût de l'assurance et pût faire preuve d'autorité ?

« Je préfère être soignée en tant qu'assurée sociale. Je tiens à mes privilèges, mais il se trouve que celui-là ne m'intéresse pas. »

Stephen sourit. On aurait dit qu'il cherchait à apaiser un enfant.

« Cela me paraît un peu masochiste.

— C'est possible. Mais je ne vous ai pas fait venir ici pour vous demander un avis médical.

— Qu'en tant qu'obstétricien, je ne serais d'ailleurs pas en mesure de vous donner. Lady Ursula, la nouvelle au sujet de Paul est horrible, incroyable ! N'auriez-vous pas dû faire venir votre médecin ? Ou un ami ? Vous ne devriez pas être seule à un moment pareil.

— Si j'ai besoin des palliatifs habituels — café, alcool et chaleur —, Mattie est là pour me les fournir. Quand on a quatre-vingt-deux ans, les quelques rares personnes qu'on aurait envie de voir sont mortes. J'ai survécu à mes deux fils. C'est la pire des choses qui puisse arriver à un être humain. Il faut que je le supporte. Mais rien ne m'oblige à en parler. » Elle aurait pu ajouter : « Et à vous encore moins qu'à quiconque. »

Elle eut l'impression que ces mots, bien que tus, flottaient dans l'air qui les séparait. Stephen resta un moment silencieux comme s'il réfléchissait à ces paroles, acceptait leur bien-fondé.

« Bien entendu, je serais passé vous voir plus tard, même si vous ne m'aviez pas téléphoné. Je ne savais pas si vous souhaitiez qu'on vous rende déjà visite. Avez-vous reçu ma lettre ? »

Il devait l'avoir écrite aussitôt après que Barbara lui eût annoncé la nouvelle par téléphone. Ensuite, il l'avait fait porter par une infirmière. Pressée de rentrer chez elle à la fin de son service de nuit, celle-ci ne s'était même pas arrêtée pour la remettre à quelqu'un : elle l'avait simplement glissée dans la boîte. Stephen avait employé tous les clichés qu'il fallait. Pour exprimer sa réaction en termes adéquats, il n'avait pas eu besoin d'un dictionnaire des synonymes. Le meurtre était en effet une chose épouvantable, terrible, horrible, incroyable, abominable. Mais sa lettre, obligation mondaine hâtivement remplie, avait manqué de conviction. De plus, quelle idée de l'avoir fait taper par sa secrétaire ! Mais ça, songea-t-elle, c'était typique. Grattez le vernis soigneusement acquis de la réussite professionnelle, du prestige, de l'assurance mondaine, et vous trouvez au-dessous l'homme réel : un personnage ambitieux, légèrement vulgaire, sensible seulement quand la sensibilité est payante. Mais cette appréciation-là reposait en grande partie sur des préjugés ; or ceux-ci étaient dangereux. Elle devait veiller à les cacher le plus possible si elle voulait donner à cet entretien le tour qu'elle souhaitait. Et puis, c'était injuste de critiquer cette lettre. Pour adresser ses condoléances à la mère d'un mari assassiné qu'on cocufie depuis trois ans, le vocabulaire mondain de Stephen ne pouvait être qu'insuffisant.

Elle ne l'avait pas vu depuis trois mois et, de nouveau, elle fut frappée par sa beauté. Jeune homme, il avait eu beaucoup de charme : grand, un peu gauche, doté d'une crinière de cheveux noirs. Maintenant, la réussite avait poli et façonné sa silhouette dégingandée. Stephen assumait sa haute stature avec une assurance décontractée et au fond de ses yeux gris, dont il savait si bien se servir, on lisait de la vigilance. Ses cheveux, maintenant parsemés de fils argentés, étaient toujours aussi épais. Même leur coupe coûteuse n'était pas parvenue à les discipliner complètement. Cette particularité, si éloignée de l'ennuyeuse beauté classique masculine, suggérait une nature indomptée et le rendait encore plus attirant.

Il se pencha en avant et la regarda intensément, ses yeux gris pleins de sympathie. Lady Ursula se surprit à lui en vouloir de la facilité avec laquelle il affectait cette sollicitude professionnelle. Mais c'était là une chose qu'il faisait très bien. Elle s'attendit presque à l'entendre dire : « Nous avons fait tout ce que nous avons pu, tout ce qui était humainement possible. » Puis elle se dit que l'intérêt qu'il lui témoignait était peut-être sincère. Elle devait résister à la tentation de le sous-estimer, de le réduire au stéréotype du séducteur, beau et expérimenté, sorti tout droit d'un roman de gare. Quelle que fût sa personnalité, celle-ci n'était pas aussi simple. Aucune personnalité ne l'était jamais. Et il était, après tout, considéré comme un très bon gynécologue. Il travaillait dur, connaissait son métier.

Du temps que Hugo était à Balliol, Stephen Lampart avait été son meilleur ami. Elle-même avait eu de l'affection pour lui, à cette époque. Même si cela lui déplaisait, même si elle refusait à moitié de l'admettre, ce sentiment n'avait pas entièrement disparu. Il était lié à des promenades ensoleillées à Port Meadow, à des déjeuners et à des rires dans l'appartement de Hugo, à des années de promesse et d'espoir. Stephen avait été le type du garçon brillant issu d'une famille petite-bourgeoise, beau, arriviste, sympathique et amusant qui s'introduit dans le milieu où il veut vivre grâce à son attrait physique et à son esprit. Il avait fort bien réussi à cacher son ambition. Hugo, lui, avait été le privilégié. Une mère fille de comte, un père baronnet, excellent soldat, détenteur du titre et héritier de ce qui restait de la fortune des Berowne. Pour la première fois, elle se demanda si Stephen en avait voulu non seulement à Hugo, mais aussi à toute la famille, si la trahison qu'il avait commise par la suite ne plongeait pas ses racines dans le terreau d'une vieille jalousie.

« Il y a deux choses dont je voudrais vous parler. Nous avons peu de temps et l'occasion ne se représentera probablement plus. Peut-être devrais-je commencer par dire que je ne vous ai pas fait venir pour critiquer l'infidélité de ma belle-fille. Je suis mal placée pour critiquer la vie sexuelle de qui que ce soit. »

Les yeux gris devinrent prudents.

« Vous êtes d'une rare sagesse, lady Ursula.

— Mais mon fils a été assassiné. La police le saura bientôt, si elle ne le sait déjà. Moi, je le sais.

— Excusez-moi, mais comment pouvez-vous en être aussi sûre ? Tout ce que Barbara m'a dit ce matin au téléphone, c'était que la police avait trouvé le cadavre de Paul et celui d'un clochard et que les deux corps... » Stephen s'interrompit un instant, puis reprit : « ... portaient des blessures à la gorge.

— Ils avaient la gorge tranchée. Tous les deux. Et d'après la façon pleine de tact dont on m'a annoncé la nouvelle, j'ai déduit que l'arme du crime était l'un des rasoirs de mon fils. Paul aurait été capable de se suicider, je suppose. Comme la plupart d'entre nous quand la souffrance devient intolérable. Par contre, il n'aurait jamais tué ce clochard. Mon fils a été assassiné. Cela signifie que la police cherchera à découvrir certains faits.

— Quels faits, lady Ursula ? demanda Stephen d'une voix calme.

— Que vous êtes l'amant de Barbara. »

Les mains que Stephen croisaient sur ses genoux se crispèrent, puis se détendirent. Mais l'homme resta capable de la regarder dans les yeux.

« Je vois... Est-ce Paul ou Barbara qui vous a dit cela ?

— Ni l'un ni l'autre. Mais cela fait quatre ans que je vis sous le même toit que ma belle-fille. Je suis une femme. Bien qu'invalide, j'ai encore l'usage de mes yeux et de mon cerveau.

— Comment va-t-elle ?

— Je n'en sais rien. Je vous conseille vivement de le découvrir par vous-même avant de partir. Depuis qu'on m'a annoncé la nouvelle, je n'ai vu Barbara que trois minutes. Il paraît qu'elle est trop bouleversée pour parler à des visiteurs. J'en déduis que je suis du nombre.

— N'êtes-vous pas un peu injuste ? La douleur des autres est parfois plus difficile à supporter que la sienne propre.

— Surtout quand celle-ci n'est pas trop grande. »

Se penchant en avant, Stephen dit doucement :

« Nous n'avons pas le droit de supposer une chose pareille. Barbara n'éprouvait peut-être pas pour lui le grand amour mais Paul était son mari. Elle lui portait beaucoup d'affection, plus d'affection, probablement, qu'aucun de nous deux ne le pense. Pour elle, pour nous tous, ce décès est atroce. Faut-il vraiment que nous parlions de cela maintenant ? Nous sommes tous deux bouleversés.

— Oui, nous devons parler, et nous n'avons que peu de temps. La commandant Adam Dalgliesh va venir me voir dès qu'ils en auront terminé avec ce qu'ils peuvent bien faire dans cette église. Je suppose qu'il voudra aussi interroger Barbara. Et, tôt ou tard, ce sera votre tour. Il faut que je sache ce que vous avez l'intention de lui dire.

— Adam Dalgliesh ? N'écrit-il pas aussi de la poésie ? Curieux passe-temps pour un policier.

— S'il est aussi bon policier qu'il est bon poète, c'est quelqu'un de dangereux. Ne sous-estimez pas la police sur la base des articles que vous avez pu lire dans les revues pour intellectuels.

— Je ne la sous-estime pas, mais je n'ai aucune raison de la craindre. Je sais qu'elle marque un certain enthousiasme pour la violence sélective tout en adhérant d'une façon rigide à la morale petite-bourgeoise. Mais vous ne pensez pas sérieusement qu'elle me soupçonnera d'avoir égorgé Paul parce que je couchais avec sa femme ? Elle n'est peut-être pas au fait de l'évolution des mœurs, mais pas à ce point-là tout de même ! »

Ah, voilà qui lui ressemble davantage, songea-t-elle.

« Je ne dis pas qu'elle vous soupçonnera. Je suis certaine que vous serez capable de lui fournir un alibi acceptable pour hier soir. Mais cela nous éviterait bien des ennuis si vous disiez tous deux la vérité sur la nature de vos rapports. En ce qui me concerne, je préférerais ne pas avoir à mentir sur ce point. Bien entendu, je ne donnerai aucune information non sollicitée, mais il est fort possible qu'on m'interroge à ce sujet.

— Pour quelle raison, lady Ursula ?

— Parce que le commandant Dalgliesh travaillera en liaison avec la Special Branch*. Même si ça n'a été que pour peu de temps, mon fils était membre du gouvernement. Croyez-vous que des gens payés pour découvrir et prouver ce genre de scandale en puissance ignorent quoi que ce soit de la vie privée d'un secrétaire d'État, surtout de ce ministère-là ? Mais enfin, d'où sortez-vous ? »

Stephen se leva et se mit à arpenter la pièce devant elle.

« J'aurais dû y penser, en effet. J'aurais d'ailleurs fini par le faire. La mort de Paul m'a causé un tel

* Service analogue à la D.S.T. *(N.d.T.)*

90

choc... Je crois que ma tête ne refonctionne pas encore comme il faut.

— Alors, faites un effort. Barbara et vous devez accorder vos violons, raconter la même histoire. Ou, mieux encore, décider de dire la vérité. Je présume que Barbara était votre maîtresse quand vous l'avez présentée à Hugo, qu'elle l'est restée après la mort d'Hugo et après son mariage avec Paul. »

Stephen s'arrêta et se tourna vers elle.

« Croyez-moi, lady Ursula : cela n'avait rien de prémédité, cela ne s'est pas passé comme ça.

— Voulez-vous dire que vous avez eu la bonté de vous abstenir de relations sexuelles au moins jusqu'à la fin de leur lune de miel ? »

Stephen s'approcha. Il s'immobilisa devant elle, les yeux baissés.

« Il y a une chose dont je devrais vous parler, mais je crains que cela ne soit pas, comment dirais-je, se comporter en gentleman. »

Se comporter en gentleman ! Ces mots n'ont plus aucun sens maintenant, pensa-t-elle. Avec vous, ils n'en ont sans doute jamais eu. Avant 1914, on pouvait parler ainsi sans paraître hypocrite ou ridicule, mais plus de nos jours. Cette expression-là et le monde qu'elle représentait ont disparu à jamais, foulés aux pieds, engloutis dans la boue des Flandres.

« Quelqu'un a tué mon fils en lui coupant la gorge. A la lumière d'un acte aussi brutal, il me semble que nous n'avons pas à nous préoccuper des bonnes manières. Il s'agit de Barbara, n'est-ce pas ?

— Oui. Ce que je voudrais que vous compreniez, si vous ne le faites déjà, c'est qu'elle n'est pas amoureuse de moi, bien que je sois son amant. Et elle ne veut certainement pas m'épouser. Elle est aussi bien avec moi qu'elle pourra jamais l'être avec un homme parce que je comprends ses besoins et que je ne lui demande rien. Ou presque rien. Nous demandons tous quelque chose. Et, bien entendu, je suis amoureux d'elle, dans la mesure où je suis capable d'aimer quelqu'un. Cela lui est nécessaire. Elle se sent en sécurité avec moi. Mais elle ne se serait jamais débarrassé d'un mari qui lui convenait parfaitement et d'un titre pour m'épouser. Pas en divorçant et encore moins en se faisant la complice d'un meurtre. Vous avez intérêt à me croire si elle et vous devez continuer à vivre sous le même toit.

— Voilà qui est franc, au moins. Vous me semblez bien assortis. »

Stephen accepta la subtile insulte cachée sous l'ironie.

« En effet, dit-il avec tristesse, puis il ajouta : J'ai l'impression qu'elle ne se sent même pas tellement coupable. Moins que moi, en fait, aussi étrange que cela puisse paraître. L'adultère est difficile à prendre au sérieux quand on en retire si peu de plaisir.

— Le rôle que vous jouez doit être bien fatigant et frustrant. J'admire votre dévouement. »

Stephen eut un sourire mystérieux, comme s'il se rappelait quelque chose.

« Barbara est si belle ! D'une beauté parfaite, vous ne trouvez pas ? Et celle-ci ne dépend même pas de son humeur, de son état de santé ou des vêtements qu'elle porte. Elle est *toujours* belle. Vous ne pouvez pas me reprocher d'avoir essayé de la conquérir.

— Si. Je vous le reproche. »

Mais tout en prononçant ces paroles, lady Ursula se savait malhonnête. La beauté physique, tant chez les hommes que chez les femmes, l'avait fascinée toute sa vie. Elle en avait même vécu. En 1918, après qu'elle eût perdu son frère et son fiancé, elle, la fille d'un comte, était montée sur les planches, au mépris de la tradition. Qu'avait-elle eu d'autre à offrir ? Pas un très grand talent d'actrice, pensa-t-elle avec une ironique sincérité. D'une façon presque instinctive, elle avait toujours choisi des hommes beaux, comme amants et, pour ses amies dotées d'attraits, s'était toujours montrée d'une indulgence excessive dénuée de jalousie. Tout le monde avait donc été d'autant plus surpris quand, à l'âge de trente-deux ans, elle avait épousé sir Henry Berowne, apparemment pour des raisons moins évidentes, et lui avait donné deux fils. Elle se mit à penser à sa belle-fille. Combien de fois ne l'avait-elle pas vue s'immobiliser devant la grande glace du hall ? Barbara était incapable de passer devant un miroir sans se livrer un instant à cette calme contemplation narcissique. Que cherchait-elle à voir ? Le premier signe de l'affaissement du coin de l'œil, du pâlissement du bleu de ses iris, la première ride, la première flétrissure du cou qui montreraient combien était éphémère cette perfection surfaite ?

Stephen continuait à marcher de long en large et à parler.

« Barbara aime sentir qu'on lui accorde de l'attention. Admettez que dans l'acte sexuel, c'est bien cela qui se passe : on accorde à son partenaire une très grande attention, même si celle-ci est spécifique. Elle a besoin que les hommes la désirent. Elle n'a pas tellement envie qu'ils la touchent réellement. Si elle pensait que j'étais mêlé au meurtre de Paul, elle ne me remercierait pas. Au contraire : elle ne me le pardonnerait probablement jamais. Et il est certain qu'elle ne me protégerait pas. Excusez-moi. J'ai été trop franc. Mais je pense qu'il fallait dire ces choses.

— En effet. Qui protégerait-elle ?

— Son frère, peut-être, mais pas pour longtemps, et certainement pas si cela devait la mettre en danger. Ils n'ont jamais été très liés.

— Elle n'aura pas à faire preuve de fidélité fraternelle, déclara sèchement lady Ursula. Dominic Swayne a passé toute la soirée d'hier ici, avec Mattie.

— Est-ce lui ou elle qui vous l'a dit ?

— Accusez-vous Dominic d'avoir joué un rôle dans la mort de mon fils ?

— Bien sûr que non. Ce serait absurde ! Et si Mattie affirme qu'il était avec elle, je suis sûr que c'est vrai. Nous savons tous que Mattie est un modèle de rectitude. Vous m'avez demandé s'il y avait quelqu'un que Barbara protégerait. Je ne vois personne d'autre. »

Stephen avait cessé de marcher. Il se rassit en face d'elle.

« Quand vous m'avez téléphoné, vous m'avez dit qu'il y avait deux choses dont vous vouliez me parler.

— Oui. J'aimerais être sûre que l'enfant que porte Barbara est bien mon petit-fils et non votre bâtard. »

Stephen Lampart se raidit. Pendant un instant, une seconde peut-être, il resta assis, rigide, le regard baissé sur ses mains croisées. Dans le silence qui tomba, elle entendit le tic-tac de la pendule. Puis il leva les yeux, toujours aussi calme, mais un peu plus pâle, à ce qu'il lui sembla.

« Il ne peut y avoir aucun doute à ce sujet. J'ai subi une vasectomie il y a trois ans. Élever des enfants n'est pas dans mes cordes et je n'ai pas envie qu'on me ridiculise par des procès en paternité. Si vous voulez une preuve, je peux vous donner le nom de mon chirurgien. C'est probablement plus simple que de tabler sur des analyses de sang une fois qu'il sera né.

— Il ?

— Oui, c'est un garçon. Barbara s'est fait faire

94

une amniocentèse. Votre fils voulait un héritier. Il l'aura. Vous ne le saviez pas ? »

Lady Ursula se tut un instant, puis demanda :

« Ce test n'est-il pas dangereux pour le fœtus, surtout à un stade si peu avancé de la grossesse ?

— Pas avec nos nouvelles techniques et un bon spécialiste. Et j'ai veillé à ce qu'elle en ait un bon. Non, ce n'était pas moi. Je ne suis pas aussi bête.

— Paul était-il au courant ?

— Barbara ne me l'a pas dit. Je ne le pense pas. Après tout, elle vient seulement de l'apprendre elle-même.

— Qu'elle était enceinte ? Cela m'étonnerait !

— Non, le sexe de l'enfant. Je l'ai appelée hier matin, à la première heure, pour le lui dire. Mais Paul s'est peut-être douté qu'il y avait un enfant en route. Il a pu retourner dans cette église pour demander à son Dieu des instructions plus précises. »

Lady Ursula fut saisie d'une colère si violente que, pendant un instant, elle en resta muette. Quand elle retrouva l'usage de la parole, sa voix chevrota comme celle d'une vieille femme impotente. Mais, au moins, elle pouvait encore blesser.

« Même enfant vous n'avez jamais pu résister à la tentation d'allier la vulgarité à ce que vous imaginiez être de l'esprit. J'ignore ce qui est arrivé à mon fils dans cette église, et je ne prétends pas le comprendre, mais il a fini par en mourir. La prochaine fois que vous aurez envie de faire un bon mot facile, souvenez-vous-en.

— Excusez-moi, murmura Stephen d'une voix glaciale. Je savais dès le début que cette conversation était une erreur. Nous sommes tous deux trop secoués pour nous montrer rationnels. Et maintenant, avec votre permission, je vais me retirer. Je descends voir Barbara avant que la police n'arrive. Elle est seule, n'est-ce pas ?

— Oui, pour autant que je le sache. Anthony Farrell ne devrait pas tarder. Dès que j'ai appris la nouvelle, je l'ai appelé à son domicile privé, mais il lui faut tout de même le temps d'arriver de Winchester.

— L'avocat de la famille ? Sa présence ici ne paraîtra-t-elle pas suspecte à la police ? Elle pourrait croire que vous prenez une précaution nécessaire.

— Anthony est aussi un ami. Il est normal que nous désirions toutes deux l'avoir à nos côtés. Mais je suis contente que vous puissiez voir Barbara avant son arrivée. Dites à ma belle-fille de répondre aux questions de Dalgliesh, mais de ne pas fournir de renseignements spontanés, aucun renseignement. Je ne pense pas que la police dramatisera inutilement ce qui n'était, après tout, qu'un vulgaire adultère. Mais ce n'est pas là un aveu qu'ils s'attendront à entendre de sa bouche, même s'ils sont au courant. Une trop grande sincérité paraît aussi suspecte que la dissimulation.

— Étiez-vous avec elle au moment où la police lui a annoncé la nouvelle ?

— Ce n'est pas la police, mais moi qui la lui ai annoncée. Vu les circonstances, cela m'a semblé préférable. Un inspecteur de la police, une femme, très compétente d'ailleurs, m'a mise au courant la première, ensuite je suis descendue seule voir Barbara. Oh, son comportement a été parfait ! Barbara a toujours su quelle émotion elle était censée éprouver. Et c'est une excellente comédienne. Rien d'étonnant à cela : elle a eu de l'entraînement. Ah, et puis dites-lui de ne pas mentionner l'enfant. C'est important.

— Si tel est votre désir, si vous jugez que c'est

plus sage... Parler de son état pourrait toutefois lui être utile. Les policiers la ménageraient davantage.

— Ils la ménageront. Vous pouvez être certain qu'on ne nous enverra pas des imbéciles. »

Ils parlaient comme des conspirateurs, alliés précaires dans un complot qu'aucun des deux n'aurait admis. Lady Ursula se sentit envahie d'un dégoût aussi physique qu'une nausée. En même temps, elle fut prise d'une faiblesse qui l'écrasa dans son fauteuil. Aussitôt, elle eut conscience de la présence de Stephen à ses côtés, de ses doigts doux et fermes sur son poignet. Elle savait qu'elle aurait dû trouver ce contact désagréable, mais, à présent, celui-ci la réconfortait. Elle se renversa contre le dossier, les yeux fermés. Sous les doigts de Stephen, son pouls se raffermit.

« Vous devriez vraiment consulter votre médecin, lady Ursula. C'est Malcolm Hancock, n'est-ce pas ? Permettez-moi de l'appeler. »

Elle secoua la tête.

« Non, non, ça ira. Je ne me sens pas encore la force de voir quelqu'un d'autre. Jusqu'à l'arrivée de la police, j'ai besoin d'être seule. »

Elle n'aurait pas cru qu'elle admettrait ainsi sa faiblesse, surtout à lui et à un moment pareil. Stephen gagna la porte. Il avait déjà la main sur la poignée quand elle dit :

« Une dernière question. Que savez-vous sur Theresa Nolan ?

— Pas beaucoup plus que vous, j'imagine, peut-être même moins. Miss Nolan a travaillé un mois à Pembroke Lodge et c'est à peine si je l'ai vue pendant cette période. Elle vous a soignée et a vécu dans cette maison pendant six semaines. Quand elle est venue travailler dans ma clinique, elle était déjà enceinte.

— Et sur Diana Travers ?

— Rien, sinon qu'elle a eu l'imprudence de trop boire et de trop manger, puis de plonger dans la Tamise. Comme vous devez le savoir, Barbara et moi avons quitté le *Black Swan* avant qu'elle se noie. »

Stephen se tut un instant, puis il reprit d'un ton grave :

« Je sais à quoi vous pensez, lady Ursula : à cet article ridicule dans le *Paternoster*. Puis-je vous donner un conseil ? Le meurtre de Paul, si c'en est un, est parfaitement simple. Il a laissé entrer quelqu'un dans l'église — un voleur, un autre clochard, un déséquilibré —, et cette personne l'a assassiné. Ne compliquez pas sa mort, qui, Dieu sait, est déjà assez horrible, avec de vieux drames qui n'ont rien à voir avec son décès. La police aura déjà assez à faire sans cela.

— N'ont-ils vraiment rien à voir, ni l'un ni l'autre ? »

Au lieu de répondre, Stephen demanda :

« A-t-on mis Sarah au courant ?

— Pas encore. J'ai essayé de l'appeler ce matin, mais il n'y avait personne. Elle était sans doute sortie acheter un journal. Je la rappellerai dans un moment.

— Voulez-vous que j'aille chez elle ? C'est la fille de Paul, après tout. La nouvelle de la mort de son père sera un terrible choc pour elle. Elle ne devrait pas l'apprendre par la police ou par la télévision.

— Ne craignez rien. J'irai moi-même s'il le faut.

— Mais qui vous conduira chez elle ? Le mercredi n'est-il pas le jour de congé de Halliwell ?

— Il y a des taxis. »

La façon qu'il avait de prendre la direction des opérations, de s'insinuer dans la famille avec autant de ruse qu'il l'avait fait autrefois, à Oxford, l'irrita.

Puis, de nouveau, elle se reprocha son injustice. Stephen n'avait jamais manqué de bonté.

« Il faudrait avant l'arrivée de la police qu'elle ait le temps de se préparer », dit-il.

De se préparer à quoi ? se demanda-t-elle. A feindre un chagrin décent ? Elle ne répondit pas. Soudain, elle eut tellement envie de le voir partir qu'elle dut se taire pour ne pas avoir à lui dire de sortir. Elle lui tendit la main. Se penchant, il la prit dans la sienne et la porta à ses lèvres. Ce geste théâtral et déplacé l'étonna, mais sans la dégoûter. Après le départ de Stephen elle se surprit à regarder ses doigts maigres couverts de bagues, ses articulations tachées de son sur lesquels Stephen avait un instant appuyé ses lèvres. Avait-il voulu par là rendre hommage à une vieille femme qui affrontait avec dignité et courage une dernière tragédie ? Ou était-ce quelque chose de plus subtil : le gage d'une alliance, l'assurance qu'il comprenait ses désirs et les respecterait ?

8

Dalgliesh se rappela ce qu'un chirurgien lui avait dit un jour au sujet de Miles Kynaston : bien qu'il semblât promis à une brillante carrière de diagnosticien, celui-ci avait abandonné la médecine générale pendant son internat et s'était mis à faire de la pathologie parce qu'il ne supportait plus le spectacle de la souffrance humaine. Le chirurgien lui avait raconté cela avec une pointe de condescendance amusée dans la voix, comme s'il trahissait la malheureuse faiblesse d'un confrère qui, s'il avait été plus prudent, l'aurait décelée avant de commencer sa formation médicale ou, du moins, l'aurait surmontée avant sa deuxième année. C'était une histoire vraisemblable, se dit Dalgliesh. Kynaston était bien devenu un excellent diagnosticien. Désormais, il réservait son art aux morts qui, eux, ne se plaignaient pas, dont les yeux ne pouvaient pas le supplier de leur donner de l'espoir, dont les bouches ne pouvaient plus crier. Il avait indéniablement un certain goût pour la mort. Rien de ce qui la concernait ne le déroutait : ni sa malpropreté, ni son odeur, ni aucune de ses apparences les plus bizarres. A la différence de la plupart des médecins, il ne la voyait pas comme l'ultime ennemie, mais comme une fascinante énigme, et chaque cadavre, qu'il regardait avec autant d'attention qu'il avait dû autrefois regarder ses malades, comme un nouvel indice qui, interprété correctement, pouvait lui donner la clé de ce profond mystère.

Dalgliesh l'estimait plus que tous les autres pathologistes avec lesquels il avait travaillé. Il venait très vite quand on l'appelait et fournissait les résultats d'une autopsie avec la même promptitude. Il ne se laissait pas aller à faire ces grossières plaisanteries macabres avec lesquelles certains de ses confrères pensaient devoir étayer l'idée qu'ils se faisaient d'eux-mêmes en société : avec lui, les convives d'un dîner n'avaient pas à craindre des anecdotes de mauvais goût au sujet de couteaux à découper ou d'organes manquants. Et, par-dessus tout, il était très bon à la barre des témoins, trop bon pour certains. Dalgliesh se rappela le commentaire acerbe d'un avocat de la défense après une condamnation : « Les jurés commencent à croire que Kynaston est infaillible. C'est dangereux, nous ne voulons pas un autre Spilsbury. »

Kynaston ne perdait jamais de temps. Pendant

qu'il saluait Dalgliesh, il ôtait déjà sa veste et enfilait de fins gants de latex sur ses mains aux doigts boudinés, si blanches qu'elles en paraissaient exsangues. Grand et solidement charpenté, il avait une allure pataude. Une fois au travail, il semblait se contracter, devenir compact ; alors, presque gracieux, il se mouvait avec la légèreté et la précision d'un chat. Il avait un visage charnu, des cheveux foncés, un haut front parsemé de taches de rousseur et qui commençait à se dégarnir, des yeux sombres et brillants aux paupières lourdes qui donnaient à sa figure un air d'intelligence sardonique.

Il s'accroupit près du cadavre de Berowne. Ses mains pâles pendaient devant lui, comme désincarnées. Il contempla les plaies de la gorge avec une extraordinaire concentration, mais ne fit aucun geste pour toucher le corps. Il se contenta de passer légèrement sa main à l'arrière de la tête du mort. On aurait dit une caresse.

« De qui s'agit-il ? demanda-t-il.

— Sir Paul Berowne, ex-député et ex-secrétaire d'État, et Harry Mack, clochard.

— A première vue, nous sommes en présence d'un meurtre suivi d'un suicide. Les entailles sont classiques : deux coupures superficielles de gauche à droite, puis une autre au-dessus, nette, profonde, qui sectionne l'artère. Comme je l'ai dit, à première vue, c'est évident. Un peu trop peut-être ?

— C'est ce qu'il me semble », répondit Dalgliesh.

Sautillant sur la pointe des pieds comme un danseur, Kynaston s'approcha avec précaution de Harry.

« Une seule entaille, mais suffisante, celle-là. De nouveau de gauche à droite. Ce qui signifie que Berowne, si c'était lui le meurtrier, se tenait derrière le type.

— Alors pourquoi la manche droite de Berowne

101

n'est-elle pas imbibée de sang ? D'accord, elle est très tachée, de son sang ou de celui de Harry, ou des deux. Mais, s'il avait tué Harry, ne vous attendriez-vous pas à la voir plus imprégnée ?

— Pas s'il l'a d'abord retroussée, avant d'attaquer Harry par derrière.

— Et il l'a redescendue ensuite pour se trancher la gorge ? Cela me paraît invraisemblable.

— Le labo devrait pouvoir identifier le sang de Harry, ou ce qui pourrait être le sien, sur cette manche, ainsi que celui de Berowne. Je ne vois pas de taches entre les deux corps.

— Les gars du labo ont passé le tapis à la lampe à fibre optique. Ils trouveront peut-être quelque chose. Et on distingue une traînée sous la veste de Harry, plus une trace, qui pourrait être du sang, juste au-dessus, sur la doublure. »

Dalgliesh souleva le pan du vêtement. Les deux hommes regardèrent en silence la tache sur le tapis.

« Cette marque était sous la veste à notre arrivée, précisa Dalgliesh. Cela veut dire qu'elle était là avant que Harry ne s'écroule. S'il s'avère que c'est le sang de Berowne, alors le député est mort en premier, à moins, bien sûr, qu'il ne soit venu en chancelant vers Harry après s'être infligé la première ou la deuxième des blessures superficielles. Cela me paraît absurde comme hypothèse. S'il était en train de se taillader la gorge, comment Harry aurait-il pu l'en empêcher ? Alors pourquoi se donner la peine de l'éliminer ? Mais serait-ce possible, d'un point de vue strictement médical ? »

Kynaston le regarda. Tous deux comprenaient l'importance de la question.

« Après la première entaille superficielle, je dirais que oui.

— Aurait-il encore eu la force de tuer Harry ?

— Avec la gorge partiellement tranchée ? Je le

répète : nous ne pouvons pas exclure cette possibilité-là. N'oubliez pas que Berowne aurait été dans un état d'extrême excitation. C'est étonnant la force que les gens peuvent trouver. Nous sommes en train de supposer qu'il a été dérangé alors qu'il était occupé à se suicider, n'est-ce pas ? Ce n'est pas un moment où l'homme a toute sa raison. Mais je ne peux pas en être certain. Personne ne le pourrait. Vous demandez l'impossible, Adam.

— C'est bien ce que je craignais. Mais la chose est trop nette.

— Ou voulez-vous croire qu'elle l'est ? Comment la voyez-vous ?

— D'après la position du corps, je pense que Berowne devait être assis au bord du lit. En supposant qu'il ait été assassiné, et en supposant que son assassin se soit d'abord rendu à la cuisine, celui-ci aurait pu revenir silencieusement et attaquer Berowne par derrière. Un coup, une corde autour du cou. Ou bien il l'attrape par les cheveux, tire la tête en arrière et pratique la première entaille profonde. Les autres, destinées à paraître hésitantes, ont été faites ensuite. Nous devons donc chercher une marque quelconque sous les plaies ou une bosse à l'arrière du crâne.

— Il y a une bosse, mais elle est petite. Elle aurait pu être causée par la chute du corps. L'autopsie nous en dira plus là-dessus.

— Une autre hypothèse, c'est que l'assassin l'a assommé d'abord, mais s'est rendu dans la cuisine, s'est déshabillé et est revenu pour égorger sa victime avant que celle-ci n'ait pu reprendre connaissance. Mais cela soulève d'évidentes questions. L'assassin aurait dû savoir doser exactement la violence de son coup et celui-ci aurait laissé sur le corps une trace plus importante qu'une petite bosse.

— Elle en soulève pourtant moins que la première, c'est-à-dire, qu'il est entré à moitié nu et armé d'un rasoir alors qu'on ne relève aucun signe de lutte.

— Berowne aurait pu être attaqué par surprise. Il pensait que son visiteur reviendrait par la porte de la cuisine. Or cette personne a peut-être descendu le couloir sur la pointe des pieds et est entrée par la porte principale. Étant donné la position du corps, cela me paraît être la théorie la plus vraisemblable.

— Vous supposez donc qu'il y a eu préméditation ? Que le meurtrier savait qu'il trouverait un rasoir sur place ?

— Oui. Si Berowne a été assassiné, le meurtre était prémédité. Mais je suis en train de commettre la plus impardonnable des fautes : élaborer une théorie avant de connaître les faits. N'empêche que cette scène a quelque chose d'artificiel, Miles. Tout est trop net, trop évident.

— Dès que j'aurai terminé l'examen préliminaire, vous pourrez faire enlever les corps. Normalement, je pratiquerais l'autopsie à la première heure demain, mais, à l'hôpital, on ne m'attend pas avant lundi et la salle est prise jusqu'en début d'après-midi. Je ne pourrai pas commencer avant trois heures et demie au plus tôt. Ça ira ?

— Pour le labo, je ne sais pas. Le plus tôt sera le mieux. »

Quelque chose dans sa voix devait avoir surpris Kynaston.

« Vous le connaissiez ? » demanda-t-il.

Voilà une question qui va se répéter, pensa Dalgliesh. Vous le connaissiez. Cette affaire vous touche personnellement. Vous refusez de voir la victime comme un fou, un suicidé, un assassin.

« Oui, un peu, répondit-il. Surtout pour l'avoir eu comme vis-à-vis à des réunions de la commission. »

Cet acquiescement plein de réserve lui fit l'effet d'une petite trahison. Il reprit :

« Oui, je le connaissais.

— Que fabriquait-il ici ?

— Il a eu une sorte d'expérience mystique dans cette pièce. Il a peut-être essayé de la renouveler. Il avait demandé au pasteur de cette paroisse à passer la nuit ici. Il n'a pas donné d'explication.

— Et le clochard ?

— Berowne a dû le laisser entrer. Il l'a peut-être trouvé en train de dormir sous le porche. D'après ce qu'on m'a dit, Harry ne supportait pas la compagnie. Selon toutes les apparences, il avait l'intention de dormir un peu plus loin, dans la grande sacristie. »

Kynaston hocha la tête et s'attela à son travail. Le laissant à sa tâche, Dalgliesh sortit dans le couloir. Le spectacle d'un pathologiste occupé à violer les orifices d'un corps, prélude aux brutalités qui allaient suivre, lui donnait toujours la désagréable impression d'être un voyeur. Il s'était souvent demandé pourquoi il trouvait cette opération plus révoltante, plus vampirique, que l'autopsie elle-même. Était-ce parce que le corps, parfois, était à peine refroidi ? Quelqu'un de superstitieux aurait pu craindre que l'esprit récemment libéré du défunt planât encore au-dessus de son cadavre et s'indignât des outrages qu'on faisait subir à sa dépouille encore vulnérable. Il n'y avait rien que Dalgliesh pût faire jusqu'à ce que Kynaston eût terminé. Il constata avec surprise qu'il était fatigué. Plus tard, quand il travaillerait seize heures par jour sur cette affaire, il trouverait normal d'être épuisé, mais jamais encore il n'avait éprouvé cette lassitude prématurée, cette sensation d'être déjà vidé physiquement et mentalement. Il se demanda si c'était le début de la vieillesse ou un

autre signe prouvant que cette enquête serait différente.

Il retourna dans l'église et s'assit sur une chaise,
devant la statue de la Vierge. L'immense nef était
vide, à présent. Le père Barnes était parti. Un agent
l'avait raccompagné chez lui. Le pasteur s'était
montré très coopératif. Au sujet de la chope, il avait
déclaré que Harry l'avait souvent eue avec lui quand
on le trouvait endormi sous le porche. En ce qui
concernait le buvard, il avait dit, après l'avoir
regardé avec une douloureuse attention que, selon
lui, les taches noires n'y étaient pas quand il l'avait
vu pour la dernière fois, le lundi. Il ne pouvait
toutefois en être certain. Ce soir-là, il avait sorti une
feuille de papier du bureau pour prendre des notes
pendant la réunion. Comme le feuillet avait recouvert le buvard, il n'avait vraiment vu celui-ci que
très peu de temps. Mais, pour autant qu'il pût en
juger, ces marques noires étaient fraîches.

Dalgliesh se réjouit d'avoir quelques instants de
tranquillité. Le parfum de l'encens semblait s'être
intensifié, mais, à présent, il lui paraissait recouvert
d'une odeur douceâtre plus inquiétante, et le silence
n'était pas absolu. Derrière lui, il entendait résonner
des pas ; parfois, une voix s'élevait, calme, assurée.
Les spécialistes invisibles s'affairaient derrière la
grille. Les bruits paraissaient très lointains et pourtant distincts. On aurait dit ceux d'une agitation
furtive, sinistre, comparable à un grattement de
souris derrière des lambris. Comme Dalgliesh le
savait, bientôt on emballerait proprement les cadavres
dans des linceuls de plastique, on plierait soigneusement le tapis pour conserver les taches de sang,
surtout celle qui semblait significative. Empaque-
tées, étiquetées, les pièces à conviction partiraient
dans la voiture de police : le rasoir, les miettes de
pain et de fromage provenant de la grande sacristie,

les fibres des vêtements de Harry, le bout d'allumette usée. Pour l'instant, il garderait l'agenda. Il en aurait besoin lors de sa visite à Campden Hill Square.

Au pied de la statue de la Vierge à l'Enfant, se dressait un candélabre portant une triple rangée de bougeoirs bouchés où des morceaux de mèche s'enfonçaient profondément dans leurs ronds de cire. Sur une impulsion, il fouilla dans sa poche, en sortit dix pence qu'il glissa dans le tronc. La pièce produisit un cliquetis anormalement bruyant. Dalgliesh s'attendit presque à voir Kate ou Massingham s'approcher de lui et le regarder d'un œil curieux faire ce geste sentimental qui lui ressemblait si peu. Dans un support en cuivre enchaîné au pied du chandelier, il aperçut une boîte d'allumettes semblable à celle qui se trouvait à l'arrière de l'église. Il choisit un cierge parmi les petits et, frottant une allumette, l'approcha de la mèche. Il eut l'impression que celle-ci mettait très longtemps à prendre. Puis la flamme s'éleva, limpide et ferme. Dalgliesh enfonça le cierge dans l'une des bobèches, puis s'assit, les yeux fixés sur la flamme. Comme hypnotisé par elle, il se laissa glisser dans le passé.

9

Ils s'étaient rencontrés un an plus tôt — un an, déjà! Tous deux participaient à un séminaire sur les décisions de justice, dans une université du Nord. Berowne pour l'ouvrir par un bref discours, lui pour y représenter la police. Ils avaient voyagé en train, dans le même compartiment de première classe. Berowne et son chef de cabinet avaient passé la première heure à examiner des papiers officiels. Dalgliesh, après avoir consulté une dernière fois le programme, s'était installé confortablement pour relire *The Way We Live Now* de Trollope. Une fois le dernier dossier rangé, Berowne avait regardé son vis-à-vis comme s'il avait envie de bavarder avec lui. Avec un tact qui laissait prévoir qu'il irait loin, le chef de cabinet avait déclaré que, si monsieur le secrétaire d'État n'y voyait pas d'inconvénient, il se rendrait au premier service du déjeuner. Là-dessus, il avait disparu. Les deux hommes avaient ensuite parlé pendant deux heures.

En y repensant, Dalgliesh s'étonna de nouveau de la franchise qu'avait montrée Berowne. On aurait dit que ce voyage en lui-même, ce compartiment intime dans l'ancien style où ils s'étaient retrouvés, l'absence d'interruptions et des sonneries tyranniques du téléphone, le temps qui, visiblement, filait à toute allure, annihilé sous le ferraillement des roues sans qu'ils eussent à en rendre compte, les avaient libérés tous deux d'une prudence devenue tellement habituelle qu'ils n'en avaient conscience qu'au moment de s'en départir, quand ils la laissaient glisser comme un fardeau de leurs épaules. Tous deux tenaient farouchement à leur intimité. Ni l'un ni l'autre n'avait besoin de la camaraderie masculine des clubs ou des terrains de golf, des pubs ou de la chasse que tant de leurs collègues recherchaient pour le réconfort ou la stimulation qu'elle apportait à leurs vies trépidantes.

Berowne avait d'abord parlé par intermittence, puis plus librement. Pour finir, l'entretien était devenu très intime. Des sujets habituels d'une conversation à bâtons rompus — livres, pièces de théâtre, relations communes —, il était passé à lui-même. Ils s'étaient penchés l'un vers l'autre, les mains mollement jointes. Qu'aurait pensé d'eux un voyageur qui, descendant le couloir d'un pas chancelant, aurait regardé par la porte du compartiment ? se demanda Dalgliesh. Il les aurait peut-être vus comme deux pénitents se donnant mutuellement l'absolution dans un confessionnal privé. Berowne n'avait pas semblé attendre de réciproque, d'autres confidences en échange des siennes. Il avait parlé et Dalgliesh, écouté. Ce dernier savait qu'aucun homme politique ne se serait montré aussi ouvert s'il n'avait eu une confiance absolue dans la discrétion de son interlocuteur. Impossible de ne pas se sentir flatté. Il avait toujours éprouvé beaucoup d'estime pour Berowne, mais à présent il se prenait d'amitié pour lui, assez lucide au sujet de ses propres réactions pour comprendre pourquoi il lui parlait de son ascendance.

« Nous ne sommes pas une famille distinguée, simplement une famille très vieille. Mon arrière-grand-père a perdu une fortune parce qu'il se passionnait pour une chose pour laquelle il n'avait aucun talent : la finance. Quelqu'un lui avait dit que le moyen de faire de l'argent, c'était d'acheter des actions quand leur cours baissait et de les revendre à la hausse. Une règle assez simple qui frappa son esprit légèrement sous-développé comme une révélation divine. Il n'eut aucune difficulté à suivre le premier précepte. L'ennui, c'est qu'il n'eut jamais l'occasion de suivre le second. Il avait le génie de choisir des perdants. Tout comme son père. Mais, dans le cas de celui-ci, il s'agissait de chevaux. J'éprouve néanmoins une grande reconnaissance pour mon arrière-grand-père. Avant de se ruiner, il a eu l'excellente idée de demander à John Soane de lui construire la maison de Campden Hill Square. Vous vous intéressez à l'architecture, n'est-ce pas ? J'aimerais que vous veniez la visiter un de ces jours, quand vous aurez deux heures de libre. Il faut au moins ça. A mon avis, elle est même plus intéressante que le musée Soane, à Lincoln's Inn Fields. Je suppose qu'on pourrait qualifier son style de néo-classicisme perverti. Elle me plaît beaucoup, du moins d'un point de vue architectural. Mais il se peut qu'elle soit plus agréable à regarder qu'à habiter. »

Comment Berowne connaissait-il son goût pour l'architecture ? s'était demandé Dalgliesh. La seule explication possible, c'était qu'il avait lu sa poésie. Un poète peut avoir horreur d'être obligé de parler de son œuvre, mais il lui est toujours agréable d'apprendre qu'on l'a effectivement lu.

Maintenant, assis inconfortablement, les jambes allongées, sur une chaise trop basse pour lui, les yeux fixés sur cet unique cierge dont la flamme montait bien droit dans l'air tranquille chargé d'encens, il entendit de nouveau la voix tendue, pleine de dégoût de soi, avec laquelle Berowne lui avait expliqué pourquoi il avait abandonné le barreau.

« Ce sont des choses si bizarres qui déterminent la raison de ce genre de décision et le moment de la prendre... J'ai dû me dire qu'envoyer des hommes en prison n'était pas une occupation à laquelle je désirais me livrer toute ma vie. D'autre part, j'ai toujours trouvé que se borner à être un avocat de la défense était une solution de facilité. Je n'ai jamais très bien su faire semblant de croire que mon client était innocent sous prétexte que mon cabinet avait pris la précaution de s'assurer qu'il n'avait pas avoué. Au bout du troisième violeur que vous faites acquitter parce que vous vous êtes montré plus malin que le ministère public, vous ne goûtez plus ce genre de victoires. Mais ça, c'est l'explication évidente. Je suppose que j'aurais quand même continué si je n'avais perdu un procès impor-

110

tant, important pour moi, du moins. Cela m'étonnerait que vous vous rappeliez cette affaire. Percy Matlock. Il avait tué l'amant de sa femme. Ce n'était pas une cause particulièrement difficile à plaider et nous étions persuadés que nous pourrions obtenir l'homicide involontaire. Même avec ce verdict réduit, il y avait beaucoup d'autres possibilités d'atténuation de peine. Mais j'avais mal préparé mon dossier. Je devais penser que c'était inutile. J'étais très arrogant à l'époque. Il n'y avait pas que cela. J'étais aussi très amoureux. Une de ces aventures qui vous semblent suprêmement importantes sur le moment et qui, ensuite, quand elles sont terminées, vous apparaissent comme une sorte de maladie. Toujours est-il que je ne consacrai pas assez de temps ni d'énergie à cette affaire. Matlock fut condamné pour meurtre et mourut en prison. Il avait un enfant, une fille. La condamnation de son père lui fit perdre le précaire équilibre nerveux qu'elle avait réussi à maintenir. A sa sortie de l'hôpital psychiatrique, elle se mit en rapport avec moi. Je lui offris du travail. Elle devint la gouvernante de ma mère, ce qu'elle est encore aujourd'hui. Je crois que personne d'autre n'emploierait cette pauvre fille. J'ai donc sans cesse sous mes yeux le souvenir désagréable de ma bêtise et de mon échec. Cela m'est sûrement salutaire. Le fait que cette femme me soit reconnaissante, dévouée, comme on dit, n'arrange rien. »

Berowne s'était mis à parler ensuite de son frère tué cinq ans plus tôt en Irlande du Nord.

« Le titre m'est revenu du fait de sa mort. D'ailleurs, la plupart des choses auxquelles je pensais tenir dans la vie me sont revenues du fait de la mort de quelqu'un. »

Non pas, se rappela Dalgliesh, « les choses auxquelles je tiens », mais « les choses auxquelles je pensais tenir ».

Dominant le parfum pénétrant de l'encens, il sentait l'odeur âcre du cierge qui brûlait d'une flamme pâle. Il se leva, remonta la nef et, franchissant la grille, retourna à l'arrière de l'église.

Dans la grande sacristie, Ferris avait installé sa table métallique pour y placer son butin. Chaque pièce à conviction était étiquetée et enveloppée de plastique. Le spécialiste des indices matériels recula d'un pas pour les contempler, avec l'œil légèrement inquiet d'un paroissien à une vente de charité, observant son stand d'un regard critique. Une fois classés, ces objets ordinaires, hétéroclites, avaient revêtu une signification quasi rituelle : les chaussures, dont l'une avait un morceau de boue séchée coincé derrière le talon, le gobelet taché, le buvard avec son enchevêtrement de marques mortes laissées par des mains mortes, l'agenda, les restes du dernier repas de Harry Mack, la boîte à rasoirs fermée et, au milieu, la pièce à conviction numéro un, le rasoir de coiffeur ouvert, avec sa lame et son manche en os tout poissés de sang.

« Vous avez trouvé quelque chose d'intéressant ? s'informa Dalgliesh.

— Oui, sir. L'agenda. »

Ferris fit un geste, comme pour sortir l'objet de son enveloppe.

« Non, ne le déballez pas. Dites-moi simplement ce que vous avez découvert à son sujet.

— Il s'agit de la dernière page. On dirait que les notes des deux derniers mois ont été arrachées et brûlées séparément, puis que le carnet a été jeté, ouvert, sur les flammes. La couverture est simplement roussie. La dernière page donne l'ensemble du calendrier de cette année et de celui de l'année dernière. Elle n'est même pas abîmée par le feu, mais il en manque la moitié, la partie supérieure. Quelqu'un l'a déchirée en deux. » Ferris se tut un instant, puis ajouta : « Il l'a peut-être pliée et s'en est servi pour prendre du feu à la veilleuse du chauffe-eau. »

Dalgliesh souleva le sac qui contenait les chaussures.

« C'est possible », fit-il.

Possible, mais invraisemblable. Pour un assassin pressé — et celui-ci l'était — ç'aurait été un moyen fort incommode et précaire de se procurer du feu. S'il était venu sans briquet ni allumettes, la chose à faire aurait été de sortir la boîte du support enchaîné au chauffe-eau. Dalgliesh tourna les chaussures dans ses mains.

« Du sur mesure, constata-t-il. On renonce difficilement à certains luxes. Le bout est encore brillant, les côtés et les talons sont ternis et légèrement tachés. On dirait qu'ils ont été lavés. Et il y a encore des traces de boue sur les quartiers ainsi que sous le talon gauche. Le labo trouvera probablement des éraflures. »

Ce n'étaient guère des souliers qu'on se serait attendu à voir aux pieds d'un homme qui avait passé la journée à Londres, à moins qu'il ne se fût promené dans un parc ou le long du chemin de halage. Il était peu probable que Berowne fût arrivé à Saint-Matthew de cette façon : rien n'indiquait qu'il eût nettoyé ses chaussures quelque part dans l'église. Mais, encore une fois, c'était élaborer une théorie avant de connaître les faits. Ils pouvaient espérer apprendre plus tard où Berowne avait passé le dernier jour de sa vie.

Kate Miskin apparut à la porte.

« Le docteur Kynaston a terminé, sir. Les hommes sont prêts à emporter les corps. »

10

Massingham avait d'abord cru que Darren vivait dans un des grands ensembles de Paddington. Au lieu de cela, l'adresse qu'on était finalement parvenu à arracher au garçon les conduisit dans une rue courte et étroite, derrière Edgware Road, une enclave de cafés bon marché, grecs ou indiens pour la plupart. Quand ils y pénétrèrent, Massingham se rendit compte qu'il la connaissait : c'était sûrement là que lui et ce vieux George Perceval avaient acheté deux excellents repas végétariens à emporter à l'époque où ils n'étaient encore tous deux que de simples brigadiers de police. Tout lui revint, même les noms exotiques enfouis dans sa mémoire : Alu Ghobi, Sag Bhajee. L'endroit avait peu changé. Dans cette rue, les gens vaquaient à leurs affaires, celles-ci consistant principalement à fournir à leurs compatriotes des repas aussi remarquables par leur qualité que par leur bas prix. Bien qu'il fût encore tôt — c'était en fait l'heure la plus creuse de la matinée —, l'air sentait déjà le curry et les épices, ce qui rappela à Massingham que son petit déjeuner était loin et que nul ne savait à quelle heure il pourrait déjeuner.

Il n'y avait qu'un pub. C'était une haute et étroite bâtisse, sombre et peu attirante, coincée entre un restaurant chinois et un café tandoori. Sur la vitre, on déchiffrait, écrits à la peinture, des plats typiquement anglais dont les noms sonnèrent comme des provocations : *Bangers and mash, bangers and bubble-and-squeak, toad-in-the-hole*. Entre le pub et le café se trouvait une petite porte pourvue d'une seule sonnette et d'une carte de visite portant simplement un prénom : Arlene. Darren se baissa et extirpa une clé d'un des côtés de ses baskets. Se haussant sur la pointe des pieds, il l'enfonça dans la serrure. Massingham monta derrière lui l'étroit escalier dénué de tapis. Arrivé en haut, il demanda :

« Où est ta maman ? »

Toujours en silence, le garçon indiqua une porte sur la gauche. Massingham frappa doucement. N'obtenant pas de réponse, il ouvrit.

Les rideaux étaient fermés. Fins et non doublés, ils laissaient filtrer la lumière. Le policier put se rendre compte qu'une spectaculaire pagaille régnait dans la pièce. Une femme était couchée sur le lit. Il s'en approcha et, tendant la main, trouva l'interrupteur de la lampe de chevet. Quand celle-ci s'alluma, la femme poussa un léger grognement, mais ne bougea pas. Elle était couchée sur le dos, nue sous son court peignoir. Un sein veiné de bleu, jailli du vêtement, reposait sur le satin rose. Un trait de rouge à lèvres bordait sa bouche humide entrouverte où se gonflait une bulle de salive. La femme ronflait doucement, émettant de faibles sons gutturaux, comme si elle avait des mucosités dans la gorge. Épilés à la mode des années trente, ses sourcils formaient deux arcs minces au-dessus de leur emplacement naturel. Même dans le sommeil, ils lui donnaient l'air d'un clown surpris, impression qu'intensifiaient les deux taches de fard qui s'étalaient sur ses joues. Sur une chaise, près du lit, était posé un grand pot de vaseline dépourvu de couvercle. Une mouche était collée sur le bord. Il y avait des vêtements disséminés partout, sur le dos de la chaise et sur le plancher. La commode qui, avec son miroir ovale, faisait office de coiffeuse, était encombrée de bouteilles, de verres sales, de pots de produits de beauté et de paquets de Kleenex. Placé de façon inattendue au milieu de ce fouillis, il y avait un pot de confiture contenant un bouquet de freesias encore attachés par un élastique. Leur fragrance se perdait dans l'odeur ambiante de sexe, de parfum et de whisky.

« C'est ta maman ? » demanda Massingham.

Il eut envie d'ajouter : « Est-elle souvent dans cet état ? » mais, au lieu de cela, il entraîna le garçon dehors et ferma la porte. Il avait toujours répugné à questionner un enfant sur ses parents, et ce n'était pas maintenant qu'il allait commencer à le faire. Il se trouvait en présence d'un drame assez courant, mais celui-ci n'était pas de son ressort. Il concernait le service de protection de l'enfance. Plus vite cet organisme enverrait un de ses officiers, mieux ce serait. Tracassé par l'idée que Kate était de retour sur le lieu du crime, il éprouva un moment de rancune contre Dalgliesh qui lui avait mis sur les bras une histoire dénuée de tout rapport avec leur enquête.

« Et toi, Darren, où dors-tu ? »

Le garçon désigna une chambre sur l'arrière. Massingham le poussa doucement devant lui.

Minuscule, la pièce n'était guère plus qu'un cabinet de débarras. Sous l'unique et haute fenêtre se trouvaient un lit étroit recouvert d'une couverture kaki de l'armée et, à côté, une chaise sur laquelle une collection d'objets étaient disposés avec soin : une voiture de pompiers miniature, une boule de verre qui, agitée, produisait une petite tempête de neige, deux modèles réduits de voiture de course, trois grosses billes veinées et un autre pot de confiture qui, lui, contenait un bouquet de roses dont les têtes tombaient déjà sur leurs tiges dépourvues d'épines. Sur une vieille commode, le seul autre meuble de cette chambre, s'empilaient une série d'objets aussi hétéroclites qu'inattendus : chemises d'homme encore dans leur emballage en plastique, lingerie féminine, cravates de soie, boîtes de saumon, de haricots à la tomate, de soupes, un paquet de jambon et un autre de langue de bœuf, trois maquettes de bateaux à assembler, deux tubes de rouge à lèvres, une boîte de soldats de plomb, trois flacons de parfum bon marché.

Massingham était policier depuis trop longtemps pour s'émouvoir facilement. Certains délits tels que la cruauté envers les enfants et les animaux ou l'agression de personnes âgées pouvaient encore provoquer chez lui un de ces spectaculaires accès de fureur propres aux Massingham, et qui avaient conduit plus d'un de ses ancêtres sur le pré ou devant une cour martiale. Mais il avait appris à maîtriser ces flambées de colère-là. Cependant, tandis que son œil courroucé fixait l'ordre pathétique de cette chambre d'enfant, ces preuves évidentes que, dans une certaine mesure, le gosse se débrouillait tout seul, cet unique bouquet sûrement placé là par ses propres soins, il fut saisi d'une rage impuissante contre la souillon ivre qui dormait à côté.

« C'est toi qui as fauché tout ça, Darren ? »

Le garçon resta silencieux, puis il fit un signe d'assentiment.

« Tu vas avoir des ennuis, mon petit gars. »

L'enfant était assis au bord du lit. Deux larmes glissèrent sur ses joues, puis il se mit à renifler. Sa maigre poitrine se soulevait.

« Je ne veux pas aller dans une maison de correction ! cria-t-il soudain. Je ne veux pas !

— Arrête de chialer ! » ordonna Massingham.

Oh, combien il détestait ces larmes. Ce qu'il voulait, c'était s'en aller. Bon dieu, pourquoi A.D. l'avait-il mis dans une situation pareille ? Était-il gardien d'enfants, par hasard ? Écartelé entre la pitié, la colère et la hâte de retourner à son véritable travail, il répéta avec plus de rudesse :

« Arrête de chialer ! »

Son ton devait avoir eu quelque chose de pressant. Bien que des larmes continuassent à rouler sur sa figure, Darren refoula ses sanglots. D'une voix plus douce, Massingham reprit :

« Qui te parle de maison de correction ? Écoute, je vais appeler le service de protection de l'enfance. Quelqu'un viendra s'occuper de toi. Une femme-agent, probablement. Je suis sûr que tu la trouveras sympa. »

Le visage de Darren exprima aussitôt le scepticisme le plus vif, ce qui, en d'autres circonstances, aurait amusé Massingham. Levant la tête, le garçon demanda :

« Pourquoi est-ce que je peux pas aller chez miss Wharton ? »

Pourquoi pas, en effet ? se dit Massingham. Le pauvre petit bonhomme semblait lui être attaché. Deux laissés pour compte se soutenant mutuellement.

« Je ne pense pas que cela soit possible, répondit-il. Ne bouge pas, je reviens tout de suite. »

Il regarda sa montre. Bien entendu, il lui faudrait attendre l'arrivée de la femme-agent, mais celle-ci ne tarderait peut-être pas trop. Et, au moins, A.D. aurait la réponse à sa question. Il savait maintenant ce qui avait tracassé Darren, ce qu'il avait essayé de leur cacher. Un petit mystère d'éclairci. A.D. pouvait oublier le gosse et commencer sérieusement son enquête. Et, lui aussi, avec un peu de chance.

11

Même le père Kendrick, le prédécesseur du père Barnes, n'avait pas réussi à faire grand-chose du presbytère de Saint-Matthew. Celui-ci occupait le coin de Saint-Matthew's Court, un banal immeuble de trois étages en briques rouges situé en bordure de Harrow Road. Après la guerre, la commission d'administration des biens de l'Église avait finalement décidé que le presbytère existant, une immense maison victorienne, était peu pratique et d'un entretien trop coûteux. Elle avait donc vendu le terrain à un promoteur à la condition que, dans le nouveau bâtiment, un duplex au rez-de-chaussée et au premier étage fût réservé à perpétuité au pasteur de la paroisse. C'était le seul duplex de l'immeuble. Sinon cet appartement ne se distinguait en rien des autres. Il avait les mêmes fenêtres étroites, les mêmes petites pièces mal proportionnées. Au début, on avait trié les locataires sur le volet et essayé de préserver les maigres agréments de l'endroit : pelouse en bordure de la rue, deux plates-bandes de rosiers, caisses à fleurs sur les balcons. Mais, comme la plupart des bâtiments de ce type, l'immeuble avait connu des hauts et des bas. Le premier promoteur avait fait faillite. La maison avait été vendue à un deuxième, puis à un troisième. Au grand mécontentement des intéressés, les loyers avaient augmenté, mais ils ne suffisaient toujours pas à couvrir les frais d'entretien qu'exigeait ce bâtiment mal construit. S'ensuivaient les habituelles discussions entre locataires et propriétaires. Seul le presbytère était en bon état. Sorte de symbole de respectabilité, ses deux rangées de fenêtres blanches détonnaient au milieu des murs lépreux et des caisses à fleurs délabrées.

Les locataires d'origine avaient été remplacés par d'autres, plus transitoires, des jeunes qui partageaient une chambre à trois, des mères célibataires vivant de l'aide sociale, des étudiants étrangers. Comme une sorte de kaléidoscope humain, ce mélange racial constamment brassé produisait chaque fois des couleurs nouvelles et plus vives. Le petit nombre de ceux qui allaient à l'église se sentaient chez eux à Saint-Anthony, la paroisse du père Donovan, avec ses steel-bands, ses défilés de carnaval, son ambiance de convivialité interraciale. Personne ne frappait jamais à la porte du père Barnes. D'un œil vigilant et inexpressif, les voisins observaient les allées et venues quasi furtives du pasteur. A Saint-Matthew's Court, le père Barnes était aussi anachronique que l'église qu'il représentait.

Il avait été ramené au presbytère par un policier en civil, non pas le proche collaborateur du commandant Dalgliesh, mais un homme plus âgé, aux larges épaules, solidement charpenté et d'un calme rassurant. Il parlait avec un accent régional très doux, difficile à reconnaître. Il n'était certainement pas du coin. Il dit qu'il était du commissariat de Harrow Road, mais n'avait été muté que récemment à ce poste. Auparavant, il était à West Central. Il attendit que le père Barnes eût ouvert sa porte. Ensuite, il le suivit à l'intérieur et lui proposa de faire du thé, ce remède spécifiquement anglais contre les catastrophes, la douleur et l'état de choc. Si la saleté de la cuisine le surprit, il n'en laissa rien paraître. Il avait préparé du thé dans des endroits bien pires. Quand le père Barnes lui répéta qu'il allait tout à fait bien et que Mrs. McBride, sa femme de ménage, viendrait à dix heures et demie, il n'insista pas. Avant de partir, il tendit au pasteur une carte sur laquelle des chiffres étaient inscrits.

120

« Le commandant Dalgliesh vous demande de téléphoner à ce numéro, si jamais vous avez besoin de quelque chose. Ou si quelque chose vous tracasse. Ou si vous vous rappelez un autre détail. Un simple petit coup de fil. Quand les journalistes viendront vous embêter, ne leur dites que le strict minimum. Pas de conjectures. Ça ne sert à rien, pas vrai ? Racontez-leur simplement comment les choses se sont passées : une de vos paroissiennes et un garçon ont trouvé les cadavres et l'enfant est venu vous chercher. Abstenez-vous de citer des noms, à moins d'y être absolument obligé. Après avoir constaté qu'ils étaient morts, vous avez appelé la police. Inutile d'en dire plus. »

Cette déclaration, et sa prodigieuse simplification des faits, ouvrirent un nouvel abîme sous les yeux horrifiés du pasteur. Il n'avait pas pensé aux journalistes. Quand arriveraient-ils ? Voudraient-ils prendre des photos ? Devait-il demander la réunion immédiate du conseil paroissial ? Que dirait l'évêque ? Devait-il appeler l'archidiacre et lui laisser le soin de s'occuper de cette affaire ? Oui, ce serait la meilleure solution. L'archidiacre saurait quoi faire. Il était capable d'affronter l'évêque, la police et le conseil paroissial. Malgré tout, il était à craindre que Saint-Matthew attirât sur elle une affreuse attention.

Il allait toujours à la messe à jeun et, pour la première fois de la matinée, il prit conscience d'une sensation de faiblesse ainsi que, paradoxalement, d'une légère nausée. Il se laissa tomber sur l'une des deux chaises de bois placées devant la table de la cuisine, et contempla avec découragement la carte sur laquelle sept chiffres se détachaient avec netteté. Il regarda autour de lui, se demanda où il allait pouvoir la mettre en sûreté. Finalement, il sortit son portefeuille de sa soutane et y rangea le bout de carton, avec sa carte de banque et son unique carte de crédit. Promenant son regard autour de la pièce, il vit soudain la cuisine dans toute sa triste décrépitude, comme avait dû la voir ce sympathique policier. Dans l'évier, l'assiette sale de son dîner de la veille — des hamburgers et des haricots congelés —, les éclaboussures de graisse au-dessus de la vieille cuisinière, la substance visqueuse qui remplissait l'interstice entre la cuisinière et le placard, le torchon taché et malodorant accroché près de l'évier, le calendrier de l'année précédente pendu de travers, les deux étagères ouvertes sur lesquelles étaient entassés des paquets entamés de céréales, de vieux pots de confitures, des chopes ébréchées et des paquets de détergent, la table bancale et ses deux chaises aux dossiers salis par toutes les mains qui les avaient agrippés, le lino qui se relevait à un endroit près du mur où il s'était décollé. De tout cela se dégageait une impression d'inconfort, de négligence et de crasse. Et le reste de l'appartement était à l'avenant. Mrs. McBride ne mettait aucun orgueil à le nettoyer parce qu'il n'offrait rien dont elle eût pu s'enorgueillir. Elle s'en moquait parce que le père Barnes s'en moquait. Comme lui, elle avait probablement cessé de remarquer la saleté qui s'accumulait lentement sur leurs vies.

Mariée depuis trente ans à Tom McBride, Beryl McBride avait maintenant un accent irlandais plus prononcé que celui de son époux. En fait, le père Barnes se demandait parfois s'il ne s'agissait pas d'une affectation, si elle n'avait pas délibérément adopté ce folklore irlandais stéréotypé par solidarité conjugale ou pour une raison moins évidente. Il avait remarqué que lorsqu'elle était contrariée ou bouleversée, Mrs. McBride tendait à retomber dans son cockney natal. La paroisse l'employait douze heures par semaine. Sa tâche, relativement légère, consistait à venir les lundis, mercredis et vendredis nettoyer l'appartement, laver et sécher le linge qu'elle trouvait dans le panier, préparer un déjeuner pour le pasteur et le lui laisser sur un plateau. Les autres jours de la semaine, ou les week-ends, le père Barnes devait se débrouiller seul. Les devoirs de la femme de ménage n'avaient jamais été clairement définis. Mrs. McBride et les intéressés du moment étaient censés se mettre d'accord sur l'horaire et le travail à exécuter.

Les douze heures allouées par semaine avaient été plus que suffisantes pendant le ministère du jeune père Kendrick. Celui-ci était marié au prototype de la femme de pasteur idéale : une physiothérapeute compétente et bien en chair, capable de mener de front son travail à mi-temps à l'hôpital, ses activités dans la paroisse, ses devoirs de maîtresse de maison, et de rééduquer Mrs. McBride avec autant de vigueur qu'elle devait en montrer avec ses patients. Bien entendu, personne n'avait jamais pensé que le père Kendrick resterait à Saint-Matthew. Il n'était venu là que pour assurer l'intérim entre le long ministère — vingt-cinq ans — du père Collins et la nomination éventuelle d'un successeur permanent. Comme l'archidiacre ne se lassait pas de le répéter, Saint-Matthew excédait les besoins pastoraux du centre de Londres. Étant donné qu'il existait deux autres églises anglicanes dans un rayon de quatre à cinq kilomètres, toutes deux pourvues de pasteurs jeunes et énergiques, ainsi que d'organisations paroissiales en nombre suffisant pour faire sérieusement concurrence aux services sociaux, Saint-Matthew, avec sa population restreinte et âgée, ne servait qu'à rappeler d'une façon désagréable le déclin de l'autorité de l'Église établie à l'intérieur des villes. Mais, comme le disait l'archidiacre : « Vos paroissiens sont remarquablement fidèles. Dommage qu'ils ne soient pas également riches. Cette église grève notre budget, c'est certain, mais par ailleurs, nous pouvons difficilement la vendre. Il paraît que l'édifice a un certain intérêt du point de vue architectural. Pour ma part, je ne vois pas lequel. Ce campanile bizarre... Pas très anglais, vous ne trouvez pas ? J'ignore ce que l'architecte avait en tête, mais nous ne sommes pas au Lido de Venise tout de même. »

Car l'archidiacre qui, en fait, n'avait jamais été au Lido, mais avait grandi sur la place de la cathédrale, à Salisbury, savait exactement depuis l'enfance à quoi devait ressembler une église, même s'il admettait des différences d'échelle.

Avant de partir pour sa nouvelle paroisse urbaine où le mélange racial, l'association des mères de famille et le club de jeunes constituaient un défi convenable pour un jeune pasteur légèrement *high church* et convoitant une mitre, le père Kendrick lui avait brièvement parlé de Beryl McBride.

« Franchement, elle me terrifie. Je l'évite soigneusement. Mais Susan a l'air de savoir la prendre. Demandez lui donc ce qui avait été convenu au point de vue ménage. Dommage que Mrs. McBride n'ait pas adopté la religion de son mari plutôt que son accent. De cette manière, Saint-Anthony aurait pu profiter de sa cuisine. J'ai laissé entendre au père Donovan qu'il y avait là une âme toute prête à être pêchée, mais Michael n'est pas fou. Par contre, si vous pouviez persuader sa gouvernante, Mrs. Kelly, de se convertir à l'anglicanisme, vous seriez comme un coq en pâte. »

Enfoncée jusqu'aux chevilles dans les copeaux de bois de ses caisses d'emballage, Susan Kendrick était en train d'empaqueter sa vaisselle dans du papier journal. Brefs et précis, les renseignements qu'elle lui avait donnés ne l'avaient guère rassuré.

« Il faut la surveiller. Elle fait une cuisine simple et assez bonne quoique peu variée. Mais, en ce qui concerne le ménage, elle est moins sûre. Il faut vous montrer ferme dès le début. Si vous lui faites connaître vos désirs et qu'elle sait qu'elle ne peut pas tricher, elle vous donnera satisfaction. Elle est ici depuis longtemps, depuis l'époque du père Collins. Vous auriez du mal à la renvoyer. C'est une très fidèle paroissienne. Pour une raison que j'ignore, elle semble attachée à Saint-Matthew. Je le répète : montrez-vous ferme dès le début. Et puis, surveillez le niveau de votre bouteille de xérès. Ce n'est pas qu'elle soit malhonnête : vous pouvez laisser traîner n'importe quoi, de l'argent, votre montre, des provisions. Simplement, elle aime bien boire un petit coup. Le mieux, c'est de lui offrir un verre de temps en temps. De cette façon, elle sera moins tentée. Vous pouvez difficilement mettre votre bouteille sous clé.

— Évidemment, avait dit le père Barnes, je suis tout à fait de votre avis. »

Mais c'était Mrs. McBride qui s'était montrée ferme dès le début. Ç'avait été une partie perdue d'avance. Il se rappelait, non sans gêne, cette première entrevue qu'il avait voulue tellement décisive. Assis devant elle, comme si ç'avait été lui le postulant, dans la petite pièce carrée qui lui servait de bureau, il avait vu ses petits yeux perçants, noirs comme des raisins secs, examiner les lieux, enregistrer les vides sur les étagères où le père Kendrick rangeait ses livres reliés, le tapis minable placé devant le chauffage à gaz, les quelques gravures fixées au mur. Et elle n'avait pas enregistré que cela. Elle l'avait jaugé, lui. Elle avait vu sa timidité, son ignorance des choses domestiques, son manque d'autorité comme homme ou comme prêtre. Et il craignait qu'elle n'eût deviné des secrets plus intimes : sa virginité, la peur mi-honteuse qu'il avait de la proximité de son corps chaud et redoutable de femme, son manque d'aisance dans le monde. Né dans une petite maison ouvrière près du fleuve, à Ely, élevé par sa mère, une veuve, il avait toujours connu les astuces désespérées, les petits mensonges qu'exigent une pauvreté respectable et des privations beaucoup plus humiliantes que celles de la véritable misère des centres urbains. Il pouvait imaginer en quels termes Mrs. McBride le décrirait plus tard à son mari.

« Ce n'est pas un vrai monsieur comme le père Kendrick, ça se voit tout de suite. Le père du père Kendrick était évêque, après tout, et Mrs. Kendrick est la nièce de lady Nicols. Dieu sait d'où il sort, celui-là. »

Parfois il se disait qu'elle avait même deviné combien peu de foi il lui restait, que c'était ce manque essentiel, plus que son incompétence générale, qui lui valait son dédain.

Le dernier livre qu'il avait emprunté à la bibliothèque était un roman de Barbara Pym. Avec une incrédulité envieuse, il avait lu cette histoire gentillette et humoristique d'une paroisse rurale où les vicaires étaient invités, nourris et, d'une façon générale, gâtés par leurs paroissiennes. Mrs. McBride, se dit-il, aurait tôt fait de mettre le holà à ce genre de choses à Saint-Matthew. En fait, elle l'avait fait. Il était dans la paroisse depuis une semaine quand Mrs. Jordan lui avait apporté un cake confectionné de ses propres mains. L'apercevant sur la table, le mercredi, Mrs. McBride avait demandé :

« Il vient de chez Ethel Jordan, n'est-ce pas ? Méfiez-vous d'elle, mon père. Après tout, vous êtes célibataire. »

Ces paroles avaient flotté dans l'air, lourdes de sous-entendus, et gâté un simple geste de gentillesse. Quand il avait mangé le gâteau, celui-ci lui avait paru dénué de goût, chaque bouchée pareille à un acte indécent commis à deux.

Mrs. McBride arriva à l'heure. Malgré sa négligence sur d'autres points, elle était ponctuelle. Il entendit sa clé tourner dans la serrure, et, l'instant d'après, la femme était dans la cuisine. Elle ne parut pas surprise de le voir assis là encore vêtu de sa cape, manifestement tout juste de retour de l'église. Il comprit aussitôt qu'elle avait entendu parler des meurtres. Il la regarda ôter soigneusement son foulard du monticule que formaient ses cheveux ondulés, coiffés en arrière, et d'une couleur foncée peu naturelle, pendre son manteau dans le placard de l'entrée, passer sa blouse accrochée derrière la porte de la cuisine, enlever ses chaussures et enfiler ses pantoufles. Ce ne fut qu'après avoir mis de l'eau à bouillir pour leur café qu'elle ouvrit la bouche.

« Voilà une bien vilaine histoire pour la paroisse, mon père. Deux morts, à ce que m'a dit Billy Crawford, chez le marchand de journaux. L'un d'eux serait le vieux Harry Mack.

— C'est malheureusement vrai, Mrs. McBride.

— Et qui est l'autre ? Ou la police ne le sait-elle pas encore ?

— Je ne pense pas qu'elle révélera son nom avant d'avoir prévenu sa famille.

— Mais vous qui l'avez vu de vos propres yeux, mon père, vous ne l'avez pas reconnu ?

— Vous ne devriez pas me poser cette question Mrs. McBride. Nous devons attendre que la nouvelle soit rendue publique.

— Pour quelle raison quelqu'un tuerait-il Harry ? Pas pour le voler, tout de même ! Le pauvre diable ! Ce n'était pas un suicide, n'est-ce pas ? Un de ces doubles suicides ? Ou bien la police croit-elle que c'est Harry qui a fait le coup ?

— Elle ne sait pas encore ce qui s'est passé. Nous devrions vraiment éviter les conjectures.

— Eh bien, moi je ne le crois pas. Harry Mack n'est pas un assassin. Autant croire que c'est l'autre type, celui dont vous ne voulez pas parler, qui a liquidé Harry. Harry était une vieille canaille, un grossier personnage et un voleur, qu'il repose en paix, mais il n'aurait pas fait de mal à une mouche. Je ne vois pas pourquoi la police lui mettrait ce crime sur le dos.

— Je suis certain qu'elle ne le fera pas. Le coupable pourrait être n'importe qui. Quelqu'un qui est entré par effraction pour voler. Ou que sir Paul Berowne a laissé entrer. N'importe qui. La porte de la sacristie était ouverte quand miss Wharton est arrivée ce matin. »

Honteux et surpris d'avoir laissé échapper le nom de Berowne, le père Barnes se tourna vers la cuisinière pour cacher sa rougeur. Quelqu'un comme Mrs. McBride avait certainement remarqué sa gaffe. Et pourquoi lui avait-il parlé de la porte non fermée à clé ? Qui essayait-il de rassurer, elle ou lui ? Mais qu'est-ce que cela pouvait faire ? Bientôt les détails de cette affaire seraient rendus publics et une trop grande réticence de sa part paraîtrait curieuse, curieuse et suspecte. Mais pourquoi suspecte ? Personne, pas même Mrs. McBride n'allait le soupçonner, tout de même. Avec un sentiment familier de gêne, de dégoût de soi et de désespoir, il prit conscience qu'il lui en avait trop dit parce que, comme d'habitude, il avait voulu l'amadouer, se la concilier. Cela ne marcherait pas plus maintenant que les autres fois. Elle ne releva pas le nom de Berowne, mais il savait qu'elle l'avait soigneusement enregistré. Assis en face d'elle à la table, il vit une expression de triomphe dans ses petits yeux rusés, entendit une note de délectation morbide dans sa voix.

« C'était donc un meurtre ? Ça ne va pas faire du bien à la paroisse, ça. Il faudra "fumiger" l'église, mon père.

— Fumiger ?

— Oui, l'asperger d'eau bénite, ou un truc comme ça. Tom devrait en parler au père Donovan. Monsieur le curé nous donnerait peut-être un peu de son eau bénite.

— Nous avons la nôtre, Mrs. McBride.

— Dans un cas comme celui-ci, deux précautions valent mieux qu'une. Vous feriez mieux d'en demander au père Donovan. Mon mari peut vous l'apporter dimanche, après la messe. Voici votre café, mon père. Je vous l'ai fait bien fort. Pour vous remettre de vos émotions, c'est bien le cas de le dire. »

Comme toujours, le café était de la qualité la moins chère. Il était même pire encore, maintenant que sa concentration permettait d'en distinguer le goût. A sa surface flottaient quelques globules de lait à demi tourné et coagulé. Sur sa tasse, il aperçut une trace de ce qui semblait être du rouge à lèvres. Il la tourna lentement pour que Mrs. McBride ne remarquât rien. Il aurait pu apporter le café dans la paix relative de son bureau, mais il n'avait pas le courage de se lever. Et partir avant que les deux tasses ne fussent vides n'aurait fait qu'offenser cette femme. Le premier matin où elle était venue, elle avait déclaré : « Mrs. Kendrick et moi prenions toujours le café ensemble avant que je me mette au travail, histoire de bavarder un peu. » Dans l'incapacité de vérifier ses dires, il s'était senti obligé de perpétuer ce rituel faussement intime.

« Paul Berowne ? C'était pas un député ? Il avait démissionné, il me semble. Je me souviens avoir lu quelque chose sur lui dans le *Standard*.

— Oui, il était député.

— Et c'est un aristo ?

— Un baronnet, Mrs. McBride.

— Qu'est-ce qu'il fabriquait dans la petite sacristie alors ? Je ne savais pas qu'on avait des baronnets qui venaient aux offices de Saint-Matthew. »

Le père Barnes ne pouvait plus prétexter la discrétion maintenant.

« Il ne venait pas aux offices. C'était simplement quelqu'un que je connaissais. Je lui ai donné la clé. Il voulait passer un petit moment tranquille dans l'église », ajouta-t-il dans le vain espoir qu'une confidence touchant de si dangereusement près son intimité, son travail de pasteur, la flatterait, apaiserait peut-être même sa curiosité. « Il avait besoin d'un endroit tranquille pour réfléchir, pour prier.

— Et il n'a rien trouvé de mieux que la petite sacristie ? Pourquoi n'était-il pas agenouillé sur un prie-Dieu ? Dans la chapelle de la Vierge, devant le Saint Sacrement ? Voilà où doivent prier les gens qui ne peuvent pas attendre le dimanche. »

Le ton réprobateur et peiné de la femme de ménage suggérait que l'endroit comme l'acte de prier étaient condamnables.

« Il aurait difficilement pu dormir dans l'église, Mrs. McBride.

— Et pourquoi aurait-il voulu y dormir ? Était-il sans feu ni lieu ? »

Les mains du père Barnes avaient recommencé à trembler. Sa tasse à café tressauta entre ses doigts et deux gouttes brûlantes tombèrent sur ses phalanges. Avec précaution, il replaça la tasse sur la soucoupe, essayant de maîtriser cette affreuse agitation. Il faillit ne pas entendre ce que Mrs. McBride disait :

« En tout cas, s'il s'est suicidé, il est mort propre.

— Propre ?

130

— Ben, quand Tom et moi on est passés par là hier soir, vers huit heures, il était en train de se laver. Lui ou Harry Mack. Mais à moins d'y être forcé, Harry n'approchait jamais d'un robinet. L'eau sortait à flot du tuyau d'écoulement. Bien entendu, on a pensé que c'était vous qui étiez là-dedans. "Le père Barnes est en train de faire une grande toilette dans la cuisine de la sacristie", j'ai dit à Tom. "C'est peut-être pour réduire sa note de gaz au presbytère". Et ça nous a fait rire.

— C'était à quelle heure exactement, Mrs. McBride ?

— Je vous l'ai dit, mon père : peu après huit heures. On allait au *Three Feathers*. On est passés à côté de l'église parce qu'on est allés chercher Maggie Sullivan et que, de chez elle, c'est le chemin le plus court pour arriver au pub.

— Vous devriez le dire à la police. Ce renseignement pourrait être important pour eux. Elle s'intéresse sûrement à toutes les personnes qui étaient à proximité de Saint-Matthew hier soir.

— Où c'est-y que vous voulez en venir, mon père ? Vous voulez dire que c'est Tom, Maggie Sullivan et moi qui l'avons zigouillé ?

— Bien sûr que non, Mrs. McBride. Ce serait absurde. Mais votre témoignage pourrait être capital. Cette eau qui sortait à flot signifie que sir Paul était vivant à huit heures.

— En tout cas, quelqu'un l'était là-dedans, ça c'est sûr. Et il avait ouvert le robinet à fond. »

Une idée terrible traversa soudain l'esprit du père Barnes. Sans réfléchir, il l'exprima.

« Avez-vous remarqué la couleur de l'eau ?

— Bien sûr que non. Je ne passe pas mon temps à regarder dans les égouts ! De quelle couleur elle aurait pu être ? Tout ce que je peux vous dire, c'est qu'elle coulait très vite et à gros bouillons. »

Soudain la femme avança la tête vers lui. Son énorme poitrine, qui jurait avec son visage anguleux et ses maigres bras, formait deux croissants sur le bord de la table. Sa tasse à café cliqueta dans la soucoupe. Mrs. McBride écarquilla ses petits yeux perçants.

« Vous voulez dire qu'elle était peut-être rouge ? demanda-t-elle en savourant le dernier mot.

— Ç'aurait été possible, fit le pasteur d'une voix faible.

— Vous croyez que l'assassin était là, dans la cuisine, en train de laver ses mains ensanglantées ? Oh, mon Dieu ! Et s'il était sorti et nous avait vus ? Il aurait pu nous assassiner tous les trois, nous égorger, puis jeter nos corps dans le canal. Jésus, Marie, Joseph ! »

La conversation était devenue bizarre, irréelle, anarchique. La police avait demandé au père Barnes d'en dire aussi peu que possible à qui que ce fût. C'était bien ce qu'il avait eu l'intention de faire. Mais à présent, Mrs. McBride connaissait les noms des victimes et celui de la personne qui les avait découvertes. Elle savait que la porte n'était pas fermée à clé et comment les deux hommes étaient morts, quoiqu'il fût certain de ne pas avoir parlé de gorges tranchées. Mais cela, elle pouvait l'avoir déduit. A Londres, après tout, un couteau était une arme plus vraisemblable qu'un revolver. Elle savait tout cela et, de plus, elle était passée à côté de l'église à l'heure du crime. Il la regarda d'un œil consterné, lié à elle par le flot d'eau rougie qui gargouillait dans leurs deux têtes, partageant avec elle la même terrible vision d'une silhouette silencieuse surgissant soudain, un couteau sanglant à la main. Et il prit conscience d'autre chose encore. Aussi horrible que fût l'événement qui les rapprochait en une sorte de confrérie fascinée par le sang,

132

ils avaient pour la première fois une véritable conversation. Les yeux qu'il rencontra de l'autre côté de la table tachée brillaient d'horreur et d'une excitation trop proche du plaisir pour être confortable. Mais l'insolence et le dédain habituels en avaient disparu. Le père Barnes aurait presque pu s'imaginer qu'elle avait confiance en lui. Il en éprouva un tel soulagement qu'il se surprit à étendre sa main à travers la table en un geste de réconfort mutuel. Honteux, il la retira vivement.

« Qu'allons-nous faire, mon père ? » demanda Mrs. McBride.

Elle ne lui avait encore jamais posé cette question. Quand il répondit, l'assurance de sa propre voix le surprit.

« La police m'a donné un numéro de téléphone spécial. Je pense que nous devrions l'appeler tout de suite. On nous enverra quelqu'un, soit ici, soit chez vous. Tom, Maggie et vous-même êtes d'importants témoins, après tout. Ensuite, j'aurai besoin d'être seul dans mon bureau. Je n'ai pas pu dire la messe. Je lirai les prières du matin.

— Oui, mon père », répondit la femme d'une voix presque soumise.

Et il y avait autre chose qu'il devait faire. C'était curieux qu'il n'y eût pas pensé plus tôt. Le lendemain, ou le surlendemain, il serait sûrement de son devoir de rendre une visite à la femme et à la famille de Paul Berowne. Maintenant qu'il savait ce qu'il avait à faire, il se sentait remarquablement mieux. Une phrase de la Bible lui vint à l'esprit : « Faire le Mal pour engendrer le Bien ». Mais il se hâta de la rejeter. Elle ressemblait trop à un blasphème.

Deuxième partie

LA FAMILLE

1

Après avoir quitté l'église, Dalgliesh repassa au Yard prendre ses dossiers sur Theresa Nolan et Diana Travers. Il était déjà midi passé quand il arriva au 62, Campden Hill Square. Il avait emmené Kate, laissant à Massingham le soin de superviser le travail qui restait à faire à Saint-Matthew. Kate lui avait dit que, pour le moment, il n'y avait que des femmes à la maison. Il trouvait donc approprié de venir avec une femme, d'autant que c'était Kate qui avait annoncé la mort de Berowne. Comme il l'avait prévu, Massingham le prit assez mal. Les premières entrevues avec la famille d'une victime étaient extrêmement importantes et son adjoint aurait voulu y participer. Respectant Kate Miskin sur le plan professionnel, il travaillait avec elle d'une façon loyale et consciencieuse, conformément à son devoir. Mais Dalgliesh savait qu'au fond de lui Massingham regrettait un peu l'époque où le personnel féminin se contentait de retrouver les enfants perdus, de fouiller les détenues, d'amender les prostituées, de consoler les familles des victimes et, si elles ne pouvaient se passer de l'excitation qu'apporte la recherche criminelle, s'occupaient adéquatement des petits méfaits des jeunes délinquants. Et, comme Dalgliesh l'avait entendu déclarer à plusieurs reprises, elles avaient beau réclamer l'égalité sur le plan du prestige et des chances, les placer en première ligne derrière leurs boucliers pendant une manifestation où elles risquaient d'être atteintes par des cocktails Molotov, des pierres et, de nos jours, des balles, ne faisait que rendre encore plus pénible la tâche de leurs collègues masculins. Selon Massingham, protéger une femme dans des situations dangereuses était un instinct profondément ancré en l'homme et difficile à redresser, ce dont le monde ne pouvait que se féliciter. A son corps défendant, il avait dû admirer Kate pour le sang-froid dont elle avait fait preuve à Saint-Matthew, face à la boucherie de la sacristie, mais cela ne la lui avait pas rendue plus sympathique.

Dalgliesh savait qu'il ne trouverait pas un seul agent dans la maison. Poliment, mais fermement, lady Ursula avait refusé leur offre de protection. Selon Kate, elle aurait dit :

« Vous ne vous attendez pas, je présume, à ce que l'assassin, si assassin il y a, s'attaque maintenant au reste de la famille ? Dans ce cas, je ne vois pas la nécessité d'une protection. Pour ma part, je préférerais ne pas avoir de policier planté dans mon entrée. »

De plus, elle avait absolument tenu à annoncer elle-même la nouvelle à sa belle-fille et à la gouvernante. Kate n'avait donc pas eu l'occasion d'observer la réaction des autres au décès de Paul Berowne.

Campden Hill Square baignait dans le calme de midi, oasis urbaine de verdure et d'élégance XVIIIe siècle surgissant au milieu de l'incessant vacarme de Holland Park Avenue. Le brouillard matinal s'était dissipé et un rayon de soleil fugace faisait briller les feuilles à peine jaunissantes, presque immobiles dans l'air tranquille. Dalgliesh ne se rappelait pas quand il avait vu la maison des Berowne pour la dernière fois. Vivant perché au-dessus de la Tamise, en bordure de la City, il ne venait presque jamais dans ce quartier. Mais la demeure, un des rares exemples d'hôtels particuliers construits par sir John Soane, figurait dans tant de livres sur l'architecture de la capitale que Dalgliesh avait l'impression de connaître son élégante excentricité aussi bien que s'il parcourait fréquemment ces places et ces rues. Flanquée de maisons bâties dans un style georgien plus pur, elle ne dépassait pas l'alignement, mais sa façade néo-classique en pierre de Portland et en briques éclipsait toutes les autres demeures de la rangée et même de la place. Partie intégrante de l'ensemble, elle paraissait pourtant d'une arrogante singularité.

Dalgliesh s'arrêta un instant pour la regarder. Kate se tenait, silencieuse, à ses côtés. Au deuxième étage s'élevaient trois hautes fenêtres cintrées. Autrefois, elles avaient sans doute formé une loggia, mais, à présent, elles étaient vitrées et pourvues d'une petite balustrade de pierre. Entre les fenêtres, placées sur d'étranges encorbellements d'un style plus gothique que néo-classique, on distinguait des cariatides de pierre dont les lignes fluides, soulignées par les piliers d'angle typiquement soaniens, attiraient le regard vers le haut. L'œil montait vers les fenêtres carrées du troisième étage, le revêtement en brique du quatrième et, enfin, la balustrade de pierre avec sa rangée de coquilles qui rappelaient les courbes des fenêtres inférieures. Alors qu'il était là à contempler la maison, comme s'il hésitait à en violer le calme, il y eut un moment d'extraordinaire silence pendant lequel même le grondement sourd de la circulation dans l'avenue cessa. Au même instant, deux images, la façade luisante de la demeure et la pièce poussiéreuse, éclaboussée de sang de Paddington, lui parurent comme suspendues dans le temps ; puis elles fusionnèrent : les pierres se tachèrent de rouge, les cariatides perdirent du sang. Ensuite, les feux de signalisation lâchèrent le flot de voitures, le temps reprit son cours, et la maison se dressa devant lui, intacte dans son pur et pâle silence. Dalgliesh n'avait pas l'impression qu'on les épiait, que, quelque part entre ces murs et ces fenêtres étincelant au soleil éphémère, des gens l'attendaient dans l'angoisse, la douleur, voire la peur. Quand il sonna, il attendit deux bonnes minutes avant qu'on daigne lui ouvrir. La femme qui lui faisait face ne pouvait être qu'Evelyn Matlock.

Proche de la quarantaine, elle était franchement laide, d'une de ces laideurs, se dit-il, comme on n'en voit presque plus chez les femmes aujourd'hui. Elle avait un nez pointu enfoncé entre des joues rebondies sur lesquelles s'étalaient des plaques de couperose maladroitement camouflées par une épaisse couche de fond de teint, une bouche pincée et un menton légèrement fuyant qui montrait déjà les premiers signes d'un fanon. Ses cheveux maladroitement ondulés étaient tirés en arrière sur les tempes mais frisaient sur son haut front, un peu à la mode « caniche » de la Belle Époque. Toutefois, quand elle s'effaça pour les laisser entrer, Dalgliesh remarqua qu'elle avait les chevilles et les poignets très fins. Ceux-ci offraient un curieux contraste avec son corps robuste et sa lourde poitrine qui gonflait presque voluptueusement son chemisier à col montant. Il se souvint de ce que Paul Berowne lui avait dit à son sujet. Il avait devant lui la fille de cet homme que le baronnet avait si mal défendu, à laquelle il avait donné un travail et un foyer, et qui était censée lui être dévouée. Si c'était vrai, elle cachait le chagrin que lui causait la mort de son bienfaiteur avec un remarquable stoïcisme. Un policier, se dit-il, était pareil à un médecin en visite. On ne l'accueillait pas avec des sentiments ordinaires. Dalgliesh avait l'habitude de susciter chez les autres du soulagement, de l'appréhension, de l'antipathie et même de la haine, mais ce qu'il aperçut un instant dans les yeux de cette femme était, sans erreur possible, de la peur à l'état pur. Cette expression disparut, remplacée par ce qui semblait être une indifférence affectée et légèrement provocante. Leur tournant le dos, miss Matlock déclara :

« Lady Ursula vous attend, commandant. Veuillez me suivre. »

Elle prononça ces paroles d'une voix aiguë un peu forcée, du ton autoritaire d'une infirmière qui accueille un malade dont elle n'attend que des ennuis. Ils traversèrent l'entrée et passèrent sous le dôme cannelé du hall. A leur gauche, la fine balustrade en fer forgé d'un escalier s'élevait comme une bordure de dentelle noire. A leur droite, une porte à double battant. Miss Matlock l'ouvrit et les fit entrer.

« Si vous voulez attendre ici un moment, dit-elle, je vais prévenir lady Ursula que vous êtes arrivés. »

La pièce dans laquelle ils se trouvaient occupait toute la longueur de la maison. Elle servait manifestement de salle à manger d'apparat et aussi de bibliothèque. Elle était baignée de lumière. Sur le devant, deux hautes fenêtres cintrées donnaient sur le square ; sur l'arrière, on apercevait, à travers une immense baie, un mur de pierre pourvu de trois niches dont chacune contenait une statue de marbre : une Vénus nue cachant délicatement son sexe d'une main et désignant son mamelon gauche de l'autre ; un deuxième personnage féminin, en tunique, l'épaule dénudée et coiffé d'une guirlande de fleurs ;

au milieu, un Apollon avec sa lyre et sa couronne de laurier. Les deux parties de la pièce étaient séparées par les pilastres que formaient deux bibliothèques vitrées en acajou d'où s'élevait une voûte de trois arcs en plein cintre, ornés et peints en vert et or. De hauts rayonnages tapissaient les murs et se dressaient entre les fenêtres, chacun surmonté d'un buste en marbre. Reliés en cuir repoussé vert et or, les livres étaient tous de la même dimension ; ils s'inséraient si exactement dans les étagères qu'ils produisaient l'effet d'un trompe-l'œil plutôt que celui d'une véritable bibliothèque. Entre les rayonnages, et dans les renfoncements au-dessus d'eux, étaient fixés des miroirs, de sorte que toute la splendeur de la pièce semblait réfléchie à l'infini, panorama de plafonds peints, de reliures, de marbre, d'acajou et de verre. Il était difficile d'imaginer qu'on dînât jamais dans cette salle, ou qu'elle pût servir à autre chose qu'à susciter l'admiration devant l'évidente et romantique passion de l'architecte pour ces jeux d'espace. Une table ovale était placée devant la baie vitrée. En son milieu trônait une maquette de la maison, comme si ce meuble était une pièce de musée, et les huit chaises assorties à haut dossier avaient été poussées contre le mur. Au-dessus de la cheminée de marbre, un portrait, probablement celui du baronnet qui avait fait construire la demeure. Ici, la délicate minutie du tableau accroché dans la National Portrait Gallery était remplacée par une élégance XIXe siècle plus vigoureuse, mais c'étaient toujours les traits caractéristiques des Berowne qui dominaient avec arrogance la cravate impeccablement nouée. Levant les yeux vers le portrait, Dalgliesh demanda :

« Kate, rappelez-moi donc ce qu'a dit lady Ursula.

— Elle a dit : "Après le premier décès, il n'y en

a point d'autre." J'ai eu l'impression qu'il s'agissait d'une citation.

— C'en est une. » Sans donner d'explication, Dalgliesh poursuivit : « Son fils aîné a été tué en Irlande du Nord. Vous aimez cette pièce ?

— Si je voulais m'installer quelque part pour lire, je préférerais aller à la bibliothèque de Kensington. C'est plutôt une pièce d'apparat, n'est-ce pas ? Et puis, je trouve cette combinaison de salle à manger et de bibliothèque assez curieuse. Mais c'est certainement très beau. Pour le confort et l'intimité, on repassera. Je me demande si l'on a jamais tué quelqu'un pour une maison. »

Pour Kate, c'était là un long discours.

« Pas à ma connaissance. Ça serait peut-être un mobile plus rationnel que de tuer pour une personne : le risque d'être déçu par la suite est moins grand.

— Et aussi celui d'être trahi, sir. »

Miss Matlock apparut à la porte.

« Lady Ursula vous attend, dit-elle avec une politesse glaciale. Son salon se trouve au quatrième étage, mais il y a un ascenseur. Si vous voulez bien me suivre... »

Ils auraient pu être deux candidats peu prometteurs à quelques menus travaux domestiques. L'ascenseur, une élégante cage dorée, les emporta lentement vers le haut dans un silence oppressant. Quand il s'arrêta avec une secousse, on les fit sortir dans un étroit couloir au sol recouvert d'un tapis. Miss Matlock ouvrit une porte située juste en face et annonça :

« Le commandant Dalgliesh et miss Miskin. »

Puis sans attendre que les visiteurs franchissent le seuil, elle se tourna et partit.

En entrant dans le salon de lady Ursula Berowne, Dalgliesh sentit pour la première fois qu'il était dans une maison particulière, que la propriétaire des lieux avait imprimé sa marque personnelle sur cette pièce. Deux fenêtres à douze carreaux admirablement proportionnées ouvraient sur un ciel que ciselaient les branches supérieures de plusieurs arbres. Longue et étroite, la chambre était baignée de lumière. Lady Ursula était assise, très droite, à côté de la cheminée, le dos tourné aux croisées.

Une canne d'ébène à pommeau doré reposait contre son fauteuil. A leur entrée, la vieille dame ne bougea pas, mais quand Kate lui présenta Dalgliesh, elle tendit la main. Dalgliesh la sentit serrer la sienne en un geste rapide, mais avec une force surprenante. Il eut néanmoins l'impression de tenir une série d'os détachés flottant dans un gant de daim racorni. Lady Ursula examina brièvement Kate, puis lui adressa un signe de tête qui aurait tout aussi bien pu vouloir dire qu'elle la reconnaissait ou qu'elle appréciait sa personne.

« Asseyez-vous, je vous prie. Si l'inspecteur Miskin doit prendre des notes, elle sera mieux sur cette chaise, près de la fenêtre. Vous pouvez vous mettre en face de moi, Commandant. »

Sa voix avait ce timbre arrogant que possèdent les aristocrates, le plus souvent à leur insu. Elle correspondait exactement à ce qu'il avait imaginé. On aurait dit une voix artificielle, comme si, pour en éliminer le moindre chevrotement, la vieille dame avait dû contrôler à la fois sa respiration et son énergie afin de pouvoir articuler ces mots convenablement. Elle n'en était pas moins belle. Alors qu'il s'installait vis-à-vis de lady Ursula, Dalgliesh s'aperçut que le fauteuil de son hôtesse était l'un de ces sièges conçus pour les invalides : un bouton fixé dans les accoudoirs permettait de le remonter quand son occupant voulait se lever. Moderne et fonctionnel, il détonnait dans cette pièce bourrée de meubles du XVIIIᵉ siècle. Deux chaises recouvertes d'un tissu brodé, une table à abattants, un secrétaire, tous de très beaux exemples du style de cette époque, étaient placés stratégiquement de manière à fournir des points d'appui à la vieille dame quand celle-ci devait se traîner jusqu'à la porte. De ce fait, le salon ressemblait un peu à un magasin d'antiquités dont les précieux articles avaient été exposés au hasard. C'était la chambre d'une personne âgée. Derrière la senteur d'encaustique et le faible parfum estival qui émanait d'une coupe de pétales séchés posée sur la table, l'odorat hypersensible de Dalgliesh décela les relents aigres de la vieillesse. Leurs regards se croisèrent. Ses yeux à elle étaient encore remarquables. Immenses, bien écartés et pourvus de lourdes paupières, ils avaient dû former l'élément principal de sa beauté. Bien qu'ils fussent devenus caves, on voyait encore l'intelligence qui brillait derrière eux. De la mâchoire aux pommettes saillantes, la peau se creusait de rides profondes. On aurait dit que deux paumes appliquées contre les joues tiraient le fragile épiderme vers le haut. Comme en une vision prémonitoire, Dalgliesh aperçut avec un choc le crâne qui luisait sous la peau. Ses oreilles étaient si grandes qu'elles avaient l'air d'excroissances anormales. Dans sa jeunesse, lady Ursula devait s'être coiffée de manière à les cacher. Avec ses cheveux tirés en arrière et tordus en un chignon au sommet de la tête, son visage dépourvu de maquillage paraissait nu. C'était comme si on l'avait dépouillé de tout artifice pour pouvoir mieux faire face. La vieille dame portait un pantalon noir et une tunique en fine laine grise, ceinturée, boutonnée presque jusqu'au menton, à manches kimono. Elle était chaussée de larges souliers à brides. Immobiles, ses pieds semblaient cloués au sol. Sur le guéridon qui se trouvait à droite du fauteuil, il y avait un livre broché. Dalgliesh vit que c'était *Required Writing* de Philip Larkin. Tendant le bras, lady Ursula posa sa main dessus.

« Mr. Larkin écrit que l'idée d'un poème vient toujours accompagnée d'un fragment ou d'un vers. Souscrivez-vous à cette déclaration, Commandant ?

— Oui, lady Ursula, je pense que c'est vrai. Un poème commence avec de la poésie, et non pas avec l'idée d'un poème. »

Dalgliesh ne trahit aucune surprise. Il savait que les chocs psychologiques et le deuil affectaient les gens de toutes sortes de manières différentes. Si cette curieuse ouverture pouvait aider son interlocutrice, il était prêt à cacher son impatience.

« Même si c'est peu courant, être à la fois poète et bibliothécaire relève d'une certaine logique. Par contre, un poète-policier me semble une chose bizarre, presque une perversité.

— Pour vous, est-ce la poésie qui est contraire à la recherche criminelle ou l'inverse ?

— Oh, l'inverse, évidemment. Que se passe-t-il quand la muse vous visite au beau milieu d'une enquête ? Bien que, si je ne m'abuse, votre muse se soit plutôt faite rare ces derniers temps, commandant. A notre grand regret, ajouta lady Ursula avec une délicate ironie.

— Cela ne m'est encore jamais arrivé jusqu'à présent. L'esprit humain ne supporte peut-être pas de faire plus d'une expérience intense à la fois.

— Si je comprends bien, la poésie en est une.

— Oui, l'une des plus intenses qui soit. »

Soudain, elle lui sourit. Sous l'effet de cette confidence intime qu'ils s'étaient faite mutuellement comme deux vieux adversaires, néanmoins complices, son visage s'éclaira.

« Excusez-moi, dit-elle. C'est la première fois qu'un

policier m'interroge. S'il existe un dialogue de circonstance, je ne le connais pas encore. Quoi qu'il en soit, je vous remercie de ne pas m'accabler de vos condoléances officielles. Je n'en ai que trop reçu dans ma vie. Elles m'ont toujours paru embarrassantes ou hypocrites. »

Quelle aurait été sa réaction, se demanda Dalgliesh, s'il lui avait répondu : « J'ai connu votre fils. Pas très bien, mais tout de même un peu. Je comprends que vous ne vouliez pas de mes paroles de sympathie, pourtant, si j'avais été capable de les prononcer, elles auraient été sincères. »

« L'inspecteur Miskin m'a annoncé la nouvelle avec beaucoup de tact et de considération. Je lui en sais gré. Cependant, elle n'a pu, ou n'a voulu, me dire qu'une seule chose : que mon fils était décédé et qu'il portait certaines blessures. Comment est-il mort, Commandant ?

— Il avait la gorge tranchée, lady Ursula. »

Impossible d'adoucir cette dure réalité. Dalgliesh ajouta :

« Harry Mack, le clochard qui se trouvait avec lui, est mort de la même façon. »

Il se demanda pourquoi il avait jugé opportun de mentionner le clochard. Pauvre Harry, si absurdement uni à l'autre dans la démocratie forcée de la mort, et dont le corps raidi susciterait plus d'intérêt lors de sa dissolution qu'il n'en avait jamais suscité vivant !

« Avec quoi ? demanda lady Ursula.

— Un rasoir ensanglanté, le sien apparemment, gisait près de la main droite de votre fils. Nous devons d'abord effectuer toute une série d'analyses avant d'en être certains, mais je pense que c'était bien là l'arme utilisée.

— Et la porte de l'église, de la sacristie, bref, de l'endroit où se trouvait mon fils, était ouverte ?

— Miss Wharton qui, avec un petit garçon, a découvert les corps, a déclaré l'avoir trouvée ouverte.

— Traitez-vous cette affaire comme un suicide ?

— Harry Mack, le clochard, ne s'est pas suicidé. A première vue, votre fils non plus. Il est encore trop tôt pour en dire davantage. Il faut attendre les résultats de l'autopsie et des analyses de laboratoire. Entre-temps, je la traite comme un double meurtre.

— Je vois. Merci de votre franchise.

— Je suis obligé de vous poser certaines questions. Si vous n'êtes pas prête, je pourrai revenir plus tard, mais, bien entendu, il est important de perdre le moins de temps possible.

— Je préférerais ne pas en perdre du tout, Commandant. Et comme je devine déjà deux de vos questions, je peux y répondre tout de suite : je n'ai aucune raison de croire que mon fils envisageait d'attenter à ses jours et, à ma connaissance, il n'avait pas d'ennemis.

— Pour un homme politique, c'est inhabituel.

— Il avait des ennemis politiques, évidemment, dont quelques-uns dans son propre parti, sans doute. Mais, pour autant que je le sache, aucun d'entre eux n'est un fou dangereux. Et les terroristes utilisent plutôt des bombes et des revolvers que le rasoir de leurs victimes. Excusez-moi, commandant, si je dis des choses évidentes, mais le plus vraisemblable n'est-il pas que le coupable était quelqu'un que Paul ne connaissait pas, un clochard, un psychopathe ou un voleur, qui les a tués, lui et ce Harry Mack ?

— C'est là une hypothèse que nous devons retenir, lady Ursula. » Dalgliesh se tut un instant, puis reprit : « Quand avez-vous vu votre fils pour la dernière fois ?

— Hier matin, à huit heures, quand il m'a monté mon petit déjeuner. C'est ce qu'il faisait tous les jours. Je suppose qu'il voulait s'assurer que j'avais survécu à la nuit.

— Vous a-t-il dit alors, ou à un autre moment, qu'il avait l'intention de retourner à Saint-Matthew ?

— Non. Nous n'avons pas parlé de ses projets pour la journée. Nous avons seulement parlé des miens. Je présume qu'ils ne vous intéressent pas.

— Ce qui pourrait nous être utile, c'est de savoir qui était ici, dans la maison, pendant la journée et à quelles heures. Votre emploi du temps pourrait nous aider à établir ces faits. »

Dalgliesh ne donna pas d'explication. Sans en demander, la vieille dame commença :

« Mrs. Beamish, ma pédicure, est arrivée à dix heures et demie. Elle vient toujours à domicile. J'ai passé environ une heure avec elle. Puis je me suis fait conduire au rendez-vous que j'avais avec Mrs. Charles Blaney, pour déjeuner à son club, celui des femmes universitaires. Après le repas, nous sommes allées regarder quelques aquarelles qui l'intéressaient à la galerie Agnew, dans Bond Street. Nous avons pris le thé ensemble au Savoy, puis j'ai déposé Mrs. Blaney chez elle, à Chelsea, avant de rentrer chez moi. Il était alors cinq heures et demie environ. J'ai demandé à miss Matlock de me monter un thermos de soupe et des sandwiches au saumon à six heures. C'est ce qu'elle a fait. Je lui ai dit alors que je désirais qu'on ne me dérange plus ce soir-là. Le déjeuner et l'exposition avaient été plus fatigants que je ne l'avais pensé. J'ai passé la soirée à lire. Peu avant onze heures, j'ai sonné miss Matlock pour qu'elle m'aide à me mettre au lit.

— En dehors de votre fils, de miss Matlock et de votre chauffeur, avez-vous vu d'autres habitants de la maison durant la journée ?

— J'ai aperçu ma belle-fille alors que je cherchais

149

quelque chose dans la bibliothèque. C'était au début de la matinée. Ces renseignements vous sont-ils utiles, Commandant ?

— Jusqu'à ce que nous sachions de quoi votre fils est mort, il est difficile de dire ce qui l'est et ce qui ne l'est pas. D'autres personnes de la maison savaient-elles que sir Paul avait l'intention de retourner à Saint-Matthew hier soir ?

— Je n'ai pas eu l'occasion de le leur demander, mais cela me paraît peu probable. De toute façon, je suppose que vous les interrogerez à ce sujet. Nous avons très peu de personnel. Evelyn Matlock, que vous avez vue, est notre gouvernante. Puis il y a Gordon Halliwell, un ancien sergent de la garde royale qui a servi sous les ordres de mon fils aîné. C'est notre chauffeur-homme à tout faire. Il est arrivé ici il y a un peu plus de cinq ans, avant la mort de Hugo, et il est resté.

— Conduisait-il votre fils ?

— Rarement. Avant sa démission, Paul disposait évidemment d'une voiture ministérielle. Sinon, il conduisait toujours lui-même. J'utilise les services de Halliwell presque tous les jours, ma belle-fille beaucoup moins souvent. Halliwell vit au-dessus du garage. Mais pour avoir son témoignage, il vous faudra attendre, commandant : c'est son jour de congé.

— A quelle heure est-il parti, lady Ursula ?

— Très tard hier soir ou tôt ce matin, comme à son habitude. Je n'ai pas la moindre idée de l'endroit où il peut être. Je n'interroge pas mes domestiques sur leur vie privée. Si la radio et la télévision annoncent la mort de mon fils ce soir, ce qui est probable, il rentrera de bonne heure. De toute façon, en temps normal, il rentre presque toujours avant onze heures. Au fait, je lui ai encore parlé par notre téléphone intérieur hier soir, peu après huit heures et, de nouveau, vers neuf heures et quart. A part Halliwell, nous n'avons plus qu'une autre employée de maison, Mrs. Iris Minns, qui vient ici quatre jours par semaine pour faire le ménage. Miss Matlock peut vous donner son adresse.

— Votre fils vous a-t-il jamais parlé de la révélation qu'il avait eue dans la sacristie de Saint-Matthew ?

— Non, car il savait qu'il se heurterait à mon incompréhension. J'ai perdu la foi en 1918. Je n'ai d'ailleurs jamais été vraiment croyante. Le mysticisme, en particulier, a aussi peu de sens pour moi que la musique pour un sourd. Bien entendu, je conçois que les gens puissent faire ce genre d'expériences, mais j'attribue celles-ci à des causes physiques ou psychologiques : surmenage, crise de l'âge mûr, besoin de trouver un sens à l'existence. Pour ma part, cela m'a toujours paru être une quête vaine.

— Et votre fils, la trouvait-il vaine ?

— Jusqu'aux récents événements, j'aurais dit qu'il était un anglican conformiste. Je crois qu'il voyait les rites de sa religion comme un rappel des valeurs fondamentales, une affirmation de son identité, un bref instant pendant lequel il pouvait réfléchir en paix. Comme la plupart des aristocrates anglicans, il aurait trouvé l'incarnation plus compréhensible si Dieu avait choisi de visiter Sa création sous la forme d'un gentilhomme anglais du XVIIIe siècle. Et, comme la plupart des membres de sa classe, il a résolu ce petit problème en remodelant Son image et en Le transformant plus ou moins en ledit gentilhomme. La révélation, ou prétendue révélation, qu'il a eue dans cette église est inexplicable et, pour lui rendre justice, je dois dire qu'il n'a pas essayé de l'expliquer. Du moins, pas à moi. J'espère que vous ne me demanderez pas de commenter cette affaire. Ce sujet m'est désagréable et je ne vois pas quel rapport il peut avoir avec la mort de mon fils. »

Dalgliesh s'aperçut que ce long discours avait fatigué la vieille dame. Et, se dit-il, elle ne pouvait pas être aussi naïve que cela ; il était même étonnant qu'elle essayât de le lui faire croire.

« Quand quelqu'un décide de changer complètement de vie et meurt, peut-être assassiné, une semaine après avoir pris cette décision, ce fait est forcément intéressant, du moins pour notre enquête.

— Oh, pour votre enquête, certainement. Il y aura peu de détails concernant notre vie privée qui ne vous intéresseront pas, Commandant. »

Dalgliesh vit que depuis quelques secondes, lady Ursula était arrivée au bord de l'épuisement. Elle semblait avoir rapetissé dans son immense fauteuil ; ses mains noueuses posées sur les accoudoirs se mirent à trembler très doucement. Mais, de même que la vieille dame maîtrisait sa douleur, Dalgliesh maîtrisa sa compassion. Il avait encore des questions à poser et ce ne serait pas la première fois qu'il profiterait de la fatigue ou du chagrin d'un témoin. Il se baissa et sortit de sa serviette l'agenda à moitié brûlé, toujours enveloppé de plastique transparent.

« Nous avons relevé les empreintes qui se trouvent sur cet objet. Il nous faudra vérifier quelles sont celles qui appartiennent aux personnes autorisées à y toucher : sir Paul, vous-même, d'autres habitants de la maison. Pouvez-vous me confirmer que c'est bien son agenda ? Si possible, sans le déballer. »

Lady Ursula prit le paquet. Elle le posa sur ses genoux et le contempla un moment. Dalgliesh eut l'impression qu'elle cherchait à éviter son regard. Elle restait extraordinairement immobile.

« Oui, c'est bien le sien, dit-elle finalement. Mais cet objet ne peut pas offrir grand intérêt. Une simple liste de rendez-vous. Paul n'était pas homme à tenir un journal.

— Dans ce cas, il est assez curieux qu'il ait voulu le brûler — s'il l'a fait. Et il y a une autre anomalie : la moitié supérieure de la dernière page a été déchirée. C'est celle sur laquelle sont imprimés le calendrier de l'année dernière et celui de 1986. Vous rappelez-vous si quelque chose d'autre figurait sur cette page, lady Ursula ?

— Je ne me souviens pas l'avoir jamais vue.

— Pouvez-vous me dire quand et où vous avez vu cet agenda pour la dernière fois ?

— Voilà bien le genre de détail que je suis incapable de me rappeler. Avez-vous d'autres questions à me poser, Commandant ? Si ce n'est pas urgent, je suggère que vous attendiez d'être sûr d'enquêter sur un meurtre.

— Je le suis déjà, lady Ursula. Harry Mack a été assassiné. »

La vieille dame se tut. Pendant une minute, ils demeurèrent assis face à face, en silence. Puis lady Ursula leva ses grands yeux vers lui. Dalgliesh crut y déceler un mélange de sentiments passagers : résolution, supplication, défi.

« Je suis navré, dit-il. J'ai l'impression d'être resté trop longtemps et de vous avoir fatiguée. En fait, je n'ai plus qu'une seule chose à vous demander : que pouvez-vous me dire sur les deux jeunes femmes qui sont mortes après avoir travaillé dans cette maison : Theresa Nolan et Diana Travers ? »

Si la vue de l'agenda à moitié brûlé avait profondément bouleversé la vieille dame, cette question-là fut accueillie avec sérénité.

« Peu de chose, je le crains, répondit-elle d'une voix calme. Theresa était une bonne infirmière,

153

douce, aimable, mais pas très intelligente, à mon avis. Elle est venue travailler ici le 2 mai, quand j'avais une crise aiguë de sciatique, et elle est partie le 14 juin. Elle avait une chambre dans la maison, mais n'était de service que la nuit. Comme vous le savez sans doute, elle a ensuite trouvé un emploi dans une maternité, à Hampstead. Elle est peut-être tombée enceinte pendant son séjour ici, mais je peux vous assurer qu'aucun habitant de cette maison n'en portait la responsabilité. Quand on soigne une femme arthritique de quatre-vingt-deux ans, la grossesse ne compte pas parmi les risques du métier. J'en sais encore moins sur Diana Travers. Il paraît que c'était une comédienne au chômage qui, entre deux engagements, travaillait comme employée de maison. Elle est venue chez nous à la suite d'une annonce que miss Matlock avait mise dans la vitrine de notre marchand de journaux. Miss Matlock l'a embauchée pour remplacer une femme de ménage qui nous avait quittés.

— Après vous avoir consultée ?

— Oh, elle n'avait pas vraiment besoin de me consulter à ce sujet, et elle ne l'a pas fait. Je sais évidemment pourquoi vous m'interrogez sur ces femmes. Deux de mes amies se sont déjà empressées de m'envoyer l'article paru dans la *Paternoster Review*. Je m'étonne que la police prenne en considération ce genre de ragots journalistiques malveillants. Ils ne peuvent guère avoir de rapport avec le meurtre de mon fils. Si c'est tout, Commandant, vous pourriez peut-être aller voir ma belle-fille à présent. Non, ne sonnez pas. Je préfère vous conduire moi-même en bas. Et je suis tout à fait capable de marcher seule. »

Lady Ursula pressa le bouton sur son accoudoir. Le siège du fauteuil monta lentement. La vieille femme mit un certain temps à se lever.

154

« Avant que vous n'interrogiez ma belle-fille, il y a une chose que je devrais vous dire : elle vous paraîtra peut-être moins affectée par la mort de son mari qu'on pourrait s'y attendre. C'est parce qu'elle manque totalement d'imagination. Eût-elle trouvé le cadavre de mon fils, elle serait éplorée et sûrement trop bouleversée pour vous parler. Mais elle a du mal à se représenter ce qu'elle ne voit pas de ses propres yeux. Si je mentionne cette particularité, c'est uniquement pour éviter des malentendus. »

Dalgliesh acquiesça d'un signe de tête sans répondre. C'était la première erreur qu'elle commettait, se dit-il. Il comprenait parfaitement ce qu'impliquaient ses paroles. Toutefois, elle aurait mieux fait de se taire.

2

Dalgliesh la regarda se préparer à marcher, se raidir dans l'attente de la douleur. Il n'essaya pas de l'aider, sachant que son geste serait aussi présomptueux que mal reçu. Sensible comme toujours à un ordre muet, Kate ferma son calepin, puis attendit en silence. S'appuyant sur sa canne, lady Ursula se traîna vers la porte. Sa main aux veines saillantes tremblait sur le pommeau doré. A pas comptés, ils suivirent la vieille dame dans le couloir, puis dans l'ascenseur. L'élégante cabine aux formes courbes était à peine assez grande pour les contenir tous trois. Le bras de Dalgliesh pressait contre celui de lady Ursula. Même à travers le tweed de sa veste, Dalgliesh pouvait sentir le tremblement continu qui agitait le membre frêle de la vieille femme. Il se rendait compte que celle-ci était dans un état d'extrême tension nerveuse. Il se demanda s'il en faudrait beaucoup pour la faire craquer, et s'il devait s'en assurer. Tandis que l'ascenseur descendait lentement deux étages, il comprit que lady Ursula était aussi consciente de sa présence qu'il l'était, lui, de la sienne, et qu'elle le considérait comme un ennemi.

Ils pénétrèrent à sa suite dans le salon. Cette pièce aussi, Paul Berowne la lui aurait montrée et, pendant un instant, il eut l'impression que c'était le mort, et non sa mère, qui se tenait près de lui. Trois hautes fenêtres, aux rideaux savamment drapés, donnaient sur les arbres du jardin. Semblables à une tapisserie tissée dans une infinie variété de tons verts et or, ceux-ci paraissaient irréels. Sous son plafond richement orné, curieux mélange de classique et de gothique, la pièce était à peine meublée. L'air y avait cette qualité mélancolique qu'on rencontre dans les salons clos d'une maison de campagne rarement habitée : une senteur de pétales séchés et d'encaustique. Dalgliesh s'attendit presque à voir une corde blanche tendue en travers de l'espace interdit aux touristes.

La mère du défunt l'avait reçu seule, vraisemblablement de son propre choix. La veuve, par contre, avait jugé prudent de se faire réconforter par son médecin et assister de son avocat. Lady Ursula présenta brièvement les nouveaux venus, puis sortit aussitôt. Dalgliesh et Kate avancèrent seuls sur la moquette vers une scène aussi figée et peu naturelle qu'un tableau vivant. Barbara Berowne était assise dans un fauteuil à haut dossier, à la droite du feu. En face d'elle, penché sur sa chaise, Anthony Farrell, son avocat. Debout à côté d'elle, sa main sur le pouls de la jeune femme, se tenait le médecin. Ce fut lui qui parla le premier.

« Je vais vous laisser, lady Berowne, mais je

repasserai vers six heures, si cela vous convient. Je vous donnerai quelques comprimés qui vous permettront de dormir cette nuit. Si vous avez besoin de moi plus tôt, faites-moi appeler par miss Matlock. Essayez de manger. Demandez à la gouvernante de vous préparer quelque chose de léger. Vous n'aurez pas faim, je sais, mais je vous demande de vous forcer un peu. C'est entendu ? »

Barbara Berowne fit un signe d'assentiment et tendit la main. Le médecin la tint un moment dans la sienne, regarda Dalgliesh, puis détourna rapidement les yeux en murmurant :

« C'est affreux. Affreux. »

Comme Dalgliesh ne répondait pas, il poursuivit :

« Je pense que lady Berowne est en mesure de vous parler maintenant, Commandant. J'espère toutefois que l'entretien sera bref. »

On aurait dit un acteur amateur jouant dans un mélodrame : des répliques attendues, platement récitées. Dalgliesh trouva curieux qu'un médecin, qu'on pouvait supposer habitué aux tragédies, fût plus mal à l'aise que son malade. Quand le praticien atteignit la porte, Dalgliesh demanda doucement :

« Étiez-vous aussi le médecin de sir Paul ?

— Oui, mais depuis peu de temps. Sir Paul était un patient privé du docteur Gillespie. A la mort de celui-ci, il y a à peu près un an, sir Paul et lady Berowne sont devenus mes clients, en tant que patients de la sécurité sociale. Je suis en possession de son dossier, mais il n'est jamais venu me consulter : sir Paul jouissait d'une excellente santé. »

Voilà donc ce qui expliquait en partie la gêne de cet homme : ce n'était pas un vieux médecin de famille respecté, mais un généraliste de quartier surmené qui, comme on pouvait le comprendre, avait hâte de retourner à son cabinet bondé ou de continuer sa tournée de visites. Peut-être constatait-il aussi avec ennui que la situation nécessitait un entregent dont il était dépourvu et une attention qu'il n'avait pas le temps d'accorder. Il n'en essayait pas moins de jouer le rôle d'un ami de la famille dans un salon où il mettait probablement les pieds pour la première fois. Dalgliesh se demanda si Paul Berowne avait décidé de s'inscrire comme patient de la sécurité sociale par opportunisme politique, par conviction, par économie ou pour ces trois raisons à la fois. Au-dessus de la cheminée de marbre sculptée, il aperçut un rectangle de papier peint fané. Un portrait de famille assez banal le cachait à demi. Un tableau plus précieux avait probablement occupé cet endroit.

« Asseyez-vous, Commandant », dit Barbara Berowne.

Elle agita vaguement la main en direction d'un canapé collé contre le mur. Non seulement ce meuble était mal placé, mais il avait aussi l'air trop fragile pour qu'on l'utilisât. Cependant, Kate s'y installa et sortit discrètement son calepin. Dalgliesh alla prendre l'une des chaises, la porta à la cheminée et la posa à la droite d'Anthony Farrell.

« Nous regrettons d'avoir à vous importuner à un moment pareil, lady Berowne, dit-il, mais vous comprenez certainement que c'est nécessaire. »

La jeune femme continuait à fixer la porte par laquelle le docteur Piggott avait disparu.

« Quel drôle de type ! fit-elle d'un ton irrité. Paul et moi ne sommes inscrits chez lui que depuis le mois de juin. Il a les mains moites. »

Avec une grimace de dégoût, elle frotta ses doigts l'un contre l'autre.

« Vous sentez-vous en état de répondre à quelques questions ? » demanda Dalgliesh.

Lady Berowne regarda Farrell comme une enfant qui espère un conseil.

« Ma chère Barbara, dit l'avocat avec une suavité toute professionnelle, je crains que, dans une enquête criminelle, les règles habituelles du savoir-vivre n'aient plus cours. La police ne peut se permettre le luxe d'attendre. Je suis certain que le commandant sera aussi bref que possible. Quant à vous, vous allez vous montrer très courageuse et lui faciliter la tâche du mieux que vous pourrez. »

Avant que la jeune femme n'ait eu le temps de répondre, il se tourna vers Dalgliesh :

« Je suis ici non seulement en qualité d'avocat, mais aussi en celle d'ami personnel de lady Berowne. Notre cabinet s'occupe depuis trois générations des affaires de la famille. Je tenais sir Paul en haute estime. En lui, j'ai perdu un ami aussi bien qu'un client. Cela explique en partie ma présence ici. Lady Berowne est très seule. Sa mère et son beau-père vivent en Californie. »

Dalgliesh se demanda quelle serait la réaction de Farrell s'il répondait : « Mais sa belle-mère est deux étages plus haut. » La signification de leur séparation, à un moment où les membres d'une famille ont coutume de se soutenir, sinon de se consoler mutuellement, échappait-elle totalement aux deux femmes, à Farrell ? Ou bien étaient-elles si habituées à mener des vies distinctes sous le même toit que, même plongées dans une tragédie, ni l'un ni l'autre n'était capable de franchir la barrière psychologique que représentaient cette cage d'ascenseur, ces deux étages ?

Barbara Berowne tourna vers lui ses admirables yeux d'un bleu violet. Pendant un instant, Dalgliesh se sentit déconcerté : après une lueur passagère de curiosité, le regard de la jeune femme s'était éteint. Il eut l'impression de scruter des verres de contact colorés. Peut-être qu'après avoir passé sa vie à observer l'effet que produisaient ses yeux, elle n'éprouvait plus le besoin de les animer par une quelconque expression, à part celle d'un intérêt intermittent ? Il avait su qu'elle était belle. Il ne se rappelait plus comment. Probablement à la suite de commentaires accessoires qu'il avait entendus faire à propos du mari ou à cause de photographies parues dans la presse. Mais c'était une beauté qui le laissait froid. Il aurait eu plaisir à rester là, invisible, à la regarder comme il aurait pu regarder un tableau, à remarquer avec une admiration sereine la pureté de l'arc qui surmontait son œil en amande, la courbe de sa lèvre supérieure, les creux ombrés situés entre ses pommettes et sa mâchoire, son cou délié. Il pouvait regarder, admirer, puis partir sans regret. Pour lui, cette beauté blonde était trop exquise, trop classique, trop parfaite. Il préférait des beautés plus personnelles, plus originales, la vulnérabilité associée à l'intelligence. Il doutait que Barbara Berowne fût intelligente, mais il ne la sous-estimait pas. Rien n'était plus dangereux pour un policier que de porter des jugements superficiels sur les gens. Il se demanda toutefois s'il avait en face de lui une femme pour laquelle un homme pouvait tuer. Dans toute sa carrière, il n'en avait connu que trois : aucune d'elles n'aurait pu être qualifiée de belle.

Lady Berowne se tenait assise dans son fauteuil avec une élégance tranquille et détendue. Elle était vêtue d'une jupe en un fin jersey de laine plissé gris clair, d'un chemisier en soie bleu pâle et d'un gilet en cachemire gris, jeté sur ses épaules. Elle ne portait que peu de bijoux : deux chaînettes en or et deux petits boutons d'oreille, en or également. Ses cheveux couleur de blé mûr, aux mèches plus ou moins foncées, étaient coiffés en arrière et rassemblés en une lourde tresse attachée par une pince en écaille. Aucune tenue n'aurait pu être plus appropriée. Du noir, surtout pour une veuve de si fraîche date, aurait été ostentatoire, théâtral, vulgaire. Par contre, cette combinaison de gris et de bleu convenait parfaitement. Il savait que lorsque Kate était venue annoncer la nouvelle, lady Berowne n'était pas encore habillée. On lui avait dit que son mari était mort la gorge tranchée. Cela ne l'avait pas empêchée d'apporter du soin à sa toilette. Et pourquoi pas ? Dalgliesh avait une trop grande expérience de la vie pour penser qu'un chagrin était feint parce que correctement revêtu. Il y avait des femmes dont l'amour-propre exigeait une constante méticulosité, quelles que fussent les circonstances ; d'autres pour lesquelles c'était une question de confiance en soi, de coutume ou de défi. Chez un homme on trouvait généralement ce formalisme louable. Alors, pourquoi pas chez une femme ? Ou bien était-ce parce que son apparence extérieure avait été pendant plus de vingt ans au centre de ses préoccupations, et qu'elle ne pouvait changer d'habitude simplement parce qu'on avait égorgé son mari ? Dalgliesh, cependant, ne put s'empêcher de relever les détails : la boucle élaborée qui ornait le côté de la chaussure, le rouge à lèvres minutieusement appliqué et assorti exactement au rose de son vernis à ongles, le soupçon de fard à paupières. Ses mains, en tout cas, n'avaient pas tremblé. Quand elle ouvrait la bouche, il en sortait une voix aiguë qui lui déplaisait : elle devait dégénérer très vite en geignement.

« Je ne demande pas mieux que d'aider la police, dit lady Berowne, mais je ne vois pas très bien comment. Tout cela est tellement incroyable. Qui aurait pu vouloir tuer Paul ? Il n'avait pas d'ennemis. Tout le monde l'aimait. Il était très populaire. »

La maladresse de cet hommage banal, déplacé, rendu d'une voix légèrement discordante devait l'avoir frappée elle aussi. Il y eut un bref silence que Farrell jugea prudent de rompre.

« Lady Berowne est profondément bouleversée, comme vous pouvez l'imaginer, Commandant. Nous espérions que vous pourriez nous fournir un peu plus d'informations que nous n'en possédons actuellement. A ce que nous avons cru comprendre, l'arme utilisée était un instrument tranchant et sir Paul portait des blessures à la gorge. »

Même le plus habile des avocats n'aurait pu dire avec plus de tact que sir Paul avait été égorgé, pensa Dalgliesh.

« Sir Paul et le clochard semblent avoir été tués de la même façon, répondit-il.

— L'arme se trouvait-elle sur les lieux ?

— Une arme possible, oui. Les deux hommes ont peut-être été tués avec le rasoir de sir Paul.

— Et le meurtrier a laissé celui-ci dans la pièce ?

— C'est là, en tout cas, que nous l'avons trouvé. »

La nuance n'échappa pas à Farrell. Pour sa part, l'avocat n'emploierait pas le mot suicide ; celui-ci flottait néanmoins entre eux avec tout ce qu'il pouvait impliquer.

« La porte de l'église avait-elle été forcée ? reprit Farrell.

— Elle n'était pas fermée à clé quand miss Wharton, la sacristaine bénévole, a découvert les corps ce matin.

— N'importe qui, donc, aurait pu entrer et, selon toutes les apparences, c'est ce qui s'est produit ?

— Sûrement. Vous comprendrez que notre enquête n'en est qu'à son début. Nous ne pouvons rien affirmer avant d'avoir les résultats de l'autopsie et des analyses de laboratoire.

— Évidemment. Je pose ces questions parce que lady Berowne préférerait connaître les faits, ou du moins tous les faits disponibles. Bien entendu, elle a le droit absolu d'être mise au courant. »

Dalgliesh ne répondit pas. Ce n'était d'ailleurs pas nécessaire. Farrell et lui se comprenaient parfaitement. L'avocat se montrerait délibérément poli, mais non affable. Tellement intégrée dans sa vie professionnelle qu'elle n'en paraissait même plus affectée, la maîtrise de soi dont il faisait preuve semblait signifier : « Vous et moi, nous sommes des experts. Nous jouissons d'une certaine réputation dans notre travail. Et nous savons tous deux à quoi nous en tenir. Excusez-moi si je manque un peu d'amabilité, mais les circonstances nous placeront peut-être dans des camps opposés. »

En fait ils étaient *déjà* dans des camps opposés, et tous deux le savaient. On aurait dit qu'un ectoplasme émanait de la personne de Farrell et entourait la jeune femme de sa réconfortante aura. « Je suis là, à vos côtés, semblait-il dire. Laissez-moi régler cette affaire pour vous. Vous n'avez aucun souci à vous faire. » Dalgliesh interpréta cette attitude comme une sorte de subtile entente masculine, presque un pacte, dont Barbara Berowne était exclue. Farrell faisait ça très bien.

Avec ses multiples ramifications, son cabinet, Torrington, Farrell et Penge, jouissait d'une réputation sans tache depuis plus de deux siècles. Il avait représenté quelques-uns des plus ingénieux malfaiteurs de Londres. Certains d'entre eux prenaient des vacances dans leurs villas de la Riviera, d'autres, sur leurs yachts. Peu étaient sous les verrous. Dalgliesh se rappela soudain la voiture cellulaire qu'il avait croisée deux jours plus tôt en se rendant au Yard, la rangée d'yeux anonymes hostiles qui regardaient à travers les fentes comme s'ils voyaient le monde pour la dernière fois. S'ils avaient pu se payer quelques heures du temps de

Farrell, ces détenus-là auraient peut-être connu un autre sort.

« Pourquoi devrais-je subir un interrogatoire ? ronchonna Barbara Berowne. Paul ne m'avait même pas dit qu'il allait passer la nuit dans cette église. Pour dormir avec un clochard. Peut-on imaginer quelque chose de plus absurde ?

— Quand avez-vous vu votre mari pour la dernière fois ? demanda Dalgliesh.

— Vers neuf heures et quart, hier matin. Il est venu me voir juste avant que Mattie me monte mon petit déjeuner. Il n'est resté qu'une quinzaine de minutes.

— Quelle impression vous a-t-il faite, lady Berowne ?

— Il semblait être dans son état normal. Il ne m'a pas dit grand-chose, mais il ne parlait jamais beaucoup. Si je me souviens bien, je lui ai fait part de mes projets pour la journée.

— Quels étaient-ils ?

— J'avais un rendez-vous chez Michael et John, le coiffeur, dans Bond Street, à onze heures. Puis j'ai déjeuné à Knightsbridge avec une ancienne camarade de classe et nous avons fait quelques emplettes à Harvey Nichols. Je suis rentrée à la maison à l'heure du thé. A ce moment, Paul était déjà parti. Je ne l'ai pas revu depuis neuf heures quinze hier matin.

— Et, à votre connaissance, il n'est pas repassé à la maison ?

— Je ne le crois pas. De toute façon, je ne l'aurais pas vu. Après mon retour ici, je me suis changée, puis je suis allée en taxi à Pembroke Lodge, la clinique de mon cousin, Mr. Stephen Lampart, à Hampstead. Il est obstétricien. Je suis restée avec lui jusqu'à minuit, puis il m'a ramenée. Nous sommes allés dîner au *Black Swan*, à Cookham. Nous avons quitté la clinique à sept heures quarante et nous nous sommes rendus directement au restaurant, sans nous arrêter en route. »

Voilà, se dit Dalgliesh, une réponse bien préparée. Il avait prévu qu'elle fournirait un alibi, mais ce qui l'étonnait, c'était qu'elle le fît déjà, et d'une manière si détaillée.

« Lors de votre dernière conversation avec sir Paul, demanda-t-il, vous a-t-il parlé de ses propres projets ?

— Non, mais pour les connaître, il vous suffira de consulter son agenda. Paul le range dans le tiroir de son bureau, dans son cabinet de travail.

— Nous avons trouvé une partie de cet agenda dans la sacristie. Il avait été brûlé. »

Tout en parlant, Dalgliesh scruta le visage de Barbara Berowne. Les yeux bleu violet de celle-ci cillèrent, prirent une expression circonspecte, mais Dalgliesh aurait pu jurer que la jeune femme avait ignoré ce détail. Elle se tourna de nouveau vers Farrell.

« Comme c'est étrange ! fit-elle. Pourquoi Paul aurait-il brûlé son agenda ?

— Nous ne savons pas si c'est lui qui l'a fait, précisa Dalgliesh. L'agenda était là-bas, dans la cheminée. Quelques-unes des pages étaient brûlées et la dernière était à moitié déchirée. »

Les yeux de Farrell rencontrèrent ceux de Dalgliesh. Les deux hommes se turent un instant. Puis Dalgliesh reprit :

« Il nous faut donc essayer de reconstituer l'emploi du temps de sir Paul d'une autre façon. J'espérais que vous pourriez nous aider en cela.

— Est-ce tellement important ? Si quelqu'un a forcé la porte de l'église et a tué Paul, à quoi cela sert-il de savoir qu'il s'était rendu chez un agent immobilier quelques heures auparavant ?

— Ah ? Il a fait ça ?

— En tout cas, il m'a dit qu'il avait un rendez-vous.

— Vous a-t-il indiqué le nom de cette personne ?

— Non, et je ne le lui ai pas demandé. Je suppose que Dieu lui avait ordonné de vendre sa maison, mais je doute qu'il lui ait précisé à quel agent s'adresser. »

Cette remarque les choqua comme une obscénité. Dalgliesh perçut la surprise consternée de Farrell aussi nettement que si l'avocat avait poussé une exclamation. Il n'y avait pas eu trace d'ironie ou d'amertune dans la voix aiguë, légèrement irritée, de la jeune femme. Barbara Berowne se conduisait comme une enfant espiègle qui ose dire une chose impardonnable en présence des adultes et s'étonne de sa propre audace. Anthony Farrell jugea qu'il était temps d'intervenir.

« J'attendais moi-même sir Paul hier après-midi, dit-il benoîtement. Il avait rendez-vous à quatorze heures trente avec moi et deux de mes collègues du service financier de notre cabinet. Il désirait parler de certaines dispositions qu'il devait prendre à la suite, j'imagine, de sa décision d'abandonner sa carrière politique. Mais il m'a téléphoné hier, peu avant dix heures, pour annuler le rendez-vous et en fixer un autre pour la même heure, aujourd'hui. Je n'étais pas encore arrivé au bureau au moment de son appel, mais il a laissé un message à ma secrétaire. Si vous êtes en mesure de prouver qu'il a été assassiné, j'accepte naturellement que vous soumettiez chaque détail de ses affaires à un examen rigoureux. Lady Ursula comme lady Berowne souhaiteront qu'il en soit fait ainsi. »

Malgré ses manières prudhommesques, Farrell n'était pas un imbécile, se dit Dalgliesh. Il savait, ou devinait, que la plupart de ces questions étaient prématurées. Il voulait bien les permettre, mais pouvait les faire cesser quand cela lui chanterait. Barbara Berowne tourna ses yeux splendides vers Dalgliesh.

« Je ne vois pas quel pourrait être le problème. Paul m'a tout laissé. Il me l'a dit après notre mariage. Y compris la maison. Je suis sa veuve. Tout me revient. Enfin, presque tout.

— En effet, chère amie, les choses sont tout à fait claires, dit Farrell de son ton doucereux, mais il n'est pas nécessaire d'aborder ce sujet maintenant. »

Ouvrant son portefeuille, Dalgliesh en sortit une copie de la lettre anonyme et la tendit à Barbara Berowne.

« Je suppose que vous connaissez ceci », dit-il.

La jeune femme secoua la tête et passa le feuillet à Farrell. L'avocat le parcourut lentement, le visage impassible. S'il avait déjà lu ce texte auparavant, il n'en laissait certainement rien paraître.

« A première vue, il s'agit d'une attaque personnelle contre sir Paul. Elle aurait pu donner matière à procès.

— Cette lettre n'a peut-être aucun rapport avec la mort de sir Berowne, dit Dalgliesh, mais nous aimerions évidemment en être certains. Cela permettrait d'éliminer cette piste. »

Il se tourna de nouveau vers Barbara Berowne.

« Êtes-vous sûre que votre mari ne vous l'a pas montrée ?

— Certaine. Pourquoi l'aurait-il fait ? Paul évitait de me tracasser avec des problèmes auxquels je ne pouvais rien. N'est-ce pas le genre habituel de lettres anonymes ? Les hommes politiques en reçoivent tout le temps.

— Voulez-vous dire que cette lettre n'avait rien

d'exceptionnel, que votre mari en avait reçu de similaires ?

— Non, je ne sais pas, je ne le crois pas. Il ne m'en a jamais parlé. Je voulais dire que tout homme public... »

Farrell interrompit sa cliente.

« Lady Berowne veut dire, évidemment, que tout homme public s'expose à cette sorte de désagrément.

— Oui, mais certainement pas à quelque chose d'aussi spécifique. La *Paternoster Review* a publié ensuite un article manifestement basé sur cette lettre. L'avez-vous lu, lady Berowne ? »

La jeune femme secoua la tête.

« Je suppose que ces faits sont importants pour votre enquête, dit l'avocat, mais faut-il que nous en parlions maintenant ?

— Pas si lady Berowne trouve ce sujet trop pénible. »

Le sous-entendu contenu dans cette phrase déplut à Farrell. Sa cliente vint à sa rescousse. Elle tourna vers lui un regard empli d'un admirable mélange de supplication, de surprise et de désarroi.

« Je ne comprends pas, fit-elle. J'ai dit au commandant tout ce que je savais. J'ai essayé de l'aider, mais c'est impossible. Je ne sais rien au sujet de Diana Travers. C'est miss Matlock, Mattie, qui s'occupe de la maison. Je crois que cette fille avait répondu à une annonce et Mattie l'a engagée.

— N'est-ce pas curieux ? De nos jours, c'est rare que les jeunes veuillent faire des ménages.

— Mattie a dit que cette fille était comédienne. Cela l'arrangeait de ne travailler que quelques heures par semaine.

— Miss Matlock vous a-t-elle consultée avant de l'engager ?

— Non. Elle a dû en parler à ma belle-mère. Ce sont elles qui décident de ces choses.

— Et Theresa Nolan, l'autre jeune fille qui est morte, avez-vous eu affaire à elle ?

— C'était l'infirmière de ma belle-mère. Cela n'avait donc aucun rapport avec moi. C'est à peine si je l'ai vue. »

Lady Berowne se tourna vers Anthony Farrell.

« Faut-il vraiment que je réponde à toutes ces questions ? Je ne demande qu'à aider la police, mais j'en suis incapable. Si Paul avait des ennemis, je ne les connais pas. Nous ne parlions jamais vraiment de politique ou de choses comme ça. »

Écarquillant ses yeux bleus, elle parut vouloir dire qu'aucun homme n'aurait voulu l'ennuyer avec des sujets pareils, des sujets tellement étrangers au principal attrait qu'elle offrait.

« C'est trop affreux, ajouta-t-elle. Paul est mort, assassiné. J'ai du mal à y croire. Je n'arrive pas encore vraiment à l'admettre. Je ne veux pas continuer à en parler. Je veux qu'on me laisse tranquille. Je veux aller dans ma chambre. Je veux Mattie. »

C'était un pitoyable appel à la sympathie, à la compréhension. Elle l'avait lancé du ton maussade d'un enfant grincheux.

Farrell s'approcha de la cheminée et tira le cordon de sonnette.

« Chère amie, dit-il, je crains que l'une des terribles conséquences d'un meurtre, c'est que la police se voit obligée de violer le deuil de la famille de la victime. Elle a besoin de savoir avec certitude que votre mari ne vous a rien dit qui pût indiquer qu'il avait un ennemi. Quelqu'un qui aurait su qu'il était à Saint-Matthew cette nuit-là, quelqu'un qui avait des griefs contre lui, voulait se débarrasser de lui. Paul a probablement été tué par quelque intrus de passage, mais la police doit exclure d'autres possibilités. »

Si Anthony Farrell pensait pouvoir diriger cet entretien à sa guise, il se trompait. Mais avant que Dalgliesh ait pu parler, la porte s'ouvrit brusquement. Un jeune homme s'élança à travers la pièce en direction de Barbara Berowne.

« Barbie ! Mattie m'a annoncé la nouvelle au téléphone. C'est vraiment affreux, incroyable ! Je serais venu plus tôt, mais elle n'a pu me joindre qu'à onze heures. Comment vas-tu, ma biche ? Tu tiens le coup ?

— Je vous présente mon frère, Dominic Swayne », dit lady Berowne d'une voix plutôt morne.

Ayant salué les autres d'un bref signe de tête comme si c'étaient eux les intrus, le jeune homme se retourna vers sa sœur.

« Mais que s'est-il passé, Barbie ? Qui est le coupable ? Tu le sais ? »

Ça sonne faux, il joue la comédie, pensa Dalgliesh. Puis il se dit que ce jugement était certainement prématuré et injuste. Un des enseignements du métier de policier, c'était que, dans des moments d'émotion intense et de souffrance, des gens qui s'expriment généralement avec aisance semblent réduits à la banalité. Si Swayne en faisait un peu trop dans son rôle de frère dévoué et consolateur, cela ne signifiait pas pour autant qu'il n'était pas sincèrement dévoué et désireux de consoler. Dalgliesh avait tout de même remarqué que lorsqu'il avait entouré les épaules de Barbara Berowne de son bras, la jeune femme avait légèrement frissonné. On pouvait évidemment attribuer cette réaction au choc, mais Dalgliesh se demanda s'il n'y entrait pas du dégoût.

A première vue, on ne les aurait jamais pris pour frère et sœur. Certes, Swayne avait les mêmes cheveux couleur de blé mûr, mais les siens, soit de nature, soit par artifice, bouclaient sur son front pâle et bombé. Sous les sourcils bien arqués, les yeux aussi étaient semblables, de ce même extraordinaire bleu violet. Mais la ressemblance s'arrêtait là. Il n'avait rien de la saisissante beauté classique de sa sœur. Cependant, son visage aux traits fins ne manquait pas de charme. Swayne avait quelque chose d'un lutin : la bouche bien dessinée, plutôt boudeuse, des oreilles d'un blanc laiteux, aussi petites que celles d'un enfant et un peu saillantes, telles deux ailes naissantes. Et il était de petite taille : il ne devait pas mesurer plus d'un mètre cinquante-huit. Il avait de larges épaules et de longs bras. Greffée sur la tête délicate, cette force simiesque jurait tellement avec le reste qu'à première vue on aurait pu croire le jeune homme affligé d'une légère difformité.

A ce moment, répondant au coup de sonnette, miss Matlock apparut à la porte. Sans dire au revoir, Barbara Berowne se dirigea vers elle d'un pas mal assuré, en poussant de petits gémissements. Impassible, la gouvernante la regarda d'abord elle, puis les hommes dans la pièce ; ensuite elle la prit par les épaules et l'emmena. Il y eut un instant de silence, puis Dalgliesh se tourna vers Swayne.

« Puisque vous êtes là, j'en profiterai pour vous poser deux ou trois questions. Votre témoignage pourrait nous être utile. Quand avez-vous vu sir Paul pour la dernière fois ?

— Mon estimé beau-frère ? Eh bien, à dire vrai, je ne m'en souviens pas. Il y a plusieurs semaines, en tout cas. En fait, j'étais ici hier, pendant toute la soirée, mais je ne l'ai pas vu. Evelyn — c'est le prénom de miss Matlock — ne l'attendait pas pour dîner. Elle m'a dit qu'il était parti après le petit déjeuner et que personne ne savait où il était allé. »

De son canapé près du mur, Kate demanda :

« A quelle heure êtes-vous arrivé, monsieur ? »

Swayne pivota vers elle, une lueur amusée dans les yeux. Comme en une invite d'ordre sexuel, il regarda franchement la jeune femme de la tête aux pieds.

« Peu avant sept heures. Le voisin, qui sortait à ce moment-là m'a vu arriver. Il pourra donc vous confirmer l'heure, si c'est important. Je ne vois pas pourquoi ça le serait. Miss Matlock aussi, bien sûr. Je suis resté ici jusqu'à dix heures et demie environ. Ensuite, je suis allé boire un verre au *Raj*, le pub du coin. Le barman se souviendra peut-être de moi. J'étais l'un des derniers à partir.

— Et vous êtes resté ici tout ce temps ? demanda Kate.

— Oui, mais qu'est-ce que cela a à voir avec la mort de Paul ? »

Il ne peut pas être naïf à ce point, se dit Dalgliesh.

« Il nous serait utile de connaître l'emploi du temps de sir Paul pour la journée d'hier, dit-il. Pourrait-il être repassé chez lui pendant que vous y étiez ?

— Je suppose que oui, mais cela me semble peu probable. J'ai pris un bain pendant environ une heure — c'était la principale raison de ma visite —, et mon beau-frère a pu revenir pendant ce temps. Je crois, toutefois, que miss Matlock me l'aurait dit. Je suis comédien. Actuellement au chômage. Je passe des auditions. J'ai habité ici une quinzaine de jours au mois de mai, mais comme cela n'avait pas l'air d'enchanter Paul, je suis allé vivre chez Bruno Packard. C'est un décorateur de théâtre. Il a un petit appartement à Shepherd's Bush. Ses maquettes et son matériel prennent beaucoup de place. De plus, il n'a pas de baignoire, rien qu'une douche. Celle-ci se trouve dans les toilettes, ce qui est assez désagréable pour quelqu'un d'un peu délicat. J'ai donc pris l'habitude de venir ici de temps en temps pour me faire offrir un bain et un repas. »

Ces explications avaient été débitées avec une aisance presque suspecte, pensa Dalgliesh, comme si Swayne les avait apprises par cœur. Et le jeune homme était singulièrement bavard pour quelqu'un qu'on n'avait même pas invité à rendre compte de ses déplacements, qui n'avait aucune raison de supposer qu'ils enquêtaient sur un meurtre. Toutefois, si on leur confirmait les heures indiquées, Swayne serait probablement mis hors de cause.

« Si vous n'avez rien d'autre à me demander, dit-il, je vais monter chez Barbie. Elle doit être affreusement bouleversée, la pauvre petite. Mattie vous donnera l'adresse de Bruno, si vous en avez besoin. »

Après son départ, il y eut un moment de silence, puis Dalgliesh demanda à Farrell :

« Le fait que lady Berowne hérite de la maison est intéressant. J'aurais cru que celle-ci était un majorat. »

L'avocat prit cette question avec calme.

« En effet, c'est une situation inhabituelle. Lady Ursula et lady Berowne m'ont évidemment autorisé à vous communiquer tous les renseignements que vous pourriez désirer. L'ancienne propriété des Berowne, celle qui se trouve dans le Hampshire, était un majorat, mais la famille l'a perdue depuis longtemps, ainsi, d'ailleurs, que la plus grande partie de sa fortune. Cette maison-ci s'est toujours transmise d'un baronnet à un autre. Sir Paul l'a héritée de son frère, mais il était libre d'en disposer. Après son remariage, il a refait un testament et légué cette demeure à sa femme. Son testament est parfaitement simple et clair. Lady Ursula a des revenus personnels, mais sir Paul lui a fait un petit legs. Un autre, plus important, va à son unique enfant, miss Sarah Berowne. Halliwell et miss Matlock reçoivent dix mille livres chacun et le président de la section locale de son parti, un tableau — un Arthur Devis, si mes souvenirs sont corrects. Il y a d'autres petits legs. Mais la maison et son contenu reviennent à sa veuve. Elle recevra en outre une confortable rente. »

Et rien que la maison, se dit Dalgliesh, devait approcher le million de livres, vu son emplacement et son intérêt architectural. Comme en bien d'autres occasions, il se rappela de nouveau ce que lui avait dit un vieux brigadier à l'époque où lui, Dalgliesh, venait d'être nommé inspecteur de police : « L'amour, la luxure, la haine et le lucre sont les quatre principaux mobiles du crime. Et le plus puissant d'entre eux, c'est le lucre, mon gars. »

3

Miss Matlock fut la dernière personne qu'ils interrogèrent cet après-midi-là, à Campden Hill Square. Dalgliesh ayant demandé à voir le meuble où Berowne rangeait son agenda, la gouvernante l'avait conduit dans le cabinet de travail du rez-de-chaussée. Il savait que, d'un point de vue architectural, c'était l'une des pièces les plus originales de la maison et, peut-être, la plus caractéristique du style de Soane. Elle était octogonale. Tous les murs étaient entièrement couverts de bibliothèques vitrées entre lesquelles des piliers cannelés montaient vers un dôme d'où pendait une lanterne octogonale en verre multicolore. C'était, songea-t-il, une belle démonstration de la façon d'agencer un espace réduit, un exemple éminemment réussi du génie de l'architecte. Malgré tout, la pièce était plus une curiosité qu'un endroit où l'on aurait eu envie de vivre et de travailler.

Le bureau en acajou de Berowne se dressait au milieu de la pièce. Dalgliesh et Kate s'en approchèrent. Debout sur le seuil, miss Matlock les observa, les yeux rivés sur la figure de Dalgliesh comme si elle craignait qu'un moment de distraction de sa part n'incitât le commandant à lui sauter dessus.

« Pouvez-vous me montrer l'endroit exact où sir Paul rangeait son agenda ? » demanda Dalgliesh.

Miss Matlock s'avança et, en silence, ouvrit le premier tiroir de droite. Il ne contenait plus que du papier à lettres et des enveloppes.

« Sir Paul travaillait-il ici ?

— Il écrivait des lettres. Il gardait ses papiers de député dans son bureau, à la Chambre, et tous les dossiers concernant sa circonscription dans son bureau de Wrentham Green. » Elle ajouta : « C'était quelqu'un qui aimait compartimenter les choses. »

Les compartimenter, les maintenir impersonnelles, les dominer, pensa Dalgliesh. Il eut de nouveau l'impression d'être dans un musée. Berowne n'avait jamais dû se sentir chez lui dans cette cellule richement ornée.

« Et ses papiers personnels ? Où les rangeait-il, le savez-vous ?

— Dans le coffre-fort, je crois. Il est caché derrière les livres, dans la bibliothèque qui se trouve à droite de la porte. »

Si Berowne avait vraiment été assassiné, la police devrait en examiner le contenu, mais, comme beaucoup d'autres choses, cela pouvait attendre.

Dalgliesh s'approcha des rayonnages. Comme chacun sait, on peut se faire une idée de la personnalité de quelqu'un d'après les livres de sa bibliothèque. Ceux-ci révélaient que Berowne avait lu plus de biographies, d'ouvrages historiques et de poésie que de romans. Parcourant du regard les rangées de volumes, Dalgliesh se dit pourtant que cette bibliothèque aurait pu se trouver dans n'importe quel club privé ou sur un luxueux bateau de croisière — une croisière, certes, dont le but était un enrichissement culturel plutôt qu'une distraction et le prix, très élevé. Il y avait là, soigneusement alignés, le choix de titres essentiels que possède tout Anglais cultivé qui sait ce qu'il convient de lire. Mais Dalgliesh avait du mal à croire que, dans le domaine du roman, Berowne se fût contenté d'acheter systématiquement tous les prix littéraires. Il eut de nouveau l'impression que la personnalité de sir Paul lui échappait, que même cette pièce et les objets qu'elle contenait concouraient à lui cacher la véritable nature de cet homme.

« Combien de personnes ont eu accès à cette pièce, hier ? » demanda-t-il.

Ce devait être l'effet que produisaient sur lui le faste et l'impersonnalité des lieux. La façon dont il avait formulé sa question paraissait curieuse, même à ses propres oreilles. Miss Matlock n'essaya pas de dissimuler son dédain.

« Accès ? fit-elle. Ce bureau se trouve dans une maison particulière. Nous ne le fermons pas à clé. Tous les membres de la famille et leurs amis y ont "accès" comme vous dites.

— Et qui est effectivement entré ici, hier ?

— Je serais incapable de vous le dire. Sir Paul, certainement, puisque on a retrouvé son agenda à l'église. Mrs. Minns a dû y faire le ménage. Mr. Frank Musgrave, le président de la section locale du parti, a été introduit ici à l'heure du déjeuner, mais il n'est pas resté. Miss Sarah est venue dans l'après-midi voir sa grand-mère, mais je crois qu'elle a attendu au salon. Elle est partie avant le retour de lady Ursula.

— Est-ce vous qui avez fait entrer Mr. Musgrave et miss Berowne ?

— Je leur ai ouvert. Il n'y a personne d'autre pour le faire. »

Miss Matlock se tut un instant, puis reprit :

« Miss Berowne avait ses clés quand elle habitait ici, mais elle les a rendues lors de son déménagement.

— Quand avez-vous vu l'agenda pour la dernière fois ?

— Je ne m'en souviens pas. Je crois que c'était il y a une quinzaine de jours. Sir Paul m'avait appelé du ministère pour me demander de vérifier la date d'une invitation à dîner.

— Et quand avez-vous vu sir Paul pour la dernière fois ?

— Juste avant dix heures, hier matin. Il est venu à la cuisine chercher son casse-croûte de midi.

— Dans ce cas, nous pourrions peut-être aller à la cuisine maintenant. »

Miss Matlock les guida le long d'un couloir carrelé. Ils descendirent deux marches et atteignirent une porte matelassée située sur l'arrière. La gouvernante s'effaça pour les laisser passer. De nouveau, elle resta sur le seuil, les mains croisées sur le ventre, telle la caricature d'une cuisinière qui attend que ses maîtres jugent de la propreté de son domaine. Celui-ci était effectivement impeccable. Comme le bureau, la cuisine était curieusement anonyme, peu accueillante sans être pour autant inconfortable ou mal équipée. Il y avait là une table en pin naturel entourée de quatre chaises, une très grande et vieille gazinière et une cuisinière plus moderne à combustibles solides. Manifestement, cela faisait des années qu'on n'avait plus rien dépensé pour cette pièce. Par la fenêtre basse, Dalgliesh vit le mur qui séparait la maison des anciennes écuries transformées en garages, et seulement les pieds des statues de marbre. Ainsi tronqués, réduits à une rangée d'orteils délicatement sculptés, ils semblaient accentuer la froide nudité des lieux. Deux pots de fleurs posés sur l'étagère au-dessus de l'évier, l'un contenant un géranium rose, l'autre deux boutures, constituaient la seule touche personnelle de toute la pièce.

« Vous m'avez dit que sir Paul était venu ici, chercher son déjeuner. L'a-t-il pris tout seul ou le lui avez-vous donné ?

— C'est lui qui l'a pris. Il savait où se trouvent les choses. Il m'a souvent regardé préparer le plateau du petit déjeuner de lady Ursula. Il avait l'habitude de le lui monter.

— Et qu'a-t-il emporté, hier ?

— Un demi-pain qu'il a coupé en tranches, un morceau de roquefort et deux pommes. Il avait l'air préoccupé. Je ne crois pas qu'il s'intéressait beaucoup à son casse-croûte. »

C'était la première fois que miss Matlock donnait volontairement un renseignement, mais quand Dalgliesh se mit à l'interroger doucement sur l'humeur de Berowne et sur ce qu'il avait dit, en supposant qu'il eût parlé, la femme parut regretter de s'être laissée aller à faire cette brève confidence. Elle devint presque revêche. Sir Paul lui avait dit qu'il ne rentrerait pas déjeuner, mais rien de plus. Elle ignorait qu'il se rendait à Saint-Matthew ou s'il serait de retour pour le dîner.

« Vous avez donc préparé le dîner comme de coutume et à l'heure habituelle ? »

Cette question déconcerta la gouvernante. Elle rougit et crispa ses mains croisées.

« Non, pas comme de coutume. En rentrant de son thé en ville, lady Ursula m'a demandé de lui monter un thermos de potage et une assiette de sandwiches au saumon fumé faits avec du pain complet. Elle souhaitait ne plus être dérangée ce soir-là. Je lui ai porté son repas peu après six heures. Je savais que lady Berowne dînait ailleurs. J'ai décidé d'attendre pour voir si sir Paul revenait. Dans ce cas, j'aurais pu lui préparer quelque chose de rapide. Il me restait du potage et j'aurais pu lui faire une omelette. Le garde-manger est toujours bien garni. »

Miss Matlock paraissait sur la défensive comme si on l'avait accusée de négligence dans le service.

« N'était-ce pas un peu désinvolte de sa part de vous laisser ainsi, dans l'incertitude ? demanda Dalgliesh.

— Sir Paul n'était jamais désinvolte.

— Il ne devait pas découcher souvent sans prévenir personne, je suppose ? Tout le monde a dû s'inquiéter ici.

— Pas moi. La famille est libre de faire ce qu'elle veut. Cela ne me regarde pas. Sir Paul aurait pu décider de passer la nuit dans sa circonscription. A onze heures, j'ai demandé à lady Ursula si je pouvais aller me coucher en laissant la porte déverrouillée. Elle m'a dit que oui. Lady Berowne savait qu'elle devait verrouiller la porte derrière elle en rentrant. »

Dalgliesh essaya une autre tactique. Il demanda brusquement :

« Sir Paul a-t-il emporté des allumettes hier matin ? »

La gouvernante marqua une surprise visible et, à l'avis de Dalgliesh, authentique.

« Des allumettes ? Pour quoi faire ? Sir Paul ne

fume — ne fumait pas. Je ne l'ai pas vu avec des allumettes à la main.

— S'il en avait emporté, où les aurait-il prises ?

— Ici, à côté de la cuisinière. Elle n'a pas d'allumage automatique. Il y a aussi un paquet de quatre boîtes dans le placard, au-dessus. »

Elle ouvrit le meuble pour les lui montrer. L'emballage avait été déchiré et l'une des boîtes, probablement celle qui se trouvait maintenant à côté de la cuisinière, enlevée. Miss Matlock regardait Dalgliesh avec fixité. Elle avait les yeux brillants et la figure un peu rouge, comme sous l'effet d'une légère fièvre. Après l'avoir surprise, les questions au sujet des allumettes semblaient la troubler à présent. Elle était davantage sur ses gardes et beaucoup plus tendue. Dalgliesh avait trop d'expérience pour s'y tromper, d'autant plus que la femme jouait fort mal la comédie. Jusque-là elle avait répondu du ton de quelqu'un qui accomplit une indispensable corvée ; maintenant, leur entretien la mettait au supplice. Elle n'avait qu'un seul désir : qu'il s'en allât.

« Si cela ne vous dérange pas, nous aimerions voir également votre salle de séjour.

— Si vous jugez que c'est nécessaire. Lady Ursula m'a dit de vous fournir toutes facilités pour mener à bien votre enquête. »

Dalgliesh douta que lady Ursula eût jamais dit une chose pareille, surtout en ces termes. Kate et lui suivirent miss Matlock dans une pièce située de l'autre côté du couloir, en face de la cuisine. Ça devait être l'ancien sanctuaire du majordome, se dit Dalgliesh. Comme dans la cuisine, la fenêtre ne donnait que sur la cour et la porte qui menait aux garages. L'ameublement, toutefois, était confortable : un canapé à deux places couvert de chintz, un fauteuil assorti, une table à abattants et deux chaises poussées contre le mur, une bibliothèque remplie de livres de même dimension, commandés, de toute évidence, à un club. Sur la large tablette de la cheminée de marbre s'entassaient pêle-mêle toutes sortes de figurines modernes, mièvres et sentimentales : femmes en crinoline, enfants avec chiot, bergers et bergères, danseuse en tutu. Les bibelots devaient appartenir à miss Matlock. Au mur, dans des cadres modernes, une reproduction du *Chariot à foin* de Constable et, chose plus surprenante, une autre de la *Femme dans un champ* de Monet. Ces images et le mobilier étaient communs, comme si quelqu'un avait dit : « Nous allons engager une gouvernante. Il faut que nous lui installions un logement. » Même de vieux meubles de la maison mis au rebut auraient eu plus de cachet que ces objets-là. A cette pièce aussi, il manquait la marque d'une personnalité. Dans cette maison où chacun vit pour soi, se dit Dalgliesh, seule lady Ursula se sent chez elle. Les autres ne sont guère plus que des squatters.

Il demanda à miss Matlock où elle avait passé la soirée précédente.

« Ici et dans la cuisine. Mr. Dominic Swayne est venu prendre un bain et dîner. Ensuite, nous avons joué au Scrabble. Il est arrivé peu avant sept heures et il est parti avant onze heures. Notre voisin, Mr. Swinglehurst, qui était en train de mettre sa voiture au garage, l'a vu arriver.

— Y a-t-il une autre personne de la maison qui l'ait vu pendant qu'il était ici ?

— Non, mais il a répondu à un coup de téléphone vers neuf heures moins vingt. C'était Mrs. Hurrell, la femme du dernier permanent de la section de Wrentham Green. Elle voulait parler à sir Paul. Je lui ai dit que personne ne savait où il était.

— Où Mr. Swayne a-t-il pris son bain ?

— En haut, dans la salle de bains principale.

Lady Ursula a la sienne et il y a une douche au rez-de-chaussée, mais Mr. Swayne voulait un vrai bain.

« — Vous étiez donc dans cette pièce, ou dans la cuisine, et Mr. Swayne au premier étage pendant au moins une partie de la soirée. La porte de derrière était-elle fermée à clé ?

— Fermée à clé et verrouillée. Comme toujours après l'heure du thé. La clé pend au panneau, dans ce placard. »

Elle ouvrit le meuble désigné et lui montra une planche pourvue de crochets et de clés étiquetées qui était fixée au fond.

« Quelqu'un pourrait-il être sorti sans que vous le remarquiez, pendant que vous étiez à la cuisine, par exemple ?

— Non. D'habitude, je laisse la porte qui donne sur le couloir ouverte. J'aurais donc vu, ou entendu, quelqu'un passer. Personne n'a quitté la maison hier soir par cette porte. »

Miss Matlock eut l'air de s'arracher à son abattement.

« A quoi riment toutes ces questions ? fit-elle avec un regain d'énergie. Qu'est-ce que je faisais ? Qui était ici ? Qui aurait pu partir sans être vu ? A croire que sir Paul a été assassiné !

— C'est, en effet, une de nos hypothèses », déclara Dalgliesh.

La gouvernante le regarda, consternée, puis se laissa choir sur une chaise. Dalgliesh vit qu'elle tremblait.

« Assassiné ! Mais personne n'a parlé de meurtre jusqu'à présent. Je croyais que... »

Kate s'approcha d'elle, regarda Dalgliesh, puis posa sa main sur l'épaule de la femme.

« Que croyiez-vous ? » demanda Dalgliesh.

Miss Matlock leva les yeux vers lui. D'une voix si

basse qu'il dût pencher la tête pour l'entendre, elle murmura :

« Qu'il s'était suicidé.

— Avez-vous la moindre raison de supposer une chose pareille ?

— Non, aucune. Comment est-ce possible ? Lady Ursula a mentionné un rasoir... Un meurtre... Je ne veux pas répondre à d'autres questions, pas ce soir en tout cas. Je ne me sens pas bien. Cessez de me harceler. Il est mort. C'est déjà assez affreux. Je n'arrive pas à croire que c'est un meurtre. Je veux qu'on me laisse tranquille. »

Tout en la regardant, Dalgliesh se dit : elle est réellement bouleversée par cette nouvelle, mais elle en « fait » quand même trop. Ce n'est pas une bonne comédienne.

« Il nous est interdit de harceler un témoin, miss Matlock, répondit-il avec froideur, et vous ne pensez pas sérieusement ce que vous dites. Votre aide nous a été très précieuse. Malheureusement, nous serons obligés d'avoir un autre entretien avec vous, de vous poser d'autres questions, mais cela peut attendre. Inutile de nous raccompagner, nous trouverons la porte. »

Miss Matlock se leva avec la lourdeur d'une vieille femme.

« Je raccompagne toujours les visiteurs. C'est mon travail. »

De la Rover, Dalgliesh téléphona au Yard.

« Nous verrons le docteur Lampart le plus tôt possible demain, dit-il à Massingham. J'aimerais qu'il nous reçoive avant l'autopsie, c'est-à-dire, avant trois heures et demie. A-t-on des nouvelles de Sarah Berowne ?

— Oui, sir. A ce qu'il paraît, cette jeune femme est photographe professionnelle. Elle a travaillé toute la journée. Elle a une autre commande pour demain après-midi : le portrait d'un écrivain qui part le soir même pour les États-Unis. Comme c'est important pour elle, cela l'ennuierait d'avoir à annuler ce rendez-vous. Je lui ai dit que nous viendrions la voir le soir, à six heures et demie. Notre bureau de presse veut vous parler d'urgence, sir. La nouvelle de la mort de sir Berowne sera annoncée à six heures et ils veulent organiser une conférence pour demain matin, à la première heure.

— C'est trop tôt. Que diable croient-ils que nous puissions dire à ce stade de l'enquête ? Essayez de la faire reporter, John. »

S'il pouvait prouver que Berowne avait été assassiné, toute son enquête se déroulerait sur un fond d'effervescence des médias. Bien qu'ayant prévu ce genre d'ennuis, il ne voyait pas pourquoi ceux-ci commenceraient déjà. Alors que Kate manœuvrait pour sortir de l'étroit espace où elle s'était garée et s'apprêtait à descendre Campden Hill, il se retourna pour jeter un dernier coup d'œil à l'élégante façade de la maison, aux fenêtres pareilles à des yeux morts. Soudain, à l'étage supérieur, il vit bouger un rideau : lady Ursula les regardait partir.

4

Il était déjà six heures vingt quand Sarah Berowne réussit enfin à joindre Ivor Garrod au téléphone. Elle était restée chez elle tout le début de l'après-midi, mais n'avait pas osé appeler de là. Ivor lui interdisait de dire quoi que ce fût d'important quand elle utilisait l'appareil de son appartement. Elle avait parfois eu l'impression que cette précaution, érigée en règle absolue, tenait à sa manie du secret. Depuis le départ de sa grand-mère, elle avait donc passé tout l'après-midi préoccupée par l'idée qu'il lui fallait trouver une cabine publique adéquate et rassembler suffisamment de pièces de monnaie. Mais Ivor n'était pas là et elle n'avait pas pris le risque de laisser un message, ni même son nom.

Elle n'avait eu qu'un seul rendez-vous professionnel de toute la journée : elle était allée photographier un écrivain étranger en visite en Angleterre qui logeait chez des amis, dans le Hertfordshire. Travaillant toujours avec un minimum d'équipement, elle avait pris le train. Elle ne se rappelait plus grand-chose de cette courte séance. Elle avait travaillé comme une automate, choisissant le meilleur décor, réglant ses lumières, changeant ses objectifs. Ça avait assez bien marché, à son avis. La romancière, en tout cas, avait paru contente. Mais pendant tout ce temps, Sarah n'avait eu qu'une hâte : trouver un téléphone public pour essayer encore une fois de joindre Ivor.

Le train était à peine arrêté en gare de King's Cross, qu'elle sautait déjà sur le quai et cherchait désespérément des yeux les flèches indiquant la direction des téléphones : des taxiphones ouverts, alignés des deux côtés d'un couloir malodorant qui partait du hall central. Des chiffres et des graffiti en couvraient les murs. C'était le début de l'heure de pointe et elle dut patienter quelques minutes avant qu'un des appareils devînt libre. Elle faillit arracher le combiné encore chaud de la main de la personne qui raccrochait. Cette fois, la chance lui sourit. Ivor était dans son bureau et ce fut lui qui répondit. Sarah poussa un bruyant soupir de soulagement.

« C'est Sarah. J'ai passé la journée à essayer de te joindre. Peux-tu parler ?

— Brièvement. Où es-tu ?

— A King's Cross. Tu es au courant ?

— Je n'ai appris la nouvelle qu'aux informations de six heures. Il n'y a encore rien dans les journaux.

— Ivor, il faut que je te voie.

— Naturellement. Il y a un certain nombre de choses dont nous devons discuter, mais pas ce soir. Je ne peux pas. Les flics se sont-ils mis en rapport avec toi ?

— Ils voulaient venir me voir, mais j'ai dit que j'étais prise toute la journée par mon travail et que ne serais pas libre avant demain soir, à six heures.

— Est-ce vrai ? »

Qu'est-ce que cela pouvait lui faire ? pensa-t-elle.

« J'ai deux rendez-vous dans l'après-midi, répondit-elle.

— On ne peut guère appeler ça "être prise toute la journée". Ne mens jamais à la police à moins d'être sûre qu'elle ne pourra pas découvrir la vérité. Il lui suffirait de regarder ton agenda.

— Mais je ne pouvais pas laisser les flics venir chez moi avant de t'avoir parlé ! Ils risquent de me poser certaines questions. Au sujet de Theresa Nolan, de Diana. Ivor, il faut absolument que je te voie.

— D'accord. Ils ne t'interrogeront pas au sujet de Theresa. Ton père s'est suicidé. C'est sa dernière folie. La plus embarrassante de toutes. Sa vie était un beau gâchis. Ta famille voudra l'enterrer décemment sans que toutes ces choses pas très propres soient étalées au grand jour. Et toi, comment as-tu appris la nouvelle ?

— Par grand-mère. Elle m'a téléphoné. Puis, dès que la police l'a quittée, elle est venue chez moi en taxi. Elle ne m'a pas dit grand-chose. J'ai l'impression qu'elle ne connaît pas tous les détails. Elle ne croit pas que papa s'est suicidé.

— Évidemment. Les Berowne sont censés revêtir l'uniforme et tuer les autres. On ne s'attend pas à ce qu'ils se suppriment. Mais, en fait, il semblerait que c'est bien ce qu'a fait ton père : tuer quelqu'un, je veux dire. Cela m'étonnerait que lady Ursula verse une larme sur ce clochard. »

Un léger doute s'insinua dans l'esprit de Sarah. Pouvait-on vraiment avoir dit aux informations que la deuxième victime était un clochard ?

« Mais il n'y a pas que grand-mère, dit-elle. La police aussi, un certain commandant Dalgliesh, semble penser que papa ne s'est pas suicidé. »

Le vacarme avait encore augmenté. L'étroit couloir était encombré de voyageurs qui voulaient téléphoner. Sarah sentait la poussée de leurs corps contre le sien. L'air était rempli d'une cacophonie de voix que rythmait le bruit des pas, ponctuée par la litanie rauque, inintelligible, du haut-parleur. Baissant la tête, elle approcha sa bouche du micro.

« La police semble penser qu'il ne s'agit pas d'un suicide. »

Il y eut un silence à l'autre bout du fil. Pour couvrir le tumulte ambiant, Sarah se risqua à parler plus fort.

« Ivor, la police semble penser... »

« J'ai entendu, Sarah. Reste où tu es. J'arrive tout de suite. Je ne pourrai rester qu'une demi-heure avec toi, mais tu as raison : il faut qu'on se parle. Et ne te tracasse pas : je serai avec toi, dans l'appartement, quand les flics viendront. Il vaut mieux que tu ne les voies pas toute seule. Ah, et puis... Sarah ?

— Oui, je t'écoute.

— Nous avons passé toute la soirée d'hier ensemble. Depuis six heures, quand je suis arrivé du bureau. J'ai dîné et dormi chez toi. Fourre-toi ça dans la tête. Commence à te concentrer là-dessus dès maintenant. Et surtout ne bouge pas. Je te rejoins dans une quarantaine de minutes. »

Sarah raccrocha. Elle resta un moment immobile, la tête pressée contre le métal froid de l'appareil. Une voix de femme glapit :

« Vous permettez ! J'ai un train à prendre, moi ! »

Sarah se sentit poussée de côté. Se frayant un chemin à travers la foule, elle sortit du hall et s'adossa contre un mur. Submergée de vagues successives de faiblesse et de nausée, elle se sentait de plus en plus vidée. Autour d'elle, il n'y avait aucun siège, aucune intimité, aucune paix. Elle pouvait se rendre au buffet, mais si Ivor arrivait plus tôt, elle risquait de le manquer. Et si jamais elle ne retrouvait plus les téléphones, perdait la notion du temps ? Ivor lui avait dit : « Surtout ne bouge pas ». Elle avait pris l'habitude de lui obéir. Elle se radossa et ferma les yeux. Maintenant aussi, elle devait lui obéir, s'appuyer sur lui, lui demander quoi faire. Elle n'avait que lui.

Pas une fois, il ne lui avait dit : « Je suis désolé pour ton père ». Il ne s'attendait pas à ce qu'elle éprouvât du chagrin. Il avait toujours été totalement dénué de sentimentalité, brutal, même. Elle se demanda quelle serait sa réaction si elle lui disait : « C'était mon père et il est mort. Je l'aimais autrefois. J'ai besoin de le pleurer, et de pleurer sur moi. J'ai besoin d'être réconfortée. Je me sens perdue. J'ai peur. J'ai besoin de sentir tes bras autour de moi. J'ai besoin qu'on me dise que ce n'était pas ma faute. »

La horde en marche passait à côté d'elle, phalange de visages gris aux yeux fixés droit devant eux. On aurait dit un flot de réfugiés venus d'une ville sinistrée ou une armée en déroute encore disciplinée, mais dangereusement proche de la panique. Sarah ferma les yeux et se laissa sombrer dans leur piétinement. Soudain, elle fut dans une autre gare, une autre foule. Elle avait six ans à Victoria Station.

Qu'y faisaient-ils, son père et elle ? Sans doute attendaient-ils sa grand-mère. Lady Ursula avait l'habitude de rentrer par bateau et par train de sa maison des Andelys. Pendant un instant, elle s'était trouvée séparée de son père. Celui-ci s'était arrêté pour saluer une connaissance, et elle lui avait lâché la main pour courir regarder une affiche aux couleurs vives représentant une station balnéaire. Regardant autour d'elle, elle s'était aperçue avec horreur que son père avait disparu. Elle était seule, menacée par une interminable et terrifiante forêt de jambes en mouvement. Ils ne pouvaient pas avoir été séparés plus de quelques secondes, mais elle avait ressenti une telle frayeur qu'en y repensant maintenant, dix-huit ans plus tard, elle éprouva le même sentiment de perte et de panique, le même absolu désespoir. Mais, soudain, elle l'avait vu qui se hâtait vers elle, souriant, son long manteau de tweed s'entrouvrant à chaque enjambée. Son père, son refuge, son dieu. Sans pleurer, mais frissonnant de peur et de soulagement, elle s'était jetée dans ses bras tendus, s'était sentie soulevée de terre. Puis elle avait entendu sa voix : « Là, là, c'est fini, ma chérie, c'est fini. » Blottie contre lui, elle avait cessé peu à peu de trembler.

Sarah ouvrit les yeux. Clignant des paupières pour en chasser les larmes, elle vit les tristes noirs et blancs de l'armée en marche se brouiller, s'estomper, puis tourner comme un kaléidoscope traversé d'éclats de couleur. Elle eut l'impression que les pieds en mouvement passaient sur elle, à travers elle, qu'elle était devenue invisible, pareille à une coque vide et fragile. Mais, soudain, la foule s'écarta et il fut là, toujours vêtu de son long manteau de tweed, s'approchant d'elle en souriant. Elle dut se retenir pour ne pas crier « Papa ! Papa ! » et se précipiter vers lui. Puis l'hallucination s'évanouit.

Ce n'était pas son père, mais un étranger qui se hâtait, son attaché-case à la main. Il jeta un coup d'œil intrigué à son visage plein d'espoir, ses bras tendus, puis l'ignora et poursuivit son chemin. Sarah recula, s'appuya contre le mur et entama sa longue et patiente attente.

5

Il était presque vingt-deux heures et ils s'apprêtaient à enfermer leurs documents pour la nuit, quand lady Ursula appela. Gordon Halliwell était de retour, annonça-t-elle. Ces messieurs de la police auraient-ils l'obligeance de le voir maintenant ? Halliwell lui-même le préférait. Le lendemain, en effet, tous deux auraient une journée chargée et elle ne savait pas à quelle heure ils seraient disponibles. Eût-il été le responsable, Massingham aurait sûrement déclaré avec fermeté qu'ils viendraient le lendemain matin, ne fût-ce que pour montrer qu'ils organisaient leur travail à leur gré et non à celui de lady Ursula. Mais, impatient d'interroger le chauffeur et n'ayant jamais éprouvé le besoin d'affirmer son autorité ou son amour-propre, Dalgliesh répondit qu'ils arriveraient dès qu'ils le pourraient.

Ce fut miss Matlock qui leur ouvrit. Elle les regarda d'un air las et renfrogné, puis s'effaça pour les laisser entrer. Dalgliesh vit qu'elle avait la peau grise de fatigue et se tenait anormalement droite. Elle portait une longue robe de chambre en tissu synthétique imprimé de fleurs, serrée sur la poitrine et ceinturée par un double nœud comme si elle craignait qu'on ne lui arrachât le vêtement du corps. Désignant gauchement sa tenue, elle grommela :

« Je ne suis pas vêtue pour recevoir des visiteurs. Nous espérions pouvoir nous coucher de bonne heure. Je ne m'attendais pas à vous revoir ce soir.

— Je m'excuse d'avoir à vous déranger de nouveau, dit Dalgliesh. Si vous voulez aller au lit, Mr. Halliwell pourra certainement nous raccompagner à la porte.

— Ce n'est pas son travail. Il n'est que chauffeur ici. Fermer la maison fait partie de mes responsabilités. Lady Ursula lui a demandé de prendre les communications téléphoniques demain. Je trouve que ce n'est pas convenable. Depuis les informations de six heures, nous n'avons pas eu une minute de répit. Ça va la tuer si ça continue. »

Il y avait des chances pour que cela continuât un bon bout de temps, se dit Dalgliesh, mais il était peu probable que lady Ursula en mourût.

Miss Matlock les guida le long du couloir. Leurs pas résonnaient sur le sol de marbre. Ils dépassèrent le cabinet de travail octogonal et, franchissant la porte capitonnée, parvinrent à l'arrière de la maison. Enfin ils descendirent les trois marches qui menaient à la porte extérieure. La maison était silencieuse, mais d'un silence plein d'attente comme celui qu'on rencontre dans un théâtre vide. Ainsi qu'il en avait souvent fait l'expérience dans les demeures d'hommes récemment assassinés, l'atmosphère autour d'eux lui parut morne, raréfiée et comme remplie d'une présence muette. Miss Matlock tira les verrous et ils sortirent dans une cour arrière. Subitement éclairées par des spots cachés, les trois statues semblaient flotter, luisantes, dans l'air immobile. Il faisait étonnamment doux pour une nuit d'automne. D'un jardin voisin leur parvint un parfum fugace de cyprès. Dalgliesh se sentit désorienté, comme brusquement transporté en Italie. Le fait que les sculptures fussent illuminées, qu'on continuât à se préoccuper de la beauté de la maison alors que Berowne gisait comme un quartier de viande gelé sous son linceul de plastique le choqua. Il se surprit à étendre instinctivement la main à la recherche d'un interrupteur. Puis il suivit miss Matlock à travers une autre porte qui menait aux anciennes écuries et aux garages.

L'arrière du mur aux statues était nu. Le butin rapporté des voyages traditionnels du XVIIIe siècle n'était pas destiné aux yeux des valets de pied et des cochers qui devaient avoir logé ici autrefois. La cour était pavée et conduisait à deux grands garages. La porte à double battant de celui de gauche était ouverte. A la lumière éblouissante qu'y dispensaient deux longs tubes de néon, ils virent qu'on accédait à l'appartement du chauffeur par un escalier en fer forgé fixé le long du mur intérieur du garage. Miss Matlock se contenta de désigner la porte qui se trouvait en haut.

« Mr. Halliwell habite là », fit-elle. Puis, comme pour justifier le fait qu'elle l'eût appelé "mister", elle ajouta : « Il était sergent dans le régiment que commandait sir Hugo. Il a été décoré pour sa bravoure. Lady Ursula a dû vous le dire. Ce n'est pas le genre de chauffeur-homme de peine habituel. »

En ces temps égalitaires, où les domestiques avaient pratiquement disparu, comment voyait-elle « le genre habituel de chauffeur-homme de peine » ? se demanda Dalgliesh.

Le garage était assez grand pour abriter confortablement la Rover noire et une Golf blanche. Les deux voitures étaient rangées de telle façon qu'il y avait encore de la place pour un troisième véhicule. Passant à côté de la Rover parmi de forts effluves d'essence, ils virent que ce local servait aussi d'atelier. Au fond, sous une fenêtre basse et oblongue, ils aperçurent un établi avec des tiroirs encastrés et, au-dessus, un panneau sur lequel étaient accrochés différents outils. Une bicyclette était appuyée contre le mur de droite.

Ils avaient commencé à gravir l'escalier, quand la porte du haut s'ouvrit. La silhouette trapue d'un homme se découpa sur la lumière. En s'approchant de lui, Dalgliesh vit que Halliwell était à la fois plus vieux et plus petit qu'il ne l'avait imaginé — sans doute atteignait-il à peine la taille réglementaire pour un soldat. Mais il avait de larges épaules et donnait une impression de force contenue. Il avait le teint très brun, presque basané, et ses cheveux, plus longs qu'ils n'avaient dû l'être pendant sa période militaire, lui tombaient sur le front, touchant presque ses sourcils et traçant des balafres noires au-dessus de ses yeux enfoncés. Son nez était court, légèrement épaté, sa bouche énergique, son menton carré. Il portait un pantalon beige bien coupé et une chemise écossaise à col ouvert. Il paraissait aussi frais et dispos que s'il recevait des visiteurs matinaux. Il les regarda d'un œil perçant, mais parfaitement serein, un œil qui devait avoir vu des choses bien pires que deux officiers de la police judiciaire débarquant chez quelqu'un la nuit. S'effaçant pour les laisser entrer, il proposa d'une voix où perçait à peine une pointe de rudesse :

« Je suis en train de préparer du café. J'ai aussi du whisky, si vous préférez. »

Ils acceptèrent son café. Halliwell sortit par une porte sur l'arrière et ils entendirent bientôt un bruit d'eau, le cliquetis d'un couvercle de bouilloire. Les fenêtres basses du séjour donnaient sur le côté nu du mur de derrière. En bon architecte, Soane avait protégé l'intimité des propriétaires : on ne devait voir les écuries d'aucun des étages à part du dernier. A l'autre bout de la pièce, Dalgliesh aperçut par une porte ouverte le pied d'un lit à une place. Sur le mur arrière, il y avait une délicate cheminée victorienne en fer forgé pourvue d'un manteau en bois sculpté et d'une grille élégante qui rappela à Dalgliesh celle de l'église Saint-Matthew. Un radiateur électrique à trois éléments était branché à côté.

Une table en pin entourée de quatre chaises occupait le milieu de la pièce et deux fauteuils assez délabrés flanquaient la cheminée. Entre les fenêtres se dressait un établi surmonté d'un panneau alvéolé sur lequel étaient accrochés des outils plus petits et plus fins que ceux qui se trouvaient dans le garage. Ils constatèrent que le passe-temps de Halliwell était la sculpture sur bois. Le chauffeur était en train de travailler à une arche de Noé. Celle-ci était fort bien construite : elle comprenait des assemblages en queue d'aronde et un joli toit en bardeau. Les animaux déjà terminés, deux lions, deux tigres et deux girafes, étaient sculptés d'une façon plus rudimentaire, bien que parfaitement reconnaissables, et animés d'une certaine force.

Une bibliothèque couvrait tout le mur du fond. Dalgliesh s'en approcha. Il remarqua avec intérêt que Halliwell semblait posséder la collection complète d'une série intitulée *Les Grands Procès*. Et il y avait plus intéressant encore. Dalgliesh sortit l'ouvrage du rayonnage et le feuilleta. C'était la huitième édition du *Manuel de médecine légale* de Keith Simpson. Après l'avoir rangé, il promena son regard autour de lui et fut frappé par l'ordre qui régnait dans la pièce, par l'impression d'autosuffisance que dégageait cet appartement. C'était le logement d'une personne qui avait organisé son espace vital, et probablement sa vie, selon ses besoins, qui connaissait et acceptait sa propre nature.

A la différence du cabinet de travail de Paul Berowne, cette pièce-ci était celle d'un homme qui pensait avoir le droit d'y être.

Halliwell revint avec un plateau sur lequel étaient posées trois chopes de grès, une bouteille de lait et une autre de whisky. Il désigna cette dernière. Dalgliesh et Massingham ayant secoué la tête, il se versa une généreuse ration d'alcool dans son café. Ils s'assirent à la table.

« Il me semble que vous avez la collection complète des *Grands Procès*, dit Dalgliesh. Ça doit être assez rare.

— Oui, c'est un de mes dadas, reconnut le chauffeur. En d'autres circonstances, j'aurais aimé devenir avocat au criminel. »

C'était une constatation dénuée d'amertume. Inutile de lui demander ce qu'il entendait par « d'autres circonstances ». Le droit restait une carrière réservée aux privilégiés. Rares étaient les fils d'ouvriers qui entraient dans l'une des quatre grandes écoles de Londres.

« Ce sont les procès qui m'intéressent, pas tellement les accusés, ajouta-t-il. La plupart des criminels qu'on voit au tribunal ont l'air stupide, quelconque. Je suis sûr que ça sera pareil pour ce zèbre-ci, quand vous l'aurez pincé. Mais peut-être un animal en cage est-il toujours moins intéressant qu'un animal sauvage en liberté, surtout quand vous êtes sur sa piste.

— Vous pensez donc qu'il s'agit d'un meurtre ? fit Massingham.

— Je pense qu'un commandant et un inspecteur-chef de Scotland Yard ne se dérangeraient pas après dix heures du soir pour parler des raisons qui auraient pu pousser sir Paul Berowne à se trancher la gorge. »

Massingham se versa du lait. Remuant son café, il demanda :

« Quand avez-vous appris la mort de sir Paul ?

— Aux informations de six heures. J'ai appelé lady Ursula pour lui dire que je rentrais immédiatement. Elle m'a répondu qu'il n'y avait pas d'urgence : de toute façon, il n'y avait rien que je puisse faire ici et elle n'aurait pas besoin de la voiture. Elle m'a informé que vous vouliez me voir, mais que vous aviez largement de quoi vous occuper jusqu'à mon retour.

— Que vous a-t-elle dit, lady Ursula ? demanda Massingham.

— Tout ce qu'elle savait, c'est-à-dire pas grand-chose. Elle m'a dit que les deux cadavres avaient la gorge tranchée et que l'arme utilisée était le rasoir de sir Paul. »

Dalgliesh avait demandé à Massingham de mener la plus grande partie de l'interrogatoire. Ce renversement des rôles et des positions déroutait souvent les suspects. Mais pas celui-ci. Halliwell était soit trop sûr de lui, soit trop insouciant pour se laisser troubler par ce genre de subtilités. Dalgliesh eut l'impression que, des deux hommes, c'était Massingham qui, inexplicablement, était le moins à l'aise. Halliwell répondait à ses questions avec une lenteur que Dalgliesh jugea délibérée. De plus, il avait un truc bizarre et déconcertant : il fixait ses yeux sombres sur son interlocuteur comme si c'était lui qui interrogeait, lui qui cherchait à cerner une personnalité inconnue, fuyante.

Il admit savoir que sir Paul utilisait un rasoir de coiffeur : tout le monde connaissait ce détail dans la maison. Il savait également que sir Paul rangeait son agenda dans le tiroir supérieur de droite de son bureau. Ce carnet n'avait rien de confidentiel. Il arrivait à sir Paul de téléphoner et de demander à quiconque se trouvait au bout du fil d'aller vérifier l'heure d'un rendez-vous. Ce tiroir avait une clé : celle-ci restait généralement sur la serrure ou dans le tiroir même. En quelques occasions, sir Paul avait fermé le tiroir à clé et emporté celle-ci avec lui, mais c'était tout à fait inhabituel. On finissait par connaître ces particularités quand on vivait ou qu'on travaillait dans une maison. Il était toutefois incapable de se rappeler quand il avait vu l'agenda ou le rasoir pour la dernière fois, et on ne lui avait pas dit que sir Paul irait à l'église ce soir-là. Il ignorait si quelqu'un dans la maison avait été au courant de ses intentions : personne, en tout cas, ne lui en avait parlé.

Prié de donner son emploi du temps de la journée, il déclara s'être levé à six heures et demie et être allé faire une demi-heure de jogging dans Holland Park. Ensuite, il s'était fait un œuf à la coque pour son petit déjeuner. A huit heures, il était entré dans la maison pour voir si miss Matlock avait besoin de lui pour de petits travaux. La gouvernante lui avait donné une lampe et une bouilloire électrique à réparer. Puis, il était parti en voiture chercher Mrs. Beamish, la pédicure de lady Ursula, qui habitait Parsons Green et ne conduisait plus. Mrs. Beamish venait régulièrement chaque troisième mardi du mois. Elle avait plus de soixante-dix ans et lady Ursula était la seule patiente dont elle s'occupât encore. La séance s'était terminée à onze heures et demie. Il avait reconduit Mrs. Beamish, puis était revenu conduire lady Ursula au rendez-vous qu'elle avait avec une amie, Mrs. Charles Blaney, pour déjeuner au club des femmes universitaires. Il avait garé la voiture, était allé déjeuner tout seul dans un pub situé non loin de là et était revenu à deux heures quarante-cinq pour conduire les deux dames à une exposition d'aquarelles qui se tenait à Agnew's. Plus tard, il les avait emmenées au Savoy pour le thé, puis était rentré à Campden Hill Square en passant par Chelsea où il avait déposé Mrs. Blaney chez elle. Lady Ursula et lui avaient été de retour à cinq heures trente-trois. Il se rappelait l'heure exacte parce qu'il avait regardé la montre du tableau de bord. Sa vie était très réglée. Il avait aidé lady Ursula à entrer dans la maison, garé la voiture, puis il avait passé le reste de la soirée chez lui en attendant de partir à la campagne, ce qu'il avait fait après dix heures.

« J'ai cru comprendre que lady Ursula vous avait appelé deux fois pendant cette soirée, dit Massingham. Vous rappelez-vous les heures ?

— Oui. Une fois à huit heures, puis de nouveau à neuf heures et quart. Elle voulait parler du programme de la semaine prochaine et me rappeler qu'elle m'avait permis de prendre la Rover. Je possède une vieille Cortina, mais elle est en train de subir les vérifications obligatoires du ministère des Transports.

— Quand toutes les voitures sont rangées, la Rover, la vôtre et la Golf, le garage est-il fermé à clé ?

— Il est fermé à clé, que les voitures y soient rangées ou non. Bien entendu, la grille extérieure est toujours fermée. Les risques de vol sont donc minimes. Mais les gosses de l'école polyvalente pourraient grimper par-dessus le mur, histoire d'épater les copains. Il y a des outils dangereux dans le garage et lady Ursula est d'avis qu'il vaut mieux le garder toujours fermé. Je l'ai laissé ouvert ce soir parce que j'attendais votre visite.

— Et hier soir ?

— Je l'ai fermé à cinq heures quarante.

— Qui en a les clés, à part vous ?

— Sir Paul et lady Berowne en ont un jeu chacun,

et il y a un jeu supplémentaire pendu au panneau, dans le salon de miss Matlock. Lady Ursula n'en a pas besoin. Elle fait toujours appel à mes services.

— Vous êtes donc resté chez vous toute la soirée d'hier ?

— Oui, à partir de cinq heures quarante.

— Y aurait-il la moindre chance que quelqu'un de la maison, ou de l'extérieur, ait pu prendre une voiture ou le vélo sans que vous vous en rendiez compte ? »

Halliwell resta un moment silencieux avant de répondre :

« Je ne vois pas comment ils auraient fait.

— Pourriez-vous donner une réponse un peu plus nette, Mr. Halliwell ? intervint doucement Dalgliesh. Était-ce possible ou non ? »

Halliwell le regarda.

« Non, monsieur. Tout à fait impossible. J'aurais entendu cette personne ouvrir la porte du garage. J'ai l'ouïe assez fine.

— La nuit dernière donc, reprit Dalgliesh, de cinq heures quarante jusqu'à votre départ pour la campagne, peu après dix heures, vous êtes resté seul ici, dans cet appartement, et la porte du garage était verrouillée ?

— Oui, monsieur.

— Verrouillez-vous toujours cette porte quand vous êtes chez vous ?

— Quand je sais que je ne sors pas, oui. Cette porte de garage assure ma protection. Celle de l'appartement n'a qu'une simple serrure de sûreté. Je verrouille automatiquement l'autre.

— Et où êtes-vous allé en partant d'ici ? demanda Massingham.

— A la campagne, dans le Suffolk, voir une amie. C'est à deux heures d'ici en voiture. Je suis arrivé chez elle vers minuit. C'est la veuve d'un de mes camarades tué aux Falklands. Il y a aussi un enfant. Son père ne lui manque pas trop étant donné que celui-ci est mort avant sa naissance, mais sa mère pense qu'une présence masculine, de temps à autre, ne peut que lui faire du bien.

— Vous êtes donc allé voir le garçon ? » demanda Massingham.

Les yeux ardents de l'ex-soldat se fixèrent sur lui. « Non. Je suis allé voir sa mère.

— Votre vie privée vous regarde, dit Massingham, mais il faudra que votre amie nous confirme l'heure de votre arrivée chez elle. Cela signifie que nous avons besoin de son adresse.

— C'est possible, monsieur, mais je ne vois pas pourquoi je vous la donnerais. Elle a eu assez de tracas ces trois dernières années sans que la police vienne l'embêter. Je suis parti d'ici juste après dix heures. Si sir Paul était déjà mort à ce moment-là, ce que j'ai fait plus tard cette nuit ne peut pas vous intéresser. Vous connaissez peut-être l'heure de son décès, peut-être pas. Quoi qu'il en soit, vous en saurez plus là-dessus après l'autopsie. Si vous avez toujours besoin du nom et de l'adresse de mon amie, O.K., je vous la donnerai. Mais j'attendrai que vous me démontriez que c'est nécessaire.

— Nous ne l'ennuierons pas. Il lui suffira de répondre à une simple question.

— Une question concernant un meurtre. La mort, elle en a assez entendu parler, assez souffert. Écoutez, je suis parti d'ici peu après dix heures et je suis arrivé à minuit. Si vous l'interrogez, elle vous dira la même chose. Et si j'avais été mêlé au meurtre de sir Paul, je me serais mis d'accord avec elle, non ?

— Pourquoi êtes-vous parti si tard ? demanda Massingham. C'était votre jour de congé, aujourd'hui. Pourquoi avez-vous attendu jusqu'à dix heures pour entamer un voyage de deux heures ?

— Parce que je préfère rouler quand il y a moins de monde sur la route. Et puis, j'avais des petits boulots à terminer : une prise à mettre sur la lampe, la bouilloire électrique à réparer. Ces objets sont là, si vous voulez vérifier. Ensuite, j'ai pris un bain, je me suis changé et je me suis fait quelque chose à manger. »

Ces paroles, sinon la voix, frisaient l'insolence, mais Massingham ne se fâcha pas. Dalgliesh, qui, pour sa part, restait parfaitement calme, crut savoir pourquoi. Halliwell était un soldat, un héros. Il avait été décoré. Massingham aurait traité avec plus de rudesse tout homme que, d'instinct, il n'aurait pas respecté autant. Si Halliwell avait assassiné Paul Berowne, ce n'était pas la croix de Victoria qui le sauverait. Mais Dalgliesh savait que Massingham préférerait que n'importe quel autre suspect fût le coupable.

« Êtes-vous marié ? demanda l'inspecteur-chef.

— J'avais une femme et une fille. Elles sont mortes toutes les deux. »

Halliwell se tourna et regarda Dalgliesh droit dans les yeux. « Et vous, monsieur ? Êtes-vous marié ? »

Dalgliesh avait tendu le bras derrière lui et pris l'un des lions sculptés. Il se mit à tourner et à retourner doucement l'objet entre ses mains.

« J'avais une femme et un fils, répondit-il. Ils sont morts eux aussi. »

Halliwell se retourna vers Massingham et baissa ses yeux sombres vers lui.

« Si vous trouvez la question que je viens de poser indiscrète, dit-il sans sourire, la vôtre l'était tout autant.

— Rien n'est indiscret quand il s'agit d'un meurtre, rétorqua l'inspecteur. Êtes-vous fiancé à cette dame du Suffolk ?

— Non. Elle n'est pas encore mûre pour cela. Étant donné ce qui est arrivé à son mari, je doute qu'elle le soit jamais. C'est pour ça que je ne veux pas vous donner son adresse. Elle n'est pas mûre pour ce genre d'interrogatoire... »

Massingham faisait rarement cette sorte d'erreur. Il n'essaya pas d'arranger les choses en donnant des explications ou en s'excusant. Dalgliesh trouva qu'il était inutile d'insister. Huit heures : l'heure critique. Si Halliwell avait un alibi pour ce moment-là et jusqu'à dix heures, il était hors de cause. Ils pourraient lui ficher la paix le lendemain. On imaginait sans peine que, tout occupé à conquérir cette veuve vulnérable, il n'eût aucune envie de voir la police débarquer chez elle avec des questions inutiles, quel que fût le tact avec lequel celles-ci seraient posées.

« Depuis combien de temps travaillez-vous ici ? demanda-t-il.

— Cinq ans et trois mois, monsieur. Je suis entré dans la maison du vivant du commandant Hugo. Après sa mort, lady Ursula m'a demandé de rester. J'ai accepté. L'endroit me convient, le salaire me convient, et on pourrait dire que lady Ursula me convient. J'ai l'air de lui convenir aussi. J'aime vivre à Londres et je n'ai pas encore décidé ce que j'allais faire de ma prime de démobilisation.

— Qui vous paie ? Quel est votre employeur, exactement ?

— Lady Ursula. C'est surtout elle que je conduis. Sir Paul conduisait lui-même ou utilisait la voiture ministérielle. Parfois, je les emmenais, lui et sa jeune femme, quand ils sortaient le soir. Mais c'était assez rare. Ce n'était pas un couple très mondain.

— Quelle sorte de couple était-ce alors ? demanda négligemment Massingham.

— Oh, ils ne se tenaient pas la main sur la

banquette arrière, si c'est à ça que vous pensez. » Halliwell se tut un instant, puis reprit : « Je crois qu'elle avait un peu peur de lui.

— Avait-elle une raison pour cela ?

— Pas à ma connaissance, mais sir Paul n'avait pas l'air d'être un homme facile. Ni heureux, d'ailleurs. Quand on ne supporte pas de se sentir coupable, le mieux c'est d'éviter de se mettre dans ce genre de situation.

— Coupable ?

— Il a tué sa première femme, pas vrai ? Je sais, c'était un accident : route mouillée, mauvaise visibilité, virage réputé dangereux. Tout cela a été dit à l'enquête. Mais c'était quand même lui qui conduisait. Ce n'est pas la première fois que je vois ça. Les gens ne peuvent pas se le pardonner. Quelque chose ici — Halliwell se frappa doucement la poitrine — ne cesse de vous demander si c'était vraiment un accident.

— Rien ne prouve que ce n'en était pas un. De plus, il risquait tout autant de se tuer lui-même.

— Ça ne devait pas le préoccuper beaucoup. Le fait est qu'il en est sorti indemne. Puis, cinq mois plus tard, il s'est remarié. Il a eu la fiancée de son frère, la maison de son frère, l'argent de son frère, le titre de son frère.

— Mais pas le chauffeur de son frère.

— Non. Il n'a pas pris possession de moi.

— Tenait-il à ce titre ? demanda Dalgliesh. Je ne l'aurais pas cru.

— Il y tenait assez, monsieur. Ce n'était pas grand-chose, peut-être, un titre de baronnet, mais il datait de 1642. Sir Paul aimait bien cette idée de continuité, d'immortalité indirecte.

— Comme tout le monde, non ? fit Massingham. On dirait qu'il ne vous était pas très sympathique.

— Mes sentiments n'entraient pas en ligne de

compte. Je travaillais pour sa mère et c'était elle qui me payait. Et si moi je lui étais antipathique, il ne me l'a jamais montré. Mais je lui rappelais sans doute des choses qu'il aurait préféré oublier.

— Et maintenant tout cela a disparu avec lui, même le titre, dit Massingham.

— Peut-être. On verra bien. Moi j'attendrais neuf mois avant de me déclarer là-dessus. »

Par là, le chauffeur faisait allusion à une possibilité que Dalgliesh avait déjà envisagée. Il s'abstint toutefois de relever cette remarque.

« Comment les membres du personnel de cette maison ont-ils réagi à la démission de sir Paul ? demanda-t-il.

— Miss Matlock n'en a pas parlé du tout. Ce n'est pas le genre de maison où les employés prennent le thé ensemble, à la cuisine, en faisant des commérages sur les patrons. Il n'y a qu'à la télé qu'on voit ça. Mrs. Minns et moi pensions qu'il allait peut-être y avoir un scandale.

— Quelle sorte de scandale ?

— Un scandale lié à sa vie sexuelle. Le truc habituel.

— Aviez-vous la moindre raison de penser une chose pareille ?

— Non, à part cet article ignoble paru dans la *Paternoster Review*. Je réponds simplement à votre question concernant ma réaction, monsieur. Ça m'a paru être la raison la plus vraisemblable. Finalement, il s'avère que je me suis trompé. Ça devait être plus compliqué. Mais il est vrai que sir Paul était un homme compliqué. »

Interrogé par Massingham sur les deux jeunes femmes mortes, le chauffeur répondit :

« Theresa Nolan, je ne la voyais pratiquement jamais. Elle avait une chambre ici, mais elle y restait enfermée ou bien elle sortait. Elle n'était pas très liante. Engagée comme infirmière de nuit, elle ne prenait son service qu'à sept heures. C'était miss Matlock qui s'occupait de lady Ursula pendant la journée. Miss Nolan avait l'air d'être une fille réservée, timide. Un peu timorée pour une infirmière, me suis-je dit. Pour autant que je le sache, lady Ursula n'a jamais eu à s'en plaindre. Vous feriez mieux de le lui demander personnellement.

— Vous savez qu'elle est tombée enceinte pendant qu'elle travaillait ici ?

— C'est possible, mais cela ne lui est arrivé ni dans cet appartement, ni dans la maison, pour autant que je le sache. L'amour, ça ne se fait pas nécessairement entre sept heures du soir et sept heures du matin.

— Et Diana Travers ? »

Halliwell sourit.

« Un tout autre genre de fille, celle-là. Très vivante. Très intelligente aussi, à mon avis. Je l'ai vue plus souvent que l'autre, malgré le fait qu'elle ne travaillait ici que deux fois par semaine, les lundis et les vendredis. Curieux que cette fille ait accepté un boulot pareil. Et, ce qui l'est encore plus, c'est qu'elle ait vu l'annonce de miss Matlock juste au moment où elle cherchait un emploi à mi-temps. D'habitude, ces petits cartons restent en vitrine jusqu'à ce que le papier devienne tout jaune et le texte, illisible.

— Il paraît que Mr. Swayne, le frère de lady Berowne, était ici hier soir, dit Massingham. L'avez-vous vu ?

— Non.

— Vient-il souvent ?

— Plus souvent que ça ne plaisait à sir Paul, ou à d'autres personnes, d'ailleurs.

— Y compris vous-même ?

— Moi et sa sœur, je crois. Ce jeune homme a

l'habitude de s'inviter à manger ou à prendre un bain à n'importe quelle heure du jour ou de la nuit. Mais il est inoffensif. Agressif, peut-être, mais pas plus dangereux qu'une guêpe. »

Un jugement un tantinet trop facile, se dit Dalgliesh.

Soudain, les trois hommes levèrent la tête et tendirent l'oreille. Il y eut un bruit de pas rapides, de semelles de caoutchouc sur l'escalier de fer, puis la porte s'ouvrit brusquement et Dominic Swayne apparut sur le seuil. Halliwell n'avait pas dû bloquer le loquet de sa serrure. Une curieuse négligence de sa part, songea Dalgliesh, à moins évidemment, qu'il ne se fût plus ou moins attendu à cette intrusion. Le chauffeur resta parfaitement impassible, se contentant de fixer sur Swayne un regard sombre et peu accueillant avant de le reporter sur son café. Swayne devait avoir appris par miss Matlock qu'ils étaient là, la gouvernante lui ayant sûrement ouvert la porte. Toutefois, son tressaillement de surprise et le demi-sourire embarrassé qu'il afficha ensuite auraient pu passer pour vrais.

« Oh ! Je suis désolé ! s'écria-t-il. On dirait que j'ai la fâcheuse habitude de tomber en plein interrogatoire de police. Bon, eh bien, je vous laisse.

— La prochaine fois, vous pourriez peut-être vous donner la peine de frapper », dit le chauffeur avec froideur.

Sans prêter la moindre attention à sa remarque, Swayne se tourna vers Dalgliesh.

« Je voulais simplement dire à Halliwell que ma sœur m'a permis d'emprunter sa Golf demain.

— Vous auriez pu la prendre sans me prévenir, grommela le chauffeur sans bouger de son siège. N'est-ce pas ce que vous faites d'habitude ? »

Swayne garda les yeux fixés sur Dalgliesh.

« C'est entendu, alors. Et maintenant, si vous avez

des questions à me poser, autant profiter de ma présence. »

Massingham s'était levé et avait pris un des éléphants sculptés.

« Pourriez-vous simplement me confirmer que vous avez bien passé toute la soirée ici ? dit-il d'un ton neutre. Depuis le moment de votre arrivée, juste avant sept heures, jusqu'à votre départ pour le *Raj*, à dix heures et demie.

— C'est tout à fait exact, inspecteur. Vous avez bonne mémoire.

— Et pendant ce temps, vous n'avez pas quitté un seul instant la maison ?

— Exact encore une fois. D'accord, je sais que je n'étais pas le beau-frère préféré de Paul, mais je n'ai rien à voir avec sa mort. Je ne comprends d'ailleurs pas pourquoi il me supportait si mal. Je lui rappelais peut-être une personne à laquelle il préférait ne pas penser. Parce qu'enfin je ne suis pas quelqu'un qui se drogue, à moins que quelqu'un m'offre un peu d'herbe ou de coke, ce qui est archirare. Je suis relativement sobre. Je travaille quand on me donne du boulot. J'admets que je prends parfois un bain ou un repas à ses frais, mais je ne vois pas pourquoi il m'en voudrait pour ça — il n'est pas précisément fauché — ou parce qu'il m'arrive de jouer au Scrabble avec cette pauvre Evelyn. Je suis le seul à le faire dans cette maison. Ce n'est pas moi qui ai égorgé Paul. Je ne suis pas du tout sanguinaire. Je ne crois pas que j'en aurais eu le courage. A la différence de Halliwell, je ne suis pas entraîné à ramper dans les rochers, la figure noircie, poignard entre les dents. Ce genre de chose ne m'amuse pas du tout. »

Massingham reposa l'éléphant. Son geste ressemblait à un rejet.

« Vous préférez passer la soirée à jouer au Scrabble avec votre amie ? Qui a gagné ?

— Evelyn, évidemment. Comme toujours. Hier, elle a trouvé "zéphyr", la petite futée. Elle m'a battu par 382 points à 200. C'est étonnant le nombre de fois où elle tombe sur des jetons qui valent le maximum. Si elle n'était pas si terriblement honnête, je la soupçonnerais de tricher.

— Avec "zig-zag", elle aurait encore eu un meilleur score.

— Je vous signale que le Scrabble ne comporte qu'un seul *z*. Je vois que vous n'êtes pas un amateur de ce jeu. Vous devriez vous y essayer un jour, inspecteur. Rien de tel pour vous aiguiser l'esprit. Bon, si c'est tout, je file.

— Un instant, dit Dalgliesh. Parlez-nous de Diana Travers. »

Swayne s'immobilisa une seconde ; il cligna des yeux. Mais le trouble dans lequel l'avait jeté cette question, si ç'avait été du trouble, s'estompa rapidement. Dalgliesh vit les muscles de ses mains et de ses épaules se détendre.

« Que voulez-vous que je vous en dise ? fit le jeune homme. Elle est morte.

— Ça, nous le savons. Elle s'est noyée après un dîner que vous aviez donné au *Black Swan*. Vous étiez là quand elle est morte. Racontez-nous comment cela s'est passé.

— Il n'y a rien à raconter. Je veux dire : vous avez dû lire le procès-verbal de l'enquête du coroner. Et quel rapport cela a-t-il avec Paul ? Elle n'était pas sa maîtresse, si c'est cela qui vous intéresse.

— Nous n'avons jamais pensé qu'elle l'était. »

Swayne haussa les épaules et tendit les mains, paumes vers le haut, en un geste caricatural de résignation.

« Bon. Que voulez-vous savoir, alors ?

— Vous pourriez commencer par nous dire pourquoi vous avez invité cette jeune fille au *Black Swan*.

— Je l'ai invitée comme ça, sur une impulsion, par pure générosité, si vous voulez. Ma sœur avait organisé ce qu'elle appellerait un petit dîner intime pour célébrer son anniversaire. Trop intime pour m'y inclure, à ce qu'il semble. J'ai donc organisé ma propre petite fête. En venant ici, apporter mon cadeau à Barbara, j'ai vu Diana en train de faire le ménage dans le vestibule. Je l'ai donc invitée. Je suis allée la prendre devant le métro Holland Park à six heures et demie, et je l'ai emmenée faire la connaissance de la petite bande d'amis réunie au *Black Swan*.

— Où vous avez dîné.

— Où nous avons dîné. Voulez-vous que je vous détaille le menu ?

— Non, à moins que cela ait un rapport avec la suite. Continuez.

— Après le dîner, nous sommes descendus au bord du fleuve. Là, nous avons trouvé un canot amarré. Les copains ont pensé qu'il serait amusant d'aller faire les fous sur l'eau. Diana et moi avons décidé qu'il serait encore plus amusant de faire les fous sur la berge. Diana était un peu dans les vaps. Son euphorie était due à l'alcool, non pas à une drogue. Ensuite, nous nous sommes dit que ça serait marrant de nager jusqu'au canot et de surgir brusquement à côté des autres.

— Après vous vous êtes déshabillés.

— C'était déjà fait. Désolé de vous choquer.

— Et c'est vous qui avez plongé le premier.

— Pas plongé : pénétré dans l'eau. Je ne plonge jamais dans des fonds inconnus. Quoi qu'il en soit, je me suis mis à nager avec mon impeccable crawl habituel et j'ai atteint le canot. En me retournant, j'ai cherché Diana des yeux. Je ne la voyais pas sur la rive, mais il est vrai qu'il y a pas mal de buissons à cet endroit. Jean-Paul essaie d'y aménager une sorte de jardin, je crois. Je me suis dit qu'elle avait changé d'avis et qu'elle était en train de se rhabiller. J'étais un peu inquiet, mais sans plus, si vous voyez ce que je veux dire. J'ai quand même pensé : allons voir ce qui se passe. De toute façon, l'idée d'un bain de minuit avait perdu tout son charme. L'eau était glacée et les copains ne m'avaient pas fait un accueil délirant. J'ai donc lâché le canot et je suis revenu à la nage. Aucun signe de Diana, mais ses vêtements étaient là, sur la berge. C'est alors que j'ai commencé à avoir vraiment la trouille. J'ai appelé les amis, mais ils se balançaient dans le bateau en rigolant. Ils n'ont pas dû m'entendre. Puis, soudain, ils l'ont trouvée. Ils l'ont heurtée avec la gaffe juste au moment où le corps remontait à la surface. Ça leur a foutu un sacré choc. Surtout aux filles. Les copains ont réussi à maintenir la tête de Diana hors de l'eau tout en ramant vers la rive. Ils ont failli chavirer plusieurs fois. Je les ai aidés à sortir la noyée et nous avons essayé l'habituel bouche-à-bouche. Une scène affreuse. Les filles qui pleuraient et essayaient d'habiller Diana. Moi, tout mouillé et grelottant de froid. Tony qui soufflait dans la bouche de Diana comme s'il gonflait un ballon. Et Diana, couchée là, les yeux fixes, les cheveux dégoulinants, des herbes enroulées autour de son cou comme une écharpe verte... Elle avait l'air décapitée. Cela avait quelque chose d'érotique, dans le genre horrible. Puis l'une des filles a couru jusqu'au restaurant chercher de l'aide. Le chef est arrivé et a pris les opérations en main. Il avait l'air de savoir ce qu'il faisait. Mais c'était foutu. Bye bye Diana. Bye bye folle soirée au bord de l'eau. Rideau. »

On entendit le raclement d'une chaise repoussée. Halliwell se leva brusquement et disparut dans la cuisine. Swayne le suivit des yeux.

« Qu'est-ce qu'il a ? C'est moi qui ai été obligé de le regarder, ce cadavre. Je l'aurais cru plus endurci que ça. »

Ni Dalgliesh ni Massingham ne répondirent. Halliwell revint presque aussitôt. Il portait une autre demi-bouteille de whisky qu'il posa sur la table. Dalgliesh eut l'impression qu'il était plus pâle. Mais le chauffeur se versa une autre dose de whisky d'une main tout à fait ferme. Swayne regarda la bouteille comme s'il se demandait pourquoi on ne lui offrait pas à boire, puis il s'adressa de nouveau à Dalgliesh.

« Il y a une chose que je peux vous dire au sujet de Diana Travers. Elle n'était pas comédienne. J'ai découvert ça pendant que nous roulions vers Cookham. Pas de carte du syndicat des artistes. Pas de cours d'art dramatique. Pas de jargon du métier. Pas d'agent. Pas de rôles.

— Vous a-t-elle révélé quelle était sa véritable profession ?

— Elle m'a dit qu'elle voulait devenir écrivain et qu'elle était en train de rassembler des matériaux. Selon elle, il était plus facile de dire aux gens qu'elle faisait du théâtre. Comme ça, ils ne lui demandaient pas pourquoi elle voulait un boulot à mi-temps. Moi, ça m'était égal. J'invitais cette fille à dîner. Je n'avais pas l'intention de me mettre en ménage avec elle.

— Et pendant que vous étiez sur la berge avec elle, avant d'entrer dans l'eau, en revenant à la nage pour la chercher, vous n'avez vu ni entendu qui que ce soit d'autre ? »

Swayne écarquilla ses yeux bleus. Leur ressem-

blance avec ceux de sa sœur devint presque hallucinante.

« Je ne crois pas. Nous étions assez absorbés, si
vous me comprenez. Vous voulez dire un voyeur,
quelqu'un qui nous espionnait ? Je n'y ai pas pensé.

— Pensez-y maintenant. Étiez-vous absolument
seuls ?

— Cela me paraît évident, non ? Qui d'autre
aurait pu être là ?

— Essayez de vous rappeler. Avez-vous vu ou
entendu quoi que ce soit de suspect ?

— Non, mais il est vrai que les filles faisaient un
raffut de tous les diables sur le canot. Et une fois
dans l'eau, en train de nager, je n'aurais probablement rien vu ni entendu avec beaucoup de netteté.
Je crois me rappeler avoir entendu Diana plonger
derrière moi, mais comme c'était un bruit que
j'attendais, je l'ai peut-être imaginé. Il aurait donc
pu y avoir quelqu'un en train de nous épier. Caché
dans les buissons, je suppose. Mais je n'ai vu
personne. Désolé de ne pouvoir vous en dire plus.
Et excusez-moi pour mon intrusion. Au fait, je vous
signale que je vais rester un moment ici, dans la
maison, pour le cas où vous auriez encore besoin
de moi. Je dois consoler ma veuve de sœur. »

Après un haussement d'épaules et un sourire qui
semblait destiné à toutes les personnes présentes,
Swayne s'en alla. Ils entendirent le bruit sourd de
ses pas qui descendaient l'escalier de fer. Aucun
des trois hommes ne fit le moindre commentaire.
Alors que Dalgliesh et lui se levaient pour partir à
leur tour, Massingham posa sa dernière question :

« Nous ne savons pas encore avec certitude de
quelle manière sir Paul et Harry Mack sont morts,
mais il est probable qu'ils ont tous deux été assassinés. Avez-vous vu ou entendu quoi que ce soit,

dans cette maison, ou ailleurs, qui vous donnerait une idée de l'identité du coupable ? »

C'était la question d'usage. Attendue, posée pour la forme, d'une franchise presque brutale, elle était presque toujours la moins susceptible de faire jaillir la vérité.

Halliwell se versa un autre whisky. Selon toutes les apparences, il allait passer la nuit à boire. Sans lever la tête, il répondit :

« Ce n'est pas moi qui l'ai égorgé. Et si je savais qui l'a fait, je crois que je vous le dirais.

— A votre connaissance, sir Paul avait-il des ennemis ? insista Massingham.

— Des ennemis ? »

Halliwell eut un sourire proche du rictus. Cette expression transforma sa belle figure basanée en un masque à la fois sinistre et sardonique qui rendait plus convaincante la description que Swayne avait faite du chauffeur : en train de ramper, le visage noirci, dans les rochers.

« Comme homme politique, il en a certainement eu. Mais tout ça, c'est du passé. Comme le commandant Hugo, il est hors d'atteinte de leurs balles maintenant. »

L'entrevue se termina sur cette phrase que Dalgliesh soupçonna être une citation incomplète mais délibérée.

Halliwell les accompagna en bas et tira les lourdes portes pour les fermer derrière eux. Dalgliesh et Massingham entendirent le raclement de deux verrous poussés. On avait éteint la lumière des niches ; la cour pavée était obscure, à part les deux lampes qui brûlaient à chaque bout du mur. Dans la pénombre, le parfum des cyprès avait augmenté, mais il s'y superposait à présent une odeur plus douceâtre, plus funéraire, comme si une poubelle remplie de fleurs mortes et pourrissantes se trouvait à proximité. Alors qu'ils approchaient de la porte de derrière, la silhouette de miss Matlock émergea silencieusement de l'ombre. Les plis de sa longue robe de chambre la faisaient paraître plus grande, plus hiératique, presque gracieuse dans son immobilité vigilante. Dalgliesh se demanda depuis combien de temps elle se tenait là, à les attendre.

Massingham et lui la suivirent sans parler, à travers la maison silencieuse. Tandis qu'elle tournait la clé dans la serrure et tirait les verrous de la porte d'entrée, Massingham demanda :

« Qui a gagné au Scrabble hier soir ? Mr. Swayne ou vous ? »

Le stratagème était volontairement naïf, le piège, évident. Mais la gouvernante y réagit d'une manière surprenante. Dans la faible lumière du hall, ils virent son cou se tacher de rouge, puis son visage devenir cramoisi.

« Moi. Avec 382 points, si cela vous intéresse. Nous l'avons faite cette partie, inspecteur. Vous avez peut-être l'habitude qu'on vous mente. Moi, je ne mens jamais. »

Le corps de la femme était rigide de fureur, mais ses mains tremblaient.

« Personne ne vous accuse, miss Matlock, dit Dalgliesh d'un ton apaisant. Merci de nous avoir attendus. Bonne nuit. »

« Pourquoi diable une question aussi simple l'a-t-elle bouleversée à ce point ? » demanda Massingham en ouvrant la portière de la Rover.

Ce n'était pas la première fois que Dalgliesh voyait une femme timide et peu sûre d'elle réagir avec une aussi maladroite agressivité.

« Pas très subtile, votre ruse, John.

— En effet, sir, mais c'était exprès. Miss Matlock et Swayne l'ont réellement faite, cette partie de scrabble. Reste à savoir quand. »

Dalgliesh se mit au volant. Il s'éloigna de la maison, puis se gara dans un espace libre, vers le milieu de Campden Hill Square, et appela le Yard. Ce fut Kate Miskin qui lui répondit. Elle parlait d'une voix aussi forte et animée que le matin, aux premières heures de l'enquête.

« J'ai retrouvé et vu Mrs. Hurrell, sir. Elle m'a confirmé qu'elle avait téléphoné à la maison de Campden Hill Square juste avant huit heures quarante-cinq hier soir, pour parler à sir Paul. C'est un homme qui lui à répondu. Il a dit "Swayne à l'appareil". Quand elle lui a expliqué le motif de son appel, il lui a passé miss Matlock. La gouvernante a dit à Mrs. Hurrell qu'elle ne savait pas où était sir Paul, que personne dans la maison ne le savait. »

Dalgliesh trouva étrange que Swayne eût décroché le téléphone dans un lieu où il n'était qu'en visite. On aurait presque pu croire qu'il voulait qu'on constatât sa présence chez les Berowne.

« L'enquête de porte à porte a-t-elle donné quelque chose ?

— Pas encore, sir, mais j'ai de nouveau parlé aux McBride et à Maggie Sullivan. Tous trois assurent avoir entendu de l'eau sortir du tuyau d'écoulement de l'église. Quelqu'un s'est servi de l'évier de la cuisine juste après huit heures. Ils sont tous d'accord sur l'heure.

— Et que dit le labo ?

— J'ai parlé au biologiste en chef. Si on peut leur donner des échantillons de sang dès la fin de l'autopsie, disons en fin d'après-midi, ils mettront l'éclectrophorèse en route dans la nuit. Le directeur les autorise à travailler pendant le weed-end. En principe, nous aurons la réponse au sujet des taches de sang lundi matin.

— Je suppose qu'on n'a pas encore de nouvelles

de l'expert en documents ? Et qu'a-t-on découvert au sujet du bout d'allumette ?

— L'expert en documents n'a pas encore eu le temps d'examiner le buvard, mais il a dit qu'il allait le faire en priorité. Pour ce qui est de l'allumette, les gars du labo rencontrent les difficultés habituelles, sir. Ils vont l'analyser au scanner et chercher des empreintes, mais il est probable que tout ce qu'ils pourront vous en dire, c'est qu'elle est en bois de peuplier. Il leur sera impossible de préciser si elle sort de telle boîte ou de telle autre, et elle est trop courte pour qu'on puisse effectuer une comparaison de longueurs.

— D'accord, Kate. Ça sera tout pour aujourd'hui. Rentrez chez vous. Bonne nuit.

— Bonne nuit, sir. »

Au moment où la voiture quittait Campden Hill Square et tournait dans Holland Park Avenue, Dalgliesh déclara :

« Halliwell a des goûts de luxe. Sa collection des *Grands Procès* a dû lui coûter près de mille livres. A moins qu'il ne l'ait rassemblée volume après volume au fil des années.

— Si Halliwell a des goûts de luxe, alors que dire de Swayne ? Il portait une veste de chez Fellucini. Un mélange de soie et de lin avec des boutons décorés d'armoiries en argent. Elle vaut dans les quatre cent cinquante livres.

— Je vous crois sur parole. Je me demande quelle était la raison de son irruption chez Halliwell. Son numéro n'était pas très convaincant. Il espérait peut-être découvrir combien le chauffeur nous en avait dit. Le fait qu'il soit entré, comme s'il en avait l'habitude, me paraît très significatif. Quand Halliwell n'est pas là, Swayne doit pouvoir se procurer facilement une clé ou même bricoler la serrure, si nécessaire.

— Ce détail-là est-il important, sir ? Je veux dire : le fait qu'il puisse s'introduire dans l'appartement du chauffeur ?

— Je pense que oui. L'assassin auquel nous avons affaire visait à la vraisemblance. Halliwell a dans sa bibliothèque le *Manuel de médecine légale* de Simpson. Avec sa clarté habituelle, l'auteur explique au chapitre V quelles sont les différences entre des coupures suicidaires et des coupures homicides à la gorge, tableau à l'appui. Swayne pourrait l'avoir vu n'importe quel jour, l'avoir feuilleté et s'en être souvenu. Comme, d'ailleurs toute autre personne à Campden Hill Square qui peut entrer dans l'appartement du garage, à commencer, évidemment, par Halliwell lui-même. Quel qu'il soit, l'individu qui a égorgé Berowne savait exactement quel effet il devait essayer de produire avec ses estafilades.

— Mais Halliwell aurait-il laissé le Simpson sur l'étagère ? Il devait bien se dire que nous le verrions.

— Si d'autres personnes connaissaient l'existence de cet ouvrage, le détruire aurait été plus compromettant que le laisser simplement à sa place. Mais si lady Ursula nous a dit la vérité au sujet de ses deux coups de fil, Halliwell est hors de cause, et je ne la vois pas fournissant un alibi à Halliwell pour le meurtre de son fils. Pas plus qu'à tout autre suspect, du reste.

— Ou Halliwell en fournissant un à Swayne, à moins d'y être obligé. Il ne peut pas le sentir, ce jeune homme. Il le méprise. Au fait, je savais bien que j'avais déjà vu Swayne quelque part. Je viens de me le rappeler. Il jouait dans une pièce donnée au Coningsby Theatre, à Camden Town, il y a un an. Elle s'intitulait *Le garage*. Les comédiens construisaient effectivement un garage sur la scène, du moins au premier acte. Au second, ils le démolissaient.

— Je croyais que c'était une tente de mariage.

— Vous vous trompez de pièce, sir. Swayne interprétait le rôle d'un psychopathe habitant la ville et membre du gang qui détruit le garage. Il doit donc avoir une carte du syndicat des artistes de la scène.

— Qu'en avez-vous pensé en tant qu'acteur ?

— Je l'ai trouvé plein d'allant, mais manquant de subtilité. Pas que je sois très bon juge. Je préfère le cinéma. Je suis allé voir cette pièce uniquement pour faire plaisir à Emma qui, à ce moment-là, traversait une phase culturelle. La pièce était lourdement symbolique. Le garage représentait la Grande-Bretagne, le capitalisme, l'impérialisme, à moins que ce ne fût la lutte des classes. Je me demande si l'auteur lui-même le savait. C'était le genre de pièce à remporter un grand succès auprès des critiques. Tous les personnages parlaient comme des analphabètes et, une semaine plus tard, je ne me rappelais plus un seul mot du dialogue. Il y avait une scène de bagarre assez dure au deuxième acte. Swayne ne se débrouille pas mal dans ce domaine. Mais donner des coups de pied dans un mur ne constitue pas un entraînement adéquat pour égorger un homme. Je ne vois pas Swayne en assassin, pas cette sorte d'assassin en tout cas. »

Massingham et lui étaient tous deux des policiers expérimentés. Ils savaient combien il importait, à ce stade des investigations, de rester rationnel, de s'en tenir aux faits concrets, vérifiables. Parmi les suspects, quel était celui qui avait les moyens, l'occasion, les informations, la force physique, le mobile ? En ce début d'enquête, il ne servait à rien de commencer à se demander si cet homme avait la cruauté, le courage, le désespoir, le tempérament nécessaires pour commettre ce crime en particulier. Pourtant, fascinés par la personnalité humaine, ils le faisaient presque toujours.

6

Miss Wharton était couchée dans sa petite chambre sur l'arrière, au deuxième étage du 49 Crowhurst Gardens. Incapable de s'endormir, elle scrutait l'obscurité. Pressé contre le matelas dur, son corps lui semblait anormalement chaud et lourd, comme lesté de plomb. Bien que n'escomptant pas une bonne nuit de sommeil, elle avait accompli son rituel nocturne dans l'espoir que tous ces petits actes tromperaient son corps, finiraient par l'assoupir ou, du moins, le calmer. Mais ni la lecture du chapitre du Nouveau Testament recommandé par son livre de prières, ni la tasse de lait chaud accompagné d'un seul biscuit — dernier petit plaisir de la journée — n'avaient fait leur effet. Pire : elle avait lu son extrait de la Bible, la parabole du Bon Pasteur, un de ses préférés, avec une acuité d'esprit et un scepticisme quasi pervers. En quoi, somme toute, consistait le travail d'un berger ? Seulement à s'occuper de ses moutons, à veiller à ce qu'ils ne s'échappent pas pour qu'on pût les marquer au fer, les tondre, puis les abattre. Si l'on n'avait pas besoin de la laine et de la chair de ces bêtes, on n'aurait pas besoin de berger.

Bien après avoir refermé sa Bible, elle resta allongée, immobile, pendant ce qui lui sembla être une interminable nuit. Ses pensées s'agitaient et couraient dans son cerveau comme des animaux qu'on tourmente. Où était Darren ? Comment allait-il ? Qui veillait à ce qu'il ne fût pas couché dans son lit inconsolé, malheureux ? L'horrible spectacle du carnage n'avait pas eu l'air de trop l'affecter, mais savait-on jamais avec un enfant ? C'était sa faute à elle s'ils étaient coupés l'un de l'autre. Elle aurait dû insister pour qu'il lui donnât son adresse, pour qu'il la présentât à sa mère. Il ne lui en avait jamais parlé, de sa mère, et quand elle l'avait questionné à ce sujet, il avait haussé les épaules sans répondre. Elle avait répugné à faire pression sur lui. Peut-être pouvait-elle le joindre par l'intermédiaire de la police ? Mais avait-elle le droit de déranger le commandant Dalgliesh alors qu'il avait deux meurtres à éclaircir ?

Le mot « meurtre » fit surgir une autre angoisse. Elle aurait dû se rappeler quelque chose, le dire au commandant Dalgliesh, mais elle en était incapable. Le commandant l'avait interrogée brièvement, avec douceur, assis à côté d'elle sur une de ces petites chaises du coin des enfants comme si le contraste bizarre que sa haute stature offrait avec son siège lui était indifférent, comme s'il ne le remarquait même pas. Elle avait essayé d'être calme, précise, de se limiter aux faits, mais elle savait qu'elle avait eu des trous de mémoire, qu'il y avait un détail que l'horreur de la scène dans la sacristie avait oblitéré. Qu'est-ce que cela pouvait être ? Une broutille, peut-être, mais le commandant lui avait dit qu'elle devait tout lui raconter, même les choses les plus insignifiantes.

Tout à coup, un souci plus immédiat s'empara d'elle. Elle avait besoin d'aller aux toilettes. Elle alluma sa lampe de chevet, chercha ses lunettes à tâtons et regarda la pendulette qui doucement faisait entendre son tic-tac sur sa table de nuit. Il n'était que deux heures dix. Donc pas le moindre espoir de tenir jusqu'au matin. Bien qu'elle eût une salle de séjour, une chambre à coucher et une cuisine, elle partageait la salle de bains avec les McGrath, dans l'appartement du dessous. La tuyauterie était vétuste et quand miss Wharton devait utiliser les cabinets la nuit, Mrs. McGrath se plaignait immanquablement le lendemain. Comme alternative, elle pouvait utiliser son pot de chambre, mais ensuite elle devrait le vider. Cela signifiait qu'elle passerait la matinée à guetter anxieusement les bruits pour savoir si elle pouvait le porter aux toilettes sans rencontrer les yeux insolents, méprisants de sa voisine. Une fois, alors qu'elle descendait l'escalier, le récipient couvert à la main, elle était tombée sur Billy McGrath. Ce souvenir la faisait encore rougir de honte. Mais elle n'avait pas le choix. La nuit était encore trop calme pour qu'elle se sentît le courage d'en troubler le silence avec un bruit d'eau cascadante, les borborygmes et le grondement des canalisations.

Pourquoi les McGrath la détestaient-ils tant ? se demanda-t-elle. Pourquoi ses bonnes manières inoffensives les irritaient-elles à ce point ? Elle essayait de les éviter, mais c'était difficile quand on avait la même porte d'entrée, le même étroit vestibule. Quand Darren était venu chez elle la première fois, elle leur avait dit que la mère de l'enfant travaillait à Saint-Matthew. Ce mensonge, lâché dans un moment de panique, avait semblé les satisfaire. Ensuite, comme elle pouvait difficilement l'inclure dans sa confession hebdomadaire, elle l'avait délibérément chassé de son esprit. Et Darren entrait et sortait si vite qu'il y avait peu de chances que le couple le questionnât. On aurait dit que l'enfant savait que les McGrath étaient des ennemis. Elle essayait d'amadouer Mrs. McGrath avec une politesse exagérée et même de petites gentillesses : elle rentrait ses bouteilles de lait exposées au soleil en été, elle déposait devant sa porte un pot de confiture ou de chutney faits à la maison quand elle revenait de la kermesse paroissiale, à Noël. Mais, apparemment, ces signes de faiblesse ne faisaient qu'accroître l'animosité de ses voisins. Et, au fond d'elle-même, elle savait que tous ses efforts ne servaient à rien. Les gens, comme les pays, avaient besoin de quelqu'un de plus faible et de plus vulnérable qu'eux à mépriser et à intimider. Le monde était ainsi fait. Alors qu'elle tirait doucement le pot de chambre de dessous le lit et s'asseyait dessus, les muscles tendus, essayant de régulariser le flot et d'amortir le bruit, elle regretta de nouveau de ne pas avoir de chat. Mais le jardin, vingt mètres de gazon non tondu, bosselé comme un champ, entouré d'une plate-bande à demi-effacée de rosiers à l'abandon et de buissons déchiquetés qui ne fleurissaient jamais, appartenait au rez-de-chaussée. Les McGrath ne lui permettraient pas de s'en servir et ce n'était pas bien de garder un chat enfermé jour et nuit dans un petit deux-pièces.

Dans sa jeunesse, on lui avait inculqué la crainte, et c'était là une leçon qu'un enfant n'oubliait jamais. Le père de miss Wharton, un instituteur, savait se montrer plus ou moins tolérant dans sa classe grâce à la tyrannie compensatrice qu'il exerçait chez lui. Il terrorisait sa femme et ses trois enfants. Mais cette peur commune n'avait pas rapproché les enfants. Quand, irrationnel comme toujours, le père choisissait une victime parmi ses trois rejetons, les autres avaient honte de lire dans leurs yeux le soulagement réciproque que leur procurait ce sursis. Ils apprirent à mentir pour se protéger et furent battus parce qu'ils mentaient. Ils apprirent à avoir peur et furent punis pour leur lâcheté. Pourtant, miss Wharton avait mis sur un guéridon la photo de ses deux parents. Elle ne rendait jamais son père responsable de ses souffrances présentes ou passées. Elle avait retenu la leçon : elle n'accusait qu'elle-même.

A présent, elle était pratiquement seule au monde. Plus solide, John, son frère cadet, dont elle s'était sentie le plus proche, avait été des trois celui qui avait le mieux réussi. Mais John avait été brûlé vif dans la tourelle de son bombardier Lancaster, la veille de son dix-neuvième anniversaire. Ignorant, par bonheur, que John était mort en hurlant dans un enfer entouré d'acier, miss Wharton avait pu embellir sa fin, en faire une image paisible : une unique balle allemande se logeant dans le cœur de son frère, le jeune et pâle guerrier descendant doucement vers la terre, la main encore posée sur sa mitrailleuse. Edmund, l'aîné, avait émigré au Canada après la guerre. Divorcé et sans enfants, il travaillait maintenant comme employé de bureau au nord de ce pays, dans une petite ville dont elle oubliait toujours le nom. Edmund lui écrivait si rarement...

Elle glissa le pot de chambre sous le lit, puis enfila sa robe de chambre. Pieds nus, elle traversa le couloir, entra dans sa salle de séjour et s'approcha de la seule fenêtre qui donnât sur le devant. Un profond silence régnait dans la maison. Sous les réverbères, la rue coulait comme une rivière boueuse entre les berges des voitures en stationnement. Même à travers les vitres elle pouvait entendre le grondement sourd de la circulation nocturne dans Harrow Road. Les lumières de la ville tachaient de rouge les nuages bas. Parfois, en regardant cette sinistre pénombre, miss Wharton avait l'impression que Londres était bâtie sur des charbons ardents, que, sans qu'elle s'en rendît compte, l'Enfer l'entourait de toutes parts. A sa droite, le campanile de Saint-Matthew se découpait sur ce brasillement.

D'habitude, la vue de son église la réconfortait. Là, on la connaissait, on appréciait les petits services qu'elle pouvait rendre ; là, elle avait une tâche à accomplir ; là, elle se sentait consolée, absoute, chez elle. Mais à présent, cette tour étrange, noire et grêle sur le ciel rougeoyant, ne symbolisait pour elle que l'horreur et la mort. Et sa promenade bi-hebdomadaire le long du canal, comment pourrait-elle l'affronter désormais ? Le chemin de halage lui avait toujours paru mystérieusement exempt des dangers des autres rues, à part les courts passages sous les ponts. Même par les matinées les plus sombres, elle avait marché là, merveilleusement calme et tranquille. De plus, ces derniers mois, elle avait eu la compagnie de Darren. Maintenant, Darren était parti, la sécurité avait disparu, le chemin serait à jamais gluant d'un sang imaginaire. En se recouchant, elle survola les toits en pensée, parvint à la petite sacristie. Celle-ci, évidemment, serait vide à présent. La police aurait emporté les corps. La fourgonnette noire dépourvue de fenêtres stationnait déjà derrière l'église au moment où elle l'avait quittée. Il ne devait plus rien rester là-bas, hormis les taches de sang brun sur le tapis — ou bien l'avait-on emporté lui aussi ? Ne subsisteraient que le vide, l'obscurité et l'odeur de la mort, sauf dans la chapelle de la Sainte Vierge où la veilleuse continuerait à brûler devant le saint sacrement. Allait-elle perdre cela aussi ? se demanda-t-elle. Était-ce cela que le meurtre faisait aux innocents ? Leur enlever ceux qu'ils aimaient, remplir leurs esprits de terreur, les laisser seuls et dépouillés sous un ciel incandescent ?

7

Il était vingt-deux heures trente quand Kate Miskin fit claquer la porte de l'ascenseur derrière elle et introduisit sa clé dans la serrure de sûreté de son appartement. Elle aurait bien attendu le retour de Dalgliesh et de Massingham au Yard — les deux hommes étaient allés interroger le chauffeur des Berowne —, mais A.D. lui avait dit de rentrer chez elle. De toute façon, il n'y avait pas grand-chose qu'elle, ou n'importe qui d'autre, aurait pu entreprendre avant le lendemain. Si A.D. avait raison, c'est-à-dire, si Berowne et Harry Mack avaient été assassinés, Massingham et elle travailleraient peut-être régulièrement seize heures par jour, parfois plus. Comme cela ne serait pas la première fois, cette éventualité ne lui faisait pas peur. Alors qu'elle allumait et refermait la porte à double tour derrière elle, elle trouva curieux, voire condamnable, qu'elle pût souhaiter qu'A.D. eût raison. Mais une universelle et réconfortante platitude l'aida aussitôt à s'absoudre : Berowne et Harry étaient morts, rien ne pourrait les ressusciter. En tout cas, si Paul Berowne ne s'était pas tranché la gorge, cette affaire promettait d'être aussi passionnante qu'importante, et cela non seulement pour elle, mais pour ses chances d'avancement. La création au C1 d'une brigade spéciale destinée à enquêter sur les crimes graves dont on suspectait la nature politique ou sociale avait en effet rencontré une certaine opposition, et elle aurait pu nommer deux ou trois officiers haut placés qui se frotteraient les mains si cette affaire, la première dont la brigade s'occupât, se révélait n'être qu'un meurtre banal suivi d'un suicide.

Comme toujours, elle pénétra dans son appartement avec le sentiment satisfaisant de rentrer chez elle. Cela faisait à peine un peu plus de deux ans qu'elle habitait Charles Shannon House. Acheter ce logement à crédit, en étalant soigneusement ses paiements, avait constitué un premier pas dans l'ascension sociale qu'elle s'était fixée. Pour finir, elle pourrait peut-être même s'offrir un de ces lofts aménagés avec de grandes fenêtres donnant sur le fleuve, d'énormes pièces aux poutres apparentes, une vue de Tower Bridge dans le lointain. Mais, pour un début, cet appartement-ci n'était pas mal. Elle en retirait beaucoup de plaisir. Parfois, même, elle devait se retenir pour ne pas en faire le tour et toucher les murs, les meubles, pour s'assurer de leur réalité.

L'habitation comportait une longue salle de séjour pourvue sur toute sa largeur d'un balcon de fer, deux petites chambres à coucher, une cuisine, une salle de bains et des toilettes séparées. Elle se trouvait au dernier étage d'une maison victorienne, dans une rue qui aboutissait à Holland Park Avenue. L'immeuble avait été construit au début des années 1860 pour fournir des ateliers aux artistes et artisans du mouvement *Arts and Crafts*, alors en pleine expansion. Deux plaques commémoratives apposées au-dessus de la porte témoignaient de son intérêt historique. D'un point de vue architectural, par contre, il n'avait aucune valeur : construit en brique jaunâtre, très haut, crénelé comme un château victorien, il détonnait terriblement parmi les élégantes maisons Régence qui l'entouraient. Coupés de nombreuses fenêtres sculptées de dimensions inégales et zébrés d'escaliers de secours en fer, ses murs montaient vers un toit hérissé de rangées de tuyaux de cheminée entre lesquelles poussaient toutes sortes d'antennes de télévision, quelques-unes depuis longtemps hors d'usage.

C'était le seul endroit qu'elle eût jamais considéré comme un chez-soi. Enfant illégitime, elle avait été élevée par sa grand-mère maternelle. Sa mère à elle était morte quelques jours après sa naissance. Elle ne la connaissait que d'après une photo scolaire qui la représentait au premier rang de sa classe, visage mince et sérieux dans lequel elle ne retrouvait aucun de ses propres traits. Sa grand-mère ne lui avait jamais parlé de son père, et Kate supposait que sa mère n'en avait jamais révélé l'identité. De son père, elle ne savait donc rien, pas même le nom, mais il y avait longtemps que cela avait cessé de la tracasser, à supposer qu'elle en eût jamais souffert. Mis à part les inévitables fantasmes de sa prime jeunesse, quand elle imaginait que son père la cherchait et la retrouvait, elle n'avait jamais éprouvé le besoin de découvrir ses origines. Deux vers de Shakespeare vaguement retenus, lus un jour dans un livre qu'elle avait ouvert par hasard dans la bibliothèque de son école, étaient devenus sa règle de vie :

« Qu'importe ce qui s'est passé avant ou après.

Désormais, je commencerai et finirai avec moi-même. »

Elle n'avait pas voulu meubler son appartement dans le style ancien. Le passé ne l'intéressait pas ; toute sa vie, elle avait essayé de s'en délivrer, de se forger un avenir adapté à son besoin personnel d'ordre, de sécurité, de réussite. C'est ainsi qu'elle avait vécu pendant deux mois avec une table pliante, une chaise et un matelas par terre jusqu'à ce qu'elle eût économisé assez d'argent pour pouvoir s'acheter ce mobilier aux lignes pures et austères qui lui plaisait : un canapé et deux fauteuils en cuir véritable, une table et quatre chaises en orme ciré, une bibliothèque encastrée sur toute la longueur du mur, la cuisine fonctionnelle, lisse et luisante, qui contenait le minimum de vaisselle et d'ustensiles indispensables. Aucun de ses collègues de la police n'avait jamais mis les pieds dans ce petit monde privé que constituait son appartement. Seul son amant y était admis. Cependant, quand Alan avait franchi le seuil la première fois, discret, inoffensif, son inévitable sac en plastique plein de livres à la main, sa paisible présence lui était apparue un bref instant comme une dangereuse intrusion.

Elle se versa un whisky, l'allongea avec de l'eau, puis ouvrit avec une clé la serrure de sûreté de la porte qui menait du séjour au balcon de fer. Un air pur et frais s'engouffra dans la pièce. Elle sortit et referma la porte. S'adossant contre le mur, son verre à la main, elle promena son regard sur les toits de la capitale, à l'est. Une bande de nuages avait absorbé l'éclat des lumières de la ville. D'un cramoisi pâle, elle se détachait, tel un lavis soigneusement peint, sur le bleu-noir plus riche de la nuit. La brise qui soufflait était juste assez forte pour agiter les branches des grands tilleuls de Holland Park Avenue et faire frémir les antennes de télévision plantées comme de frêles fétiches exotiques sur les toits de tuile, à quinze mètres au-dessous d'elle. Au sud, les arbres du parc profilaient leur masse noire sur le ciel et, plus loin, la flèche de l'église Saint-John luisait comme un mirage. Cela faisait partie des plaisirs de ce moment de voir comment la flèche semblait avancer ou reculer. Parfois elle était si proche qu'on avait l'impression qu'il aurait suffi d'étendre la main pour en sentir les pierres rugueuses ; parfois, comme ce soir, elle paraissait aussi distante et immatérielle qu'une vision. Loin au-dessous de Kate, à sa droite, sous les hautes lampes à arc, l'avenue partait droit vers l'ouest, grasse et brillante comme une rivière de métal fondu, portant son interminable chargement de voitures, de camions et d'autobus rouges. Comme elle le savait, c'était une ancienne voie romaine qui conduisait autrefois à la sortie ouest de Londinium. Son incessant grondement ne lui parvenait qu'affaibli, pareil à la houle d'une mer lointaine.

Sauf durant les pires rigueurs de l'hiver, c'était là son rituel nocturne, quelle que fût la saison. Elle se versait un whisky, du Bell, et sortait sur le balcon avec son verre pour se livrer à cette courte contemplation, telle une prisonnière, se disait-elle, qui s'assure que la ville est toujours là. Mais son appartement n'était pas une prison, au contraire : il était la preuve concrète d'une liberté chèrement acquise et jalousement préservée. Elle avait échappé aux H.L.M., à sa grand-mère, au logement exigu, sale et bruyant qu'elles occupaient au septième étage d'une tour construite au lendemain de la guerre, l'Ellison Fairweather Building, monument élevé à un conseiller municipal de ce nom qui, comme la plupart de ses homologues, se consacrait avec ardeur à la destruction des petites rues de quartier et à l'érection d'immeubles de douze étages, pour la plus grande gloire du civisme et des théories sociologiques. Elle avait échappé aux hurlements, aux graffitis, aux ascenseurs en panne, aux odeurs d'urine. Elle se rappelait le premier soir de son évasion, le 8 juin, il y avait un peu plus de deux ans de cela. Debout à la même place que maintenant, elle s'était versé son whisky comme une libation, disant à haute voix : « Allez vous faire foutre, conseiller Fairweather. Bonjour la liberté ! »

Et maintenant, elle avait vraiment le vent en poupe. Si elle réussissait dans son nouveau travail, tout, enfin, presque tout, serait possible. Il était peut-être normal que A.D. eût choisi une femme pour sa brigade. Mais ce n'était pas un homme à faire des concessions au féminisme, ou à toute autre cause à la mode, du reste. S'il l'avait choisie, c'était parce qu'il avait besoin d'un élément féminin dans son équipe et parce qu'il connaissait son dossier, savait qu'il pouvait lui faire confiance. Promenant son regard sur Londres, elle sentit un flot d'optimisme envahir tout son être. C'était une sensation aussi forte et agréable que la première inspiration consciente du matin. Le monde étalé à ses pieds lui était familier. Il faisait partie de ce conglomérat dense, excitant, de villages urbains qui constituaient le territoire de la Police métropolitaine. En imagination, elle le vit s'étendre par-delà Notting Hill Gate, Hyde Park et la boucle du fleuve, par-delà les tours de Westminster et de Big Ben, passant rapidement sur l'anomalie que représentait l'enclave de la police londonienne de la City, jusqu'à la banlieue est et, enfin, jusqu'à la ligne de démarcation qui les séparait de la police du comté d'Essex. Elle connaissait, presque au mètre près, l'emplacement de cette frontière. C'est ainsi qu'elle voyait la capitale, découpée en secteurs, districts, divisions et subdivisions. Et, directement au-dessous d'elle, il y avait Notting Hill Gate, ce village dur, cosmopolite et plein de variété où elle avait été affectée à sa sortie de l'école de police. Elle se rappelait chaque son, chaque couleur, chaque odeur de ce quartier avec la même acuité qu'elle les avait perçus en cette étouffante nuit d'août, huit ans plus tôt. Cette nuit où elle avait compris qu'elle avait eu raison de choisir le métier de policier, qu'elle était faite pour lui.

Elle patrouillait à pied avec Terry Read. C'était la nuit d'été la plus torride qu'on eût jamais connue. Un garçon avait couru en criant vers eux et, tout excité, avait désigné un immeuble de logements ouvriers qui se dressait non loin de là. Kate revit la scène : le groupe de voisins terrifiés au pied de l'escalier, leurs visages luisants de sueur, leurs chemises tachées collées à la peau, l'odeur de corps humains dont la propreté laisse à désirer. Et, couvrant les murmures, une voix rauque qui, en haut des marches, émettait une protestation véhémente mais inintelligible.

« Il a un couteau, miss, l'avertit le garçon. George a essayé d'entrer chez lui, mais il l'a menacé. C'est pas vrai, George ? »

Petit, pâle, doté d'une tête de fouine, George répondit depuis son coin :

« Tout ce qu'il y a de plus vrai.

— Mabelle et la petite sont avec lui. »

Une femme chuchota :

« Doux Jésus ! La petite est avec lui ! »

Ils s'étaient écartés pour les laisser passer, Terry et elle.

« Comment s'appelle-t-il ? demanda-t-elle.

— Leroy.

— Son nom de famille ?

— Price. Leroy Price. »

Le couloir était sombre, la pièce elle-même, dont la porte enfoncée béait, encore plus sombre. La lumière crue des réverbères filtrait à travers un morceau de tapis déchiré, cloué sur la fenêtre. Kate distingua vaguement un grand matelas taché par terre, une table pliante, deux chaises, dont l'une renversée. La chambre sentait le vomi, la sueur, la bière, odeurs auxquelles se mêlaient des relents de poisson et de frites. Une femme était blottie contre le mur, une fillette dans les bras.

« Calmez-vous, Mr. Price, dit Kate. Et donnez-moi ce couteau. Vous ne voulez tout de même pas leur faire du mal. C'est votre gosse. Vous ne voulez leur faire du mal ni à l'une ni à l'autre. Je sais ce que c'est : il fait trop chaud et vous en avez ras le bol. Comme nous tous. »

Elle avait déjà été témoin de ce genre de scènes. Dans les H.L.M. de son enfance et pendant ses rondes. Il arrivait un moment où l'esprit explosait soudain sous le poids des frustrations, du désespoir et de la misère et se mettait à protester d'une manière anarchique. Et, de toute évidence, cet homme était au bout du rouleau. Trop de factures impayées et impossibles à payer, trop de soucis, trop de pressions et, bien entendu, trop d'alcool. Elle s'était avancée vers lui sans dire un mot, rencontrant calmement son regard, la main tendue pour recevoir le couteau. Elle n'avait eu d'autre crainte que de voir Terry faire brusquement irruption. On n'entendait aucun bruit : le groupe debout au pied de l'escalier s'était figé, et la rue connaissait un de ces étranges moments de silence qui tombent parfois même sur les quartiers les plus tumultueux de Londres. Elle ne percevait que sa respiration régulière et celle, pénible et sifflante, de l'homme. Soudain, avec un terrible sanglot, le forcené avait jeté son couteau et s'était précipité contre sa poitrine. Elle l'avait tenu dans ses bras, lui murmurant des paroles apaisantes comme elle l'eût fait pour un enfant. Et tout avait été terminé.

Dans son rapport, elle avait exagéré le rôle joué par Terry dans cette affaire, et son collègue l'avait laissée faire. Mais cette vieille Molly Green, toujours présente là où il risquait d'y avoir de l'excitation et du sang, se trouvait parmi les badauds qui attendaient, les yeux brillants, au pied de l'escalier. Le mardi suivant, Terry l'avait coffrée pour détention de haschisch. Selon les témoins, il n'y avait pas vraiment eu provocation, mais Terry n'avait pas encore atteint le quota d'arrestations hebdomadaires qu'il s'était fixé. Poussée par un accès inattendu de solidarité féminine, ou par le dégoût des hommes en général et de Terry en particulier, Molly avait alors donné au brigadier de service sa version personnelle de l'incident du forcené. Ensuite, les supérieurs de Kate lui avaient à peine reparlé de cette histoire, assez toutefois pour lui faire comprendre qu'ils connaissaient la vérité et que ses réticences ne lui avaient causé aucun tort. A présent, elle se demandait ce qu'étaient devenus Leroy Price, Mabelle et l'enfant. Pour la première fois, elle trouva curieux qu'à partir de l'instant où l'incident avait été clos et son rapport rédigé, elle n'eût plus jamais pensé à eux.

Elle rentra dans le séjour, ferma la porte du balcon et les lourds rideaux de lin, puis téléphona à Alan. Ils avaient décidés d'aller au cinéma le lendemain soir, mais ça ne serait plus possible maintenant. Elle ne pouvait plus faire de projets jusqu'à la fin de l'enquête. Alan prit la nouvelle avec calme, comme il le faisait toujours quand elle se voyait obligée d'annuler un rendez-vous. C'était justement là une des nombreuses qualités qu'elle appréciait en lui : son égalité d'humeur.

« J'ai bien l'impression que notre dîner de jeudi est dans le lac, lui aussi, dit-il.

— Nous aurons peut-être terminé d'ici là, quoique cela m'étonnerait. Garde-moi quand même ta soirée. Si c'est nécessaire, je t'appellerai pour décommander.

— Eh bien, bonne chance pour votre enquête. J'espère que ce ne seront pas des peines d'amour perdues.

— Hein ?

— Oh, pardon ! Dans la pièce de Shakespeare, il y a un courtisan qui s'appelle Berowne. C'est un nom curieux et intéressant.

— Sa mort l'est aussi. A jeudi, huit heures.

— A moins que tu ne te voies obligée de décommander, dit Alan. Au revoir, Kate. »

Elle crut déceler une pointe d'ironie dans sa voix. Puis elle se dit que la fatigue lui faisait s'imaginer des choses. C'était la première fois qu'il lui souhaitait bonne chance pour une enquête, tout en s'abstenant, comme toujours, de poser des questions. Pour ce qui touchait à son travail, il se montrait d'une discrétion aussi pointilleuse qu'elle-même. Ou bien, tout simplement, cela ne l'intéressait-il pas ? Avant de raccrocher elle demanda vivement :

« Et que lui est-il arrivé, à ton courtisan ?

— Il était amoureux d'une certaine Rosaline, mais celle-ci lui a ordonné d'aller soigner les malades. Il a donc fait douze mois dans un hôpital. »

Il n'y avait pas grande inspiration à tirer de là, se dit-elle. Elle raccrocha en souriant. C'était dommage pour le dîner du jeudi, mais il y en aurait d'autres. Un simple coup de fil, et Alan viendrait. Il l'avait toujours fait jusqu'ici.

Sans doute avait-elle rencontré Alan Scully juste à temps. Son éducation sexuelle précoce dans les passages en béton des tours d'habitation et derrière le hangar à bicyclettes de son école, au nord de Londres, mélange d'excitation, de peur et de dégoût, l'avait bien préparée à la vie, mais mal à l'amour. La plupart des garçons qu'elle avait connus étaient moins intelligents qu'elle. Cela ne l'aurait guère gênée eussent-ils au moins été beaux ou drôles. A la fois amusée et consternée, elle s'était aperçue vers dix-huit ans qu'elle voyait les hommes comme ceux-ci étaient si souvent accusés de voir les femmes : comme une distraction sexuelle ou mondaine qu'on pouvait se permettre de temps en temps, quoique bien trop insignifiante pour contrecarrer les projets sérieux tels que passer son bachot, planifier sa carrière, s'échapper d'Ellisson Fairweather Building. Elle constata qu'elle pouvait faire l'amour tout en méprisant la source de son plaisir. Or, elle le savait, ce n'était pas sur des bases aussi fausses qu'on établissait des relations valables. Puis, deux ans auparavant, elle avait rencontré Alan. Son appartement, situé dans une petite rue derrière le British Museum, avait été cambriolé et c'était elle qu'on avait envoyée sur les lieux avec l'officier des empreintes digitales et le spécialiste des indices matériels. Alan lui dit qu'il travaillait dans une bibliothèque théologique de Bloomsbury. Il collectionnait des recueils de sermons de l'époque victorienne — choix qui lui parut très étrange —, et on lui avait volé deux de ses livres les plus précieux. Ceux-ci ne furent jamais retrouvés. D'après le calme résigné avec lequel Alan répondit à ses questions, elle comprit qu'il ne s'attendait pas à récupérer son bien. Petit, encombré, son appartement avait davantage l'aspect d'un entrepôt de livres que d'un logement. Il ne ressemblait à rien de ce qu'elle avait vu jusque-là, tout comme Alan ne ressemblait à aucune des personnes qu'elle connaissait. Elle avait dû retourner chez lui et ils avaient passé près d'une heure à bavarder en buvant du café. Il lui avait alors demandé très simplement si elle voulait l'accompagner voir une pièce de Shakespeare au National Theatre.

Moins d'un mois après cette soirée, ils avaient couché ensemble pour la première fois, et Alan avait démoli une de ses convictions : que les intellectuels ne s'intéressent pas à l'amour physique. Non seulement il s'y intéressait, mais encore il le faisait très bien. Ils avaient établi une sorte d'amitié amoureuse, relation confortable qui semblait les satisfaire tous les deux. Sans ressentiment ni envie, chacun d'eux considérait le travail de l'autre comme un territoire étranger dont la langue et les mœurs étaient incompréhensibles. De ce fait, ils n'en parlaient presque jamais. Kate savait que ce qui, en elle, intriguait Alan, n'était pas tant son manque de foi religieuse que son manque apparent de curiosité à l'égard des multiples et fascinantes manifestations de celle-ci. Elle sentait aussi, bien qu'il ne le lui eût jamais dit, qu'il jugeait ses connaissances littéraires insuffisantes. Mise au défi, elle pouvait citer des poèmes modernes, protestations contre le chômage des jeunes dans les villes ou l'oppression des Noirs en Afrique du Sud. Alan trouvait toutefois que c'était là un piètre substitut à Donne, Shakespeare, Keats ou Eliot. Elle, de son côté, le considérait comme un innocent, un être tellement dépourvu des talents nécessaires à la survie dans la jungle urbaine qu'elle se demandait comment il pouvait affronter ses périls avec autant d'indifférence. Cependant, mis à part le cambriolage, dont le mystère ne fut jamais élucidé, on aurait dit qu'il ne lui arrivait jamais rien de fâcheux, à moins qu'il ne s'en rendît pas compte. Elle s'amusait à lui demander conseil pour ses lectures et persévérait avec les titres que, timidement, il lui proposait. En ce moment, c'était un roman d'Elizabeth Bowen qu'elle lisait le soir, au lit. La vie que menaient les héroïnes, leurs revenus, leurs charmantes maisons à Saint-John's Wood, leurs bonnes en uniforme et leurs redoutables tantes la remplissaient de stupéfaction. « Pas assez de vaisselle à faire, c'est ça leur problème », disait-elle à Alan, pensant aussi bien à l'auteur qu'à ses personnages. Mais elle constata avec intérêt qu'elle était accrochée.

Il était près de minuit maintenant. Excitée et fatiguée, elle n'avait pas très faim. Avant d'aller au lit, elle devrait malgré tout se préparer quelque chose de léger à manger, se dit-elle. Une omelette, par exemple. Elle commença toutefois par tourner le bouton de son répondeur automatique. Dès les premières paroles prononcées par une voix familière, son euphorie fit place à un mélange de culpabilité, de rancune et de dépression. C'était l'assistante sociale de sa grand-mère. Au fil des trois messages qu'elle avait laissés, à deux heures d'intervalle chacun, sa patience et sa maîtrise de soi professionnelles dégénéraient peu à peu en frustration et, finalement, en une irritation proche de l'hostilité. Ne supportant plus de rester confinée dans son appartement du septième étage, la grand-mère de Kate était allée à la poste, retirer sa pension. En rentrant, elle avait découvert que quelqu'un avait cassé sa fenêtre et essayé de forcer sa porte. C'était le troisième incident de ce genre en moins d'un mois. Maintenant, Mrs. Miskin avait peur de sortir. Kate pourrait-elle, dès son retour chez elle, appeler le service social de l'autorité locale ou, après dix-sept heures trente, appeler directement sa grand-mère ? C'était urgent.

Ça l'était toujours, se dit Kate avec lassitude. Et il était affreusement tard pour téléphoner. Mais cela ne pouvait pas attendre le lendemain. Sa grand-mère ne dormirait pas avant qu'elle l'eût appelée. La vieille dame décrocha à la première sonnerie : elle devait avoir attendu, assise à côté de l'appareil.

« Ah, c'est toi. En voilà une heure pour appeler. Presque minuit. Mrs. Mason a essayé de te joindre.

— Je sais. Comment vas-tu, mémé ?

— Comment veux-tu que j'aille ? Mal, évidemment ! Quand viens-tu ici ?

— J'essaierai de faire un saut demain, mais ça sera difficile. Je suis en pleine enquête.

— Viens à trois heures. Mrs. Mason a dit qu'elle passerait à ce moment-là. Elle veut te parler. Tâche d'être ponctuelle.

— C'est impossible, mémé.

— Comment veux-tu que je fasse mes courses,

alors ? Je ne sors plus de cet appartement toute seule, ça, tu peux me croire.

— Il doit y avoir encore assez de nourriture dans le congélateur pour au moins quatre jours.

— J'en veux pas de cette cochonnerie de plats surgelés, je te l'ai déjà dit.

— Alors demande à Mrs. Khan de te faire quelques courses. Elle est toujours si serviable.

— Impossible. Depuis que ces types du Front National sont venus ici, elle ne sort plus qu'accompagnée de son mari. De plus, ça serait pas juste. Elle a déjà assez de mal à monter ses propres commissions. Les gosses ont encore cassé l'ascenseur, pour le cas où tu serais pas au courant.

— Est-ce qu'on a réparé ta fenêtre ?

— Oui, oui, ça, c'est fait. »

A en juger par le ton de sa voix, la vieille dame considérait que c'était là un détail sans importance. Elle ajouta :

« Il faut que tu me sortes d'ici.

— J'essaie, mémé. Tu es en liste d'attente pour un studio dans un de ces immeubles protégés, avec gardien. Tu le sais bien.

— J'en ai rien à foutre d'un gardien. C'est avec ma famille que je devrais être. A demain, trois heures. Débrouille-toi pour venir. Mrs. Mason veut te voir. »

La vieille femme raccrocha.

Oh non, pensa Kate. Impossible d'affronter de nouveau ce même vieux problème, pas maintenant, juste au début d'une nouvelle enquête !

Pour se justifier, elle se dit avec colère qu'elle n'était pas complètement irresponsable, qu'elle faisait ce qu'elle pouvait. Elle avait acheté à sa grand-mère un nouveau Frigidaire surmonté d'un petit congélateur. Tous les dimanches, elle remplissait celui-ci de repas pour la semaine, mais chaque fois, elle s'entendait dire :

« Je ne peux pas manger ces trucs-là. Je veux pouvoir acheter ce qui me plaît, faire ma propre cuisine. Je veux déménager. »

Elle lui avait payé l'installation d'un téléphone et appris à ne pas avoir peur de s'en servir. Elle s'était mise en rapport avec les services sociaux et avait obtenu pour elle une aide ménagère qui venait une fois par semaine. Elle aurait volontiers nettoyé le logement elle-même si sa grand-mère avait toléré cette ingérence. Elle aurait fait n'importe quoi, payé n'importe quelle somme pour éviter d'avoir à prendre sa grand-mère chez elle, à Charles Shannon House. Mais, elle le savait, c'était justement cela que la vieille dame, avec la complicité de son assistante sociale, tentait inexorablement de lui faire accepter. Elle ne le pouvait pas. Elle ne pouvait pas renoncer à sa liberté, aux visites d'Alan, à la deuxième chambre où elle peignait, à son intimité et au calme quand elle rentrait le soir, pour les impedimenta d'une vieille femme, le bruit incessant de sa télévision, le désordre, l'odeur de la vieillesse, de l'échec, l'odeur de Ellison Fairweather Building, de son enfance, du passé. Et maintenant plus que jamais. Pour sa première enquête avec la nouvelle brigade, elle avait besoin d'être libre.

Pendant un instant, elle pensa avec envie et ressentiment à Massingham. Même si son collègue avait une douzaine de parents difficiles et exigeants, aucun d'eux ne s'attendait à ce qu'il s'occupât d'eux. Mais si elle devait prendre quelques heures de congé, il serait le premier à faire remarquer qu'au plus fort d'une bataille, on ne pouvait pas compter sur une femme.

8

Appuyée contre une pile d'oreillers, dans sa chambre du deuxième étage, Barbara Berowne regardait fixement l'écran de télévision placé sur le mur, face à son lit à colonnes sans baldaquin. Elle attendait le film de la fin de soirée, mais elle avait allumé le poste en se mettant au lit, et assistait distraitement aux dernières minutes d'un débat politique. Ayant baissé le son, elle n'entendait rien. Elle n'en continuait pas moins à regarder intensément le mouvement des bouches, comme si elle lisait sur les lèvres. Elle se rappela une autre bouche, celle de Paul. Comme il l'avait pincée d'un air désapprobateur quand il avait vu l'appareil pour la première fois ! Monté sur pivot, énorme, celui-ci écrasait de sa masse les deux aquarelles de Cotman, représentant la cathédrale de Norwich, qui le flanquaient. Paul, toutefois, n'avait fait aucune remarque et elle s'était dit, comme en un défi, qu'elle se moquait pas mal de sa réaction. Maintenant, elle pouvait regarder le « cinéma de minuit » sans être désagréablement consciente de sa présence dans la chambre contiguë, sans avoir à penser que le bruit l'empêchait de dormir, qu'il interprétait les cris et les coups de feu assourdis comme des manifestations bruyantes de la guerre plus subtile qu'ils menaient l'un contre l'autre.

Ce que Paul désapprouvait aussi, c'était son désordre — protestation inconsciente contre l'impersonnalité, la netteté exagérée du reste de la maison. A la lueur de sa lampe de chevet, elle regarda tranquillement la pagaille qui régnait dans la chambre, les vêtements éparpillés aux endroits où elle les avait laissés choir : sa robe de chambre en satin jetée au pied du lit, sa jupe grise étalée en éventail sur le dos d'une chaise, son slip posé comme une ombre pâle sur le tapis, son soutien-gorge pendant par une bretelle de la coiffeuse. Comme cette pièce de lingerie avait l'air ridicule, indécente, ainsi abandonnée ! Malgré les fines dentelles, ses bonnets aux formes terriblement précises lui donnaient un aspect chirurgical. Mattie rangerait tout ça le lendemain matin. Elle ramasserait les dessous pour les laver, accrocherait vestes et jupes dans le placard. Assise dans son lit, le plateau du petit déjeuner sur les genoux, Barbara la regarderait faire. Puis elle se lèverait, s'habillerait et affronterait le monde, immaculée comme toujours.

Cette chambre avait été celle d'Anne Berowne. Barbara s'y était installée après son mariage. Paul lui avait suggéré d'en choisir une autre, mais elle n'avait vu aucune raison d'aller dormir ailleurs, dans une chambre plus petite, moins belle et qui n'ouvrait pas sur le jardin, simplement parce que ce lit avait servi à la morte. Après avoir été celle d'Anne, cette chambre était devenue la chambre conjugale ; ensuite, elle l'avait occupée toute seule, mais toujours consciente du fait que son mari dormait à côté. Maintenant, elle lui appartenait sans partage. Elle se rappela l'après-midi où Paul et elle s'étaient tenus pour la première fois ensemble dans cette pièce, après le mariage. Il lui avait parlé d'un ton tellement guindé que c'était à peine si elle avait reconnu sa voix. On aurait dit qu'il faisait visiter les lieux à un éventuel acheteur.

« Vous aurez peut-être envie de changer les tableaux ; il y en a quelques-uns dans le petit salon. Anne aimait les aquarelles. La lumière, ici, les met en valeur, mais vous n'êtes nullement obligée de les garder. »

Elle avait trouvé les tableaux ennuyeux : de fades paysages anglais peints par des artistes que, selon

Paul, elle aurait dû pouvoir reconnaître. Ils lui déplaisaient toujours autant, mais pas assez pour les remplacer par d'autres. Toutefois, à partir du moment où elle en avait pris possession, la chambre avait changé d'aspect : elle était devenue plus douce, plus luxueuse, plus parfumée, plus féminine. Et, graduellement, aussi encombrée qu'un magasin d'antiquités. Barbara avait parcouru la maison et monté chez elle tous les meubles et objets hétéroclites qui lui faisaient envie. Comme si ces razzias répétées avaient eu pour but de combler tous les vides où auraient pu se glisser des fantômes rejetés, mais insidieux. Il y avait là, sous globe, un vase Régence à deux anses rempli de fleurs multicolores faites en coquillages, un cabinet Tudor couvert d'une dorure couleur bronze et orné de médaillons ovales en porcelaine représentant des scènes pastorales, un buste de John Soane sur un socle de marbre, une collection de tabatières du XVIIIᵉ siècle qu'elle avait ôtées de leur vitrine et éparpillées sur sa coiffeuse. Pourtant il restait encore des fantômes, des fantômes vivants, des voix présentes dans l'air qu'aucun bibelot, aussi désiré fût-il, n'avait le pouvoir d'exorciser. Adossée contre ses oreillers parfumés, elle se retrouva au temps de son enfance, petite fille de douze ans couchée dans son lit, incapable de dormir, les mains crispées sur les couvertures. A demi intelligibles, les bribes d'interminables disputes écoutées d'une oreille distraite pendant des semaines et des mois, lui revinrent soudain sous forme d'un tout cohérent, poli par son imagination, et désormais inoubliable.

« Je croyais que tu voulais la garde des enfants. Tu es leur père.

— Pour te dégager de toute responsabilité et te permettre d'aller t'amuser en Californie ? N'y compte pas, ma chère ! C'est toi qui les as voulus, ces gosses. Maintenant, tu peux les garder. Frank ne s'attendait sûrement pas à se retrouver avec un beau-fils et une belle-fille. J'espère que ça lui fera plaisir.

— Ils sont anglais. Leur place est ici.

— Qu'est-ce que tu lui avais dit ? Que tu étais sans charge de famille ? Plus très fraîche, mais libre ? La place des enfants est auprès de leur mère. Même une chienne a encore des restes d'instinct maternel. Tu les prends avec toi ou je refuse de divorcer.

— Mon Dieu, Donald, ce sont tes enfants. Tu n'as donc aucune affection pour eux ?

— Je les aurais peut-être aimés si tu m'en avais laissé le loisir et s'ils te ressemblaient moins. Les choses étant ce qu'elles sont, ils m'indiffèrent. Tu veux être libre ? Moi aussi.

— Alors nous n'avons qu'à les partager. Je prends Barbie, tu gardes Dicco. Un garçon doit rester auprès de son père.

— Là, il y a comme un problème. Tu ferais bien de consulter son père, au cas où tu saurais de qui il s'agit. Laisse-lui Dicco. Je ne m'y opposerai certainement pas. Si ce garçon avait quoi que ce soit de moi, je m'en serais aperçu ! Il est grotesque !

— Espèce de salaud ! »

Je ne veux pas écouter, je ne veux pas me souvenir, je ne veux pas y penser, se dit Barbara. Elle pressa le bouton qui réglait le volume, laissant les voix querelleuses lui frapper les oreilles. Elle n'entendit pas la porte s'ouvrir, mais soudain un carré de lumière se détacha sur le parquet : Dicco apparut enveloppé d'un peignoir, ses cheveux bouclés nimbant sa tête d'une auréole ébouriffée. Il resta un moment sur le seuil à la regarder en silence, puis, pieds nus, traversa la pièce dans sa direction.

243

Il s'assit tout près d'elle, faisant rebondir les ressorts du lit.

« Tu as du mal à t'endormir ? » s'enquit-il.

Avec un sentiment de culpabilité familier, elle éteignit le téléviseur.

« Je pensais à Sylvia et à père.

— Lequel ? Nous en avons eu tellement.

— Le premier. Notre vrai père.

— Vrai ou faux, je me demande ce qu'il est devenu. Il doit être mort à présent. Le cancer était encore trop bon pour lui. N'y pense pas. Pense plutôt à l'argent. C'est toujours réconfortant. Pense à ta nouvelle liberté, à toi-même. Pense au fait que tu seras très belle en noir. Tu n'as pas peur ?

— Bien sûr que non. De quoi aurais-je peur ? Retourne dans ton lit, Dicco.

— *Son* lit. Tu sais que je dors dans son lit, n'est-ce pas ?

— Mattie sera fâchée, et lady Ursula aussi. Tu aurais pu prendre la chambre d'amis ou retourner chez Bruno.

— Bruno ne veut plus de moi, il n'a jamais voulu de moi chez lui. Pas de place. Et puis, son appart n'est vraiment pas confortable. Tu veux que je sois bien tout de même ? Et, à dire vrai, j'en ai un peu marre de Bruno. Ma place est ici. Je suis ton frère. Cette maison t'appartient désormais. Je ne te trouve pas très hospitalière, Barbie. Moi qui pensais que tu serais contente de m'avoir auprès de toi ! Pour le cas où tu aurais envie de bavarder cette nuit, de te confier, d'avouer. Allez, avoue, Barbie : qui, d'après toi, a tué Paul ?

— Comment veux-tu que je le sache ? Quelqu'un a dû s'introduire dans l'église. Un voleur, un autre clochard, quelqu'un qui voulait faucher les objets de valeur qui s'y trouvaient. Je ne veux pas en parler.

— C'est ce que pense la police ?

— Je crois que oui, mais je n'en suis pas certaine.

— Eh bien moi, je vais te le dire : la police pense que Saint-Matthew était un choix curieux pour un voleur. Qu'y avait-il à voler là-bas ?

— Les choses qui sont sur l'autel, non ? Des chandeliers, une croix. Il y en avait dans l'église où je me suis mariée.

— Je n'étais pas à ton mariage, Barbie. Tu ne m'avais pas invité, tu te souviens ?

— Paul voulait une cérémonie intime. Oh, qu'est-ce que ça peut bien faire ? »

C'était là une autre chose dont Paul l'avait frustrée, pensa-t-elle. Elle avait imaginé un grand mariage. Elle se voyait remontant gracieusement la nef de Saint-Margaret de Westminster dans une robe de satin blanc et un voile ultra-léger, au milieu des fleurs, de la foule, des photographes. Paul préférait le bureau de l'état-civil. Devant ses protestations, il avait choisi l'église de leur paroisse et la plus discrète des cérémonies. Comme si ce mariage avait eu un côté clandestin, indécent.

D'une voix insinuante, Dicco chuchota :

« Ils ne les laissent plus sur l'autel, pas la nuit, en tout cas. Les croix, les chandeliers, ils les mettent sous clé. Les églises sont sombres et vides. Plus d'argent ni d'or, plus de lumières. Rien. Crois-tu que c'est à ce moment-là que leur Dieu descend de Sa croix et se promène dans Sa maison, s'approche de l'autel et découvre que ce n'est qu'une vulgaire table en bois autour de laquelle on a punaisé un morceau de tissu à dentelles pour faire riche ? »

Barbara se tortilla sous ses couvertures.

« Arrête de dire des bêtises, Dicco. Va te coucher. »

Son frère se pencha vers elle. Son visage, si semblable au sien et pourtant si différent, luisait à quelques centimètres de ses yeux. Elle pouvait discerner la transpiration sur son front et sentir son haleine avinée.

« Theresa Nolan, fit-il, cette fille qui s'est suicidée. Tu crois que Paul était le père de son enfant ?

— Absolument pas. Qu'est-ce que vous avez tous à parler de cette fille ?

— Qui d'autre en parle ? Les flics ?

— Je ne me souviens pas. Je crois que le commandant Dalgliesh m'a demandé pourquoi elle était partie. Ou quelque chose de ce genre. Je ne veux pas y penser. »

Dicco eut un petit rire indulgent, complice.

« Écoute, sœurette, tu ne peux pas continuer à vivre en refusant de penser à certaines choses simplement parce qu'elles te dérangent. C'était son enfant, n'est-ce pas ? Voilà donc ce que faisait ton mari pendant que tu folâtrais avec ton amant : il baisait l'infirmière de sa mère. Et cette autre fille, Diana Travers, celle qui s'est noyée, qu'est-ce qu'elle foutait ici ?

— Tu le sais bien : elle aidait Mattie.

— C'était plutôt dangereux, tu ne trouves pas, de travailler pour ton mari ? Tu sais, si Paul a vraiment été assassiné, celui qui a fait ça devait être quelqu'un de très intelligent. Ce quelqu'un savait que ton mari se trouvait dans cette église et qu'il y avait un rasoir à proximité. Un homme prêt à prendre d'énormes risques, habitué à couper dans la chair vive. Connais-tu quelqu'un qui réponde à cette description, Barbie ? Heureusement que Stephen et toi avez un alibi.

— Toi aussi, tu en as un.

— Comme Mattie, évidemment. Et lady Ursula. Et Halliwell. Un peu suspect tous ces alibis en béton. Qu'en est-il de Sarah ?

— Je ne lui ai pas parlé.

— Eh bien, espérons qu'elle n'en a pas un elle aussi, sinon la police va commencer à nous soupçonner de complot. Quand tu m'as appelé pour me dire que Paul allait te plaquer, je t'ai dit que ça ne poserait pas de problèmes. Tu vois, ça n'en pose pas. Je t'ai dit de ne pas te tracasser pour l'argent. Eh bien, tu n'as plus de soucis à te faire : sa fortune t'appartient maintenant.

— Ça ne représente pas grand-chose.

— Allons, Barbie, c'est bien suffisant ! Rien que la maison doit valoir au moins un million de livres. Et Paul avait pris une assurance sur la vie, non ? Son contrat comportait-il une clause de suicide ? Ça serait embêtant.

— Mr. Farrell m'a dit que non. Je le lui ai demandé. »

Dicco fit de nouveau entendre son petit rire étouffé, mi-grognement mi-gloussement.

« Ainsi tu t'es déjà renseignée à ce sujet ? Tu n'as pas perdu de temps, dis donc. Est-ce l'opinion de l'avocat ? Que Paul s'est suicidé ?

— Les avocats ne te font jamais part de leurs opinions. Mr. Farrell m'a conseillé de ne parler à la police qu'en sa présence.

— La famille n'acceptera pas la thèse d'un suicide, elle préférera celle d'un meurtre. C'en était peut-être un, d'ailleurs. Si Paul voulait se suicider, pourquoi ne s'est-il pas servi du revolver ? Celui de son frère. Un homme qui possède une arme à feu ne se tranche pas la gorge. Et il avait aussi des balles, n'est-ce pas ? Au fait, où est-il, ce revolver ? Toujours dans le coffre ?

— Non. Je ne sais pas où il est.

— Que veux-tu dire ? Tu as regardé ?

— Oui, hier, après le départ de Paul. Ce n'était pas le revolver que je cherchais. Je voulais voir s'il y avait des papiers, son testament. J'ai ouvert le coffre et constaté que le revolver avait disparu.

— Tu en es sûre ?

— Certaine. Le coffre est tout petit.

— Et tu ne l'as pas signalé à la police ? Tu aurais évidemment eu du mal à expliquer pourquoi tu voulais jeter un coup d'œil au testament de ton mari, quelques heures à peine avant que celui-ci ait eu la bonne idée de mourir.

— Je n'en ai parlé à personne. Mais toi, comment sais-tu qu'il y avait un revolver ?

— Ma parole, tu es vraiment incroyable, Barbie ! On retrouve ton mari égorgé, son revolver a disparu, et toi tu ne dis rien à personne.

— Je suppose que Paul s'en est débarrassé. De toute façon, ça n'a pas d'importance. Il ne s'est pas tiré une balle dans la tête. Dicco, va te coucher. Je suis fatiguée.

— Comment se fait-il que tu prennes la disparition de ce revolver aussi calmement ? C'est parce que tu sais qui s'en est emparé. Tu le sais ou tu t'en doutes. Qui était-ce ? Lady Ursula, Halliwell, Sarah, ton amant ?

— Mais je n'en sais rien ! Dicco, laisse-moi tranquille ! Je suis fatiguée. Je n'ai plus envie de parler. Je veux dormir. »

Les yeux de Barbara s'emplirent de larmes. Ce n'était pas gentil de la part de son frère de la mettre dans cet état. Soudain, elle s'apitoya terriblement sur elle-même, veuve, seule, vulnérable. Et enceinte. Lady Ursula lui avait interdit de parler du bébé à qui que ce fût, même pas à la police, même pas à Dicco. Mais son frère ne tarderait pas à s'en apercevoir. Tout le monde s'en apercevrait. Et c'était bien ainsi. Les autres pourraient s'occuper d'elle, lui éviter les soucis. Paul l'aurait sûrement fait, mais Paul n'était plus là. Elle ne lui avait parlé du bébé qu'hier matin. Hier. Mais elle ne voulait pas penser à la journée d'hier, pas maintenant, plus jamais. Le film allait commencer : un Hitchcock rediffusé. Elle avait toujours aimé Hitchcock. Son frère n'avait pas le droit d'entrer comme ça chez elle, de la tourmenter, de l'obliger à se rappeler.

Dicco sourit et lui tapota la tête comme si elle avait été un chien. Puis il partit. Elle attendit qu'il eût refermé la porte et qu'elle pût être sûre qu'il ne reviendrait pas. Ensuite, elle pressa le bouton de commande. L'écran s'alluma. Le générique de l'émission précédente se mit à défiler. Il était temps. Elle se cala contre ses oreillers, veillant à garder le son baissé pour qu'il n'entendît rien.

9

Massingham s'était attardé au Yard plus longtemps qu'il n'était strictement nécessaire. Il était déjà minuit moins une quand sa voiture s'engagea dans l'allée de la villa située à Saint-Peterburgh Place. Cependant, de la lumière brûlait encore au rez-de-chaussée : son père veillait. Sans faire de bruit, il tourna la clé dans la serrure et poussa furtivement la porte. En vain. Son père avait dû guetter le bruit de la voiture. Presque aussitôt, la porte du petit salon s'ouvrit et Lord Dungannon sortit en traînant les pieds. « Pantalon en pantoufles » pensa Massingham, image involontaire qui entraîna à sa suite le cortège habituel de pitié, d'irritation et de remords.

« Ah, vous voilà, mon cher John. Purvis vient de

m'apporter le plateau des alcools. Voulez-vous vous joindre à moi ? »

Son père ne l'appelait jamais "mon cher John". Ces paroles sonnaient faux. Elles étaient théâtrales, ridicules. Il lui répondit sur le même ton emprunté :

« Non, merci père. Je ferais mieux d'aller me coucher. J'ai eu une rude journée. Nous travaillons sur l'affaire Berowne.

— Berowne ? Ah oui, bien sûr. Elle s'appelait lady Ursula Stollard avant de se marier. Votre tante Margaret a été présentée à la Cour la même année qu'elle. Mais elle doit bien avoir plus de quatre-vingts ans maintenant. Son décès ne peut avoir surpris personne.

— Ce n'est pas lady Ursula qui est décédée, père, c'est son fils.

— Ah bon ? Je croyais que Hugo Berowne avait été tué en Irlande du Nord.

— Il ne s'agit pas de Hugo, mais de Paul.

— Paul. »

Son père sembla réfléchir à ce nom, puis reprit :

« Dans ce cas, je dois envoyer un mot à lady Ursula. La pauvre femme. Si vous êtes sûr que vous ne voulez pas entrer... »

Sa voix qui, depuis avril, s'était mise à chevroter, s'interrompit. Massingham gravissait déjà l'escalier. Arrivé à mi-hauteur, il s'arrêta et regarda en bas, par-dessus la rampe, s'attendant à voir son père retourner dans le salon, à sa solitude et à son whisky. Mais le vieillard était toujours là, levant vers lui des yeux qui semblaient remplis d'une espérance presque indécente. Dans la forte lumière du hall d'entrée, Massingham vit clairement les changements que les cinq derniers mois avaient opérés dans les traits accusés de la famille. La chair paraissait avoir glissé des os, de sorte que son nez aquilin fendait sa peau comme une lame de couteau, tandis que les bajoues formaient des poches molles qui évoquaient une volaille plumée. Les cheveux du roux ardent des Massingham avaient pâli, pris la couleur et l'aspect de la paille. Père a l'air aussi archaïque qu'un dessin de Rowlandson, se dit-il. La vieillesse nous transforme tous en caricatures. Pas étonnant que nous la redoutions.

Alors qu'il montait les quelques marches qui menaient à son appartement, il se retrouva en proie au même vieux conflit. Cela devenait vraiment intolérable. Il fallait qu'il déménageât au plus vite. Mais comment ? Depuis son entrée dans la police, mis à part la brève période passée dans un foyer, il avait toujours vécu dans une partie séparée de la maison paternelle. Du vivant de sa mère, ç'avait été une solution parfaite. Absorbés l'un par l'autre, comme ils l'avaient toujours été depuis le mariage tardif de son père, dans la quarantaine, ses parents l'avaient laissé tranquille, remarquant à peine sa présence à la maison. La porte d'entrée commune avait représenté une petite gêne, mais rien de plus. Il avait vécu confortablement, payé un loyer insignifiant, fait des économies en se disant qu'il s'achèterait un appartement quand il le pourrait. Il avait même trouvé le moyen d'avoir de discrètes liaisons, sans cesser pour autant de recourir au personnel de plus en plus réduit qu'employait sa mère, pour se faire préparer un repas, laver son linge, nettoyer son appartement ou poster ses paquets.

Cependant, la mort de sa mère, en avril, avait tout changé. Quand la Chambre des Lords siégeait, son père parvenait à tuer le temps. Muni de sa carte d'abonnement, il partait prendre le bus numéro 12 ou 88 à destination de Westminster, déjeunait au Parlement et passait parfois les soirées à dormir pendant les débats nocturnes. Mais les week-ends, et surtout lors des vacances parlementaires, il deve-

nait aussi collant qu'une épouse possessive. Il surveillait les allées et venues de son fils avec une
attention quasi maniaque, guettait le bruit de sa clé
dans la serrure, lui demandait timidement, mais
d'un air implorant, de lui tenir compagnie. Les deux
plus jeunes frères de Massingham étaient encore au
collège. Pendant les vacances, ils échappaient au
chagrin de leur père en habitant chez des amis. Son
unique sœur avait épousé un diplomate et vivait à
Rome. Son frère cadet était à Sandhurst. Le fardeau
reposait presque entièrement sur ses épaules. Maintenant, le modeste loyer qu'il payait était une contri-
bution presque aussi nécessaire aux revenus sans
cesse amoindris de son père que l'indemnité de
présence quotidienne du vieil homme à la Chambre
des Lords.

J'aurais pu lui consacrer dix minutes, se dit-il,
pris de remords. Dix minutes d'une conversation
embarrassée, de bavardages au sujet de son travail
que, jusqu'ici, son père n'avait jamais jugé digne
d'intérêt. Dix minutes d'ennui, à peine allégé par
l'alcool, et créant un précédent pour d'autres nuits
similaires.

En fermant la porte de son appartement derrière
lui, il pensa à Kate Miskin. Quelques kilomètres
plus loin, à l'ouest, sa collègue se détendait chez
elle en buvant un verre, libre et la conscience en
paix. Il fut saisi d'une envie et d'une rancune si
intenses qu'il parvint presque à se convaincre que
tout était la faute de Kate.

Troisième partie

LES TÉMOIGNAGES

1

Quoique poli, le message qu'ils reçurent de Pembroke Lodge était parfaitement clair. Le docteur Lampart opérerait toute la matinée ; il serait toutefois heureux de recevoir le commandant Dalgliesh dès qu'il serait libre, soit à une heure, soit un peu plus tard — en fonction de son programme opératoire. Traduit en bon anglais, cela signifiait que, en homme qui consacre tout son temps à sauver des vies humaines et à soulager la souffrance d'autrui, le docteur Lampart pouvait affirmer à bon droit que ces activités bienfaisantes passaient avant les occupations sordides d'un policier, aussi distingué fût-il. L'heure du rendez-vous était habilement choisie, elle aussi. Dalgliesh pouvait difficilement se plaindre d'avoir à sauter son déjeuner si le docteur Lampart, qui remplissait des tâches autrement plus importantes, se souciait manifestement si peu du sien.

Dalgliesh emmena Kate et lui demanda de prendre le volant. La jeune femme se glissa de bonne grâce sur le siège de droite et se comporta à sa manière habituelle, c'est-à-dire, avec compétence et strictement selon les règles, sans ces accès d'impatience ou ces brusques pointes de vitesse qui caractérisaient le style de Massingham. Quand ils furent en haut de Haverstock Hill et passèrent près du Round Pond, Dalgliesh lui dit :

« Attention, Pembroke Lodge se trouve à huit cents mètres environ après le *Spaniards*. L'entrée est facile à rater. »

Malgré cet avertissement, ils faillirent dépasser la grande grille blanche qui, placée en retrait de la route, était cachée par des marronniers. Une large allée de gravier tournait à gauche, puis se divisait pour encercler une impeccable pelouse, en face de la maison. Ils aperçurent une élégante villa basse du début du siècle. Située au bord de la lande, on voyait qu'elle avait été bâtie à une époque où un homme riche pouvait satisfaire ses envies d'air pur et de vastes horizons, tout en jouissant de la proximité de Londres, sans en être empêché par le service de l'urbanisme ou des protecteurs de l'environnement soucieux de préserver l'intégrité du terrain communal. Alors que les roues de la Rover faisaient crisser le gravier, Dalgliesh remarqua que les anciennes écuries, construites à droite de la maison, avaient été transformées en garages. A part cela, on ne discernait guère d'autres changements architecturaux, du moins de l'extérieur. Il se demanda quelle capacité pouvait avoir cette maternité. Un maximum de trente lits, jugea-t-il. Mais Stephen Lampart ne travaillait pas seulement dans ses murs. Comme Dalgliesh l'avait déjà vérifié, il enseignait dans deux des plus grands C.H.U. londoniens et il devait opérer dans des cliniques privées autres que la sienne. Cependant, Pembroke Lodge était son affaire personnelle et Dalgliesh ne doutait pas qu'elle fût extrêmement rentable.

La porte extérieure était ouverte. Elle menait à un élégant vestibule ovale où ils virent deux portes et un écriteau invitant les visiteurs à entrer. Ils pénétrèrent dans un hall carré et très lumineux. L'escalier, pourvu d'une balustrade délicatement sculptée, était éclairé par un vitrail. A gauche, se trouvait une cheminée sculptée en marbre veiné, surmontée d'un tableau peint à la manière d'un Gainsborough de la dernière période : une jeune mère au visage grave dont les bras blancs enserraient ses deux filles dans des bouillons de satin bleu et de dentelle. A droite, derrière un bureau en acajou à l'aspect plus décoratif qu'utilitaire, complété par l'inévitable coupe remplie de roses, se tenait une réceptionniste en blouse blanche.

On percevait une odeur de désinfectant, que dominait la senteur plus lourde des fleurs. De grandes gerbes de roses et de glaïeuls, des bouquets dans des corbeilles enrubannées et d'autres exemples encore plus outrés de l'ingéniosité des fleuristes s'entassaient près de la porte en attendant d'être distribués. Dès l'entrée, on était frappé par une atmosphère de luxe et de féminité. Ce n'était pas un endroit où un homme pouvait se sentir chez lui. Dalgliesh eut cependant l'impression que le malaise qu'éprouvait Kate était encore plus intense que le sien. Il la vit regarder avec un dégoût mêlé de fascination un spécimen d'offrandes conjugales qui remportait la palme de la bizarrerie : un berceau d'au moins soixante centimètres de long, couvert de rangs serrés de boutons de rose teints en bleu et montés sur fil de fer ; il était garni d'un oreiller et d'une petite couverture en œillets blancs pareillement décapités ; l'ensemble de cette monstruosité était noué d'une faveur bleue. Ils se dirigeaient vers la réception, lorsqu'une femme élégante, d'un certain âge, vêtue d'un ensemble rose pâle, traversa le hall en poussant devant elle une table roulante chargée de bouteilles colorées, de vernis à ongles et d'un assortiment de petits pots. Dalgliesh se souvint d'une conversation entendue quelques mois plus tôt à un dîner : « Mais, ma chère, c'est un endroit fabuleux ! On vous y chouchoute dès votre arrivée. Coiffeuse, esthéticienne, menus gastronomiques, et du champagne au lieu de Valium en cas de cafard. La grande classe, quoi. Et pourtant, je me demande s'ils n'en font pas un peu trop. On est absolument indignée quand commencent les douleurs de l'accouchement et qu'on se rend compte que même ce cher Stephen ne peut nous éviter certaines petites gênes et humiliations. » Dalgliesh se demanda soudain si Lampart s'était jamais retrouvé avec une patiente morte sur les bras. Probablement pas, et en tout cas, pas ici. Les parturientes à risque devaient être envoyées ailleurs. Bien que cet endroit dégageât un subtil parfum de vulgarité, on veillait à en exclure rigoureusement le comble du mauvais goût : la mort et l'échec.

Tout comme le décor, la réceptionniste avait été choisie pour rassurer. C'était une femme d'âge mûr, agréable à regarder plutôt que belle, soignée de sa personne et impeccablement coiffée. Mais oui, certainement, le docteur Lampart les attendait. Il demandait au commandant Dalgliesh de bien vouloir patienter un petit instant. Désiraient-ils prendre un café ? Non ? Dans ce cas, voulaient-ils bien attendre au salon ?

Dalgliesh regarda sa montre. Il jugea que Lampart arriverait dans cinq minutes environ, délai assez long pour montrer qu'il n'avait pas peur, mais assez court pour ne pas se mettre à dos un homme qui, après tout, était l'un des chefs de Scotland Yard.

Le salon dans lequel on les introduisit était une grande pièce haute de plafond. Elle comportait un oriel central flanqué de deux autres, plus petits, par lesquels on apercevait la pelouse et, au-delà, une vue lointaine de la lande. Le tapis d'Axminster, les sofas disposés à angle droit par rapport à la cheminée, la cheminée elle-même où des charbons synthétiques brûlaient sous le manteau sculpté, étaient comme des vestiges du style un peu compassé et du confort somptueux de la Belle Époque. Stephen Lampart avait résisté à la tentation d'utiliser cette pièce de caractère purement domestique à des fins médicales. Il n'y avait pas de table de consultation discrètement dissimulée derrière un paravent, pas de lavabo. Seul le bureau en acajou rappelait au visiteur qu'on y traitait aussi des affaires.

Dalgliesh regarda les tableaux. Un Frith était accroché au-dessus de la cheminée. Il s'en approcha pour l'examiner. C'était une scène quelque peu idéalisée de la vie sous la reine Victoria. Une gare londonienne ; des héros en uniforme rentrant de quelque aventure coloniale ; une voiture de première classe à l'avant-plan. Des dames élégamment vêtues et enrubannées, accompagnées de leurs filles portant des culottes bouffantes conformes à la décence, saluaient leurs maris selon les règles de la bienséance tandis que l'accueil moins guindé des simples soldats occupait les bords de la toile. Sur le mur opposé s'étageaient des dessins de décors et de costumes de théâtre apparemment destinés à des pièces de Shakespeare. Quelques-unes des plus notables patientes de Lampart devaient appartenir au monde du spectacle, et ces esquisses avaient été offertes en remerciement de services rendus. Des photos dans des cadres d'argent couvraient une petite table placée contre le mur. Deux d'entre elles, traversées de signatures hardies, représentaient des monarques européens de second ordre, désormais déchus. Les autres, des mères impeccablement vêtues et coiffées, à l'expression timide, sentimentale, triomphante ou perplexe, exhibant leurs nouveau-nés dans leurs bras inexpérimentés.

On sentait la présence de la nurse à l'arrière-plan. Cette collection de maternités semblait jurer avec le reste de cette pièce essentiellement masculine. Encore heureux que le bonhomme n'eût pas exposé ses diplômes au-dessus du buffet, se dit Dalgliesh.

Abandonnant Kate à la contemplation du Frith, il s'approcha des fenêtres. L'énorme marronnier planté au milieu de la pelouse était encore touffu comme en été, mais la rangée de hêtres qui cachaient à moitié la lande montraient déjà des touches de bronze automnal. La lumière matinale filtrait à travers un ciel qui, d'abord opaque comme du lait, s'était éclairci et prenait maintenant une teinte argentée. Il n'y avait pas de soleil, mais Dalgliesh le sentait briller au-dessus du voile de nuages et l'air était léger. Deux personnes marchaient lentement dans l'allée : une infirmière en coiffe et cape blanche et une femme portant un casque de cheveux blonds, vêtue d'un manteau de fourrure trop lourd pour la saison.

Six minutes, exactement, s'écoulèrent avant que Stephen Lampart apparût. Il entra sans se presser, s'excusa de les avoir fait attendre et les salua avec calme et courtoisie, comme s'il recevait une visite mondaine. Si le fait que Dalgliesh fût accompagné d'une femme l'étonna, il le cacha d'admirable façon. Mais lorsque le policier les présenta l'un à l'autre et qu'ils se serrèrent la main, Dalgliesh surprit le regard critique que Lampart lança à la jeune femme. On aurait dit qu'il accueillait une future patiente et qu'il s'efforçait, grâce à sa longue expérience, de déterminer si elle était susceptible de lui créer des ennuis.

Lampart arborait des vêtements coûteux, mais d'un classicisme modéré. Avec son complet en tweed gris foncé aux rayures quasi invisibles et sa chemise bleue immaculée, il tentait sans doute de se différencier d'autres médecins à la mode, au conservatisme plus intimidant. On aurait pu le prendre pour un banquier, un professeur ou un homme politique. Mais, quel que fût son métier, il y aurait excellé. Son visage, sa tenue, son regard assuré portaient la marque distinctive de la réussite.

Contrairement aux prévisions de Dalgliesh, il ne s'assit pas derrière le bureau, position qui lui aurait donné l'avantage. Après leur avoir fait signe de prendre place sur le canapé, il s'installa en face d'eux, dans un fauteuil à haut dossier droit. Cela lui conférait une supériorité plus subtile et permettait de ramener l'entrevue au niveau d'une discussion presque intime portant sur un problème commun.

« Je connais évidemment la raison de votre visite, commença-t-il. Quelle histoire épouvantable ! J'ai encore du mal à y croire. Mais les parents, les amis d'un homme assassiné doivent vous dire ce genre de choses. Un événement aussi brutal qu'un meurtre, ça n'arrive qu'aux autres, pas aux gens que l'on connaît.

— Comment avez-vous appris la mort de sir Paul Berowne ?

— Lady Berowne m'a téléphoné peu après que la police soit venue prévenir la famille. Je suis allé la voir dès qu'il m'a été possible de me libérer. Je voulais lui offrir toute l'aide que je puis lui donner, à elle ou à lady Ursula. Je continue à ignorer les détails de cette affaire. En savez-vous un peu plus maintenant sur ce qui s'est passé ?

— Les deux hommes avaient la gorge tranchée. Nous ignorons toujours pourquoi ou par qui.

— C'est bien ce que j'avais cru comprendre, mais j'ai eu l'impression que la presse et la télévision nous cachaient quelque chose. Je suppose que vous traitez cette affaire comme un meurtre.

— Nous n'avons pas le moindre indice qui pourrait indiquer qu'il s'est agi d'un double suicide, répondit Dalgliesh sèchement.

— La porte de l'église, celle qui menait à la sacristie, ou quel que soit l'endroit où l'on a découvert les cadavres, puis-je vous demander si vous l'avez trouvée ouverte ? Ou bien est-ce là le genre de questions auxquelles vous n'êtes pas censés répondre ?

— Elle était ouverte.

— Bon. Voilà qui va rassurer lady Ursula. »

Stephen Lampart ne précisa pas sa pensée. Mais il est vrai que c'eût été inutile. Après un silence, il reprit :

« Qu'attendez-vous de moi, Commandant ?

— Que vous me parliez de sir Berowne. Ce meurtre pourrait correspondre à ce qu'il paraît être à première vue : sir Paul a laissé entrer un inconnu qui les a tués, lui et le clochard. Mais si l'affaire s'avère moins simple, il nous faut glaner le maximum de renseignements sur la victime.

— Y compris qui aurait pu savoir où il se trouvait hier soir et le haïr assez pour lui trancher la gorge.

— Y compris tout ce que vous pouvez nous dire qui ait un rapport, même très vague, avec ce décès. »

Lampart se tut un moment comme pour rassembler ses esprits. Dalgliesh et Kate savaient parfaitement l'un comme l'autre que c'était fait depuis longtemps.

« Je ne pense pas pouvoir vous être d'un grand secours, commença le médecin. Rien de ce que je sais, ou de ce que j'ai deviné au sujet de Paul Berowne n'a le moindre rapport, même vague avec sa mort. Si vous me demandez s'il avait des ennemis, je vous répondrai qu'il devait en avoir eu. Des ennemis politiques, s'entend. Je crois toutefois que Paul en comptait moins que la plupart des autres membres du gouvernement, et, de toute façon, ils n'étaient pas du genre à recourir au meurtre. L'idée qu'il pourrait s'agir d'un assassinat politique me paraît tout à fait absurde. A moins qu'évidemment..., Lampart s'interrompit et Dalgliesh attendit, ... à moins qu'un membre de l'extrême gauche ait éprouvé une animosité personnelle à son égard. Mais cela me semble invraisemblable. Plus que cela : ridicule. Sa fille, Sarah, détestait ses opinions politiques. Cependant, je n'ai aucune raison de supposer que le groupuscule auquel elle appartient, ou même son petit ami marxiste, iraient jusqu'à jouer du rasoir.

— De quel groupuscule s'agit-il ?

— Oh, c'est une petite bande de révolutionnaires d'extrême gauche. Je ne crois pas que le Labour les accepterait. Je m'étonne que vous ne le sachiez pas. La Special Branch ne surveille-t-elle pas cette catégorie de citoyens ? »

Lampart le regardait d'un air franc et quelque peu interrogateur, mais dans sa voix soigneusement maîtrisée, Dalgliesh décela une pointe de mépris. Il se demanda si Kate avait elle aussi perçu cette nuance.

« Qui est cet ami ? interrogea-t-il.

— Écoutez, commandant, je ne l'accuse pas. Je n'accuse personne. »

Dalgliesh ne répondit pas. Il se demanda combien de temps Lampart jugerait bon de garder le silence avant de lui donner le renseignement requis. Au bout d'un moment, le gynécologue reprit :

« Il s'appelle Ivor Garrod. C'est le porte-drapeau de tous les mouvements à la mode. Je ne l'ai rencontré qu'une seule fois, il y a environ cinq mois. Sarah l'avait emmené dîner à Campden Hill Square, principalement pour embêter papa, je présume. Je préfère oublier ce repas. Mais d'après les propos qu'il a tenus ce soir-là, je déduis que la violence qu'il préconise est à une échelle autrement plus vaste que l'assassinat isolé d'un ancien membre conservateur du gouvernement.

— Quand avez-vous vu sir Paul pour la dernière fois ? »

Bien qu'il parût légèrement surpris par ce brusque changement de sujet, Lampart répondit d'une voix assez calme :

« Il y a six semaines. Nous n'étions plus aussi liés qu'autrefois. En fait, j'avais l'intention de l'appeler aujourd'hui pour lui demander s'il voulait dîner avec moi ce soir ou demain. A moins, bien sûr, que sa conversion religieuse ne lui eût ôté le goût de la bonne chère et du bon vin.

— Pourquoi vouliez-vous le voir ?

— J'avais l'intention de lui demander ce qu'il comptait faire au sujet de sa femme. Comme vous le savez certainement, il s'est récemment démis de ses fonctions de député et de secrétaire d'État. Il envisageait de se retirer complètement de la vie publique. Je voulais savoir si cet abandon incluait sa femme. Dans ce cas, avait-il assuré l'avenir de lady Berowne, de Barbara ? C'est ma cousine. Nous nous connaissons depuis l'enfance. Je m'intéresse à elle.

— Jusqu'à quel point ? »

Par-dessus son épaule, Lampart jeta un regard de biais à la femme blonde et à l'infirmière qui continuaient inlassablement à tourner autour de la pelouse. Pendant un instant, il sembla concentrer son attention sur elles, puis se reprenant d'une façon un peu trop ostentatoire, il s'adressa de nouveau à Dalgliesh :

« Excusez-moi. Jusqu'à quel point ? Je ne veux pas l'épouser, si c'est cela que vous sous-entendez, mais je m'inquiète de son sort. Depuis trois ans, je ne suis pas seulement son cousin, mais aussi son amant. Vous pouvez donc dire qu'elle m'intéresse de près.

— Son mari était-il au courant ?

— Je n'en sais rien. Il semble que les maris finissent toujours par apprendre leur infortune, comme on dit. Mais je voyais Paul trop rarement pour que la situation devînt vraiment embarrassante. Nous étions tous deux des hommes très occupés, avec peu de choses en commun. A part Barbara, bien sûr. De toute façon, il était mal placé, moralement parlant, pour protester. Comme vous l'avez certainement découvert, il avait une maîtresse. Ou n'aviez-vous pas encore déterré cette ordure-là ?

— Ce qui m'intéresse, c'est d'apprendre comment vous, vous l'avez déterrée.

— C'est Barbara qui me l'a dit. Elle s'en doutait. Ou, plutôt, elle le savait. Il y a dix-huit mois, elle a engagé un détective privé pour filer son mari. Pour être tout à fait exact, elle m'a fait part de ses soupçons et je lui ai trouvé l'homme discret qu'il lui fallait. Je ne pense pas que l'infidélité de Paul l'ait beaucoup affectée. Simplement, elle préférait être au courant. Je ne crois pas non plus qu'elle voyait en l'autre femme une rivale dangereuse. En fait, je la soupçonne d'avoir tiré une certaine satisfaction de cette histoire. D'abord, ça l'amusait, ensuite cela lui donnait prise sur Paul, au cas où elle en aurait eu besoin. Et, bien entendu, cela la libérait de la désagréable obligation d'avoir à coucher avec lui, du moins régulièrement. Mais elle ne fermait pas sa porte à clé. Barbara aimait qu'il lui prouvât de temps à autre qu'il était toujours sous son charme. »

Lampart était d'une remarquable franchise, se dit Dalgliesh, et cela sans nécessité. Cet empressement apparemment naïf à révéler ses sentiments intimes ainsi que ceux des autres provenait-il d'une trop grande confiance en soi, de l'arrogance et de la vanité du médecin, ou bien d'un motif plus sinistre ? Lampart n'aurait pas été le premier assassin à penser que, s'il donnait à la police des détails que celle-ci n'était pas vraiment en droit d'exiger, elle serait moins encline à subodorer des secrets plus dangereux.

« Et l'était-il encore, sous son charme ? fit Dalgliesh.

— Je suppose que oui. Dommage qu'on ne puisse plus le lui demander. »

Avec une curieuse maladresse, le médecin se leva rapidement de sa chaise et gagna la fenêtre, comme saisi d'une brusque agitation. Dalgliesh se tourna et le regarda. Soudain Lampart s'approcha du bureau, décrocha le téléphone et composa un numéro.

« Mrs. Steiner a pris assez d'exercice pour aujourd'hui, dit-il. Il fait trop froid ce matin pour une promenade à pas lents. Dites-lui que je reviendrai la voir dans..., il consulta sa montre..., une quinzaine de minutes environ. Merci. » Il raccrocha, revint à son fauteuil et dit d'un ton presque rude : « Allons au fait, voulez-vous ? Je suppose que vous attendez de moi une sorte de déposition : ce que je faisais, où, et avec qui, au moment où Paul est mort. Si c'est un meurtre, je n'ai pas la naïveté de croire que je ne figure pas parmi les suspects.

— Il ne s'agit pas de cela. Nous devons poser ce genre de questions à tous ceux qui faisaient partie du proche entourage. »

Lampart éclata d'un rire dur et amer.

« Du proche entourage ! Je suppose que vous pouvez dire cela. Et aussi que c'est la procédure d'usage. N'est-ce pas ce que vous dites d'habitude à vos victimes ? »

266

Dalgliesh ne répondit pas. Son silence parut irriter Lampart. Il reprit :

« Où dois-je la faire, cette déposition ? Ici ou au commissariat du quartier ? Ou bien opérez-vous à partir du Yard ?

— Vous pourriez la faire là-bas, dans mon bureau, si cela ne vous dérange pas. Ce soir, par exemple. Ou alors, au commissariat, si vous pensez que cela vous fera perdre moins de temps. Mais il nous serait utile d'en avoir un résumé tout de suite.

— Vous avez dû remarquer que je n'ai pas convoqué mon avocat. Cela témoigne de ma part d'une confiance assez touchante dans la police, vous ne trouvez pas ?

— Vous avez droit à sa présence, naturellement.

— Non. Je n'ai pas besoin de lui. J'espère que vous ne serez pas déçu, commandant, mais je pense avoir un alibi. C'est-à-dire, en supposant que Berowne soit mort entre sept heures et minuit. » Comme Dalgliesh ne répondait pas, Lampart poursuivit : « J'étais avec Barbara pendant tout ce temps, comme vous le savez certainement déjà. Vous devez l'avoir interrogée. De deux à cinq, je me trouvais ici, en train d'opérer. Le programme est à votre disposition. L'infirmière de la salle d'op' et l'anesthésiste pourront vous le confirmer. D'accord, je portais des gants, une blouse et un masque, mais je vous assure que les membres de mon équipe reconnaissent mon travail, même s'ils ne voient pas mon visage. Quoiqu'ils l'aient vu, évidemment, avant que je ne le recouvre. Si je mentionne ce détail, c'est parce que vous pourriez avoir l'idée farfelue que j'ai persuadé un confrère de me remplacer.

— Je crois que ce genre de stratagème ne peut marcher que dans les romans.

— Ensuite, Barbara et moi avons pris le thé dans cette pièce, puis nous avons passé quelque temps dans mon appartement privé qui se trouve à l'étage au-dessus. Je me suis changé et nous sommes partis ensemble vers sept heures quarante. Le portier de nuit nous a vus partir. Il pourrait probablement vous confirmer l'heure. Nous nous sommes rendus en voiture au *Black Swan*, à Cookham, où nous avons dîné. Je n'ai pas regardé ma montre, mais nous avons dû arriver là-bas vers huit heures et demie. J'ai une Porsche rouge, si cela peut présenter un intérêt quelconque. J'avais réservé une table pour neuf heures moins le quart. Jean-Paul Higgins, le gérant, pourra vous le confirmer. De même que l'heure de notre départ, vers onze heures. Je vous serais obligé de faire preuve de tact. Je ne suis pas particulièrement chatouilleux sur le chapitre de ma réputation, mais je ne peux pas me permettre d'avoir la moitié de ce que Londres compte de gens chic en train de cancaner sur ma vie privée. Même si certaines de mes patientes ont leurs petites manies, telles que donner naissance à leur enfant sous l'eau ou s'accroupir sur le tapis du salon, être accouché par un homme soupçonné d'assassinat n'est pas du goût de tout le monde.

— Nous serons discrets. Quand lady Berowne est-elle arrivée ici ? Ou êtes-vous allé la chercher plus tôt chez elle ?

— Non. Cela faisait des semaines que je n'avais plus mis les pieds à Campden Hill Square. Barbara est venue en taxi. Elle a dû arriver vers quatre heures. Elle m'a regardé travailler en salle d'op', de quatre heures quinze environ jusqu'à ce que j'aie fini. Ne vous l'avais-je pas dit ?

— Elle est restée tout ce temps avec vous ?

— Presque tout le temps. Je crois qu'elle n'est sortie que quelques minutes alors que je venais de terminer ma troisième césarienne.

268

— Portait-elle un masque et une blouse, elle aussi ?

— Évidemment. Mais quelle importance cela a-t-il ? Berowne ne peut pas être mort avant sept heures.

— Est-ce là une chose que lady Berowne fait souvent ? Vous regarder opérer ?

— Ce n'est pas rare. C'est une de ses lubies. » Après un silence, Lampart ajouta : « Ça la prend de temps en temps. »

Les deux hommes se turent. Il y avait des choses dont Stephen Lampart, malgré l'ironie détachée et l'absence de réserve qu'il affectait, répugnait à parler. C'était donc cela qui excitait Barbara Berowne. Regarder, masquée, les mains de son amant ouvrir le corps d'une autre femme. La charge érotique du sacerdoce médical. Les infirmières exécutant un ballet autour de lui. Les yeux gris de l'homme rencontrant les yeux bleus de la femme au-dessus du masque. Et ensuite, le voir enlever ses gants, tendre les bras en une parodie de bénédiction pendant qu'un acolyte lui ôtait la blouse des épaules. Le mélange enivrant de pouvoir, de mystère et de cruauté. Les rituels du couteau et du sang. Où avaient-ils fait l'amour ? se demanda-t-il. Dans la chambre à coucher de Lampart, son salon privé ? L'étonnant, c'était qu'ils ne s'accouplent pas sur le billard. Peut-être le faisaient-ils ?

Le téléphone posé sur le bureau sonna. Murmurant une excuse à leur adresse, Lampart décrocha. Suivit alors une conversation médicale hautement technique et presque unilatérale, apparemment avec un confrère, au cours de laquelle Lampart se contenta surtout d'écouter. Toutefois, il n'essaya pas d'écourter l'entretien. Dalgliesh regarda dehors, dans le jardin, l'esprit occupé par un premier examen des faits. S'ils avaient quitté Pembroke Lodge à sept heures quarante, il leur avait fallu rouler très vite pour arriver au *Black Swan* à huit heures et demie. Lampart aurait-il eu le temps de commettre un meurtre en chemin ? C'était faisable, à condition de trouver une excuse pour obliger lady Berowne à rester dans la voiture. Aucun homme jouissant de son bon sens ne l'aurait emmenée avec lui dans l'église pour accomplir une tâche aussi sanglante, même si Barbara Berowne connaissait, ou devinait, ses intentions. Il aurait donc dû inventer un pré-texte. Un rendez-vous urgent. Une affaire à régler. Il lui aurait fallu garer la voiture près de l'église. Cela, en soi-même, aurait été dangereux. Et ensuite ? Il frappe à la porte. Berowne le laisse entrer. Il lui récite la phrase qu'il a préparée pour expliquer sa visite. Combien de temps auraient pris ces prélimi-naires ? Moins d'une minute peut-être. Puis, d'un coup de poing, il assomme Berowne. Se précipite à la cuisine pour prendre le rasoir qu'il est sûr d'y trouver, ôte rapidement sa veste et sa chemise et retourne dans la petite sacristie, l'arme à la main. Il pratique soigneusement deux incisions mala-droites, puis une troisième qui atteint l'os. Il avait dû faire un peu de médecine légale pendant ses années d'études, sinon depuis. Il devait savoir mieux que n'importe lequel des autres suspects comment simuler un suicide.

Puis, tout à coup, la catastrophe. Harry apparaît, titubant, à moitié ivre, à moitié endormi, mais pas au point de ne pas pouvoir voir et se souvenir. Pas le temps de fignoler ce crime-là. Ce serait inutile. Ensuite, il se lave en hâte, place le rasoir près de la main de Berowne, jette un bref coup d'œil à droite et à gauche, laisse la porte ouverte puisqu'il ne peut pas emporter la clé, s'enfonce dans l'obscurité et regagne lentement la voiture. Il dépendrait du silence de Barbara Berowne, bien sûr. Il lui faudrait

270

s'assurer qu'elle maintiendrait leur version commune, c'est-à-dire qu'ils s'étaient rendus directement au *Black Swan*. Mais c'était là un mensonge facile, sans détails ou emploi du temps compliqués. Elle dirait ce qu'en fait elle avait déjà dit : « Nous sommes allés directement là-bas. Non, je ne me souviens pas de l'itinéraire. Je n'ai pas fait attention. Mais nous ne nous sommes pas arrêtés. » Lampart serait obligé d'inventer une bonne raison pour la convaincre de mentir. « J'ai dû aller voir une de mes patientes. » Mais pourquoi cacher ce fait à la police ? Une brève visite professionnelle n'avait rien de répréhensible. Le motif de cet arrêt devait avoir quelque chose de légèrement honteux. Cela, ou bien quelque chose dont il s'était subitement souvenu. Un coup de fil qu'il avait oublié de passer. Trop rapide. Il aurait eu besoin de plus de temps. Et puis, pourquoi ne pas attendre et le donner du *Black Swan* ? Le stratagème était évident : il dirait qu'il avait fait un saut à l'église, avait parlé à Berowne, l'avait quitté vivant. De cette façon, elle confirmerait son alibi, dans son propre intérêt comme dans le sien. Et si, en fin de compte, elle ne le faisait pas, Lampart n'en tiendrait pas moins son explication. « Je suis passé à Saint-Matthew pour voir Berowne. Je voulais lui parler de sa femme. Je suis resté tout au plus dix minutes. Nous avons eu une conversation tout à fait amicale. Il semblait être seul et, au moment de mon départ, il était bien en vie. »

Lampart raccrocha.

« Excusez-moi, fit-il. Où en étions-nous, commandant ? Ah oui, au *Black Swan*. »

Mais Dalgliesh changea de tactique.

« Même si vos relations avec sir Paul Berowne ont fini par s'espacer, il fut un temps où vous le connaissiez assez intimement. Deux hommes ne peuvent partager la même femme sans éprouver de l'intérêt l'un pour l'autre. » Il aurait pu ajouter : « Et parfois être obsédés l'un par l'autre. » Il poursuivit : « Vous êtes médecin. Je me demande comment vous expliquez l'expérience qu'il a faite dans la sacristie de Saint-Matthew. »

La flatterie manquait de subtilité et Lampart était trop intelligent pour ne pas s'en rendre compte. Il se montra toutefois incapable d'y résister. Il était habitué à ce qu'on le consultât, à ce qu'on l'écoutât avec déférence. Cela faisait partie de son métier.

« Je suis obstétricien et non psychiatre, mais l'aspect psychologique de cette affaire me paraît relativement simple. C'est toujours le même phénomène, sauf qu'ici, les manifestations en sont un peu bizarres. Appelez-le "crise de l'âge mûr". Je n'aime pas le terme "andropause" qui est d'ailleurs inexact : les deux choses sont fondamentalement différentes. Je pense que Berowne a fait le bilan de sa vie — ce qu'il avait accompli, ce qu'il pouvait encore espérer —, et l'a trouvé un peu déprimant. Il avait essayé le barreau et la politique, et ni l'un ni l'autre ne lui avaient apporté de satisfaction. Il avait une femme qu'il désirait, mais n'aimait pas. Une fille qui ne l'aimait pas. Une situation qui lui interdisait toute velléité de révolte. D'accord, il avait pris une maîtresse, c'était l'expédient le plus facile. Je n'ai pas vu cette fille, mais, d'après ce que m'a dit Barbara, cette liaison avait un côté popote pimenté d'un peu de commérages de bureau. Ce n'était pas ça qui allait le libérer de la camisole de force qu'il s'était imposée. Il avait donc besoin d'une excuse pour tout envoyer promener. Or, quelle meilleure excuse pouvait-il trouver, sinon de proclamer que Dieu lui-même lui avait dit qu'il était sur la mauvaise voie ? Personnellement, je ne choisirais pas cette issue-là, mais on pourrait dire qu'elle est préférable à la dépression, à l'alcoolisme ou au cancer. »

Comme Dalgliesh ne disait rien, il poursuivit rapidement, avec une sorte de sincérité nerveuse qui paraissait presque authentique :

« Je ne vois que ça. Les maris. Ils sont assis là, à votre place. Ils viennent soi-disant me parler de leurs femmes. En fait, ce sont eux qui ont un problème. Ils n'ont pas la moindre chance de s'en sortir. Ils sont victimes de la tyrannie de la réussite. Ils passent la plus grande partie de leur jeunesse à bûcher pour obtenir des diplômes, puis les meilleures années de leur vie d'homme à faire carrière, entre autres : épouser la femme qu'il faut, acquérir la maison qu'il faut, mettre les enfants à la bonne école, entrer dans les clubs idoines. Et pour quoi faire ? Pour gagner plus d'argent, avoir plus de confort, une maison plus grande, une voiture plus rapide, payer plus d'impôts. Tout cela ne leur procure qu'un plaisir modéré. Et il leur reste encore vingt ans de cette vie-là à tirer. Cela ne veut pas dire que la situation soit meilleure pour ceux qui y croient encore, qui ont trouvé leur voie, qui aiment leur travail. Leur hantise, c'est la retraite. Du jour au lendemain, ils ne sont plus rien. Des morts vivants. Avez-vous jamais connu de ces horribles vieillards qui cherchent à se faire nommer à une commission d'enquête, qui font la chasse au boulot, n'importe quel boulot pourvu que celui-ci leur donne l'illusion d'être encore quelqu'un d'important ?

— Oui, j'en ai connu, répondit Dalgliesh.

— Bon dieu ! C'est tout juste s'ils ne se traînent pas à vos genoux pour l'obtenir !

— Ce que vous dites est juste, mais ne s'applique pas à Berowne. Il n'était encore que secrétaire d'État. Il n'avait pas encore touché au but. Il en était encore au stade des efforts.

— Ah oui. Il lui restait encore à se faire désigner comme Premier ministre. Croyez-vous sérieusement qu'il aurait eu des chances ? Moi, non. Il n'avait pas le feu sacré, pas pour la politique en tout cas. Pas même une étincelle. »

Lampart parlait avec une sorte d'amer triomphe. Il poursuivit :

« Moi, je suis peinard. J'ai eu du pot. Pas de famille pour m'extorquer de l'argent. Ce que je gagne me suffit. Et quand je serai bon à mettre au rencart, j'aurai le *Mayflower*, mon sloop de quinze mètres. Il est mouillé à Chichester. Je n'ai guère de temps à lui consacrer pour le moment. Mais une fois à la retraite, je l'avitaillerai et prendrai la mer. Et vous, Commandant ? Pas de *Mayflower* ?

— Non.

— Mais vous avez votre poésie, bien sûr ! J'oubliais. »

Ces paroles avaient tout de l'insulte. C'était comme s'il disait : « Vous, vous avez votre sculpture sur bois, votre collection de timbres, vos broderies ». Pis : comme s'il savait que Dalgliesh n'avait pas écrit une ligne depuis quatre ans, qu'il n'en écrirait peut-être plus jamais.

« Pour quelqu'un qui n'était pas un intime de Paul Berowne, vous savez beaucoup de choses sur lui.

— Il m'intéressait. A Oxford, son frère et moi étions amis. Du vivant d'Hugo, je dînais assez fréquemment à Campden Hill Square et nous faisions souvent de la voile ensemble, tous les trois. Je me rappelle un voyage à Cherbourg, en 1978. On apprend à connaître un homme quand on affronte un vent de force 10 avec lui ! En fait, Paul m'a sauvé la vie ce jour-là. Je suis passé par-dessus bord et il m'a repêché.

— Votre jugement n'est-il pas un peu superficiel ? Votre explication semble trop évidente.

— Aussi étonnant que cela paraisse, c'est souvent la meilleure. Si vous étiez médecin, c'est là une chose que vous sauriez. »

Dalgliesh se tourna vers Kate.

« Avez-vous une question à poser, Inspecteur ? »

Lampart ne cacha pas assez rapidement sa surprise et sa déconvenue devant le fait qu'une femme que, jusque-là, il avait considérée comme l'esclave de Dalgliesh, dont le rôle consistait à prendre discrètement des notes et à servir de témoin docile et silencieux, allait apparemment être autorisée à l'interroger. Il tourna vers elle un regard mi-souriant et exagérément attentif, mais ses yeux étaient vigilants.

« Le *Black Swan* est-il votre restaurant préféré ? demanda Kate. Y allez-vous souvent avec lady Berowne ?

— Assez souvent en été, moins en hiver. L'ambiance y est agréable. Il est à une distance raisonnable de Londres et, maintenant que Higgins a changé de chef, on y mange bien. Si vous me demandiez un endroit tranquille pour dîner, je vous le recommanderais sans hésiter. »

Le sarcasme manquait de subtilité et Lampart avait manifesté trop clairement son dépit. Bien qu'elle parût sans rapport avec ce qui avait précédé, cette question inoffensive l'avait démonté.

« Et vous étiez tous les deux là-bas le soir du 7 août, quand Diana Travers s'est noyée ? poursuivit Kate.

— De toute évidence, vous savez déjà que nous y étions. Alors pourquoi le demander ? Lady Berowne fêtait ses vingt-sept ans. Elle est née un 7 août.

— Et c'est vous, et non son mari, qui l'accompagniez ?

— Sir Paul Berowne était occupé. C'est moi qui donnais cette fête pour lady Berowne. Son mari devait venir nous rejoindre un peu plus tard, mais il nous a appelés pour dire qu'il ne pouvait pas se libérer. Puisque vous savez que nous étions au *Black Swan*, vous devez également savoir que nous l'avons quitté avant le drame.

— Et cet autre drame, docteur, celui de Theresa Nolan. Bien entendu, vous n'étiez pas là non plus quand il s'est produit ? »

Attention, Kate ! pensa Dalgliesh, mais il n'intervint pas. Il n'était pas inquiet.

« Non, je n'étais pas assis à côté d'elle à Holland Park pendant qu'elle avalait un flacon de comprimés et les faisait descendre avec du vin blanc ordinaire. Sinon, je l'en aurais empêchée, c'est évident, n'est-ce pas ?

— Cette jeune femme a laissé une lettre d'où il ressort qu'elle s'est donné la mort parce qu'elle se sentait trop coupable de s'être fait avorter. C'était une interruption de grossesse parfaitement légale. Elle travaillait ici comme infirmière. Pourquoi n'at-elle pas subi cette intervention à Pembroke Lodge ?

— Parce qu'elle ne m'a rien demandé. D'ailleurs, si elle l'avait fait, j'aurais refusé. Je n'aime pas opérer les membres de mon personnel. Quand il semble y avoir des raisons médicales pour interrompre une grossesse, je les adresse à un confrère gynécologue. C'est ce que j'ai fait dans ce cas. Mais je ne vois pas le rapport que sa mort ou celle de Diana Travers peuvent avoir avec l'affaire qui vous amène ici ce matin. Serait-il possible d'éviter les questions oiseuses ?

— C'est qu'elles ne le sont pas, justement, affirma Dalgliesh. Sir Paul a reçu des lettres qui sous-entendaient qu'il était mêlé à ces deux décès. Tout ce qui a pu lui arriver durant les dernières semaines de sa vie est forcément significatif. Ces lettres entrent probablement dans la catégorie habituelle des messages malveillants qui parviennent aux hommes politiques, mais autant les éliminer si elles ne mènent nulle part. »

Lampart détacha son regard de Kate pour le tourner vers Dalgliesh.

« Je comprends. Excusez-moi si je vous ai paru peu coopératif, mais je ne sais absolument rien sur cette Diana Travers, sinon qu'elle travaillait à mi-temps comme domestique à Campden Hill Square et qu'elle était au *Black Swan* le soir du dîner d'anniversaire. Theresa Nolan est venue ici de Campden Hill Square où elle avait soigné lady Ursula, qui souffrait d'une crise aiguë de sciatique. Je crois que les Berowne l'avaient trouvée par une agence d'infirmières. Quand lady Ursula n'a plus eu besoin de ses services, elle lui a suggéré de demander un emploi ici. Miss Nolan avait un diplôme de sage-femme. Elle nous a donné entière satisfaction. Elle a dû tomber enceinte pendant qu'elle travaillait à Campden Hill Square. Je ne lui ai pas demandé de qui et je ne pense pas qu'elle ait révélé l'identité du père à qui que ce soit.

— Vous est-il jamais venu à l'esprit que ce pouvait être sir Paul ?

— J'y ai pensé, en effet. J'imagine que d'autres ont eu la même idée. »

Lampart n'en dit pas plus et Dalgliesh n'insista pas.

« Que s'est-il passé quand elle a découvert qu'elle était enceinte ? demanda-t-il.

— Elle est venue me voir. Elle m'a dit qu'elle n'avait pas le courage de garder cet enfant et qu'elle voulait interrompre sa grossesse. Je l'ai envoyée chez un psychiatre et c'est lui qui a pris les mesures nécessaires.

— Estimez-vous que l'état de cette jeune femme, je veux parler de son état mental, justifiait un avortement légal ?

— Je ne l'ai pas examinée. Je n'ai pas parlé de cette question avec elle. D'un point de vue médical, de toute façon, je n'étais pas qualifié pour en décider. Comme je viens de vous le dire, je l'ai adressée à un confrère psychiatre. J'ai proposé à miss Nolan de prendre un congé payé jusqu'à ce qu'on eût statué sur son cas. Après l'opération, elle est revenue travailler ici pendant une semaine. La suite, vous la connaissez. »

Soudain Lampart se leva et se mit à arpenter la pièce. Il se tourna vers Dalgliesh.

« J'ai réfléchi à l'histoire de Paul Berowne. L'homme est un animal. Il a le plus de chance de vivre en paix avec lui-même et avec les autres quand il ne perd pas ce fait de vue. Certes, c'est le plus intelligent et le plus dangereux des animaux, mais c'en est un tout de même. Les philosophes, et les poètes aussi, si je ne m'abuse, compliquent beaucoup trop les choses. Nos besoins fondamentaux sont en fait très simples : nourriture, abri, chaleur, sexe, prestige — dans cet ordre-là. Les gens les plus heureux sont ceux qui se contentent d'essayer de les satisfaire. Berowne n'était pas de leur nombre. Dieu sait à quels privilèges immatériels et inaccessibles il croyait avoir droit. La vie éternelle, sans doute.

— Vous pensez donc qu'il est possible qu'il se soit supprimé ? fit Dalgliesh.

— Je ne peux rien affirmer de pareil, mais si vous finissez par conclure au suicide, je n'en serai pas surpris.

— Et le clochard ? Il y a eu deux morts.

« — Ça, c'est plus difficile. A-t-il tué Paul ou *vice versa* ? Bien entendu, la famille Berowne rejettera cette dernière hypothèse. Quel que soit le verdict final, lady Ursula n'acceptera jamais cette explication.

— Et vous ?

— Oh, moi je pense qu'un homme qui porte assez de violence en lui pour se trancher la gorge est certainement capable de trancher celle d'autrui. Et maintenant, si vous voulez bien m'excuser » — Lampart jeta un coup d'œil à Kate — « tous les deux, je dois aller voir ma patiente. Je passerai au Yard entre vingt heures et vingt et une heures trente pour signer ma déposition. » En se levant, il ajouta : « D'ici là, je me serai peut-être souvenu d'un autre détail qui pourrait vous être utile, mais n'y comptez pas trop. »

Cette dernière phrase fut dite sur un ton presque menaçant.

2

Un flot presque ininterrompu de voitures passait devant la grille, de sorte que Kate dut attendre plus d'une minute avant de pouvoir s'y glisser. Je me demande comment il fait, se dit-elle. Tout l'entretien était là, couché par écrit dans son carnet, en signes sténographiques bien propres bien qu'un peu fantaisistes. Toutefois, comme elle avait une mémoire auditive presque parfaite, elle aurait pu taper presque toute la conversation sans consulter ses hiéroglyphes. Elle repassa chaque question et chaque réponse dans son esprit. Et elle ne voyait toujours pas en quoi A.D. s'était montré tellement habile.

Il avait très peu parlé, posant de brèves questions qui, parfois, semblaient même s'écarter du sujet. Pourtant, conformément au but recherché, il avait amené Lampart à en dire beaucoup trop. Toutes ces bêtises au sujet de la crise masculine de la quarantaine ! ou de la cinquantaine ! Ça ne dépassait guère le niveau d'une réponse dans le courrier du cœur d'un magazine féminin. Lampart pouvait avoir raison, bien sûr. Mais, d'un point de vue strictement médical, les différentes formes que pouvait prendre l'andropause n'étaient pas son rayon. On lui avait demandé son opinion, et il l'avait donnée. On se serait donc attendu à ce qu'un homme qui aimait tant s'entendre parler fût encore plus disposé à traiter des problèmes psychologiques de la grossesse et de l'avortement. Or, quand ils en étaient venus à mentionner Theresa Nolan, qu'avaient-ils obtenu ? Lampart les avait proprement envoyés sur les roses en leur faisant clairement comprendre que le sujet lui déplaisait. Il n'avait pas voulu penser à cette malheureuse et encore moins en parler. Et ce n'était pas seulement parce que ç'avait été elle, Kate, qui lui avait posé la question avec cette extrême politesse dénuée de déférence qui, comme elle l'avait prévu, avait blessé sa vanité davantage que si elle avait fait preuve de brusquerie ou d'une hostilité déclarée. Elle avait espéré qu'avec un peu de chance elle le pousserait à lâcher quelque parole imprudente, mais cela n'aurait pas marché s'il n'avait rien eu à cacher. Elle entendit la voix d'A.D. :

« Vraiment touchante son anecdote concernant son sauvetage par sir Paul. Vous y avez cru ?

— Non, sir. Du moins, pas à la version qu'il nous en a donnée. Je pense que quelque chose de ce genre a dû effectivement lui arriver. Il est tombé à l'eau et son ami l'a repêché. Il n'aurait pas mentionné cet incident si celui-ci ne pouvait être vérifié. Mais, au fond, il voulait dire ceci : "C'est vrai, je lui ai fauché sa femme, mais je n'aurais pas pu l'assassiner : il m'a sauvé la vie". Après s'être tue une seconde, Kate ajouta : « Pas très subtile la façon dont il nous a signalé Garrod.

— Il n'y avait rien de subtil en lui. »

Soudain, Kate fut submergée d'un optimisme enivrant et dangereusement proche de l'euphorie, sentiment qu'elle avait toujours quand une enquête était sur la bonne voie, mais dont elle avait appris à se méfier. Si tout va bien, se dit-elle, si nous attrapons l'assassin, quelle que soit son identité, et nous l'attraperons, ma carrière est assurée. Mais sa joie allait plus loin que la simple ambition ou le plaisir d'avoir passé une épreuve avec succès, d'avoir fait du bon travail. Elle s'était amusée. Elle avait savouré chaque minute de sa brève confrontation avec ce poseur suffisant. Elle repensa à ses premiers mois à la P.J., à ses enquêtes de porte-à-porte, consciencieuses mais ingrates, aux victimes pitoyables et aux criminels qui l'étaient encore plus. Du fait de sa complexité, cette chasse à l'homme était tellement plus satisfaisante ! Ils avaient affaire à un assassin assez intelligent pour réfléchir, planifier son acte et non à une victime lamentable et ignorante des circonstances ou de la passion. Kate avait appris à contrôler ses mimiques bien avant d'entrer dans la police. Elle conduisait avec prudence, les yeux fixés sur la route. Malgré tout, son compagnon dût subodorer son excitation.

« Alors, on s'est bien amusée, Inspecteur ? » demanda-t-il.

Cette question et l'emploi inhabituel de son grade la firent sursauter. Elle décida d'y répondre franchement. Elle avait bien appris sa leçon. Elle connaissait la réputation de Dalgliesh. Quand des collègues avaient parlé de son chef, elle avait écouté de toutes ses oreilles. Ils avaient dit : « C'est un salaud, mais un salaud équitable ». Elle savait qu'il pouvait pardonner certaines insuffisances, tolérer certains défauts, mais pas la malhonnêteté.

« Oui, sir. Ce qui m'a plu, c'était le sentiment d'avoir la situation bien en main, de progresser. » Puis elle ajouta, consciente, tout en parlant, de s'aventurer sur un terrain dangereux — mais pourquoi diable lui aurait-elle passé ça ? — : « Dois-je prendre votre question comme une critique, sir ?

— Non. Personne n'entre dans la police sans tirer quelque plaisir de l'exercice du pouvoir. Personne n'entre à la brigade criminelle sans avoir un certain goût pour la mort. Le danger commence quand le plaisir devient une fin en soi-même. Alors il est temps de penser à changer de job. »

Kate eut envie de demander : « Y avez-vous jamais pensé, sir ? » mais elle savait que cette tentation était chimérique. Il y avait bien quelques supérieurs auxquels elle aurait pu poser ce genre de question entre deux whiskies, au mess des officiers, mais Dalgliesh ne comptait pas parmi eux. Elle se rappela le moment où elle avait annoncé à Alan que Dalgliesh l'avait choisie comme membre de sa nouvelle brigade. Son ami lui avait demandé en souriant : « Dans ce cas, ne serait-il pas temps que tu essaies de lire sa poésie ? » Elle avait répondu : « Avant d'essayer de comprendre son œuvre, je ferais mieux de commencer par comprendre l'homme. » Elle n'était pas sûre d'y être parvenue.

« Le docteur Lampart a utilisé l'expression "jouer du rasoir", dit-elle. Nous ne lui avions pas dit comment sir Paul était mort. Comment se fait-il alors qu'il soit au courant ?

— Ça, c'est assez logique. C'était un vieil ami de

Berowne, une des rares personnes à savoir comment celui-ci se rasait. Il doit avoir deviné la nature de l'arme employée. L'intéressant, c'est qu'il n'ait pas osé nous demander ouvertement s'il avait raison. Au fait, il faudrait vérifier assez rapidement son alibi. C'est un boulot pour Saunders, je pense. Il devrait faire trois voyages à la même heure, avec la même marque de voiture et, si possible, les mêmes conditions météorologiques. Et nous avons besoin de tous les renseignements disponibles sur Pembroke Lodge : les noms du propriétaire foncier et des actionnaires de la clinique ; comment est géré cet établissement, quelle en est la réputation. »

En conduisant, Kate ne pouvait noter ces instructions. Elle les enregistra dans sa tête.

« Entendu, sir, répondit-elle.

— Lampart avait les moyens et les connaissances nécessaires pour perpétrer ce crime. Et il avait aussi un mobile. Je ne pense pas qu'il souhaitait épouser lady Berowne, mais il n'avait certainement pas envie d'une maîtresse appauvrie prête à envisager le divorce. Toutefois, s'il voulait que Berowne disparût, et cela avant qu'il ne gaspillât son argent en quelque projet fumeux de centre d'accueil pour clochards, pourquoi l'égorger ? Lampart est médecin. Il disposait de méthodes beaucoup plus subtiles. L'assassin auquel nous avons affaire n'a pas seulement tué par intérêt. Il y a eu de la haine dans cette sacristie. Or la haine n'est pas un sentiment facile à cacher. Je n'en ai pas vu la moindre trace chez Stephen Lampart. J'ai vu de l'arrogance, de l'agressivité, de la jalousie sexuelle à l'égard du mari, mais pas de haine. »

Kate n'avait jamais manqué de courage. C'était le moment de le montrer. Après tout, si A.D. l'avait prise dans son équipe, ce devait être parce qu'il attachait une certaine importance à son opinion. Il ne cherchait pas une subordonnée de sexe féminin pour se faire masser l'ego !

« Mais n'aurait-il pas pu s'agir d'intérêt plutôt que de haine, sir ? Tuer sans éveiller de soupçons est difficile, même pour un docteur. Lampart n'était pas le médecin traitant de sir Paul. Or ce meurtre-ci, s'il réussissait à le commettre, aurait été le crime parfait puisqu'on ne l'aurait même pas considéré comme un meurtre. C'est Harry Mack qui a tout fichu en l'air. Sans cette deuxième victime, n'aurions-nous pas pris la mort de sir Paul pour ce qu'elle paraissait être : un suicide ?

— En l'accompagnant du verdict habituel, ce bel euphémisme que constituent les mots : "dans un moment d'aberration" ? Peut-être. Si l'assassin n'avait pas commis l'erreur d'emporter les allumettes et de brûler partiellement l'agenda. C'était là un raffinement inutile. Dans toute cette affaire, c'est l'allumette à demi-consumée qui, d'une certaine façon, est l'indice le plus intéressant. »

Soudain, Kate se sentit à l'aise, presque en accord, avec Dalgliesh. Cessant de se préoccuper de l'impression qu'elle pouvait donner, elle se mit à penser à leur enquête et se comporta avec son chef comme elle l'eût fait avec Massingham. Les yeux fixés sur la route, elle réfléchit à haute voix :

« Après avoir décidé de brûler l'agenda, l'assassin s'est dit qu'il devait emporter des allumettes. Berowne ne fumant pas, il ne trouverait pas de briquet sur son corps. De toute évidence, il serait imprudent d'utiliser son propre briquet, s'il en avait un, et il ne pouvait compter trouver des allumettes à l'église. Quand, finalement, il les a découvertes, il a constaté qu'elles étaient enchaînées. Il a donc jugé plus facile et plus rapide de se servir de celles qu'il avait apportées. La question de temps était primordiale. Nous en revenons, par conséquent, à une personne qui connaissait sir Paul, ses habitudes, qui savait où il était ce mardi soir, bien que peu familiarisé avec les lieux. Cependant, il y a peu de chances qu'il soit arrivé l'agenda à la main. Il portait donc une veste ou un pardessus pourvus de grandes poches. Ou un sac quelconque : pochette de plastique, fourre-tout, serviette ou trousse de médecin.

— Il aurait également pu le dissimuler à l'intérieur d'un journal du soir plié, fit remarquer Dalgliesh.

— Il sonne. Sir Paul le laisse entrer. Il demande à aller à la cuisine pour se laver les mains. Il dépose son sac contenant les allumettes et l'agenda. Il se déshabille, peut-être même entièrement. Puis il retourne dans la petite sacristie. Là, les choses se compliquent. Sa victime ne va tout de même pas rester tranquillement assise à attendre. Surtout face à un homme nu comme un ver et armé d'un rasoir. Paul Berowne n'était ni vieux, ni malade, ni faible. Il se serait défendu. Cela n'a pas dû se passer ainsi.

— Concentrez-vous sur les allumettes.

— En tout cas, il était certainement nu au moment de tuer. Du moins jusqu'à la ceinture. Il devait savoir qu'égorger est un travail extrêmement salissant. Il ne pouvait pas risquer de tacher ses vêtements. Ah, j'y suis ! Il commence par assommer sa victime. Ensuite, il va chercher le rasoir, se déshabille, fait sa petite affaire. Puis il retourne à la cuisine, se lave rapidement de la tête aux pieds, se rhabille. Enfin, en tout dernier, il brûle l'agenda. De cette façon, il peut être sûr de ne pas laisser de traces de sang sur la couverture du carnet ou dans la cheminée. Les choses ont dû se passer dans cet ordre. Pour finir, peut-être en un geste machinal, il met la boîte d'allumettes dans la poche de sa veste. Cela semble indiquer qu'il a l'habitude d'en avoir une sur lui. C'est peut-être un fumeur. Il a dû avoir une drôle de surprise, plus tard, quand il a enfoncé la main dans sa poche et l'a trouvée. Il s'est certainement rendu compte alors qu'il aurait mieux fait de la laisser sur le lieu du crime. Pourquoi n'y est-il pas retourné ? Il était trop tard, peut-être. Ou bien il n'a pas eu le courage de revoir le carnage.

— Ou bien il savait qu'une deuxième visite à l'église augmenterait le risque d'être vu, de laisser une trace dans la sacristie. Mais supposons que l'assassin ait repris sa propre boîte d'allumettes à dessein. Qu'est-ce que cela pourrait signifier ?

— Que cet objet présentait des particularités qui auraient permis de retrouver son propriétaire. Mais ça, c'est invraisemblable. Il a dû se servir d'une marque courante, d'une boîte dont il existe un million d'autres exemplaires. Et, bien entendu, il n'a pas prévu que nous trouverions un morceau à moitié brûlé de son allumette. Peut-être a-t-il rem-porté la boîte parce que d'autres personnes auraient pu s'apercevoir de sa disparition. Peut-être avait-il toujours eu l'intention de la remettre à sa place. Cela signifierait que lorsqu'il est allé à l'église, il n'est pas parti de chez lui. Logiquement, il arrivait de Campden Hill Square où il avait pris et l'agenda et la boîte d'allumettes. Mais, dans ce cas, si la boîte provenait de la propre maison de Berowne, pour-quoi ne l'a-t-il pas laissée dans la sacristie ? Même si l'on avait recherché le propriétaire des allu-mettes, on aurait simplement abouti à Berowne lui-même. Nous en revenons donc à la possibilité d'une erreur. Un geste machinal. Il a glissé la boîte dans sa poche.

— Dans ce cas, passé la première désagréable surprise de la trouver sur lui, il n'a pas dû se tracasser outre mesure. Il s'est dit que nous suppo-serions que Berowne s'était servi des allumettes contenues dans la boîte enchaînée ou que les allumettes avaient brûlé avec l'agenda. Ou encore qu'il avait utilisé une allumette d'une de ces pochettes-réclame qu'on vous offre dans les hôtels et les restaurants, et qui sont assez petites pour brûler entièrement, sans laisser de trace. Berowne n'était guère le genre d'homme à collectionner des allumettes de restaurant, mais l'avocat de la défense aurait pu en tirer argument et dire que les choses s'étaient passées ainsi. Le moment est mal choisi pour demander une condamnation sur la base d'une expertise du laboratoire scientifique, et certainement pas sur celle d'un centimètre d'allumette à demi consumée.

— Et, d'après vous, sir, comment les choses se sont-elles passées ?

— Plus ou moins comme vous venez de le décrire, je suppose. Si sir Paul s'était vu soudain face à un agresseur nu et armé, nous n'aurions probablement pas trouvé le lieu du crime dans l'état où il était. Nous n'avons relevé aucune trace de lutte. Cela semble indiquer que l'assassin a commencé par assommer sa victime. Ensuite, il a exécuté sa besogne avec adresse et diligence. Il savait exactement ce qu'il avait à faire. Et il n'a pas eu besoin de beaucoup de temps. Deux minutes pour se déshabiller et trouver le rasoir. Puis moins de dix secondes pour égorger Berowne. Il n'aura pas eu à frapper très fort. Au contraire : le coup de poing initial devait être bien calculé pour ne pas provoquer d'ecchymoses suspectes. Mais il y a une autre possibilité : le meurtrier pourrait avoir jeté quelque chose par-dessus la tête de Berowne pour tirer celle-ci en arrière. Quelque chose de doux : une écharpe, une serviette, sa propre chemise. Ou bien un nœud coulant, une corde, un mouchoir.

— Mais il lui aurait fallu veiller à ne pas serrer trop fort pour ne pas étrangler sa victime. La cause du décès devait être la gorge tranchée. Et puis, un foulard ou un mouchoir n'auraient-ils pas laissé une marque ?

— Pas nécessairement, surtout après une telle boucherie. L'autopsie de cet après-midi nous en apprendra peut-être un peu plus sur tout ça. »

Soudain, Kate fut de retour dans la petite sacristie, face à cette tête à demi détachée du tronc, revoyant toute la scène avec la précision et l'intensité d'une photo en couleurs. Et, cette fois, elle ne bénéficiait pas d'un moment de préparation, n'avait aucune possibilité de calmer son esprit et de composer son attitude pour affronter l'horreur qu'elle savait l'attendre. Les articulations de ses mains serrées sur le volant blanchirent. Pendant un instant, elle crut que le moteur avait calé, qu'elle avait freiné. Mais ils roulaient toujours doucement dans Finchley Road. Comme c'est étrange, songea-t-elle, le souvenir d'une scène affreuse est plus pénible que la réalité. Elle se rendit compte que son compagnon était en train de parler. Elle devait avoir perdu quelques secondes de ce qu'il disait. A présent, elle l'entendit lui indiquer l'heure de l'autopsie, lui proposer d'y assister. Normalement, cette suggestion, qu'elle traduisit en ordre, lui aurait fait plaisir. Elle y aurait vu une preuve supplémentaire de sa réelle appartenance à l'équipe. Maintenant, pour la première fois, elle éprouva un instant de dégoût. Elle y assisterait, bien sûr. Ce ne serait pas sa première autopsie. Elle n'avait pas à craindre de se ridiculiser. Elle pouvait regarder sans avoir la nausée. A l'école de la police, elle avait vu certains de ses camarades masculins tomber dans les pommes dans la salle d'autopsie tandis qu'elle résistait vaillamment. C'était important d'assister à cet examen quand le pathologiste vous le permettait. On pouvait y apprendre beaucoup de choses, et elle, elle voulait apprendre. Sa grand-mère et l'assistante sociale l'attendraient à trois heures. Tant pis. Elle avait essayé, assez mollement, il est vrai, de trouver un moment pour appeler et dire qu'elle ne pourrait pas venir. Après tout, ce n'était pas nécessaire, se dit-elle. Sa grand-mère le savait déjà. Elle ferait son possible pour passer en fin de journée, s'il n'était pas trop tard. Pour elle, en cet instant précis, le mort devait avoir priorité sur les vivants. Cependant, pour la première fois depuis son entrée à la P.J., elle entendit une petite voix lui demander d'un ton soupçonneux si son travail n'avait pas sur elle un effet bizarre.

Elle avait choisi d'être policier, sachant que c'était un métier pour elle. Mais jamais, même au début, elle ne s'était fait d'illusions à son sujet. Dans ce métier, quand on avait besoin de vous, on exigeait votre présence immédiate, inconditionnelle et efficace ; le reste du temps, on préférait oublier votre existence. Dans ce métier, il fallait collaborer avec des gens qu'on avait parfois plutôt envie de fuir, et témoigner du respect à des supérieurs pour lesquels on n'avait que peu d'estime, ou pas du tout ; ou l'on pouvait se retrouver alliée à des gens que l'on méprisait, contre d'autres qui, plus souvent qu'on ne l'avait prévu, et sans le moindre confort moral, vous inspiraient de la sympathie, voire de la pitié. Elle connaissait toutes les orthodoxies rassurantes : la loi est la norme, le crime, l'anomalie ; dans une société libre, le maintien de l'ordre n'est possible qu'avec le consentement de la population, peut-être même dans les quartiers où, considérée depuis toujours comme l'ennemi, la police a maintenant été élevée d'une manière bien commode au rang de symbole stéréotypé de l'oppression. Mais Kate avait son propre credo. Pour rester saine d'esprit, sache admettre que l'hypocrisie peut être nécessaire d'un point de vue politique, mais que tu n'es pas forcée d'y croire. Demeure honnête, sinon ce métier n'a plus de sens. Fais ton travail de façon à ce que tes collègues soient obligés de te respecter, même si c'est trop demander que de vouloir en être aimée. Garde ta vie privée secrète et bien propre. Il y a assez d'hommes dans le monde sans qu'il soit nécessaire de coucher avec tes collègues, simplement parce que tu les as sous la main. Ne prends pas l'habitude facile de jurer. Tu as entendu assez de grossièretés à Ellison Fairweather Building. Fais-toi une idée raisonnable du rang que tu peux espérer atteindre et de la façon d'y parvenir. Ne suscite pas d'hostilités inutiles. Pour une femme, il est déjà assez dur de grimper les échelons de la hiérarchie sans recevoir des coups de pied dans les chevilles en chemin. Chaque boulot, après tout, avait ses désavantages. Les infirmières devaient s'habituer à l'odeur des pommades et des bassins, aux corps sales, à la souffrance d'autrui, à l'odeur de la mort. Elle avait fait son choix et, maintenant plus que jamais, elle s'en félicitait.

3

Cela faisait des années que l'hôpital où Miles Kynaston travaillait comme pathologiste consultant avait besoin d'une nouvelle salle d'autopsie, mais on avait préféré aménager des locaux pour les vivants plutôt que pour les morts. Malgré les récriminations de Kynaston, Dalgliesh se demandait si, au fond, cela ne lui était pas égal. Le pathologiste disposait de l'équipement qui lui était nécessaire.

La salle était pour lui un paysage familier ; il s'y sentait à l'aise, comme dans une vieille robe de chambre, et pour rien au monde il n'aurait souhaité qu'on l'exilât en un endroit plus isolé, plus impersonnel. En fait, ses réclamations sporadiques, sorte de bruit rituel, servaient surtout à rappeler à la commission médicale l'existence de son service.

On se bousculait toujours un peu chez lui. Dalgliesh et ses hommes venaient plus par curiosité que par nécessité, mais les divers spécialistes de l'identité judiciaire, avec leurs enveloppes, leurs flacons et leurs éprouvettes, étaient bien obligés d'occuper un certain espace. La secrétaire de Kynaston, une femme mûre, rondelette, efficace et joviale, était assise contre le mur, dans un coin de la salle, en pull et gilet assortis et jupe de tweed, un énorme sac plein à craquer à ses pieds. Dalgliesh s'attendait toujours à ce qu'elle en sortît un tricot. Kynaston, qui n'avait jamais aimé se servir d'un magnétophone, se tournait de temps en temps vers elle et lui dictait ses conclusions d'une voix sourde, en de brèves phrases hachées qu'elle avait l'air de comprendre. Il travaillait toujours en musique, généralement de la musique de chambre baroque. Mozart, Vivaldi, Haydn. Cet après-midi-là, il écoutait un morceau que Dalgliesh reconnut immédiatement : le *Concerto pour viole en sol majeur* de Telemann, dans la version de Neville Mariner. Dalgliesh se demanda si ces sons énigmatiques, riches et mélancoliques, fournissaient à Kynaston la catharsis dont il avait besoin. Peut-être était-ce sa façon à lui de dramatiser les affronts routiniers que l'autopsie faisait subir aux cadavres ; à moins que, comme les peintres en bâtiment, il aimât simplement travailler en musique.

Avec un mélange d'intérêt et d'irritation, Dalgliesh remarqua que Massingham et Kate gardaient leurs yeux rivés sur les mains du pathologiste. Sans doute se montraient-ils aussi attentifs parce qu'ils craignaient de rencontrer le regard de leur chef. Il se demanda comment ils pouvaient supposer un seul instant que cet étripage rituel avait pour lui le moindre rapport avec la personne qu'avait été Berowne. Son détachement, devenu chez lui une seconde nature, devait beaucoup à l'efficacité avec laquelle Kynaston sortait les organes, les examinait, les plaçait dans des bocaux, les étiquetait. Il éprouvait exactement les mêmes sentiments que le jour, où, jeune stagiaire, il avait assisté à sa première autopsie : la surprise de voir combien était vive la couleur des boucles et des poches qui pendaient de la main gantée et ensanglantée du pathologiste, l'émerveillement presque enfantin à la constatation qu'une cavité si petite pût contenir un si grand nombre d'organes différents.

Ensuite, alors qu'ils se brossaient les mains dans le cabinet de toilette — Kynaston par nécessité, Dalgliesh par une méticulosité qu'il aurait eu du mal à expliquer —, le policier demanda :

« L'heure du décès ?

— Aucune raison de changer l'estimation que j'ai faite l'autre jour. Sept heures, au plus tôt. Disons entre sept et neuf. Je pourrai peut-être me montrer plus précis quand le contenu de l'estomac aura été analysé. Je n'ai relevé aucun signe de lutte sur le corps. Si Berowne a été attaqué, il n'a pas essayé de se défendre. Pas de coupures sur la main. Enfin, vous l'avez vu vous-même. Le sang sur la paume droite provenait du rasoir et non d'estafilades reçues pendant une bagarre.

— Du rasoir ou de sa gorge ensanglantée ?

— Cette dernière hypothèse est valable. La paume était certainement recouverte d'une quantité anormale de sang. Dans l'un comme dans l'autre cas, la cause du décès est simple. Chez Berowne comme chez Mack, une incision classique assez fine, mais profonde, de la peau à la colonne vertébrale, en passant par les ligaments thyroïdiens. Berowne était très sain. Il aurait pu vivre jusqu'à un âge avancé. Et le clochard était en meilleur état, médicalement parlant, que je ne m'y serais attendu. Le foie n'était pas bien brillant, mais il aurait encore supporté quelques années d'excès avant de lâcher définitivement le bonhomme. Le labo examinera le tissu de la gorge au microscope. Je doute que vous en tiriez grand chose d'utile. Il n'y a pas de trace visible de ligature au bord de la plaie. La bosse à l'arrière du crâne de Berowne est superficielle. Elle s'est probablement produite quand il est tombé.

— Ou quand on l'a tiré par terre.

— Oui. Il vous faudra attendre les résultats de l'analyse de la traînée de sang avant de pouvoir aller beaucoup plus loin, Adam.

— Et même si cette marque ne provient pas du sang de Harry, vous persistez à dire que Berowne était capable de faire les quelques pas qui le séparaient du clochard avec les deux entailles superficielles qu'il avait déjà à la gorge ?

— Je pourrais dire que c'est improbable, mais non pas impossible. Et cela, non pas seulement avec des plaies peu profondes. Rappelez-vous ce cas cité par Simpson : le suicidé avait la tête pratiquement tranchée, mais il est cependant resté conscient assez longtemps pour faire dégringoler l'ambulancier au bas de l'escalier.

— Mais si Berowne a tué Harry, pourquoi serait-il retourné vers le lit ?

— A cause d'une association naturelle lit-sommeil-mort. S'il avait eu l'intention de mourir sur son lit, pourquoi aurait-il changé d'avis sous prétexte qu'il avait été obligé de tuer Harry ?

— Il n'y était pas obligé. Je doute que Harry aurait pu s'approcher de lui à temps, pour empêcher cette coupure finale. C'est contraire au bon sens.

— Ou contraire à l'idée que vous vous faites de Paul Berowne.

— Les deux. Il s'agit d'un double meurtre, Miles.

— Je vous crois, mais ça va être la croix et la bannière pour le prouver. Et mon rapport ne vous aidera pas beaucoup. Le suicide est l'acte le plus intime et le plus mystérieux qui soit, inexplicable parce que le protagoniste n'est jamais là pour l'expliquer.

— A moins qu'il ne laisse un témoignage. Si Berowne avait décidé de se supprimer, je me serais attendu à trouver un mot dans lequel il aurait tenté de donner ses raisons.

— Le fait que vous n'en ayez pas trouvé ne signifie pas forcément qu'il n'en ait pas écrit », fit Kynaston d'un ton énigmatique.

Il enfila une paire de gants neufs et tira son masque sur le bas de son visage. On faisait déjà entrer un autre cadavre couché sur un chariot. Dalgliesh regarda sa montre. Massingham et Kate pourraient retourner au Yard s'occuper des paperasses. Lui, il avait un autre rendez-vous. Après les frustrations de cette journée, il avait besoin d'être un peu distrait, voire dorloté. Il avait l'intention de se procurer des renseignements d'une manière plus agréable que par un interrogatoire de police. Dans la matinée, il avait téléphoné à Conrad Ackroyd et il était invité à prendre un vrai *five o'clock* avec le propriétaire et directeur de la *Paternoster Review*.

4

Conrad et Nellie Ackroyd vivaient dans une impeccable villa 1900 en stuc luisant, à Saint John's Wood, avec un jardin qui descendait vers le canal. On disait qu'elle avait été construite par Édouard VII pour l'une de ses maîtresses. Nellie Ackroyd l'avait héritée d'un oncle célibataire. Après leur mariage, trois ans plus tôt, Ackroyd avait quitté son appartement en ville, au-dessus des bureaux du *Paternoster*, pour s'installer là. Il y avait logé ses livres, ses affaires et sa propre personne, et adapté sa vie au goût du confort et de l'intimité de son épouse. Bien qu'ils eussent une bonne, ce fut Conrad en personne qui lui ouvrit. Ses yeux noirs étaient remplis d'une joyeuse attente, comme ceux d'un enfant.

« Entrez, entrez, fit-il. Nous connaissons parfaitement l'objet de votre visite, mon vieux : mon petit article dans la *Review*. Je suis heureux de voir que vous n'avez pas jugé nécessaire de vous faire accompagner par un de vos acolytes. Nous sommes tout disposés à coopérer à l'enquête de la police, pour employer l'expression en usage quand vous cuisinez un suspect en lui tordant le bras dans quelque cagibi donnant sur un puits d'aération. Mais je refuse catégoriquement de servir du thé à un des malabars du Yard qui abîmera les ressorts de mon canapé et attaquera mes sandwiches au concombre d'une main tout en notant tout ce que je dis de l'autre.

— Un peu de sérieux, Conrad, l'admonesta Dalgliesh. Il s'agit d'un meurtre.

— Ah oui ? Le bruit courait — évidemment, ce n'était qu'un bruit — que Paul Berowne s'était donné la mort. Je suis content d'apprendre que c'est faux. Le meurtre est bien plus intéressant et beaucoup moins déprimant que le suicide. Ce n'est pas très gentil de la part d'amis de se tuer : on dirait qu'ils vous donnent l'exemple. Mais nous parlerons de tout cela plus tard. D'abord, le thé. »

Ackroyd leva la tête et cria vers le haut de l'escalier :

« Nellie, ma chérie, Adam est arrivé. »

En l'observant tandis qu'il l'introduisait dans le salon, Dalgliesh pensa qu'il ne paraissait pas avoir vieilli d'un seul jour depuis leur première rencontre. Il donnait une impression de corpulence, peut-être à cause de sa figure presque ronde aux joues rebondies. Cependant, ferme et actif, son corps bougeait avec la grâce et la souplesse d'un danseur. Ackroyd avait de petits yeux dont les coins remontaient. Quand il riait, il les plissait en deux étroites fentes charnues. Ce que son visage avait de plus remarquable, c'était la mobilité nerveuse de sa bouche au dessin délicat, sorte de centre humide qui lui servait à exprimer ses sentiments. Il la pinçait pour marquer sa désapprobation, en abaissait les coins comme un enfant quand il était déçu ou dégoûté, l'étirait et la retroussait quand il souriait. Protéiforme, elle semblait sans cesse en mouvement. Même au repos, elle mâchonnait, comme si Ackroyd savourait sa propre langue.

Autant Conrad était noir et potelé, autant Nellie était blonde et mince. Elle dépassait son mari de sept à huit centimètres. Elle portait ses longs cheveux nattés enroulés autour de sa tête comme dans les années vingt. Ses jupes en tweed étaient bien coupées, mais plus longues que ne le voulait la mode des cinquante dernières années, et invariablement accompagnées d'un large gilet de laine. Ses chaussures étaient pointues et lacées. Nellie rappelait à Dalgliesh une des maîtresses de l'école du dimanche qu'il avait eue dans la paroisse de son père. Elle aurait pu être sa sœur. Quand elle entra dans le salon, il se trouva un instant reporté à l'époque de son enfance. Assis en cercle avec des camarades sur des chaises en bois basses, dans la salle paroissiale de son village natal, il attendait que miss Mainwaring leur distribuât la vignette dominicale, un carré de papier représentant quelque scène biblique en couleurs, qu'il lècherait et collerait avec un soin infini sur sa carte, dans l'espace vide correspondant à la semaine. Il avait eu de l'affection pour miss Mainwaring, maintenant morte depuis plus de vingt ans d'un cancer et enterrée dans un lointain cimetière du Norfolk, et il avait de l'affection pour Nellie Ackroyd.

Le mariage de Nellie et de Conrad avait étonné leurs amis et donné à leurs rares ennemis matière à conjectures lubriques. Mais, chaque fois qu'il se trouvait en leur compagnie, Dalgliesh ne doutait pas un instant qu'ils fussent réellement heureux ensemble et s'émerveillait de nouveau devant les infinies variétés du mariage, ce lien à la fois si privé et si public, si délimité par des conventions et pourtant si anarchique. Ackroyd avait la réputation d'être, dans sa vie privée, la crème des hommes. Ses victimes faisaient remarquer qu'il pouvait se le permettre : il y avait assez de fiel dans un numéro de la *Paternoster Review* pour empoisonner toute une vie. Le feuilleton littéraire et la critique dramatique étaient toujours intelligents, amusants, parfois pénétrants et, de temps en temps, cruels. A part les victimes, tout le monde prenait plaisir à ce divertissement qu'on leur offrait deux fois par mois. Quand le *Times Literary Supplement* changea de pratique, le *Paternoster*, lui, continua à préserver l'anonymat de ses chroniqueurs. Ackroyd estimait qu'aucun critique, même le plus scrupuleux et le plus désintéressé, ne pouvait rester absolument honnête s'il signait ses articles. Et il protégeait le secret de ses collaborateurs avec tout le noble zèle d'un directeur de revue qui sait qu'il ne risque guère d'être poursuivi en diffamation. Dalgliesh soupçonnait Ackroyd d'écrire lui-même les articles les plus virulents, à l'instigation de sa femme. Il aimait imaginer Conrad et Nellie, chacun assis dans son lit, dans leurs chambres séparées, se criant leurs meilleures formules par la porte de communication ouverte.

Chaque fois qu'il les voyait, il était de nouveau frappé par l'auto-suffisance, proche de la conspiration, de leur bonheur conjugal. On ne pouvait imaginer meilleur exemple d'un mariage de convenance, Nellie était une excellente cuisinière. Conrad adorait la bonne chère. Elle aimait soigner. Lui, souffrait chaque hiver d'une bronchite chronique et d'une sinusite qui exacerbaient sa légère hypocondrie, permettant ainsi à son épouse de s'occuper agréablement à lui frictionner la poitrine ou à lui préparer des inhalations. Dalgliesh, pourtant le moins curieux des hommes sur le chapitre de la vie sexuelle de ses amis, ne pouvait parfois s'empêcher de se demander si cette union avait jamais été consommée. Il penchait plutôt vers l'affirmative. Formaliste, Ackroyd avait sûrement dû, pendant au moins une nuit de leur lune de miel, fermer les yeux et faire son devoir. Après avoir ainsi sacrifié à la loi et à la religion, le couple était passé à des aspects plus importants du mariage : la décoration de leur maison et l'état des bronches de Conrad.

Dalgliesh n'était pas venu les mains vides. Son hôtesse était une collectionneuse passionnée de romans pour collégiennes des années 1920-1930. Sa série des premiers Angela Brazil était particulièrement remarquable. Les étagères de son salon témoignaient de son goût pour cette puissante nostalgie :

des histoires dans lesquelles une série d'héroïnes aux seins naissants, en chemisiers d'uniforme et bottes, nommées Dorothy, Madge, Marjorie ou Elspeth, jouaient vigoureusement au hockey, dénonçaient la tricheuse de la classe de troisième ou contribuaient à démasquer des espions allemands. Dalgliesh avait trouvé cette édition originale quelques mois plus tôt, chez un bouquiniste de Marylebone. Le fait qu'il ne pût se rappeler exactement où ni quand lui fit prendre conscience qu'il n'avait pas vu les Ackroyd depuis un bon bout de temps. La plupart des gens qui rendaient visite au couple venaient, comme lui, leur demander quelque chose, généralement des renseignements. Dalgliesh s'étonna de nouveau de l'étrangeté des relations humaines, du fait que des gens pouvaient se dire amis et trouver normal de ne pas se voir pendant des années ; puis, lors de leur prochaine rencontre, reprendre leur ancienne intimité, comme si cette longue période d'abandon n'avait jamais existé. Mais les Ackroyd et Dalgliesh éprouvaient une vraie sympathie réciproque. Même s'il ne venait que lorsqu'il avait besoin de quelque chose, Dalgliesh était ravi de s'asseoir dans l'élégant salon de Nellie et de regarder les reflets sur le canal par la serre 1900. Maintenant, en les contemplant il avait du mal à croire que cette eau tachetée de lumière, aperçue à travers des corbeilles suspendues de lierre panaché et de géraniums roses, pût être la même qui, trois kilomètres en amont, coulait comme une menace liquide sous de sombres tunnels et passait paresseusement devant le porche sud de Saint-Matthew.

Tendant son cadeau, il l'accompagna du chaste baiser coutumier qui semblait être devenu de règle, même parmi des connaissances de date relativement récente.

« C'est pour vous. Je crois qu'il s'intitule *Dulcy fait le trottoir**.

Nellie Ackroyd déballa le livre en poussant de petits cris de plaisir.

« Oh, Adam ! Petit polisson ! Cela s'appelle *Dulcy joue le jeu*. Et il est en parfait état. Où l'avez-vous trouvé ?

— Dans Church Street, je crois. Je craignais que vous ne l'ayiez déjà.

— Cela fait des années que je le cherche ! Il complète ma collection de Brazil antérieurs à 1930 ! Conrad, regarde ce qu'Adam m'a apporté.

— Très aimable à vous, mon cher. Ah ! voici le thé. »

La bonne, une femme assez âgée, déposa cérémonieusement le plateau devant Nellie. Le goûter était copieux. De fines tranches de pain beurré sans croûte, une assiette de sandwiches au concombre, des *scones* maison accompagnés de confiture et de crème, du cake. Cela lui rappela les thés de son enfance, au presbytère, dans le salon pauvre mais confortable de sa mère : des ecclésiastiques et leurs auxiliaires tenant précautionneusement leurs tasses à bords évasés, et lui, bien dressé, faisant poliment passer les assiettes. Curieux, se dit-il que la simple vue d'un plat rempli de minces tartines beurrées pût encore provoquer ce serrement de cœur bref, mais aigu, cet accès de chagrin et de nostalgie. En regardant Nellie aligner minutieusement les anses, il se dit que toute la vie des Ackroyd devait être régie par de minuscules rituels, depuis la première tasse de thé matinale jusqu'au chocolat ou au lait chaud d'avant le coucher, les lits soigneusement ouverts, la chemise de nuit et le pyjama étendus

* Jeu de mots sur *on the game* (fait le trottoir) et *plays the game* (joue le jeu). *(N.d.T.)*

dessus. Il était cinq heures et quart. La journée d'automne allait bientôt s'assombrir pour la nuit et cette petite cérémonie du thé, typiquement anglaise, était destinée à se concilier les furies vespérales. De l'ordre et des habitudes confrontés à un monde chaotique. Sans doute n'aurait-il pas supporté de vivre en se conformant à une telle routine ; pourtant, en tant que visiteur, Dalgliesh la trouvait apaisante et tout à fait estimable. Après tout, il avait ses propres stratagèmes pour tenir la réalité à distance.

« A propos de cet article, dit-il, j'espère que vous n'avez pas l'intention de transformer votre revue en un magazine spécialisé dans les ragots.

— Pas du tout, mon cher. Mais les gens aiment bien avoir de temps en temps un entrefilet croustillant à se mettre sous la dent. J'avais d'ailleurs l'intention de vous inclure dans notre nouvelle rubrique. Elle s'intitule : « Qu'est-ce qu'ils peuvent bien avoir à se dire » et concerne des personnes très différentes qu'on voit dîner ensemble. Tels Adam Dalgliesh, poète-policier, et Cordelia Gray*, au *Mon Plaisir*, par exemple.

— Vos lecteurs doivent mener des vies bien ternes s'ils parviennent à s'exciter là-dessus : une jeune femme et moi-même en train de manger chastement du canard à l'orange.

— Une belle jeune femme dînant avec un homme de vingt ans son aîné les intéresse toujours. Cela leur donne de l'espoir. Vous avez une mine splendide, Adam. De toute évidence, cette nouvelle aventure vous réussit. Je veux parler de votre nouveau travail, bien sûr. Ne dirigez-vous pas la brigade criminelle chargée des affaires délicates ?

* Détective privé, héroïne de plusieurs romans de P.D. James. *(N.d.T.)*

301

— Jamais entendu parler d'une chose pareille.

— Je sais. C'est moi qui l'ai baptisée ainsi. La Met doit l'appeler C3A ou quelque chose de tout aussi rébarbatif. Mais nous connaissons son existence. Si le Premier ministre et le secrétaire général du parti social-démocrate absorbaient de l'arsenic au cours d'un dîner clandestin destiné à ourdir une prochaine coalition, et que le cardinal-archevêque de Westminster et monseigneur l'archevêque de Canterbury étaient surpris en train de quitter les lieux sur la pointe des pieds, il ne faudrait tout de même pas que les gars de la P.J. locale fassent irruption et salissent le tapis avec leurs "42 fillette". C'est un peu ça, non ?

— Scénario fascinant, mais bien peu vraisemblable. Que diriez-vous de celui-ci : le directeur d'une revue littéraire rossé à mort et un policier haut placé surpris en train de quitter subrepticement les lieux ? Quel a été le point de départ de votre article sur Berowne ?

— Une communication anonyme. Oh, ne prenez pas cet air dégoûté ! Tout le monde sait que vos hommes traînent dans les pubs et versent l'argent des contribuables à d'anciens escrocs pour obtenir des renseignements dont la plupart sont certainement sujets à caution. J'en connais un bout sur les indics. Et celui-là, je n'ai même pas eu à le payer. Son information m'est parvenue gratis par la poste.

— Qui d'autre l'a reçue, le savez-vous ?

— Trois quotidiens. Adressé à leurs échotiers. Ils ont décidé d'attendre avant de l'utiliser.

— Sage précaution. Et vous, avez-vous vérifié les faits ?

— Évidemment. Enfin, c'est Winifred qui s'en est chargée. »

Winifred Forsythe était, en principe, la directrice adjointe, mais la revue exigeait peu de tâches qu'elle ne fût pas à même d'accomplir. Le bruit courait que, sans son génie financier, le *Paternoster* n'aurait pu se maintenir à flot. Elle avait tout de la gouvernante victorienne : le physique, la tenue, la voix. C'était une femme intimidante, habituée à obtenir ce qu'elle voulait. Peut-être était-ce en raison de quelque peur atavique de l'autorité féminine que peu de gens lui résistaient et, quand Winifred posait une question, elle entendait qu'on lui répondît. Dalgliesh regrettait parfois de ne pas l'avoir dans son équipe.

« Elle a commencé par téléphoner à Campden Hill Square et a demandé Diana Travers, expliqua Ackroyd. Une femme lui a répondu, qui n'était ni lady Berowne, ni lady Ursula. Une domestique ou une gouvernante. Selon Winifred, son interlocutrice n'avait pas l'air d'une secrétaire : pas la voix adéquate. De toute façon, Berowne n'a jamais eu de secrétaire à son domicile. C'était probablement la gouvernante. En entendant la question, elle a poussé un petit cri étouffé, puis elle a répondu : "Miss Travers n'est plus ici. Elle est partie". Winifred a demandé si elle pouvait avoir son adresse. L'autre a répondu "Non" et a raccroché assez brutalement. Pas très adroit, à mon avis. Si les Berowne ne voulaient pas qu'on sache que Travers avait travaillé pour eux, ils auraient dû donner des instructions plus précises à leur domestique. A l'enquête, il n'a jamais été question du lieu de travail de Travers et personne d'autre ne semble en avoir eu vent. Selon les apparences, notre corbeau avait donc raison au moins sur un point : Diana Travers était indéniablement connue à Campden Hill Square.

— Et ensuite ?

— Winifred s'est rendue au *Black Swan*. Je dois admettre que sa couverture n'était pas très convaincante. Elle leur a dit que nous pensions publier un article sur les noyades accidentelles dans la Tamise. Nous étions pratiquement sûrs que personne, là-bas, n'avait jamais entendu parler de la *Paternoster Review*, de sorte que notre enquête n'avait pas l'air bizarre. N'empêche que tout le personnel s'est montré extrêmement prudent. Le propriétaire — comment s'appelle-t-il déjà ? Un Français, n'est-ce pas ? — était absent, et les gens qu'a rencontrés Winifred avaient bien appris leur leçon. Après tout, on comprend qu'un restaurateur ne veuille pas d'un cadavre dans son établissement. Au milieu de la vie, nous sommes déjà dans la mort ; mais, espérons-le, il n'en va pas de même au milieu d'un dîner. Ébouillanter vivants de malheureux homards — comment les gens peuvent-ils croire que ces bestioles ne sentent rien ? — est une chose ; un client noyé sur les lieux en est une autre. Non pas que le *Black Swan* ait le monopole de la Tamise mais la théorie reste valable. L'eau est quand même inconfortablement proche. A partir du moment où un des membres du groupe de Travers est entré, ruisselant, pour annoncer que la fille s'était noyée, le Français et son personnel se sont mis sur leur défensive et je dois dire qu'ils semblent s'en être très bien tirés. »

Dalgliesh passa sous silence le fait qu'il avait déjà lu les rapports de la police locale.

« Que s'est-il exactement passé ? demanda-t-il. Winifred a-t-elle pu le découvrir ?

— Cette fille, Diana Travers, est arrivée avec cinq amis. J'ai cru comprendre que la plupart d'entre eux appartenaient au monde du théâtre, ou du moins, à sa périphérie. Aucun d'entre eux n'était très connu. Sous l'influence du vin, ils sont devenus un peu bruyants et, après dîner, ils sont allés faire les fous sur la berge. Ce comportement est assez mal vu au *Black Swan*. On le tolère, à la rigueur, d'un jeune vicomte pourvu de nombreuses relations, mais cette bande-là n'était pas assez riche, aristocratique ou célèbre pour prendre de telles libertés. Le propriétaire était sur le point d'envoyer quelqu'un pour protester quand ils ont décidé de s'éloigner en aval. A partir de ce moment, on ne les a pratiquement plus entendus.

— Ils avaient dû régler l'addition entre-temps.

— Oh, oui. Tout était réglé.

— Par qui ?

— Cela va peut-être vous surprendre : par Dominic Swayne, le frère de Barbara Berowne. C'est lui qui avait réservé la table et invité les autres.

— Ce jeune homme doit rouler sur l'or. Un dîner pour six personnes au *Black Swan* lui aura coûté une petite fortune. Pourquoi ne prenait-il pas part à la fête d'anniversaire de sa sœur ?

— Winifred a jugé que cela ne lui rapporterait rien de poser cette question. Il lui est cependant venu à l'esprit que Swayne avait peut-être donné ce propre dîner pour embarrasser sa sœur ou le compagnon de celle-ci. »

Dalgliesh avait eu la même pensée. Il se rappela le rapport de la police. Il y avait eu six personnes. Diana Travers, Dominic Swayne, deux apprenties comédiennes dont il avait oublié les noms, Anthony Baldwin, un décorateur de théâtre, et Liza Galloway qui suivait des cours de régie au City College. Comme on pouvait s'y attendre, aucun d'eux n'avait de casier judiciaire. Aucun n'avait été interrogé par la police de la Tamise, ce qui était tout aussi peu surprenant. Le décès de Travers n'avait rien eu de suspect, du moins en apparence. La fille avait plongé nue dans le fleuve et s'était noyée dans trois mètres d'eau, par une chaude nuit d'été.

« Apparemment, poursuivit Ackroyd, Swayne et ses amis ont eu l'intelligence — du point de vue du restaurant, bien sûr — de ne pas faire irruption par la porte-fenêtre pour déposer le cadavre couvert d'algues au beau milieu de la salle à manger. Heureusement, la porte latérale menant aux cuisines était la plus proche. Deux des filles sont entrées en criant qu'une de leurs copines s'était noyée, pendant que Baldwin, qui semble avoir montré plus de bon sens que les autres, essayait de ranimer Diana Travers en lui faisant du bouche-à-bouche sans grande efficacité. Le chef s'est précipité dehors et a pris la relève avec plus de compétence. Il s'est escrimé jusqu'à l'arrivée de l'ambulance. A ce moment-là, la fille était manifestement morte. Sans doute l'était-elle déjà quand on l'a sortie de l'eau. Mais vous savez tout cela. Ne me dites pas que vous n'avez pas lu le compte rendu de l'enquête.

— Winifred a-t-elle demandé si Paul Berowne était venu ce soir-là ?

— Oui, elle l'a fait, et cela avec toute la discrétion dont elle est capable. Il paraît que Berowne était attendu. Il avait quelque chose à faire qui l'empêchait d'assister au dîner, mais il avait dit qu'il essaierait de les rejoindre pour le café. Peu avant dix heures, il a téléphoné pour les avertir qu'il avait été retardé et qu'il ne pourrait pas venir. Ce qui est intéressant, c'est qu'il était là quand même... du moins, sa voiture l'était.

— Comment Winifred a-t-elle découvert ça ?

— Eh bien, je dois dire, grâce à beaucoup d'habileté et encore plus de chance. Vous connaissez le parking du *Black Swan*, je suppose ?

— Non, je n'y suis jamais allé, mais je pense avoir bientôt ce plaisir. Décrivez-le-moi.

— Eh bien, le propriétaire déteste entendre le bruit des moteurs. Je le comprends. Le parking a donc été aménagé à une cinquantaine de mètres de l'établissement et entouré d'une haie de hêtres. Il n'y a pas d'employé chargé de garer les voitures ; je suppose que ça leur coûterait trop cher. Les clients doivent faire cinquante mètres à pied. S'il pleut, ils déposent d'abord leurs invités à la porte. Le parking est donc à l'écart et relativement privé. Le portier va toutefois y jeter un coup d'œil de temps en temps. Winifred a pensé que Berowne aurait difficilement pu y laisser sa voiture s'il avait eu l'intention de téléphoner pour dire qu'il ne viendrait pas. Car n'importe lequel des invités aurait pu décider de partir à la fin du repas et reconnaître son véhicule. En conséquence, elle est allée enquêter un peu plus loin sur le chemin. A une centaine de mètres de l'A3, il y a une petite aire de stationnement et, juste en face, une ferme située légèrement en retrait de la route. C'est là qu'elle s'est renseignée.

— Sous quel prétexte ?

— Oh, elle a simplement prétendu être une enquêteuse privée essayant de retrouver la trace d'une voiture volée. Les gens répondent à n'importe quelle question quand vous la posez avec suffisamment d'aplomb. Vous êtes bien placé pour le savoir, mon cher Adam.

— Et ça a marché ?

— Et comment ! Un gosse de quatorze ans qui faisait ses devoirs dans sa chambre, au premier étage, a vu une Rover noire garée à cet endroit. Comme c'est un garçon, cela l'a intéressé, naturellement. Il a été catégorique au sujet de la marque. Il a aperçu la voiture vers dix heures environ. Elle était toujours là quand il est allé se coucher.

— A-t-il noté le numéro d'immatriculation ?

— Non, pour cela il aurait dû sortir de la maison et la chose, après tout, n'offrait pas assez d'intérêt pour qu'il s'en donnât la peine. Ce qu'il a trouvé curieux, c'est qu'il n'y avait qu'un seul occupant dans cette voiture. Il l'a garée, l'a fermée, puis s'est éloigné en direction du *Black Swan*. On voit souvent des véhicules stationner à cet endroit, mais la plupart du temps, ils sont occupés par des couples qui flirtent et restent à l'intérieur.

— Le garçon a-t-il donné une description de cet homme ?

— Oui, une description très vague, mais qui aurait pu correspondre à Berowne. Personnellement, je suis convaincu que c'était sa voiture, que Berowne était là. Mais je reconnais qu'il n'y a aucune preuve. Il était dix heures du soir quand le gosse l'a entrevu et cette petite route est dépourvue de lampadaires. Je n'ai pas pu m'assurer que Berowne était au *Black Swan* quand Diana Travers s'est noyée et, comme vous l'aurez remarqué, j'ai soigneusement évité, dans mon article, d'affirmer qu'il y était.

— Avez-vous consulté votre avocat avant de publier votre papier ?

— Absolument. Il n'était pas très content mais il a bien été obligé d'admettre que mon article n'avait rien de diffamatoire, qu'il était entièrement basé sur des faits. Comme tous nos potins. »

Et ceux-ci, songea Dalgliesh, étaient pareils à n'importe quel autre produit disponible sur le marché. On ne les recevait qu'en échange de quelque chose de valeur. Ackroyd, l'une des commères les plus célèbres de Londres, était réputé pour sa précision et sa qualité. Il collectionnait des bribes d'informations croustillantes comme d'autres collectionnent des vis et des clous. Même si elles ne lui servaient pas tout de suite, elles pouvaient lui être utiles, un jour ou l'autre. Il aimait le sentiment de pouvoir que lui donnait cette activité. Sans doute réduisait-elle à ses yeux le grand corps urbain informe à des proportions maîtrisables, à une centaine de personnes qui comptaient dans son monde, lui procurant l'illusion de vivre dans un petit village intime mais plein de variété et, somme toute, assez excitant. Ackroyd n'était pas méchant. Il aimait les gens, aimait faire plaisir à ses amis. Tapi dans son bureau comme une araignée, il tissait sa toile d'intrigues anodines. Il tenait à ce qu'un des fils au moins le reliât à un policier haut placé, comme d'autres, plus forts, le raccordaient à la Chambre des communes, au théâtre, à Harley Street, au barreau. Il avait probablement déjà tiré des renseignements à ses diverses sources pour pouvoir offrir un petit tuyau en prime à son ami. Dalgliesh jugea qu'il était temps de le pêcher.

« Que savez-vous sur Stephen Lampart ? demanda-t-il.

— Pas grand-chose, la nature m'ayant heureusement épargné l'expérience de la maternité. Deux de mes amies ont accouché à Pembroke Lodge, sa clinique à Hampstead. Tout s'est très bien passé. L'une a donné le jour à l'héritier d'un duc, l'autre à un futur banquier, deux garçons donc, ce qui après une série de filles était exactement ce qu'elles désiraient. Lampart a la réputation d'être un bon gynécologue.

— A-t-il des liaisons ?

— Oh, mon cher Adam, quelle curiosité malsaine ! Dans son métier, il doit être sujet à bien des tentations. Les femmes sont souvent prêtes à témoigner leur gratitude de la seule manière que certaines d'entre elles connaissent, les pauvrettes. Mais Lampart se protège, et pas seulement dans sa vie sexuelle. Il y a huit ans, il a poursuivi quelqu'un en diffamation. Vous vous rappelez peut-être cette affaire. Un journaliste, Mickey Case, a eu l'imprudence de suggérer que Lampart avait pratiqué un avortement illégal à Pembroke Lodge. A cette époque, on était un peu moins libre dans ce domaine qu'on ne l'est de nos jours. Lampart lui a intenté un procès et a obtenu des dommages-intérêts très élevés à titre de réparation exemplaire. Cela a complètement ruiné Mickey. Depuis, pas la moindre allusion à un scandale. Rien ne vaut une réputation de chicaneur pour vous protéger de la diffamation. Le bruit court que Barbara Berowne et lui seraient plus que des cousins, mais je ne crois pas que qui que ce soit en ait la preuve. Tous deux se sont montrés remarquablement discrets. Bien entendu, quand on la sollicitait, Barbara Berowne jouait à la perfection son rôle de femme de député, belle et en adoration devant son mari. Mais de telles occasions étaient rares. Berowne n'était pas quelqu'un de mondain. Un petit dîner de temps en temps, les habituels banquets électoraux, le financement des campagnes, etc. Ce que je trouve curieux, chez Lampart, c'est qu'il passe sa vie à accoucher des femmes alors qu'il a horreur des enfants. Sur ce point, je suis plutôt d'accord avec lui. Jusqu'à un mois, ils sont adorables. Ensuite, tout ce qu'on peut dire en leur faveur, c'est qu'ils finiront bien par devenir des adultes. Lampart a pris ses précautions contre la procréation. Il s'est fait faire une vasectomie.

— Comment diable avez-vous découvert ça, Conrad ?

— Mais ce n'est pas un secret, mon cher. A une certaine époque, les gens s'en vantaient. Après son opération, Lampart s'est mis à porter une de ces affreuses cravates qui annonçaient la chose. Pas de très bon goût, je dois dire, mais Lampart a toujours eu une propension à la vulgarité. Il la maîtrise mieux à présent. Il a dû ranger la cravate dans un tiroir avec d'autres souvenirs de son passé. »

Ça, c'était bien la prime attendue, se dit Dalgliesh. Car si jamais Barbara Berowne était enceinte, de qui l'était-elle si ce ne pouvait être de Lampart ? Si l'enfant était de Berowne et que celui-ci avait été au courant, y aurait-il eu plus ou moins de chances qu'il se suicidât ? Un jury estimerait probablement qu'il y en avait moins. Pour lui, qui n'avait jamais cru à la théorie du suicide, ce fait n'était pas très significatif ; il le serait néanmoins pour le ministère public s'ils attrapaient l'assassin et que celui-ci passât en jugement.

« Comment vous êtes-vous entendu avec la redoutable lady Ursula? demanda Ackroyd. La connaissiez-vous ?

— Non. Je ne fréquente pas de filles de comte dans ma vie privée. Et c'est la première que je rencontre dans ma vie professionnelle. Que devrais-je penser d'elle ? Dites-le-moi.

— Ce que tout le monde voudrait bien savoir, du moins, toutes les personnes de sa génération, c'est pourquoi elle a épousé sir Henry. Il se trouve que je connais la réponse. Je l'ai découverte tout seul. Vous direz peut-être que ma théorie est évidente, mais elle n'en est pas moins bonne. Elle explique pourquoi tant de femmes belles choisissent des hommes tellement ordinaires. Parce qu'une femme belle — je dis belle, et non simplement jolie — a vis-à-vis de sa beauté des sentiments ambigus. Une partie d'elle-même sait que c'est ce qu'elle a de plus précieux. Bon, c'est vrai. Mais une autre partie d'elle-même s'en méfie. Elle sait combien cet avantage est éphémère. Elle est contrainte d'assister à sa disparition. Elle veut être aimée pour une autre qualité, qualité que, généralement, elle ne possède pas. Donc, quand lady Ursula en a eu assez de tous ces jeunes importuns qui la poursuivaient de leurs assiduités, elle a choisi ce bon vieil Henry qui l'aimait avec ferveur depuis des années et continuerait de toute évidence à le faire jusqu'à sa mort, sans se rendre compte, apparemment, qu'il épousait

311

la beauté la plus en vue du Royaume. Il semble que leur mariage ait été une réussite. Lady Ursula lui a donné deux fils et lui est restée fidèle — enfin, plus ou moins. Et maintenant, cette pauvre femme n'a plus rien. Le titre de son père s'est éteint à la mort de son unique frère, tué en 17. Puis elle perd ses deux fils... A moins, évidemment, que Barbara Berowne ne soit enceinte d'un héritier, ce qui, à première vue, paraît improbable.

— L'extinction de la baronnie n'est-elle pas l'aspect le moins important de cette tragédie ?

— Pas nécessairement. Un titre, surtout lorsqu'il est très ancien, confère un sens réconfortant de la continuité familiale, une sorte d'immortalité personnelle. Quand vous le perdez, vous commencez à comprendre que toute chair est gazon. Permettez-moi de vous donner un conseil, mon cher Adam. Ne sous-estimez jamais lady Ursula Berowne.

— Il n'y a pas de danger. Connaissiez-vous Paul Berowne ?

— Non. Je connaissais un peu son frère. Je l'ai rencontré à l'époque où il venait de se fiancer avec Barbara Swayne. Hugo était un anachronisme ambulant. Il ressemblait plus à un héros de la Première Guerre mondiale qu'à un soldat moderne. On s'attendait presque à le voir tapoter sa culotte de cheval kaki avec sa canne ou porter une épée au côté. Des types comme lui, on sait qu'ils se feront tuer un jour ou l'autre. Ils sont nés pour ça. Sinon, que diable voulez-vous qu'ils fassent d'eux-mêmes dans leur vieillesse ? Hugo était nettement le préféré de lady Ursula. C'était le genre d'hommes qu'elle comprenait, avec lequel elle avait grandi, possédant ce mélange de beauté physique, de désinvolture et de charme. J'ai commencé à m'intéresser à Paul Berowne quand nous avons décidé de publier ce petit article, mais j'admets que la plupart de mes renseignements sur lui sont de seconde main. Une partie du drame personnel de Paul Berowne, qui est certes peu de chose au regard de l'éternité, a été très bien résumé par Jane Austen : "Son caractère s'est peut-être un peu aigri du fait que, comme beaucoup d'autres représentants de son sexe, il avait découvert qu'en vertu de quelque inexplicable préjugé en faveur de la beauté, il se trouvait être le mari d'une femme fort sotte." *Orgueil et préjugé*, Mr. Bennett.

— *Raison et sensibilité*, "Mr. Palmer". Et, quand on voit Barbara Berowne, le préjugé en question s'explique très bien.

— *Raison et sensibilité ?* Vous êtes sûr ? Quoi qu'il en soit, je me félicite d'être immunisé contre ce genre d'ensorcellement et le désir de possession qui semble inévitablement l'accompagner. La beauté fausse le sens critique. Dieu sait ce que Berowne a cru obtenir, à part un intense sentiment de culpabilité. Le saint Graal, peut-être. »

Tout compte fait, se dit Dalgliesh, sa visite à Saint John's Wood s'était révélée plus fructueuse qu'il ne l'avait escompté. Il termina son thé sans se hâter. Il devait à son hôtesse l'apparence, au moins, du respect des convenances, et il n'était pas particulièrement pressé de partir. Apaisé par la sollicitude de Nellie Ackroyd, confortablement enfoncé dans un fauteuil à bascule capitonné dont les accoudoirs et l'appuie-tête semblaient avoir été spécialement conçus aux dimensions de son corps, les yeux reposé par le reflet lointain du canal aperçu à travers la serre baignée de lumière, il dut faire un effort pour se lever et prendre congé. Il retourna au Yard chercher Kate Miskin, puis tous deux se rendirent au rendez-vous qu'ils avaient fixé à l'unique enfant de Paul Berowne.

Melvin Johns n'avait pas eu l'intention de faire l'amour. Il avait retrouvé Tracy à l'endroit habituel, la grille qui menait au chemin de halage. Ils avaient marché ensemble, elle le tenant par le bras, son corps mince pesant contre le sien, jusqu'à leur cachette : un carré d'herbe aplatie situé derrière un sureau et une souche d'arbre. Là, c'était arrivé. Comme il l'avait prévu. Un bref spasme insatisfaisant après un préambule identique aux autres fois. Une forte senteur d'humus et de feuilles mortes, la terre douce sous ses pieds, le corps ardent de Tracy peinant sous le sien, l'odeur de ses aisselles, ses doigts grattant son cuir chevelu, la rugosité de l'écorce de l'arbre contre sa joue, le miroitement du canal vu à travers le fourré. Maintenant, c'était fini. Mais le cafard qu'il avait toujours après l'acte était pire que jamais. Il eut envie de s'enfoncer dans le sol et de gémir tout haut.

« Il faut aller à la police, chéri, murmura-t-elle. Il faut leur dire ce qu'on a vu.

— Ce n'était rien. Simplement une voiture garée devant l'église.

— Oui, mais devant la porte de la sacristie. Devant l'endroit où a été commis le crime. Le même soir. En plus, on connaît l'heure : environ sept heures. C'était peut-être la voiture de l'assassin.

— Ça m'étonnerait qu'il circule en Rover noire. Et puis, on n'a même pas relevé le numéro.

— Mais il faut leur dire. Si la police ne retrouve pas l'assassin et qu'il tue de nouveau, on ne se le pardonnera jamais. »

Le ton onctueux, satisfait de soi, de Tracy l'écœura. Comment, se demanda-t-il, n'avait-il encore jamais remarqué qu'elle avait une voix geignarde ?

« D'après toi, ton père nous tuerait s'ils savait qu'on se voit, marmonna-t-il. Tous ces mensonges que tu lui as racontés, que tu allais à tes cours du soir. Tu as dit qu'il nous tuerait.

— Mais c'est différent maintenant, mon chéri. Il comprendra. Et puis, on peut toujours se fiancer. On dira à tout le monde qu'on était fiancés. »

Évidemment, se dit-il. Tout devenait soudain très clair pour lui. Papa, ce respectable prédicateur laïque, serait d'accord dans la mesure où il n'y aurait pas de scandale. Il ne dédaignerait pas la publicité et le prestige que cette histoire lui donnerait. Ils seraient obligés de se marier. Papa, Maman et Tracy y veilleraient. Il eut l'impression que son avenir lui était soudain dévoilé, qu'une bobine de cinéma déroulait lentement devant ses yeux la vision désespérante, image après image, de la vie qui l'attendait. L'installation dans la maison des beaux-parents (avec leurs modestes moyens, où auraient-ils pu se loger ?). L'attente d'un appartement dans une H.L.M. Le premier bébé hurlant dans la nuit. La voix pleurnicharde, accusatrice de Tracy. La mort lente de tout, y compris du désir. Un ancien membre du gouvernement était décédé, un homme qu'il n'avait jamais connu, jamais vu, dont le destin n'avait jamais croisé le sien jusqu'à ce jour. Quelqu'un, son meurtrier ou un automobiliste innocent, avait garé sa Rover devant l'église. La police retrouverait l'assassin, s'il y en avait un. Le criminel serait condamné à perpétuité et relâché dans une dizaine d'années. Mais lui, qui n'avait que vingt et un ans, purgerait sa peine jusqu'à sa mort. Et qu'avait-il fait pour mériter pareil châtiment ? Bien peu de chose comparé au meurtre. L'injustice de son sort faillit le faire hurler.

« D'accord, dit-il, résigné. Allons au commissariat de Harrow Road. On leur parlera de la voiture. »

L'immeuble qu'habitait Sarah Berowne faisait partie d'une rangée de lugubres maisons victoriennes de cinq étages, aux façades sales et profusément ornées, situées légèrement en retrait de Cromwell Road, derrière une haie de lauriers et de troènes. A côté de l'interphone s'étageaient neuf sonnettes. Celle du haut ne portait que le mot « Berowne ». Dès que Dalgliesh et Kate eurent sonné, la porte s'ouvrit sous leur poussée. Après avoir traversé un vestibule, ils entrèrent dans un hall étroit au sol revêtu de linoléum, aux murs couverts de l'inévitable peinture brillante couleur crème, et qui ne contenait qu'une table pour le courrier. L'ascenseur à grille était à peine assez grand pour deux passagers. Une glace en tapissait le fond. Tandis que la cabine montait en gémissant, le reflet de leurs deux silhouettes, si proches que Dalgliesh pouvait sentir l'agréable odeur de propre des cheveux de sa compagne et s'imaginer entendre battre son cœur, semblait aggraver en lui un début de claustrophobie. La cabine s'arrêta avec une secousse. Quand ils sortirent sur le palier et que Kate se tourna pour fermer la grille, Dalgliesh vit Sarah Berowne qui les attendait sur le pas de sa porte.

La ressemblance familiale était presque hallucinante. Sarah Berowne se détachait sur la lumière qui provenait de son appartement comme l'ombre, en plus frêle et au féminin, de son père. C'étaient les mêmes yeux gris espacés, les mêmes paupières tombantes, la même fine ossature, la même distinction, mais sans cette patine masculine de confiance en soi que confère le succès. Ses cheveux blonds ne présentaient pas, comme chez Barbara Berowne, une succession de mèches dorées. Ils étaient plus foncés, presque roux, déjà parsemés de fils argentés. Secs et ternes, ils pendaient sans vie autour du visage à menton pointu des Berowne. Sarah n'avait que vingt-quatre ans. Avec son teint couleur de miel, ses traits creusés par la fatigue, elle paraissait plus âgée. Elle ne prit même pas la peine de regarder la carte de police. Dalgliesh se demanda s'il fallait interpréter cette négligence comme de l'indifférence ou comme un léger mépris. Quand il lui présenta Kate, elle se contenta d'incliner la tête. Elle s'effaça pour les faire entrer, d'abord dans le vestibule, puis dans la salle de séjour. Un homme dont la figure leur parut familière se leva pour les saluer : c'était Ivor Garrod.

Sarah Berowne le leur présenta sans expliquer sa présence. De toute façon, rien ne l'y obligeait : elle était chez elle et pouvait inviter qui elle voulait. Les intrus, c'étaient eux.

De l'exiguïté de l'ascenseur et de la pénombre du vestibule, ils étaient passés à l'espace et à la lumière. L'appartement était un grenier aménagé. La salle de séjour au plafond bas occupait presque toute la longueur de l'immeuble. Le mur nord, en partie vitré, ouvrait sur un étroit balcon à balustrade. A l'autre bout de la pièce, une porte menait probablement à la cuisine. Celles de la chambre à coucher et de la salle de bains devaient se trouver dans le vestibule, se dit Dalgliesh. Il avait développé la faculté de remarquer les traits caractéristiques d'un lieu sans avoir à promener franchement son regard autour de lui, attitude qu'il aurait jugée offensante chez n'importe quel étranger, sans même parler d'un policier. Parfois, il s'étonnait de ce qu'un homme aussi morbidement attaché à son intimité que lui eût choisi un métier qui l'obligeait à violer presque tous les jours celle des autres. Mais l'espace vital des gens et les objets dont ils s'entouraient ne pouvaient qu'être fascinants pour un détective. Affirmation de la personnalité, ils étaient aussi intéressants par eux-mêmes que par ce qu'ils trahissaient du caractère, des occupations et des manies de leurs propriétaires.

La pièce où ils se tenaient servait manifestement de salle de séjour et de studio. Les meubles y étaient rares, quoique confortables. Deux grands canapés se faisaient face, chacun collé contre un mur et surmonté de rayonnages contenant des livres, une chaîne stéréo et un petit bar. Un panneau de liège couvrait le mur opposé à la fenêtre. Une série de photos y étaient punaisées. A droite, on voyait des images de Londres et de Londoniens. Par leur juxtaposition, elles étaient manifestement destinées à illustrer un argument politique : des invités à une *garden-party* royale, superchics, en train de traverser les pelouses de Saint Jame's Park, avec le kiosque à musique à l'arrière-plan ; un groupe de Noirs, à Brixton, regardant l'objectif avec colère ; une file de boursiers du collège de Westminster entrant, dignes et solennels, dans l'abbaye ; la cour de récréation d'une école surpeuplée datant de l'époque victorienne, où un enfant aux yeux tristes serrait les barreaux de la grille comme un prisonnier ; une femme dotée d'une tête de renarde en train de choisir une fourrure chez Harrods ; un couple de retraités aux mains noueuses, assis, raides comme des figurines du Staffordshire, de part et d'autre de leur radiateur électrique à un seul élément. Si le message était trop facile pour être convaincant, se dit Dalgliesh, le support, pour autant qu'il pût en juger, présentait certainement des qualités techniques, surtout en ce qui concernait la composition. Sur la moitié gauche du panneau s'étalaient des photos dont la commande avait dû être autrement plus lucrative : une série de portraits d'écrivains célèbres. Cependant, l'engagement politique de la photographe semblait avoir déteint même sur cette partie-là de son œuvre. Mal rasés, habillés à la mode, mais dans le style débraillé, les hommes, avec leurs cols de chemise ouverts et dépourvus de cravate, avaient l'air de sortir d'un débat littéraire ou de se rendre à une bourse du travail des années trente ; les femmes, elles, arboraient un air hagard ou agressif, exceptée une mémère grassouillette, auteur célèbre de romans policiers, qui regardait l'objectif d'un air mélancolique comme si elle déplorait le côté sanguinaire de son art ou la modicité de son à-valoir.

Sarah Berowne les invita à s'asseoir sur le canapé situé à droite de la porte, et s'installa sur celui qui lui faisait face. A moins de hurler, se dit Dalgliesh, cet arrangement n'allait pas faciliter la conversation. Garrod se percha sur l'accoudoir le plus éloigné de la jeune fille, comme pour se distancier des trois autres personnes présentes. Au cours de l'année précédente, il semblait s'être un peu retiré de la scène politique. On l'entendait beaucoup moins souvent qu'avant exposer les idées de la *Workers' Revolutionary Campaign* à la radio ou à la télévision. Apparemment, il se consacrait davantage à son travail d'animateur socio-culturel, quelle que fût l'activité que recouvraient ces termes. Néanmoins, on le reconnaissait tout de suite. C'était un homme qui, même au repos, semblait conscient du pouvoir de sa présence physique, sans pour autant en abuser. Vêtu d'un jean et d'une chemise blanche à col ouvert, il réussissait à donner simultanément une impression d'élégance et de décontraction. Avec sa longue figure florentine pleine d'arrogance, sa bouche généreusement arquée sous une courte lèvre supérieure, son nez aquilin, sa crinière noire et ses yeux énigmatiques, il aurait pu sortir d'un des portraits exposés au palais des Offices.

« Puis-je vous offrir quelque chose à boire ? demanda-t-il. Du vin, du whisky, du café ? »

Bien que d'une politesse étudiée, son ton n'était ni sarcastique ni d'une obséquiosité provocante. Dalgliesh savait ce qu'il pensait de la police métropolitaine : il l'avait assez souvent proclamé. Mais il semblait décidé à jouer la carte de la prudence. Ils allaient tous être du même bord, du moins pour le moment. Dalgliesh et Kate déclinèrent son offre. Un bref silence tomba. Sarah Berowne le rompit.

« Vous êtes ici à cause de mon père, naturellement, dit-elle. Il n'y a pas grand-chose que je puisse vous dire à son sujet. Cela fait trois mois que je ne l'ai pas vu et je ne lui ai même pas parlé au téléphone.

— Mais vous étiez au 62, Campden Hill Square mardi après-midi ?

— Oui, pour voir ma grand-mère. J'avais une heure de libre entre deux rendez-vous et je voulais savoir ce qui se passait. Je veux parler de la démission de mon père et des bruits qui couraient sur une soi-disant révélation qu'il aurait eue dans une église. A part ma grand-mère, je n'avais personne à qui en parler. Mais elle était allée prendre le thé avec quelqu'un. Je n'ai pas attendu. Je suis partie vers quatre heures et demie.

— Êtes-vous entrée dans le bureau ?

— Le bureau ? »

Sarah Berowne parut surprise.

« Je suppose que vous pensez à l'agenda, dit-elle au bout d'un instant. Grand-mère m'a dit que vous l'aviez trouvé à moitié brûlé, dans l'église. Je suis entrée dans le bureau, mais je n'ai pas vu le carnet.

— Saviez-vous où votre père le rangeait ?

— Bien sûr. Dans le tiroir du bureau. Tout le monde le savait. Pourquoi me demandez-vous cela ?

— J'espérais simplement que vous l'aviez peut-être aperçu. Il nous aurait été utile de savoir si l'agenda était à sa place à quatre heures et demie. Il nous est impossible de reconstituer l'emploi du temps de votre père après onze heures et demie du matin, heure à laquelle il a quitté une agence immobilière de Kensington High Street. Si vous aviez regardé dans le tiroir et vu l'agenda, cela aurait pu signifier que votre père est repassé à la maison, sans que personne ne s'en rende compte, un peu plus tard dans l'après-midi. »

Ça, c'était une des possibilités, et Dalgliesh se doutait bien que quelqu'un comme Garrod n'ignorait pas les autres. Le jeune homme prit la parole :

« Nous ne savons rien, à part ce que Sarah a appris de sa grand-mère : que sir Paul et un clochard avaient été trouvés égorgés, et qu'on pensait que c'était le rasoir de sir Paul qui avait servi d'arme. Nous espérions que vous pourriez nous en dire plus. Devons-nous comprendre qu'il s'agit d'un meurtre ?

— Il ne peut y avoir aucun doute à ce sujet », répondit Dalgliesh.

Les deux corps assis en face de lui parurent se raidir. Il ajouta d'un ton calme :

« Harry Mack, le clochard, ne s'est certainement pas tranché la gorge. Il y a peu de chances que sa mort bouleverse les foules, mais sa vie avait tout de même une certaine importance, du moins pour lui. »

Si avec pareille tirade je n'arrive pas à provoquer Garrod, c'est à désespérer, se dit-il. Le jeune homme se contenta toutefois de répliquer :

« Si vous voulez qu'on vous fournisse un alibi pour le meurtre de Harry Mack, je peux vous dire

que nous sommes restés ici ensemble de six heures
du soir mardi au mercredi matin neuf heures. Nous
avons dîné ici. J'avais acheté une tourte aux champignons chez Marks et Spencer, dans Kensington
High Street. C'est ce que nous avons mangé. Je
pourrais aussi vous préciser quelle sorte de vin nous
avons bu, mais je doute que cela vous intéresse. »

Bien qu'il montrât pour la première fois des
signes d'irritation, sa voix demeurait douce, son
regard, clair et serein.

« Et papa ? Qu'est-il arrivé à papa ? s'écria Sarah
Berowne comme une enfant désemparée.

— Nous traitons son décès comme une mort
suspecte. Nous ne pouvons guère en dire plus
jusqu'à ce que nous recevions les résultats de
l'autopsie et des analyses de laboratoire. »

Soudain, la jeune fille se leva. Elle s'approcha de
la fenêtre et se mit à contempler les trente mètres
de jardin automnal à l'abandon. Garrod glissa au
bas de l'accoudoir et alla au bar où il remplit deux
verres de vin rouge. Il en porta un à son amie et le
lui tendit en silence, mais elle secoua la tête. Garrod
revint vers le canapé et se rassit, son verre à la
main, sans y tremper les lèvres.

« Écoutez, Commandant, si vous êtes là, ce n'est
pas pour une visite de condoléances, n'est-ce pas ?
Et bien que l'intérêt que vous manifestez pour Harry
Mack me rassure, vous n'êtes pas venu jusqu'ici à
cause d'un clochard mort. Le corps de Harry eût-il
été le seul à être trouvé dans cette sacristie, aurait
mérité tout au plus un brigadier de police. Ne
croyez-vous pas que miss Berowne est en droit de
savoir si vous l'interrogez dans le cadre d'une
enquête sur un meurtre, ou si vous cherchez simplement à savoir pourquoi Paul Berowne s'est coupé
la gorge ? L'a-t-il fait ou ne l'a-t-il pas fait ? La
recherche criminelle, c'est votre boulot, pas le

mien, mais j'aurais pensé que la question serait nettement tranchée. »

Dalgliesh se demanda si cet épouvantable jeu de mots avait été volontaire. Quoi qu'il en fût, Garrod ne se crut pas obligé de s'excuser. Jetant un coup d'œil à Sarah Berowne, toujours immobile devant la fenêtre, Dalgliesh la vit frissonner. Puis, comme par un acte de volonté, la jeune fille se retourna vers lui. Ne prêtant aucune attention à Garrod, il s'adressa directement à elle.

« J'aimerais pouvoir être plus précis, mais, pour le moment, cela m'est absolument impossible. De toute évidence, le suicide est une des hypothèses. J'avais l'espoir que vous auriez vu récemment votre père, et que vous pourriez me donner vos impressions sur cette rencontre, m'indiquer s'il vous avait dit quoi que ce fût qui aurait pu avoir un rapport avec sa mort. Je sais que cette conversation vous est pénible. Je m'excuse d'avoir à vous poser ces questions, de vous imposer notre présence.

— Il m'a parlé de suicide, un jour, répondit-elle, mais pas du tout comme vous le pensez.

— Récemment, miss Berowne ?

— Oh non ! Cela fait des années que nous ne nous parlons plus. Je veux dire : que nous n'avons plus de véritable conversation. Non, ça, c'était quand je suis revenue à la maison, à la fin de mon premier trimestre à Cambridge. Un de mes amis s'était suicidé. Mon père et moi avons parlé de sa mort et du suicide en général. Je ne l'ai jamais oublié. Papa a dit que certaines personnes voyaient le suicide comme un choix possible. Elles avaient tort car c'était, au contraire, la fin de tous les choix. Il m'a cité Schopenhauer : "D'aucuns considèrent le suicide comme une expérience, comme une question que l'homme pose à la nature pour tenter de lui arracher une réponse. C'est une expérience malcommode : elle entraîne, en effet, la destruction de la conscience qui pose la question et attend la réponse." Papa pensait que, tant que nous vivons, il est possible, et même certain, que les choses changeront. Il disait que le seul moment où un homme peut se suicider avec une certaine logique, ce n'est pas quand la vie lui est intolérable, mais quand il préfère ne pas la vivre, même si elle devenait supportable, voire agréable.

— C'est ce qu'on pourrait appeler le désespoir absolu.

— Oui. Je suppose que c'est cela qu'il aurait pu éprouver.

— Il aurait mieux fait de citer Nietzsche, déclara Garrod : "L'idée du suicide est d'un grand réconfort : elle vous permet de survivre à plus d'une mauvaise nuit." »

Sans tenir compte de son intervention, Dalgliesh continua à s'adresser directement à Sarah Berowne.

« Votre père, donc, ne vous a pas vue et ne vous a pas écrit ? Il ne vous a pas expliqué ce qui lui était arrivé dans cette église, ni pourquoi il se démettait de ses fonctions ministérielles et parlementaires ? »

Il s'attendit presque à l'entendre répliquer : « Qu'est-ce que cela a à voir avec cette enquête ? En quoi cela vous regarde-t-il ? » Mais elle répondit :

« Pensez-vous ! Il devait croire que je m'en fichais. Je n'ai appris ce qui s'était passé que parce que sa femme m'a appelée. Elle avait l'air de croire que je pouvais avoir quelque influence sur mon père. Ce qui montre combien elle nous connaissait peu, lui et moi. Sans ce coup de téléphone, j'aurais appris sa démission par les journaux. » Soudain, elle s'écria : « C'est incroyable ! Il ne pouvait même pas se convertir comme le commun des mortels ! Il lui fallait sa vision béatifique personnelle ! Il n'a même pas été fichu de démissionner avec une certaine pudeur !

— A mon avis, il a fait preuve d'une très grande pudeur, répliqua doucement Dalgliesh. Manifestement, il a senti que c'était là une expérience personnelle qui exigeait des actes plutôt que des paroles.

— Il lui était évidemment difficile d'étaler son histoire à la une des journaux du dimanche. Il s'est peut-être rendu compte qu'il ne ferait que se ridiculiser, lui et sa famille.

— Cela aurait-il eu de l'importance ?

— Pas pour moi, mais certainement pour ma grand-mère. Et pour ma belle-mère, bien sûr. Elle avait cru épouser un de nos futurs Premiers ministres. Elle n'aurait pas du tout aimé être la femme d'un illuminé. Enfin, elle est débarrassée de lui à présent. Et lui, il est débarrassé de nous, de nous tous. »

Sarah Berowne se tut un moment, puis elle reprit avec une véhémence soudaine :

« Je n'ai pas l'intention de jouer la comédie. De toute façon, vous savez parfaitement que mon père et moi étions, comment dirais-je ? — en froid. Ce n'est un secret pour personne. Je n'aimais pas ses opinions politiques. Je n'aimais pas la façon dont il traitait ma mère, dont il me traitait moi. Je suis marxiste. Ça non plus, ce n'est un secret pour personne. Je figure sûrement sur les listes de vos petits copains. Et je tiens à mes convictions. Or, je ne pense pas que c'était vraiment le cas pour mon père. Il me demandait de discuter politique comme nous aurions discuté d'une nouvelle pièce de théâtre que nous aurions vue tous les deux ou d'un livre que nous aurions lu. Comme s'il s'agissait d'un jeu intellectuel, dont on pouvait "débattre d'une façon civilisée" pour employer ses termes. C'était cela, disait-il, qu'il fallait le plus déplorer au sujet du déclin de la religion : les gens la remplaçaient par la politique, et c'était dangereux. Eh bien, voilà ce que la politique représente pour moi : une foi.

— Étant donné vos sentiments à l'égard de votre père, son héritage doit vous poser un problème moral, insinua Dalgliesh.

— Est-ce une façon délicate de me demander si j'ai tué mon père pour avoir son fric ?

— Non, miss Berowne. C'est une façon, pas très délicate, de découvrir ce que vous éprouvez face à un conflit somme toute assez banal.

— Ce que j'éprouve ? Aucun remords, en tout cas. Tout ce que je recevrai sera bien employé, pour une fois. Ça n'ira pas chercher très loin. Vingt mille livres peut-être ? Pour changer le monde, il nous faudra beaucoup plus d'argent que cela. »

Soudain, elle retourna au canapé et s'assit. Elle pleurait.

« Je m'excuse, fit-elle, je m'excuse. C'est idiot. C'est le choc. Et aussi la fatigue. J'ai à peine dormi la nuit dernière. Et j'ai eu une journée chargée, des rendez-vous que je n'ai pas pu annuler. Pourquoi les aurais-je annulés, d'ailleurs ? Je ne peux plus rien pour lui. »

Pour Dalgliesh, ce phénomène n'avait rien de nouveau. Les larmes des témoins, leur chagrin, faisaient nécessairement partie d'une enquête criminelle. Il avait appris à ne montrer ni surprise, ni gêne. Les remèdes variaient, bien sûr : une tasse de thé chaud et sucré, s'il y avait quelqu'un pour le faire ; un verre de xérès ou une gorgée de whisky si la bouteille n'était pas trop loin. Il n'avait jamais été très doué pour réconforter les gens en leur posant la main sur l'épaule, et, dans le cas présent, il savait que ce geste serait mal reçu. Il sentit Kate se raidir à ses côtés comme si, instinctivement, elle allait s'approcher de la jeune fille. Puis elle regarda Garrod, mais celui-ci ne bougea pas. Ils attendirent en silence. Les sanglots furent vite réprimés. Sarah Berowne leva de nouveau son visage vers eux.

« Je m'excuse. Ne faites pas attention à moi. Ça ira mieux dans une minute.

— Je crois que nous n'avons plus rien d'utile à vous dire, déclara Garrod, mais si vous avez encore des questions à poser, cela pourrait peut-être attendre. Miss Berowne est bouleversée.

— Je m'en rends compte, répliqua Dalgliesh. Si elle veut que nous partions, nous la laisserons tranquille, évidemment. »

Sarah Berowne leva la tête et dit à Garrod :

« Toi, tu peux partir. Je tiendrai le coup. Tu as dit ce que tu avais à dire. Tu étais ici, avec moi, mardi soir et nous avons passé la nuit ensemble. Il n'y a rien que tu puisses dire au sujet de mon père. Tu ne l'as jamais vraiment connu. Alors, autant t'en aller. »

Le ton venimeux qu'avait soudain pris sa voix étonna Dalgliesh. Garrod ne devait guère aimer se faire congédier ainsi, mais il était trop maître de lui et trop habile pour protester. Il regarda son amie avec ce qui semblait être un intérêt détaché plutôt que du ressentiment.

« Si tu as besoin de moi, tu n'auras qu'à m'appeler » dit-il.

Dalgliesh attendit qu'il eût atteint la porte pour demander doucement :

« Un moment, s'il vous plaît. Que savez-vous sur Diana Travers et sur Theresa Nolan ? »

Garrod s'immobilisa une seconde, puis se retourna lentement.

« Seulement qu'elles sont mortes toutes les deux. Il m'arrive de lire la *Paternoster Review*.

— L'article sur sir Paul récemment paru dans ce

magazine était basé en partie sur une lettre anonyme envoyée à l'intéressé lui-même, et à un certain nombre de journaux. Cette lettre. »

Il sortit le document de sa serviette et le tendit à Garrod. Pendant que celui-ci le lisait, il y eut un moment de silence. Puis, le visage inexpressif, Garrod passa le feuillet à Sarah Berowne.

« Vous n'êtes tout de même pas en train de suggérer que Berowne s'est tranché la gorge parce que quelqu'un lui avait envoyé une lettre déplaisante ? railla-t-il. Pour un homme politique, ç'aurait été la preuve d'une susceptibilité exagérée. En outre, il était avocat. S'il y avait vu matière à procès, il aurait pris les mesures nécessaires.

— Je n'ai jamais dit que ce message avait pu constituer un motif de suicide, répondit Dalgliesh. Je me demandais simplement si vous ou miss Berowne aviez la moindre idée quant à l'identité de son auteur. »

La jeune fille se contenta de secouer la tête et lui rendit la feuille de papier. Mais Dalgliesh put constater que l'exhibition de la lettre l'avait troublée. Elle n'était ni une bonne actrice, ni une bonne menteuse.

« J'admets avoir été persuadé que l'enfant avorté de Theresa Nolan était de Berowne, dit Garrod, mais je ne me suis pas senti obligé de faire quoi que ce soit à ce sujet. Sinon, j'aurais choisi un moyen d'action plus efficace que l'envoi de ce salmigondis de vagues insinuations. Je n'ai rencontré cette fille qu'une seule fois, à un dîner assez pénible chez les Berowne. C'était la première fois que lady Ursula descendait dans la salle à manger depuis sa maladie. La pauvre Theresa n'avait pas l'air très heureuse. Mais il est vrai que lady Ursula sait depuis l'enfance dans quelle pièce les gens ont le droit de manger et, bien entendu, quelle place ils doivent occuper à table. La pauvre petite infirmière Nolan dînait au-dessus de sa condition et on le lui faisait bien sentir.

— Pas exprès, protesta doucement Sarah Berowne.

— Je n'ai pas dit que c'était exprès. Des femmes comme ta grand-mère offensent par leur simple existence. Leurs intentions n'entrent pas en ligne de compte. »

Puis, sans toucher son amie, sans même lui jeter un regard, Garrod prit congé de Kate et de Dalgliesh aussi cérémonieusement que s'ils avaient été ses voisins de table à un dîner. La porte se referma derrière lui. Après avoir vainement tenté de se maîtriser, la jeune fille éclata en sanglots. Kate se leva, franchit la porte située à l'autre bout de la pièce et, après ce qui sembla à Dalgliesh un temps inutilement long, revint avec un verre d'eau. S'asseyant à côté de Sarah Berowne, elle le lui offrit en silence. La jeune fille but avec avidité.

« Merci, dit-elle. C'est idiot. Mais je n'arrive pas à croire que papa est mort, que je ne le reverrai jamais. Je me disais sans doute qu'un jour les choses s'arrangeraient entre nous, que j'avais le temps. Et maintenant ils ont tous disparu : maman, papa, oncle Hugo... Oh, mon Dieu, je suis vraiment au-dessous de tout ! »

Dalgliesh aurait aimé lui poser d'autres questions, mais ce n'était pas le moment. Ils attendirent qu'elle se calmât, puis, avant de partir, lui demandèrent si elle était sûre que tout allait bien. Quelle hypocrisie, pensa Dalgliesh après-coup. Sarah Berowne allait aussi bien qu'elle irait jamais, eux présents.

Après avoir démarré, Kate resta quelques instants silencieuse, puis elle dit :

« Sa cuisine n'est équipée que d'appareils électriques. Il y a bien un paquet, encore emballé, de quatre boîtes d'allumettes Bryant et May dans le placard, mais c'est tout. De toute façon, ça ne prouverait rien. Ils auraient pu en acheter une et la jeter ensuite. »

Elle était allée chercher un verre d'eau en manifestant une vraie sympathie, une vraie sollicitude, songea Dalgliesh. Cela ne l'avait pas empêchée de continuer à penser aux preuves. Et dire que certains de mes officiers croient les femmes plus sentimentales que les hommes...

« Essayer de retrouver la trace d'une unique boîte d'allumettes ne nous mènera nulle part, déclara-t-il. Une allumette de sûreté est la chose la plus facile à se procurer, la plus difficile à identifier.

— Mais ce n'est pas tout, sir. J'ai regardé dans la poubelle. J'y ai trouvé le carton de la tourte aux champignons de chez Marks et Spencer. Ils l'ont effectivement mangée, mais, mardi, elle avait dépassé de deux jours la date limite de consommation. Garrod ne peut pas l'avoir achetée ce jour-là. Depuis quand Marks et Spencer vendent-ils des denrées avariées ? Je ne savais pas si vous vouliez cet emballage ou non.

— Nous n'avons pas encore le droit de prendre quoi que ce soit dans cet appartement. C'est trop tôt. On pourrait d'ailleurs considérer ce détail comme un indice en leur faveur. S'ils avaient projeté ce crime, je pense que Garrod aurait acheté la tourte mardi matin et se serait arrangé pour que la caissière se souvînt de lui. De plus, ils ont fourni un alibi pour toute la nuit. Cela laisse supposer qu'ils ne connaissent pas l'heure critique.

— Mais Garrod n'est-il pas trop malin pour tomber dans ce genre de piège ?

— Oh, il n'invoquerait pas un alibi limité strictement à huit heures, mais celui qu'il nous a donné couvre un peu trop généreusement toutes les heures, de six heures du soir à neuf heures le lendemain matin. Cela semble indiquer qu'il ne veut prendre aucun risque. »

Et, de même que les alibis des autres suspects, celui-ci serait difficile à démolir. Garrod et Sarah Berowne s'étaient consultés avant leur visite. La police savait que Garrod habitait, seul, un studio à Bloomsbury, dans un grand immeuble anonyme dépourvu de gardien. S'il affirmait avoir passé la nuit ailleurs, Dalgliesh voyait difficilement qui pourrait prouver le contraire. Comme tous les autres témoins de cette affaire qu'ils avaient interrogés jusqu'à présent, Sarah Berowne et son amant avaient un alibi. Même si la police jugeait celui-ci peu convaincant, Dalgliesh avait une trop haute opinion de l'intelligence de Garrod pour supposer qu'on pourrait le confondre, encore moins avec une date limite de consommation imprimée sur le carton d'une tourte aux champignons.

A peine était-il de retour au Yard que Massingham entra dans son bureau. Son adjoint se vantait toujours de pouvoir maîtriser son excitation et ce fut avec une nonchalance affectée qu'il annonça :

« Harrow Road vient de nous appeler, sir. Il y a du nouveau. Un couple est venu au commissariat, il y a dix minutes. Un jeune homme de vingt et un ans et sa petite amie. Ils déclarent s'être trouvés sur le chemin de halage mardi soir. On suppose qu'ils flirtaient. Ils ont franchi le tourniquet de Saint-Matthew juste avant sept heures. Il y avait une grosse Rover noire garée devant le portail sud.

— Ont-ils relevé le numéro ?

— Ç'aurait été trop beau ! Ils ne sont même pas sûrs de la marque. Mais ils sont catégoriques quant à l'heure. Comme la fille devait être rentrée à sept heures et demie, ils ont regardé leur montre avant de quitter le halage. Le garçon, Melvin Johns, pense que le numéro d'immatriculation comportait un

A. Harrow Road le croit sincère. Le pauvre gosse paraît terrorisé. Ce n'est certainement pas un fou avide de publicité. Les gars du commissariat leur ont demandé de m'attendre. »

Massingham ajouta :

« Le parking près de l'église pourrait servir à toute personne qui le connaît, mais les riverains préfèrent se garer à un endroit où ils peuvent surveiller leurs voitures. Et puis ce quartier n'a aucune vie nocturne : ni théâtres, ni restaurants chics. A mon avis, il n'y a qu'une seule Rover qui aurait pu stationner devant cette église.

— Doucement, John, l'avertit Dalgliesh. Il faisait déjà assez sombre et ces jeunes gens étaient pressés. De plus, ils ne sont même pas sûrs de la marque.

— Vous me déprimez, sir. Je ferais bien de filer là-bas. Ce serait bien ma veine si je découvrais qu'il s'agissait du corbillard des pompes funèbres ! »

7

Elle savait qu'Ivor reviendrait ce soir-là. Il ne téléphonerait pas d'abord pour s'annoncer, en partie à cause d'une prudence excessive, en partie parce qu'il pensait qu'elle serait là à l'attendre, comme chaque fois qu'elle prévoyait sa visite. Pour la première fois depuis qu'ils étaient amants, elle se surprit à redouter son signal : un long coup de sonnette à l'interphone suivi de trois courts. Pourquoi ne pouvait-il pas l'appeler pour lui indiquer une heure ? Elle essaya de s'absorber dans sa dernière création : le montage de deux photos en noir et blanc prises l'hiver passé à Richmond Park, et représentant les branches nues de plusieurs chênes immenses sous un amoncellement de gros nuages. Elle avait l'intention de les assembler, inversées, pour que l'entrelacs de rameaux ressemblât à des racines se réfléchissant dans l'eau. Mais tandis qu'elle maniait les clichés avec une insatisfaction grandissante, elle eut l'impression que ce truquage n'avait pas de sens. C'était du déjà-vu. Ce collage, comme le reste de son œuvre, symbolisait sa vie : il était superficiel, inconsistant, de seconde main, influencé par les expériences et les idées des autres. Même ses photos de Londres, si habilement composées, manquaient de conviction ; des stéréotypes vus par les yeux d'Ivor, pas par les siens. Je dois apprendre à être moi-même, se dit-elle, même si c'est tard, même si c'est douloureux. Je dois absolument le faire. Et elle trouva curieux qu'il eût fallu attendre la mort de son père pour qu'elle se vît telle qu'elle était.

A huit heures, elle prit conscience qu'elle avait faim. Elle se prépara des œufs brouillés, les remuant doucement et avec autant de soin sur le feu lent de sa cuisinière électrique que si Ivor avait été là pour les partager. S'il s'amenait pendant qu'elle mangeait, il n'aurait qu'à faire cuire les siens. Quand elle termina la vaisselle, il n'était toujours pas arrivé. Sortant sur le balcon, elle regarda, par-delà le jardin, la rangée de maisons opposées dont les fenêtres commençaient à s'éclairer. On aurait dit des signaux venus de l'espace. Les gens qui habitaient là devaient voir également sa fenêtre à elle, cette immense étendue de verre illuminée. La police irait-elle leur demander s'ils avaient aperçu de la lumière chez elle le mardi soir ? Malgré toute son habileté, Ivor avait-il songé à cela ?

Elle se força à penser à son père. Elle se souvenait de l'instant précis où leurs rapports avaient changé.

Ils habitaient alors la maison de Chelsea, juste ses parents, elle-même et Mattie. Il était sept heures, par une brumeuse matinée d'août. Elle était seule dans la salle à manger, se versant sa première tasse de café, quand le téléphone avait sonné. Elle avait décroché dans le vestibule. Au moment précis où elle écoutait la nouvelle, son père descendait l'escalier. En voyant son expression, il s'était arrêté, la main sur la rampe. Elle avait levé la tête vers lui.

« C'est le colonel d'oncle Hugo. Il tenait à appeler personnellement. Hugo est mort, papa. »

Alors leurs yeux s'étaient rencontrés et, dans les siens, elle avait lu un mélange d'exultation et de fol espoir, la certitude que maintenant il pourrait avoir Barbara. Cela n'avait duré qu'une seconde. Ensuite, le temps avait repris son cours. Son père lui avait ôté le combiné des mains et elle, sans dire un mot, était retournée dans la salle à manger. Là, tremblante d'horreur, elle était sortie par la porte-fenêtre, dans le berceau de verdure du jardin.

Ensuite, leurs rapports n'avaient fait que se dégrader. Tous les événements ultérieurs — l'accident de voiture, la mort de sa mère, le mariage de son père avec Barbara cinq mois plus tard — avaient paru découler de ce moment révélateur ; événements que son père n'avait pas voulus, auxquels il n'avait même pas contribué, mais qu'il acceptait comme inéluctables. Déjà, avant le remariage, l'énormité de ce secret commun les avait empêchés de se regarder en face. Son père avait honte de ce qu'elle sût. Elle avait honte de savoir. Quand ils s'étaient installés dans la maison d'Hugo qui, dès le début, avait semblé les rejeter, elle avait eu l'impression de porter son secret comme une maladie. Elle pensait, que, si Halliwell, Mattie et sa grand-mère étaient au courant, c'était parce qu'elle les avait contaminés.

A Campden Hill Square, son père et elle avaient vécu comme les clients d'un hôtel qui se sont rencontrés là par hasard et qui, conscients d'un passé commun peu reluisant, rasent les murs dans la crainte de tomber sur cette ancienne connaissance, s'arrangent pour manger à des heures différentes, tourmentés par la présence de l'autre, ses pas dans le vestibule, sa clé dans la serrure. Ivor avait été sa porte de sortie et sa vengeance. Elle avait eu désespérément besoin d'une cause, d'un prétexte pour quitter sa famille, d'amour ; mais surtout de vengeance. Ivor, dont elle avait fait la connaissance en tant que client, lui avait apporté tout cela. Avant même le mariage de son père avec Barbara, elle avait déménagé. Elle avait emprunté de l'argent sur le modeste héritage que lui avait laissé sa mère pour faire un premier versement sur l'appartement de Cromwell Road. Elle avait essayé de se libérer de son père en embrassant avec passion tout ce qu'il détestait et méprisait le plus. Maintenant qu'il avait disparu, elle ne s'en libérerait plus, plus jamais.

L'une des chaises de la grande table était toujours tirée. C'était sur ce siège que, la veille encore, sa grand-mère s'était péniblement assise pour lui annoncer la nouvelle en monosyllabes brutales pendant que le compteur de son taxi continuait à tourner en bas.

« Personne ne te demande de manifester du chagrin, lui avait-elle dit, mais quand la police arrivera, tâche de te conduire avec un minimum de discrétion. Et, si tu as la moindre influence sur lui, persuade ton amant d'en faire autant. Maintenant, aide-moi à ouvrir la porte de l'ascenseur. »

Sarah avait toujours eu un peu peur de sa grand-mère, consciente, dès l'enfance, qu'elle l'avait déçue, qu'elle aurait dû être un garçon. En outre, elle ne possédait aucune des qualités qu'admirait son aïeule : la beauté, l'intelligence, l'esprit, pas même le courage. Elle ne trouvait aucune consolation dans ce capharnaüm, au dernier étage de Campden Hill Square, où depuis la mort d'Hugo, sa grand-mère trônait telle une pythonisse attendant l'inévitable catastrophe. Pour elle, c'était toujours son père qui avait le plus compté dans sa vie, durant son enfance comme durant son adolescence. C'était lui qui l'avait soutenue quand elle avait quitté Cambridge à la fin de sa première année d'études pour apprendre la photographie dans une école d'arts appliqués, à Londres. A quel point avait-elle vraiment été affectée par l'angoisse de sa mère quand l'engouement de son père pour Barbara était devenu évident ? Son ressentiment n'était-il pas plutôt né du fait que ce nouvel amour menaçait sa confortable et routinière petite vie, lui ôtait de l'importance aux yeux de son père ? Admettre, même tardivement, cette vieille jalousie, la faisait peut-être progresser de quelques pas sur le chemin de sa rencontre avec elle-même.

Ivor n'arriva qu'après onze heures. A ce moment-là, elle était morte de fatigue. Il ne s'excusa pas et ne perdit pas de temps en préliminaires. Se laissant tomber sur le canapé, il dit :

« Pas très malin de ta part, tu ne crois pas ? Je viens ici pour que tu puisses avoir un témoin et toi tu t'arranges pour rester seule avec le détective le plus dangereux du Yard et un sous-fifre qu'il a amenée pour te garantir que pas un seul instant il ne cesserait de se conduire en gentleman.

— Ne t'inquiète pas. Je ne leur ai pas révélé notre mot de passe de boy-scout. Et puis, ils sont tout de même humains, je suppose. L'inspecteur Miskin s'est montrée plutôt gentille.

— Ne dis pas de bêtises. Cette fille est une fasciste.

— Comment peux-tu dire une chose pareille, Ivor ? Qu'est-ce que tu en sais ?

— Je me fais un devoir de m'informer dans la vie. Je parie qu'elle t'a tenu la main, qu'elle t'a préparé une bonne petite tasse de thé ?

— Elle est allée me chercher un verre d'eau.

— Excellent prétexte pour fouiner dans ta cuisine sans avoir à se procurer un mandat de perquisition.

— Ce n'est pas vrai ! Elle n'est pas comme ça.

— Tu n'as pas la moindre idée de la mentalité des flics. L'ennui avec vous, les libéraux petits-bourgeois, c'est que votre conditionnement vous les fait voir comme des alliés. Vous refusez d'accepter la vérité. Pour vous, un flic sera toujours ce brave brigadier Brown qui tortille sa boucle de cheveux et donne l'heure aux gamins. Vous avez grandi avec cette image. "Si jamais tu te trouvais dans une situation difficile, ma chérie, si jamais un vilain monsieur s'approchait de toi en agitant son zizi, cours vite chercher un policier." Écoute, Dalgliesh connaît tes opinions politiques, il est au courant de l'héritage, il sait que tu as pour amant un marxiste convaincu. Pour la meilleure ou la pire des raisons, celui-ci est peut-être après ton fric. Dalgliesh tient donc un mobile et un suspect — un suspect qui l'arrange parfaitement : l'*establishment* ne peut souhaiter mieux. Ensuite, il se mettra en devoir de fabriquer les preuves.

— Tu ne parles pas sérieusement.

— Mais, bon dieu, Sarah ! Il y a des précédents ! Tu n'as tout de même pas vécu plus de vingt ans les yeux fermés ! Ta grand-mère préfère croire que son fils n'était ni un assassin ni un suicidé. Très bien. Elle parviendra peut-être à faire partager ses fantasmes à la police. Bien qu'elle soit déjà à moitié gâteuse, c'est le genre de femme qui continue à jouir d'une extraordinaire influence. Mais qu'elle ne compte pas me sacrifier sur l'autel de l'honneur familial des Berowne ! Il n'y a qu'une seule façon de traiter les flics. Ne rien leur dire. Rien. Que ces salauds découvrent la vérité tout seuls. Qu'ils travaillent un peu pour mériter leurs retraites indexées.

— Si les choses en venaient au pire, je suppose que tu m'autoriserais à leur dire où j'étais mardi soir ?

— Si les choses en venaient au pire ? Que veux-tu dire ?

— S'ils m'arrêtaient.

— Pour avoir égorgé ton père ? Tu trouves ça vraisemblable ? Au fond, une femme aurait pu le faire. Avec un rasoir, cela ne doit pas exiger beaucoup de force, ni un sang-froid extraordinaire. Mais alors, ç'aurait été une femme en qui il avait confiance, qu'il aurait laissée s'approcher de lui. Cela expliquerait peut-être qu'il n'y ait pas eu de lutte.

— Comment sais-tu qu'il n'y en a pas eu, Ivor ?

— Dans le cas contraire, la presse et la police en auraient parlé. Rien n'aurait pu indiquer plus clairement qu'il ne s'agissait pas d'un suicide. Tu connais le genre de trucs qu'ils impriment. "Sir Paul a opposé une farouche résistance. La pièce était dans le plus grand désordre." Ton père s'est suicidé, mais cela ne veut pas dire que la police ne profitera pas de sa mort pour emmerder le monde.

— Et si je décidais de le leur dire ?

— Leur dire quoi ? Les noms codés de onze personnes dont tu ne connais pas les adresses, dont tu ne connais même pas les vrais noms ? L'adresse d'une maison de banlieue où ils ne trouveront rien de compromettant ? Dès l'instant où un policier met le pied dans notre lieu de rendez-vous secret, la cellule est dissoute, reformée, relogée. Nous ne sommes pas des imbéciles. Et nous appliquons certaines règles en cas de trahison.

— Quelles règles ? Me jeter dans la Tamise ? M'égorger ? »

Sarah vit de la surprise dans les yeux d'Ivor. L'imaginait-elle ou celle-ci était-elle vraiment mêlée de respect ? Son amant se contenta toutefois de répondre :

« Ne dis pas de conneries. »

Il se déplia, se leva du canapé et gagna la porte. Il y avait cependant quelque chose qu'elle devait lui demander. Autrefois elle aurait eu peur. Maintenant encore, elle avait un peu peur, mais peut-être était-il temps d'apprendre le courage.

« Ivor, où étais-tu mardi soir ? Tu n'as encore jamais été en retard à une réunion de cellule. D'habitude, tu es toujours là le premier. Or il était déjà neuf heures dix passées quand tu es arrivé.

— J'étais avec Cora à la librairie et il y a eu une panne de métro. Je te l'avais expliqué. Je n'étais pas à Saint-Matthew en train d'égorger ton père, si c'est cela que tu insinues. Jusqu'à ce que la police admette qu'il s'est suicidé, il vaut mieux que nous ne nous voyions plus. En cas de nécessité, tu peux me joindre par le moyen habituel.

— Et les flics ? Si jamais ils revenaient ?

— Ils reviendront. Maintiens ton alibi et n'essaie pas d'être maligne. Ne brode pas. Nous avons passé la nuit ensemble, à partir de six heures du soir. Nous avons mangé une tourte aux champignons et bu une bouteille de Riesling. Il te suffit de te rappeler ce que nous avons fait dimanche soir et de le transposer au mardi. Et surtout ne crois pas que tu me fais une faveur : c'est toi que tu as besoin de protéger. »

Puis, sans la toucher, il partit. C'était donc ainsi, songea-t-elle, que se terminait leur histoire d'amour : avec le claquement d'une porte grillagée, le grincement de l'ascenseur qui emportait lentement son amant au rez-de-chaussée, hors de sa vie.

Quatrième partie

MOYENS ET DÉSIRS

1

Contrairement aux apparences, le *Black Swan* n'avait rien d'une guinguette au bord de la Tamise. C'était une élégante villa de deux étages construite au début du siècle par un peintre prospère de Kensington, qui aspirait à une retraite campagnarde avec vue sur l'eau. Après sa mort, la maison avait connu les vicissitudes habituelles d'une demeure trop humide et trop éloignée de la capitale pour servir de domicile principal, et trop grande pour faire office de résidence secondaire. Pendant vingt ans, elle avait abrité un restaurant sous son nom primitif, mais cet établissement n'avait jamais prospéré jusqu'au jour où Jean-Paul Higgins l'avait repris, en 1980. Après l'avoir rebaptisé, fait construire une autre salle à manger pourvue de grandes baies donnant sur le fleuve et les prairies, engagé un chef français, des garçons italiens et un portier anglais, le nouveau gérant était parti à la conquête de sa première modeste mention dans *The Good Food Guide*. De mère française, il semblait avoir décidé qu'étant restaurateur, c'était cette partie-là de son ascendance qu'il convenait de souligner. Son personnel et ses clients l'appelaient *monsieur* Jean-

Paul. A son grand dépit, seul son banquier persistait à le nommer Mr. Higgins. Le brave homme l'accueillait toujours avec beaucoup de chaleur et d'exubérance. Cela n'avait rien d'étonnant : l'affaire de Mr. Higgins marchait admirablement. En été, on devait réserver sa table pour le déjeuner ou pour le dîner au moins trois jours à l'avance. En automne et en hiver, il y avait moins de monde et le menu du déjeuner ne comportait que trois plats principaux. La qualité de la cuisine et du service restait néanmoins constante. Le *Black Swan* se trouvait assez près de Londres pour inciter un certain nombre d'habitués à faire une trentaine de kilomètres en voiture pour jouir des avantages particuliers qu'offrait ce restaurant : ambiance agréable, tables suffisamment espacées, bonne insonorisation, absence de musique de fond, service sans chichis, discrétion, excellente cuisine.

Petit, noiraud, doté d'une paire d'yeux mélancoliques et d'une fine moustache, M. Jean-Paul avait l'air d'un Français de comédie, impression qui se renforçait dès qu'il ouvrait la bouche. Ce fut lui qui accueillit Kate et Dalgliesh à la porte. Sa courtoisie tranquille semblait indiquer que rien n'aurait pu lui faire davantage plaisir qu'une visite de la police. Dalgliesh remarqua toutefois que malgré l'heure matinale et le calme qui régnait dans l'établissement, Higgins les introduisit sans tarder dans son bureau, à l'arrière de la maison. Higgins devait être de ceux qui pensent, non sans raison, qu'un flic, même s'il vient vous voir en civil et n'enfonce pas votre porte à coups de pied, ne peut être pris que pour un flic. Dalgliesh vit le bref regard qu'il jeta à Kate Miskin, son expression de surprise, vite réprimée, faisant place à de l'approbation. Kate portait un pantalon en gabardine beige, une veste à carreaux discrets par-dessus un pullover en cachemire à col roulé. Ses cheveux étaient tressés en une courte natte. Dalgliesh se demanda comment Higgins s'était représenté une femme détective : une sorte de vieille harpie outrageusement fardée, vêtue d'une robe de satin noir et d'un trench-coat ?

Le restaurateur offrit des rafraîchissements. Il se montra d'abord prudemment vague quant à leur nature, puis devint plus précis. Dalgliesh et Kate acceptèrent un express. Servi par un garçon en veste blanche, le café arriva très vite. Il se révéla excellent. Quand Dalgliesh en eut avalé la première gorgée, Higgins poussa un petit soupir de soulagement comme si son invité, désormais irrévocablement compromis, avait perdu un peu de son pouvoir.

« Comme vous devez le savoir, dit Dalgliesh, nous enquêtons sur la mort de sir Paul Berowne. Vous disposez peut-être de renseignements qui peuvent nous aider à compléter notre dossier. »

Écartant les paumes, Jean-Paul se lança avec volubilité dans son numéro de Français, mais ses yeux mélancoliques demeurèrent vigilants.

« La mort de sir Paul, quelle chose terrible, quelle tragédie ! Quand on pense qu'une telle violence est possible dans le monde ! Où allons-nous, je vous le demande ! Mais je ne vois pas en quoi je pourrais vous aider, Commandant. Sir Paul a été assassiné à Londres et non pas ici, Dieu merci. En supposant que ce soit un meurtre. D'après certaines rumeurs, sir Paul se serait... Mais ça aussi, ça serait terrible, peut-être même plus terrible encore qu'un meurtre, du moins pour sa femme.

— Venait-il ici souvent ?

— Non, de temps en temps seulement. C'était un homme très occupé, bien sûr.

— Mais lady Berowne, elle, venait plus souvent ? Généralement avec son cousin, si j'ai bien compris ?

— Quelle femme charmante ! Le plus beau fleuron de ma salle de restaurant. Bien entendu, on ne remarque pas toujours qui dîne avec qui. Ici, nous nous concentrons sur le service et la cuisine. Nous ne sommes pas des commères de journaux à scandales.

— Vous devez pourtant vous rappeler qu'elle a dîné ici, avec son cousin, le docteur Lampart, le mardi de cette semaine, il y a exactement trois jours ?

— Le 17. En effet. Ils se sont mis à table à neuf heures moins vingt. Je prends toujours mentalement note de l'heure à laquelle un client s'assied effectivement, c'est une de mes petites manies. Le docteur avait réservé pour huit heures quarante-cinq, mais ils sont arrivés un peu plus tôt. Si monsieur le commandant veut voir le registre ? »

Higgins ouvrit le tiroir de son bureau et en sortit l'objet mentionné. Il avait manifestement attendu leur visite, se dit Dalgliesh, et rangé la preuve à portée de main. A côté du nom du médecin, on lisait clairement l'heure de la réservation. Les chiffres n'avaient pas l'air d'avoir été changés.

« Quand a-t-il retenu sa table ? demanda-t-il.

— Le matin du même jour. A dix heures trente, je crois. Je regrette de ne pas pouvoir être plus précis.

— Il a donc eu de la chance d'en obtenir une ?

— Oh, nous trouvons toujours de la place pour un fidèle et estimé client. Naturellement, une réservation facilite les choses. Celle du docteur Lampart avait été faite suffisamment tôt.

— Comment vous ont paru le docteur Lampart et lady Berowne à leur arrivée ? » continua Dalgliesh.

L'homme leva vers lui des yeux pleins de reproche

comme s'il protestait contre l'indiscrétion de cette question.

« Comment ils m'ont paru, Commandant ? fit-il. Ils avaient l'air d'avoir faim. » Puis, comme s'il craignait d'avoir commis une imprudence, il ajouta : « Je les ai trouvé inchangés. Lady Berowne était aussi aimable et gracieuse que de coutume. Le docteur Lampart et elle ont été très contents de pouvoir avoir leur table habituelle, celle du coin, près de la fenêtre.

— A quelle heure sont-ils partis ?

— A onze heures, ou peu après. Un bon dîner se mange sans hâte.

— Je suppose qu'ils ont parlé pendant le repas ?

— Évidemment, monsieur. Cela fait partie des plaisirs de la table : de la bonne chère, du bon vin et une agréable conversation avec un ami ou une amie. Mais quant à ce qu'ils se sont dit, je l'ignore, Commandant. Nous ne les surveillons pas. Nous ne sommes pas des policiers. Ce sont de bons clients, vous comprenez.

— A la différence de certains autres. Comme ceux que vous aviez ici la nuit où Diana Travers s'est noyée, par exemple. Ceux-là, vous avez eu le temps de les remarquer, je suppose ? »

Ce brusque changement de sujet ne sembla pas surprendre Higgins. Il leva les mains en un geste de résignation.

« Qui aurait pu ne pas les remarquer ? Ce n'était pas le genre de clients que notre établissement attire d'habitude. Pendant le dîner, ils étaient assez silencieux, mais après... ! C'est avec soulagement que je les ai vus quitter la salle.

— Si j'ai bien compris, sir Paul Berowne n'assistait pas à l'anniversaire de sa femme ?

— C'est exact. A leur arrivée, le docteur Lampart a dit que sir Paul espérait les rejoindre plus tard, pour le café. Mais, comme vous le savez peut-être, sir Berowne a téléphoné à vingt-deux heures, peut-être un peu plus tard, pour dire qu'il avait un empêchement.

— Qui a décroché ?

— Henry, mon portier. Sir Paul a demandé à me parler et on m'a appelé à l'appareil.

— Avez-vous reconnu sa voix ?

— Comme je vous l'ai déjà dit, il ne venait pas tellement souvent ici, mais je connaissais sa voix. Elle avait quelque chose d'assez particulier. A dire vrai, elle ressemblait étonnamment à la vôtre, si je puis me permettre cette comparaison. Je ne peux pas en jurer, mais, sur le moment, je n'ai pas douté un seul instant que c'était la sienne.

— Avez-vous le moindre doute maintenant ?

— Non, Commandant, c'est une chose que je ne peux pas dire.

— Les deux groupes de convives, celui du docteur Lampart et celui des jeunes gens, se sont-ils réunis ou salués ?

— Peut-être l'ont-ils fait à leur arrivée, mais ils avaient des tables séparées et assez éloignées l'une de l'autre. »

Higgins avait sûrement veillé à ce qu'elles le fussent, se dit Dalgliesh. Si Barbara Berowne avait montré le moindre signe de gêne, ou son frère, la moindre insolence, le restaurateur l'aurait remarqué.

« Aviez-vous jamais vu auparavant les personnes qui composaient le groupe de Diana Travers ?

— Pas que je me souvienne, exception faite pour Mr. Dominic Swayne. Ce jeune homme a dîné ici une ou deux fois avec sa sœur, mais cela faisait des mois qu'il n'était plus venu. Pour ce qui est des autres, je ne peux rien affirmer.

— Ne trouvez-vous pas curieux que Mr. Swayne n'ait pas fêté l'anniversaire de sa sœur avec elle ?

348

— Écoutez, monsieur, ce n'est pas à moi de décider qui mes clients doivent inviter ou non. Il y avait sûrement des raisons. Le groupe de lady Berowne ne comprenait que quatre personnes. C'était un dîner intime. Le nombre de convives, à leur table, était équilibré.

— L'arrivée de sir Paul l'aurait-il déséquilibré ?

— Certes, mais on ne l'attendait que pour le café. Et puis, il était le mari de cette dame, après tout. »

Dalgliesh continua à interroger Higgins au sujet des événements qui avaient précédé la noyade.

« Comme je l'ai déjà dit, répondit le restaurateur, j'ai été très heureux de voir ces jeunes quitter la salle et sortir par la serre dans le jardin. Ils ont emporté deux bouteilles de vin avec eux. Ce n'était pas notre meilleur bordeaux, mais ils avaient l'air de s'en contenter. J'ai horreur de voir mon vin agité à bout de bras comme si c'était de la vulgaire bière. On les entendait rire bruyamment et je me demandais si j'allais envoyer Henry ou Barry leur dire deux mots. Mais ils n'ont pas tardé à remonter un peu la berge, hors de portée d'oreille. C'est là qu'ils ont trouvé le canot. Le bateau était amarré dans une toute petite anse, à une centaine de mètres d'ici. On l'a enlevé depuis, évidemment. Peut-être n'aurais-je pas dû le laisser là, mais comment pourrais-je me sentir coupable ? Même si leur conduite tendrait à prouver le contraire, ces jeunes gens étaient des adultes. Je ne peux pas surveiller mes clients quand ils sont hors de mon établissement ni même, en fait, quand ils sont dedans. »

Higgins semblait n'avoir employé le mot « coupable » que pour la forme. Sa voix n'aurait pu exprimer moins de regret. Dalgliesh eut l'impression que la seule chose que Higgins devait jamais se reprocher c'était un dîner raté ou une négligence dans le service.

« Puis, soudain, le chef est là, à la porte de la salle de restautant, qui me fait signe de venir. C'est tout à fait inhabituel. Je comprends aussitôt qu'il s'est passé quelque chose. Je me précipite à la cuisine. Là, je trouve une des filles en train de pleurer. Elle me dit qu'une de ses compagnes, Diana, s'est noyée. Nous descendons sur la berge. Il fait très sombre. Les étoiles sont très hautes et il n'y a qu'un mince croissant de lune. Mais un peu de lumière nous parvient du parking, qui est toujours brillamment éclairé, et de l'aile de la maison où se trouve la cuisine. J'avais quand même emporté une lampe de poche. Vous pouvez imaginer la scène, monsieur. Les filles qui sanglotent, un des jeunes qui essaie de ranimer le corps, Mr. Swayne, debout à côté de lui, les vêtements trempés. Marcel, mon chef, prend la relève pour le bouche-à-bouche — ah ! il a plusieurs cordes à son arc celui-là ! —, mais sans succès. Je m'étais rendu compte tout de suite que la fille était morte. Les morts, ça ne ressemble pas aux vivants, monsieur. Jamais.

— Et la fille était nue ?

— Comme on a dû vous le dire. Elle s'était complètement déshabillée et avait plongé dans l'eau. Une tragique erreur. »

Il y eut un silence pendant lequel Higgins sembla réfléchir à ladite erreur. Dalgliesh posa sa tasse de café.

« Par un heureux hasard, vous aviez un médecin sur place, fit remarquer Dalgliesh. Je suppose que vous avez fait appel au docteur Lampart ? »

Le restaurateur le regarda bien en face d'un air totalement inexpressif.

« Telle a été, en effet, ma première pensée, commandant. Mais il était trop tard. Quand je suis revenu dans la salle de restaurant, on m'a dit que le docteur Lampart et ses amis venaient de partir.

De mes propres yeux, j'ai vu la Porsche s'éloigner sur la route.

— Le docteur Lampart aurait-il pu aller chercher sa voiture au parking peu avant que vous n'appreniez le drame ?

— C'est tout à fait possible. A ce qu'on m'a dit, ses compagnons l'ont attendu à la porte.

— Pour eux, la soirée a donc l'air de s'être terminée assez tôt et d'une façon légèrement précipitée ?

— Pour ce qui est de la précipitation, je ne peux pas vous répondre. Mais ils étaient tout de même à table depuis environ sept heures. Si sir Paul avait pu venir les rejoindre, ils seraient certainement restés encore un moment.

— Le bruit court que sir Paul serait quand même venu cette nuit-là.

— J'ai entendu cette rumeur, commandant. Une journaliste a débarqué ici et a interrogé mon personnel, ce que je trouve très déplaisant. Je n'étais pas là à ce moment, sinon je me serais chargé d'elle. Personne n'a vu sir Paul cette nuit-là, je vous assure. Et sa voiture n'a pas été aperçue dans le parking. Elle y était peut-être, mais personne ne l'a vue. De toute façon, qu'est-ce que cela a à voir avec le décès de sir Paul ? »

Généralement, Dalgliesh était capable de dire si quelqu'un lui mentait ou ne disait qu'une partie de la vérité. C'était moins une affaire d'intuition que d'expérience. Or Higgins mentait. Dalgliesh décida de bluffer.

« Mais quelqu'un a effectivement vu sir Paul Berowne cette nuit-là. Qui était-ce ?

— Je vous assure, monsieur...

— Je veux le savoir et suis décidé à rester ici jusqu'à ce qu'on me le dise. Si vous voulez vous débarrasser de nous, ce que je comprendrais parfaitement, le moyen le plus rapide d'y parvenir, c'est de répondre à ma question. Le coroner a conclu à la mort accidentelle. Personne, à ma connaissance, n'a suggéré qu'il pouvait s'agir d'autre chose. Diana Travers avait trop mangé et trop bu ; elle est restée accrochée dans les roseaux et a paniqué. Cela n'a pas grande importance de savoir si elle est morte sous l'effet du choc ou par asphyxie. Alors, qu'est-ce que vous nous cachez, et pourquoi ?

— Nous ne cachons rien, Commandant, absolument rien. Comme vous venez de le dire, il s'est agi d'une mort accidentelle. Alors pourquoi vouloir créer des ennuis ? Accroître le chagrin des gens ? D'autant plus qu'on n'a aucune certitude. Une simple silhouette qui marchait très vite, entr'aperçue dans l'obscurité, à l'ombre d'une haie... Qui aurait vraiment pu l'identifier ?

— Qui l'a vu ? Henry ? »

C'était moins une intuition qu'une déduction logique. Berowne n'avait certainement pas dû se montrer dans le restaurant et c'était le portier qui avait le plus de chances d'avoir mis le nez dehors.

« Oui, c'était Henry », admit Higgins d'un ton triste et résigné.

Ses yeux mélancoliques regardèrent Dalgliesh avec une expression de reproche, comme pour dire : « J'ai voulu vous aider. Je vous ai donné des renseignements et du café, et voilà où ça m'a mené. »

« Dans ce cas, je vous demanderai de le faire venir, dit Dalgliesh. Et j'aimerais lui parler en particulier. »

Higgins décrocha son téléphone et composa un numéro à un chiffre. Il entra en communication avec l'entrée. Quand Henry répondit, Higgins le convoqua dans son bureau.

« Ce monsieur est le commandant Dalgliesh,

expliqua-t-il un moment plus tard au portier. Dites-lui ce que vous avez cru voir la nuit où cette jeune fille s'est noyée. »

Puis après un autre regard lugubre et un haussement d'épaules, il quitta la pièce. Sans sourciller, Henry se mit au garde-à-vous. Dalgliesh s'aperçut qu'il était plus âgé que son port très droit et décidé ne le laissait supposer. Il devait être plus près de soixante-dix que de soixante ans.

« Vous êtes un ancien militaire, n'est-ce pas ? demanda Dalgliesh.

— C'est exact, monsieur. Du régiment de Gloucester.

— Cela fait combien de temps que vous travaillez pour Mr. Higgins, je veux dire, monsieur Jean-Paul ?

— Cinq ans, monsieur.

— Logez-vous ici ?

— Non, monsieur. Ma femme et moi vivons au village. Ce boulot ici m'arrange. » Puis comme s'il espérait qu'une note personnelle démontrerait sa bonne volonté, le vieil homme ajouta : « Je touche ma pension militaire, mais un petit supplément est toujours le bienvenu. »

Et ce supplément ne devait pas être si petit que ça, songea Dalgliesh. Henry recevait sûrement de bons pourboires dont la plupart, vu la propension des hommes à la fraude fiscale, ne devaient pas être déclarés. Henry tenait certainement à garder son travail.

« Nous enquêtons sur la mort de sir Paul Berowne, expliqua Dalgliesh. Nous nous intéressons à tout ce qui a pu lui arriver pendant les dernières semaines de sa vie, aussi insignifiants et sans rapport avec sa mort que puissent paraître certains détails. Il semblerait que sir Paul était ici la nuit du 7 août et que vous l'ayez vu.

— Oui, monsieur. Je l'ai vu traverser le parking. Un de nos clients partait et j'étais allé chercher sa Rolls. Je ne rends pas ce service à tout le monde : je serais obligé d'abandonner trop souvent mon poste à la porte. Mais certains habitués qui aiment faire garer leur voiture me donnent leurs clés en arrivant. Antonio, l'un des garçons, m'avait prévenu que mes clients se levaient de table. Je suis donc allé chercher leur voiture. Au moment où je mettais la clé dans la serrure de la portière, j'ai vu sir Paul Berowne traverser le parking. Il a longé la haie, puis il est sorti par le portail qui mène à la rivière.

— Êtes-vous sûr que c'était sir Paul Berowne ?

— Presque sûr. Il ne venait pas souvent ici, mais je suis assez physionomiste.

— Savez-vous quelle était la marque de sa voiture ?

— Une Rover noire, je crois. La plaque minéralogique comportait un A, mais je ne me souviens pas du numéro. »

Ou bien il ne voulait pas s'en souvenir, se dit Dalgliesh. Une Rover noire serait difficile à identifier ; une immatriculation constituerait une preuve irréfutable.

« Et il n'y avait pas de Rover noire garée dans le parking cette nuit-là ?

— Je n'en ai pas vu. S'il y en avait eu une, je pense que je l'aurais remarquée.

— Sir Berowne marchait donc très vite ?

— Oui, monsieur. D'un pas décidé, pourrait-on dire.

— Quand l'avez-vous dit à M. Jean-Paul ?

— Le lendemain matin. Le patron a jugé qu'il était inutile de mentionner ce fait à la police. Sir Paul avait le droit de se promener au bord de l'eau s'il en avait envie. M. Jean-Paul a dit qu'il valait mieux attendre la conclusion de l'enquête. S'il y avait eu des marques sur le corps de la noyée, un indice quelconque qui aurait pu donner à penser qu'elle avait été assassinée, ç'aurait été différent. La police aurait voulu savoir les noms de tous ceux qui avaient été à proximité du restaurant cette nuit-là. Mais c'était un accident. Le coroner était convaincu que cette jeune fille avait plongé de son propre gré dans le fleuve. Après ça, M. Jean-Paul a décidé que nous ne devions rien dire.

— Même après la mort de sir Paul ?

— Mon patron a dû penser que c'était là un renseignement inutile. Sir Paul Berowne était mort. Quel intérêt cela pouvait-il présenter pour la police de savoir qu'il s'était promené au bord de l'eau six semaines plus tôt ?

— Avez-vous raconté cette histoire à qui que ce soit d'autre ? A votre femme ou un de vos collègues, ici ?

— A personne, monsieur. Une journaliste est venue faire une enquête, mais, ce jour-là, j'étais chez moi, au fond de mon lit avec de la fièvre. De toute façon, je ne lui aurais rien dit, pas sans la permission de M. Jean-Paul en tout cas.

— Et, une dizaine de minutes après que vous l'ayez vu traverser le parking, sir Paul a appelé pour dire qu'il ne pourrait pas venir ?

— Oui, monsieur.

— A-t-il précisé d'où il appelait ?

— Non. Mais cela ne pouvait pas être d'ici. Nous n'avons qu'un seul téléphone public, et celui-ci se trouve dans le hall. Il y a bien une cabine à Mapleton, le village le plus proche, mais j'ai appris par hasard que l'appareil était en dérangement cette nuit-là. Ma sœur, qui habite là-bas, a essayé sans succès de m'appeler. Il n'y a pas de cabine plus proche, pas à ma connaissance du moins. Ce coup de fil était un véritable mystère, monsieur.

— Quand vous avez parlé de tout cela avec M. Jean-Paul, le lendemain, vous êtes-vous demandé ce que sir Paul pouvait être venu faire ici ? Votre patron et vous-même avez dû en discuter ? »

Après un moment d'hésitation, Henry répondit :

« M. Jean-Paul pensait que sir Paul surveillait peut-être sa femme.

— Qu'il l'espionnait ?

— Ce serait possible, monsieur.

— En se promenant le long du fleuve ?

— Ça paraît invraisemblable, dit comme ça.

— Et pour quelle raison aurait-il voulu espionner sa femme ?

— Je n'en suis pas sûr, monsieur. Je ne crois pas que M. Jean-Paul parlait sérieusement. Il a simplement dit : "Cela ne nous regarde pas, Henry. Il surveille peut-être lady Berowne."

— Est-ce tout ce que vous pouvez me dire à ce sujet ? »

Henry hésita de nouveau. Dalgliesh attendit.

« Il y a autre chose, monsieur, déclara finalement le portier. Maintenant que j'y repense, cela paraît complètement dingue. Le parking est bien éclairé, mais sir Berowne marchait vite et il était dans l'ombre que projetait la haie qui pousse de l'autre côté. J'ai pourtant eu la nette impression que sa veste et son pantalon collaient d'une façon bizarre à son corps. Comme s'il était tombé dans l'eau. Et c'est pour ça que je dis que c'est dingue parce qu'il ne tournait pas le dos au fleuve : au contraire, il s'en approchait. »

Henry regarda Dalgliesh, puis Kate, d'un air perplexe comme s'il venait seulement de prendre pleinement conscience de l'étrangeté de ce fait.

« Je jurerais qu'il était trempé, monsieur. Mais, je le répète : il ne tournait pas le dos au fleuve, il s'en approchait. »

Dalgliesh et Kate s'étaient rendus au *Black Swan* dans des voitures séparées. La jeune femme retournerait directement au Yard. Lui prendrait la direction du nord-est pour aller déjeuner à Wrentham Green avec le président et le vice-président de la section locale du parti conservateur. Il retrouverait l'inspecteur au Yard, en milieu d'après-midi pour assister aux brèves formalités de l'enquête préliminaire, puis tous deux se rendraient à un rendez-vous qui promettait d'être plus intéressant : une entrevue avec la maîtresse de Berowne. Alors que Kate ouvrait la portière de sa Metro, Dalgliesh dit :

« Nous devrions contacter le couple qui dînait ici le 7 août avec le docteur Lampart et lady Berowne. Ils pourront peut-être nous dire à quelle heure exactement Lampart s'est levé de table pour aller chercher sa voiture au parking, et combien de temps a duré son absence. Procurez-vous leur nom et adresse, voulez-vous, Kate ? Par l'intermédiaire de lady Berowne, plutôt que par celle du docteur Lampart. Il nous serait également utile d'en savoir plus sur cette mystérieuse Diana Travers. Selon le rapport de police concernant la noyade, elle avait émigré en Australie avec ses parents en 1963. Elle est rentrée toute seule il y a quelques années. Ni sa mère ni son père ne sont venus à l'enquête du coroner ou à l'enterrement. La police de la Tamise a eu du mal à trouver une personne susceptible d'identifier le corps. Ils ont fini par découvrir une tante. C'est elle qui s'est chargée des funérailles. Elle n'avait pas vu sa nièce depuis plus d'un an, mais elle a formellement reconnu le cadavre. Pendant que vous serez chez les Berowne, tâchez donc de tirer à miss Matlock d'autres renseignements sur cette fille.

— Mrs. Minns, la femme de ménage, sera peut-être en mesure de nous apprendre quelque chose sur elle. Nous la voyons demain matin. » Kate se tut un instant, puis reprit : « Une des choses que Higgins a dite au sujet de la noyade m'a parue très bizarre. Elle n'est pas logique. »

Elle avait donc remarqué l'anomalie, elle aussi, pensa Dalgliesh.

« On a l'impression que cette soirée était placée sous le signe des sports nautiques, dit-il. Cette histoire est presque aussi abracadabrante que celle d'Henry : Paul Berowne, les vêtements trempés, qui ne tourne pas le dos au fleuve, mais s'en approche... »

Kate attendait toujours, la main sur la poignée de la portière. Dalgliesh regarda par-delà la haie de hêtres qui séparait le parking de la berge. Le temps était en train de changer. La matinée avait été d'une luminosité délicate, éphémère. Maintenant, les nuages de pluie annoncés pour l'après-midi commençaient à arriver de l'ouest. Mais il continuait à faire chaud pour un début d'automne. Tandis qu'il se tenait là, dans le parking presque désert nettoyé des effluves de métal chaud et d'essence, il perçut une senteur de rivière et d'herbe tiède. Comme un enfant qui fait l'école buissonnière, il resta un moment à la savourer. Il regretta de ne pas avoir le temps de suivre le fantôme de cette silhouette trempée qui, un soir de l'été passé, avait franchi la barrière pour descendre sur la rive paisible. Kate ouvrit sa portière et se glissa derrière le volant. Elle semblait avoir partagé sa rêverie.

« Tout cela paraît tellement loin de cette minable sacristie de Paddington... » murmura-t-elle.

Dalgliesh se demanda si, en réalité, elle n'avait pas voulu dire, sans oser le faire : « C'est sur le meurtre de Berowne que nous enquêtons et non pas sur la noyade accidentelle d'une fille que la victime connaissait peut-être à peine. »

Pourtant, maintenant plus que jamais, il était convaincu que ces trois décès étaient liés. Travers, Nolan, Berowne. En outre, le but principal de leur visite au *Black Swan* avait été atteint. L'alibi de Lampart tenait bon. On voyait mal comment le médecin aurait pu tuer Berowne et, même en conduisant une Porsche, être assis au restaurant à huit heures quarante.

2

Après l'électrification de la ligne de chemin de fer qui dessert les agglomérations du nord-est de Londres, Wrentham Green avait été englobée peu à peu dans la grande banlieue. Cela n'empêchait pas ses vieux habitants d'affirmer que leur résidence était une pittoresque ville de comté, et non une cité-dortoir. Ayant pris conscience, bien avant des voisins moins vigilants, que les promoteurs et les autorités locales d'après-guerre spoliaient le patrimoine anglais, Wrentham Green avait arrêté juste à temps les pires ravages commis par cette diabolique alliance. Bien que profanée par deux grands magasins à succursales multiples, la large rue principale datant du XVIIIe siècle était restée presque intacte. Et la petite place entourée de maisons de style georgien continuait à figurer sur beaucoup de calendriers, même si le photographe était obligé de se livrer à des contorsions pour exclure de l'image le parking et les toilettes municipales. C'était une des maisons de cette place, parmi les plus petites, qui abritait la section locale du parti conservateur. Après avoir franchi l'entrée à portique ornée d'une plaque de cuivre étincelante, Dalgliesh fut accueilli par le président, Frank Musgrave, et par le vice-président, le général Mark Nollinge.

Comme de coutume, Dalgliesh avait préparé sa visite. Il en savait plus sur ces deux hommes qu'aucun d'eux ne l'aurait jugé nécessaire. Cela faisait vingt ans que, liés par une collaboration amicale, ils animaient ensemble la section locale. Frank Musgrave était agent immobilier. Il dirigeait une affaire familiale héritée de son grand-père qui, jusque-là, avait échappé à la mainmise des grands groupes. A en juger par le nombre d'écriteaux annonçant des maisons à vendre que Dalgliesh avait vus en traversant la ville et les villages avoisinants, ses affaires étaient florissantes. A chaque tournant, il était tombé sur le nom *Musgrave* imprimé en grands caractères noirs sur fond blanc. La répétition de ce mot avait d'ailleurs fini par devenir un rappel lassant de sa destination.

Musgrave et le général formaient un curieux tandem. A première vue, c'était Musgrave qu'on aurait pris pour un militaire. En fait, sa ressemblance avec feu le maréchal Montgomery était telle que Dalgliesh ne fut pas surpris de l'entendre parler d'une voix saccadée, caricature des aboiements du célèbre guerrier. Le général lui arrivait à peine à l'épaule. Il était frêle et se tenait si droit qu'on aurait pu croire qu'il avait les vertèbres soudées. Sa tête chauve, tonsurée de duvet blanc, était aussi tachetée de brun qu'un œuf de grive. Alors que Musgrave faisait les présentations, Nollinge leva vers Dalgliesh des yeux remplis d'une candeur enfantine, mais las et perplexes, comme s'il avait passé trop de temps à scruter des horizons inaccessibles. Contrastant avec le costume classique et la cravate noire de son compagnon, le général portait une très vieille veste en tweed d'une coupe capricieuse, garnie aux coudes de pièces rectangulaires en daim. Sa chemise et sa cravate régimentaire étaient immaculées. Avec sa figure luisante, il avait l'air vulnérable et propret d'un enfant bien soigné. Dès les premiers instants de l'entretien, il devint apparent que les deux hommes se tenaient en grande estime. Quand le général parlait, Musgrave laissait errer son regard de lui à Dalgliesh avec l'expression légèrement anxieuse d'un père qui craint qu'on ne sous-estime l'intelligence de son rejeton.

Marchant en tête, Musgrave les conduisit à travers un grand hall, puis le long d'un couloir jusqu'à une pièce située sur l'arrière : le bureau de Berowne.

« Depuis sa mort, je le garde fermé à clé, déclarat-il. Vos hommes nous ont appelés à ce sujet, mais nous l'aurions fait de toute façon. Le général et moi avons jugé que c'était préférable. Non pas qu'il y ait ici le moindre indice. Enfin, cela m'étonnerait. Mais vous pouvez toujours regarder. »

L'air sentait le renfermé et la poussière, une odeur aigre, comme si la pièce était restée fermée pendant des mois, et non depuis quelques jours seulement. Musgrave alluma la lumière, puis s'approcha de la fenêtre et, dans un grand cliquetis d'anneaux, ouvrit vigoureusement les rideaux. Une faible lumière septentrionale filtra à travers le voilage ; derrière, on apercevait un parking. Dalgliesh trouva ce bureau particulièrement déprimant. Il eût pourtant été en peine d'expliquer son brusque abattement. Fonctionnelle, peu meublée, impersonnelle, cette pièce, dans son genre, n'était pas pire qu'une autre. Mais l'ensemble, et jusqu'à l'air qu'on y respirait, semblait teinté d'une profonde mélancolie.

« Sir Berowne dormait-il dans cette maison quand il venait dans sa circonscription ? demanda-t-il.

— Non. Il ne se servait que de notre bureau. Il descendait toujours au *Courtney Arms*. Mrs. Powell lui gardait une chambre. C'était moins cher et cela posait moins de problème que d'avoir un appartement ici. Berowne parlait de temps à autre de me charger de lui en trouver un, mais les choses en restaient là. Je crois que cette idée n'emballait pas du tout sa femme.

— La voyait-on souvent ici, lady Berowne ? demanda Dalgliesh négligemment.

— Non. Elle apportait son concours, bien sûr. Participait à la fête annuelle, faisait un tour le jour des élections, ce genre de choses. Tout à fait belle et charmante. Mais elle s'intéresse peu à la politique, vous ne croyez pas, mon général ?

— Lady Berowne ? fit Nollinge. Très peu, en effet. La première lady Berowne était différente. Mais il faut dire que sa famille, les Manson, fait de la politique depuis quatre générations. Il m'est arrivé de me demander si Berowne n'avait pas choisi cette carrière pour faire plaisir à sa femme. J'ai l'impression qu'après la mort d'Anne Berowne dans un accident de voiture, il ne s'est plus senti aussi motivé. »

Musgrave lui lança un regard perçant comme s'il venait de proférer une hérésie dont ils avaient déjà débattu auparavant et qu'il valait mieux continuer à taire.

« C'est du passé maintenant, se hâta-t-il de dire. Une triste affaire. C'était Berowne qui conduisait. Je suppose que vous êtes au courant.

— Oui », acquiesça Dalgliesh.

Pendant le bref et inconfortable silence qui suivit, il eut l'impression que l'image dorée de Barbara Berowne flottait, inavouée et dérangeante, dans l'air immobile.

Il commença à examiner les lieux. Il sentait que

le général le regardait d'un air à la fois anxieux et plein d'espoir, Musgrave avec autant d'attention que s'il avait été un jeune stagiaire en train de se livrer à son premier inventaire. Au milieu de la pièce, face à la fenêtre, se dressaient un solide bureau victorien et un fauteuil pivotant capitonné garni de boutons. Devant, il y avait deux fauteuils plus petits en cuir. Sur le côté, on voyait un bureau moderne surmonté d'une lourde machine à écrire démodée et, devant la cheminée deux autres fauteuils et une table basse. Une petite bibliothèque vitrée à bordures de cuivre occupait l'encoignure située à droite de la cheminée. C'était le seul meuble digne d'intérêt. Dalgliesh se demanda si ses compagnons connaissaient sa valeur. Le respect de la tradition les empêcherait toutefois de le vendre, se dit-il. Partie intégrante de la pièce, comme le bureau, il était inviolable. On ne s'en débarrasserait pas, simplement pour faire un peu d'argent. Dalgliesh constata qu'il contenait une collection dépareillée d'ouvrages de référence, de guides de la région, de biographies d'hommes politiques conservateurs célèbres, un *Who's Who*, des rapports parlementaires, des brochures didactiques de l'Imprimerie nationale et même quelques romans classiques que le temps immuable semblait avoir collés ensemble.

Au mur, derrière le bureau, une copie d'un célèbre portrait de Winston Churchill et, à sa droite, une grande photographie de Mrs. Thatcher. Mais c'était le tableau placé au-dessus de la cheminée qui attirait aussitôt le regard. C'était une peinture à l'huile du XVIIIe siècle : le portrait de la famille Harrison par Arthur Devis. Le jeune Harrison, les jambes revêtues de hauts-de-chausses en satin et gracieusement croisées, se tenait avec une arrogance de propriétaire à côté d'une chaise de jardin sur laquelle était installée son épouse, une femme au visage anguleux qui entourait du bras la taille d'un jeune enfant. Une fillette était assise modestement près d'elle, un panier de fleurs sur les genoux ; à sa gauche, la main levée de son frère serrait le fil d'un cerf-volant qui brillait dans le ciel d'été. Derrière le groupe, on apercevait un doux paysage anglais : des pelouses, un lac, un manoir dans le lointain. Dalgliesh se rappela qu'Anthony Farrell avait parlé d'un Devis légué à Musgrave.

« Berowne l'a apporté de Campden Hill Square, expliqua le général. Il a déplacé le portrait de Churchill pour mettre cette toile. Cela avait un peu choqué à l'époque : le Churchill avait toujours pendu au-dessus de la cheminée. »

Musgrave s'était approché lui aussi.

« Il va me manquer, ce tableau, dit-il. Je ne me lasse jamais de le regarder. Il a été peint dans le Hertfordshire, à une dizaine de kilomètres seulement d'ici. Ce paysage existe toujours, avec le même chêne, le même lac, la même maison. Celle-ci est devenue une école. Elle avait été vendue par l'intermédiaire de mon grand-père. C'est une scène typiquement anglaise. Je ne connaissais pas l'œuvre de cet artiste. Ça pourrait être un Gainsborough, vous ne trouvez pas ? Je me demande si je ne le préfère pas à ce vrai Gainsborough qui se trouve à la National Gallery : M. et Mrs. Robert Andrews. Les modèles féminins de l'un et de l'autre se ressemblent un peu. Toutes deux sont maigres, arrogantes. Aucune ne me plairait comme épouse. Mais le tableau est ravissant.

— Je serai soulagé quand la famille de Berowne viendra le reprendre, déclara le général. C'est une grosse responsabilité pour nous. »

Ainsi, aucun des deux hommes n'était au courant de l'héritage, à moins qu'ils ne fussent meilleurs comédiens que Dalgliesh ne le croyait vraisemblable. Il garda un prudent silence, mais il aurait donné cher pour voir la tête de Musgrave quand il apprendrait sa bonne fortune. Il se demanda à quel accès de libéralité quichottesque était dû ce cadeau. C'était certainement une façon très généreuse de récompenser une fidélité politique. Malheureusement, cela créait aussi une fâcheuse complication. Le bon sens et l'imagination bronchaient à l'idée que Musgrave aurait pu égorger un ami pour posséder un tableau, aussi désiré que fût cet objet, alors que rien n'indiquait qu'il ait eu vent du legs. Normalement, vu son âge, il aurait eu peu de chances de survivre à Berowne. Il était passé à Campden Hill Square dans l'après-midi de la mort de Berowne. Il pouvait avoir pris l'agenda. Et il devait savoir que sir Paul se rasait avec un rasoir de coiffeur. Comme tous ceux auxquels le décès de l'ex-secrétaire d'État profitait, la police serait obligée de l'interroger. Bien qu'il fût presque certain que cette formalité ne représenterait qu'une perte de temps et d'énergie, on ne pourrait l'éviter.

Dalgliesh se rendait parfaitement compte que les deux autres attendaient qu'il leur parlât du meurtre. Au lieu de cela, il alla au bureau et s'assit dans le fauteuil de Berowne. Ce meuble-là, au moins, était confortable : il semblait conçu pour ses longues jambes. Une fine couche de poussière recouvrait le plateau du bureau. Il ouvrit le tiroir de droite et n'y vit qu'une boîte de papier à lettres, des enveloppes et un agenda similaire à celui qu'on avait trouvé près du corps. En le feuilletant, il constata qu'il ne contenait que des rendez-vous et un aide-mémoire relatifs aux jours qu'il passait dans sa circonscription. Ici aussi, donc, il avait eu une vie réglée, compartimentée.

Dehors, il avait commencé à bruiner. La pluie embuait la vitre, de sorte qu'il voyait le mur de brique du parking et les toits luisants des voitures comme dans un tableau pointilliste. Quel fardeau moral, se demanda-t-il, Berowne avait-il apporté avec lui dans ce bureau sombre et déprimant ? La déception que lui causait la seconde carrière dans laquelle il s'était engagé ? Un sentiment de culpabilité engendré par la mort de sa femme, l'échec de son remariage, par sa maîtresse, dont il venait de quitter le lit ? Son unique enfant, qu'il négligeait ? Son titre qui, de droit, avait été celui de son frère ? Le fait qu'il avait survécu au fils préféré de sa mère ? « La plupart des choses auxquelles je croyais tenir dans la vie me sont revenues du fait de la mort de quelqu'un. » Et avait-il eu des remords plus récents, des remords au sujet de Theresa Nolan qui s'était suicidée après avoir avorté ? De son fils à lui ? Et que trouvait-il ici, parmi ces dossiers et ces papiers qui, par leur ordre méticuleux semblaient se moquer du désordre de sa vie, sinon l'insoluble dilemme des gens bien intentionnés ? Les déshérités s'accrochent comme des sangsues à leurs victimes. Si vous exaucez leur désir, leur ouvrez votre cœur et votre esprit, les écoutez avec sympathie, leur nombre s'accroît sans cesse. Ils vous vident mentalement et physiquement et, pour finir, vous n'avez plus rien à leur donner. Si vous les repoussez, ils ne reviennent plus et vous vous méprisez pour votre dureté.

« Cette pièce est sans doute le lieu du dernier recours ? » dit Dalgliesh.

Ce fut Musgrave qui comprit le premier.

« Neuf fois sur dix, c'est bien ça. Ils ont épuisé la patience de leur famille, celle du personnel de la sécurité sociale et des autorités locales, celle de leurs amis. Alors ils viennent ici. "J'ai voté pour vous. Faites quelque chose." Il y a des députés qui aiment ça, bien sûr. Qui trouvent que c'est la partie la plus fascinante de leur travail. Ce sont des assistants sociaux manqués. Je ne crois pas que c'était le cas de Berowne. Ce qu'il essayait de faire, jusqu'à en paraître parfois obsédé, c'était d'expliquer aux gens les limites du pouvoir d'un gouvernement, quel qu'il soit. Vous vous rappelez ce dernier débat à la Chambre sur les centres urbains ? J'étais dans la tribune réservée au public. Sous l'ironie montrée par Berowne, on sentait percer la colère : "Si j'ai bien compris le raisonnement assez confus de mon honorable collègue, on demande au gouvernement de garantir à tous les citoyens l'égalité de l'intelligence, du talent, de l'énergie et de la fortune et d'abolir le péché originel à partir de la prochaine année fiscale. Le gouvernement de Sa Majesté est prié de réparer par décrets statutaires l'échec éclatant que la divine providence connaît dans ce domaine." L'assemblée a tiqué. Elle n'aime pas ce genre d'humour. »

Musgrave se tut un instant, puis reprit :

« De toute façon, c'était une bataille perdue d'avance. On ne peut pas faire accepter aux électeurs que le pouvoir exécutif a des limites. Personne ne veut le croire. Et, dans une démocratie, de toute façon, il y aura toujours quelqu'un pour vous assurer que rien n'est impossible.

— Berowne était un député consciencieux, dit le général, mais les obligations de sa charge le fatiguaient plus qu'il n'y paraissait. Je crois qu'il était parfois écartelé entre la compassion et l'irritation. »

D'un geste vif, Musgrave ouvrit le tiroir d'un classeur et en sortit un dossier au hasard.

« Prenez ce cas, par exemple. Vieille fille âgée de 52 ans. En pleine dépression (ménopause). Père décédé. Mère à la maison, pratiquement grabataire, tyrannique, incontinente, devenant sénile. Pas de place à l'hôpital et, de toute façon, même s'il y en avait une, la vieille femme refuserait d'y aller. Ou cet autre : deux jeunes, tous deux âgés de dix-neuf ans. Elle tombe enceinte. Ils se marient, au mécontentement des deux familles. Vivent maintenant avec les beaux-parents dans une maison minuscule. Pas d'intimité. Impossible de faire l'amour. Maman entend tout à travers la cloison. Le bébé hurle. Commentaire des familles : "Je te l'avais bien dit". Pas le moindre espoir d'obtenir une maison de la municipalité avant trois ans, sinon plus. Eh bien, ça c'était le genre d'histoires que Berowne entendait tous les samedis. Trouvez-moi un lit d'hôpital, un logement, un emploi. Donnez-moi de l'argent, de l'espoir, de l'amour. C'est partiellement en cela que consiste le travail de député, mais je crois que Berowne le trouvait frustrant. Attention ! je ne dis pas qu'il ne compatissait pas aux vrais cas sociaux.

— Tous les cas le sont, déclara doucement le général. La misère est toujours vraie. »

Par la fenêtre, il regarda au-dehors. La bruine s'était transformée en pluie battante.

« Peut-être aurions-nous dû lui fournir une pièce plus gaie, ajouta-t-il.

— Mais elle a toujours servi de bureau aux députés, mon général ! protesta Musgrave. Et puis, il ne recevait qu'une fois par semaine, après tout.

— Oui, mais le prochain élu devrait avoir quelque chose de mieux », maintint Nollinge.

Musgrave capitula sans rancune.

« Nous pourrions peut-être évincer George. Ou utiliser la pièce sur le devant, au premier. Mais alors, l'escalier présenterait un problème pour les personnes âgées. Et je ne vois pas où nous pourrions reloger le bar. »

Dalgliesh s'attendit presque à ce qu'il demandât à quelqu'un de lui apporter les plans de la maison et, ses propres préoccupations à moitié oubliées, commençât aussitôt à réaménager les lieux.

« Sa démission vous a-t-elle surpris ? s'enquit-il.

Ce fut Musgrave qui répondit.

« Ça, vous pouvez le dire. Surpris et atterré. Je l'ai prise comme une trahison. Écoutez, mon général, disons ce qui est : le moment est mal choisi pour des élections partielles, et Berowne devait le savoir.

— Parler de trahison est exagéré, protesta Nollinge. Nous ne nous sommes jamais considérés comme un siège disputé.

— Tout siège qui n'atteint pas 15 000 voix de majorité est disputé de nos jours. Berowne aurait dû tenir jusqu'aux élections générales.

— Vous a-t-il expliqué ses raisons ? demanda Dalgliesh. Je suppose qu'il est venu vous voir, qu'il ne s'est pas contenté de vous écrire ? »

Ce fut de nouveau Musgrave qui répondit.

« Oui, oui, bien sûr. Il a même retardé sa lettre au Chancelier pour pouvoir nous parler d'abord. J'étais en congé — de courtes vacances que je prends chaque année en automne —, et Berowne a eu la politesse d'attendre mon retour. Il est venu ici vendredi dernier, un vendredi 13, ce qui me semble tout à fait approprié. Il a dit que ça ne serait pas juste s'il continuait à représenter notre parti. Le moment était arrivé pour lui de prendre un tournant dans sa vie. Naturellement, je lui ai demandé ce qu'il entendait par "prendre un tournant". "Vous êtes un membre du Parlement, lui ai-je dit, pas un foutu chauffeur d'autobus." Il m'a répondu qu'il n'était pas encore sûr, qu'il n'avait pas encore été éclairé là-dessus. "Éclairé par qui ?" ai-je demandé. "Par Dieu", a-t-il déclaré. Après ça, que voulez-vous qu'on dise d'autre ? Rien de tel qu'une réponse de ce genre pour mettre fin à une discussion rationnelle.

— Quelle impression vous a-t-il faite ?

— Oh, il semblait parfaitement calme, parfaitement normal. C'est cela qui était tellement étrange. Un peu inquiétant même, vous n'êtes pas de mon avis, mon général ?

— Il m'a fait l'effet d'un homme délivré de la souffrance physique, dit Nollinge. Pâle, les traits tirés, mais paisible. Un air qui ne trompe pas.

— D'accord, il était peut-être paisible, mais têtu comme une mule. Pas moyen de discuter avec lui. Sa décision toutefois n'était pas motivée par la politique. Nous sommes parvenus à lui arracher au moins ça. Je lui ai demandé franchement : "Êtes-vous déçu par la politique, le parti ou le Premier ministre ? Êtes-vous déçu par nous ?" Il a dit que non. "Ça n'a rien à voir avec le parti. C'est moi-même que je dois changer". Ma question a eu l'air de le surprendre et presque de l'amuser comme si elle était sans rapport avec le problème. Pour moi, elle en avait forcément un. Le général et moi avons servi le parti toute notre vie. Pour nous, cet engagement n'est pas un jeu, une activité sans importance qu'on peut interrompre dès qu'elle commence à vous ennuyer. Nous méritions une meilleure explication et sacrément plus de considération que Berowne ne nous en a donnée. On aurait presque dit que ça le contrariait d'avoir à parler de ce sujet. Nous aurions pu tout aussi bien discuter des préparatifs d'une fête en plein air. »

Musgrave se mit à arpenter la pièce. Son indignation était presque palpable.

« Je crains que nous ne lui ayons été d'aucun secours, dit le général.

— Il ne nous demandait pas de l'aide, que je sache ? Ou un conseil ? Il s'était adressé à une instance supérieure pour cela. Je regrette qu'il ait mis les pieds dans cette église. Pourquoi y est-il allé, au fait ? Le savez-vous ? lança Musgrave à Dalgliesh sur un ton presque accusateur.

— Parce qu'il s'intéressait à l'architecture victorienne, à ce qu'il paraît, répondit Dalgliesh d'une voix tranquille.

— Dommage qu'il ne se soit pas plutôt adonné à la pêche à la ligne ou à la philatélie. Enfin, il est mort, le pauvre bougre. A quoi bon se montrer amer maintenant.

— Vous avez vu l'article paru dans la *Paternoster Review*, n'est-ce pas ? » demanda Dalgliesh.

Musgrave s'était calmé.

« Je n'achète pas ce genre de publications, déclarat-il. Si j'ai envie de critiques littéraires, je peux lire celles des journaux du dimanche. »

Son ton laissait entendre qu'il s'offrait parfois ce curieux plaisir.

« Mais quelqu'un l'a certainement lu et découpé, poursuivit-il. Ce texte n'a pas tardé à circuler dans la circonscription. D'après le général, il aurait pu donner lieu à une action en justice.

— C'est ce qu'il m'a semblé, en effet, confirma Nollinge. J'ai conseillé à Berowne de consulter un avocat. Il m'a répondu qu'il y réfléchirait.

— Il a fait plus que cela, dit Dalgliesh. Il m'a montré l'article.

— En vous demandant de faire une enquête ? demanda Musgrave d'un ton acerbe.

— Pas vraiment. Il est resté assez vague.

— Exactement. Voilà bien ce qu'il était tous ces derniers mois : vague. Et cela, au sujet de tout. »

Musgrave ajouta :

« Naturellement, quand il nous a dit qu'il avait écrit au Premier ministre et voulait se démettre de son siège, nous avons tout de suite pensé à l'article de la *Review*. Nous nous sommes armés de courage et avons attendu le scandale. A tort, bien entendu.

Il ne s'agisssait de rien d'aussi humain ni de compréhensible. Il y a pourtant eu quelque chose de bizarre. Nous nous sommes dit qu'il valait mieux vous en parler. Maintenant que Berowne est mort, cela ne peut plus lui nuire. Cela s'est passé la nuit où cette fille, Diana Machinchose, s'est noyée.

— Diana Travers, précisa Dalgliesh.

— C'est ça. Berowne est arrivé ici dans la nuit, ou, plutôt, aux premières heures du matin. Il était bien après minuit, mais j'étais encore là, en train de travailler. Quelqu'un, ou quelque chose, l'avait griffé au visage. Quoique superficielles, les égratignures avaient saigné. Une croûte venait de se former. Ça pouvait être un chat, à moins qu'il ne fût tombé dans un rosier. Ça pouvait aussi être une femme.

— Vous a-t-il donné une explication ?

— Non. Nous n'en avons pas parlé, ni à ce moment-là ni plus tard. Berowne avait l'art de décourager les questions embarrassantes. De toute façon, sa petite mésaventure ne pouvait pas avoir de rapport avec cette fille : il paraît qu'il n'avait pas dîné au *Black Swan* ce soir-là. Mais, plus tard, quand nous avons lu l'article, la coïncidence m'a paru curieuse. »

En effet, se dit Dalgliesh. Puis, parce que la question était nécessaire, et non parce qu'il s'attendait à recevoir un renseignement utile, il demanda si quelqu'un, dans la circonscription, pouvait avoir su que Berowne serait à Saint-Matthew la nuit de sa mort. Remarquant le regard perçant et soupçonneux de Musgrave, le froncement de sourcils peiné du général, il ajouta :

« Il nous faut envisager l'hypothèse d'un meurtre prémédité, d'un assassin qui savait où trouver sa victime. Si sir Paul a parlé de ses projets, par téléphone peut-être, à quelqu'un de sa circonscrip-

tion, quelqu'un d'autre peut avoir surpris la conversation ou le correspondant avoir transmis le renseignement sans penser à mal.

— Suggérez-vous qu'il a été tué par un électeur
mécontent ? fit Musgrave. C'est un peu tiré par les
cheveux, vous ne croyez pas ?

— Mais non pas impossible.

— Les électeurs mécontents écrivent aux journaux locaux, cessent de payer leurs cotisations et
menacent de voter social-démocrate aux prochaines
élections. Je ne vois pas comment ce crime pourrait
être politique. Berowne avait démissionné, bon
dieu ! Il était hors du coup, fini, terminé. Quel
danger pouvait-il présenter pour qui que ce soit ?
Et après son histoire d'église, qui allait encore le
prendre au sérieux ?

— Même sa famille ignorait où il était ce soir-là,
intervint le général de sa voix douce. Je trouverais
étonnant qu'il ait mentionné Saint-Matthew à quelqu'un d'ici s'il n'avait prévenu personne chez lui.

— Comment savez-vous cela, mon général ?

— Mrs. Hurrell a appelé Campden Hill Square
peu après huit heures et demie et a parlé à miss
Matlock, la gouvernante. A ce que j'ai cru
comprendre, c'est un jeune homme qui a décroché,
mais il a ensuite passé la communication à miss
Matlock. Wilfred Hurrell était notre permanent. Il
est mort le lendemain matin, à trois heures, à
l'hôpital Saint-Mary, à Paddington. D'un cancer, le
pauvre. Il était très dévoué à Berowne et Mrs. Hurrell
a appelé Campden Hill Square parce que son mari
voulait le voir. Berowne avait dit à Mrs. Hurrell
qu'elle pouvait lui téléphoner à n'importe quelle
heure. Il veillerait à ce qu'on pût toujours le joindre.
C'est cela que je trouve bizarre. Il savait que Wilfred
n'en avait plus pour longtemps. Pourtant, il n'a

laissé chez lui ni numéro de téléphone ni adresse. Cela ne lui ressemblait pas.

— Betty Hurrell m'a appelé ensuite pour voir s'il n'était pas ici, dit Musgrave. Je n'étais pas encore rentré de Londres à ce moment-là. Elle a parlé à ma femme, mais celle-ci était incapable de l'aider, évidemment. Une affaire désagréable. »

Dalgliesh se garda de trahir qu'il était au courant de cet appel téléphonique.

« Miss Matlock a-t-elle dit qu'elle demanderait à un membre de la famille s'il savait où joindre sir Paul ?

— Elle a simplement dit à Mrs. Hurrell que sir Paul n'était pas là et que personne dans la maison ne savait où il était. Mrs. Hurrell pouvait difficilement insister. Il paraît que Berowne était sorti peu après dix heures et demie et qu'il n'est jamais revenu. Je suis allé chez lui juste avant le déjeuner, espérant l'attraper à ce moment-là, mais il n'est pas rentré. On a dû vous mentionner ma visite.

— Moi, j'ai essayé de le joindre plus tard, peu avant six heures, dit le général. Je voulais prendre rendez-vous avec lui pour le lendemain. Je pensais qu'une bonne conversation donnerait peut-être un résultat. Il n'était pas à la maison. C'est lady Ursula qui m'a répondu. Elle m'a dit qu'elle consulterait l'agenda de son fils et me rappellerait.

— En êtes-vous sûr, mon général ?

— De quoi ? D'avoir parlé à lady Ursula ? Absolument certain. D'habitude, c'est miss Matlock qui répond, mais parfois on tombe sur lady Ursula.

— Êtes-vous sûr qu'elle a dit qu'elle consulterait l'agenda de son fils ?

— Elle a peut-être dit qu'elle verrait si sir Paul était libre et me rappellerait. Quelque chose comme ça. J'en ai naturellement déduit qu'elle allait consulter son agenda. Je lui ai dit : "Surtout ne vous dérangez pas". Elle est perclue de rhumatismes, vous savez.

— Et vous a-t-elle rappelé ?

— Oui, environ dix minutes plus tard. Elle a dit que le mercredi matin semblait convenir, mais qu'elle demanderait à Berowne de me rappeler le lendemain matin pour me le confirmer. »

Le lendemain matin. Cela laissait supposer qu'elle savait que son fils ne rentrerait pas de la nuit. Et, fait plus important encore, si elle était réellement descendue dans le cabinet de travail et avait consulté l'agenda, cet objet était donc encore là, dans le tiroir du bureau, peu après six heures, le jour de la mort de Berowne. Or, selon le père Barnes, à six heures, Berowne arrivait déjà au presbytère. C'était peut-être l'indice capital qui reliait le crime à Campden Hill Square. Il s'était agi d'un meurtre soigneusement préparé. L'assassin avait su où trouver l'agenda, l'avait emporté à l'église, l'avait partiellement brûlé pour essayer de donner plus de vraisemblance à l'hypothèse d'un suicide. Incontestablement, cela plaçait le criminel au cœur même de la maisonnée. Mais n'avait-il pas toujours pensé que c'était là qu'il fallait le chercher ?

Il se rappela cet instant, dans le salon de lady Ursula, où il avait exhibé l'agenda. Les mains sèches et déformées par l'âge se refermant comme des griffes sur l'emballage en plastique. Le corps frêle pétrifié. Elle avait donc su. Malgré le choc qu'avait dû lui causer la vue du carnet, son cerveau avait continué à fonctionner. Mais une mère protégerait-elle l'assassin de son fils ? Dans le cas de celle-ci, seules des circonstances très particulières auraient pu motiver une telle attitude. Mais la vérité était probablement plus simple, moins noire. La vieille femme ne pouvait accepter que deux possibilités : ou bien son fils s'était suicidé, ou bien sa mort était due à un hasard, un acte de violence non prémédité. Si lady Ursula parvenait à s'en convaincre, elle considérerait tout lien établi avec Campden Hill Square comme une aberration, une source potentielle de scandale, pis encore : comme une dangereuse fausse piste qui empêcherait la police de découvrir le véritable coupable. Il faudrait néanmoins qu'il l'interrogeât au sujet de ce coup de fil. Dans toute sa carrière, Dalgliesh n'avait jamais eu peur d'un témoin ou d'un suspect, mais la perspective de cet entretien avec lady Ursula était loin de l'enchanter. Cependant, si l'agenda s'était trouvé dans le bureau à six heures, cela mettait au moins Frank Musgrave hors de cause. Le président avait quitté Campden Hill Square avant deux heures. De toute façon, soupçonner Musgrave lui avait toujours paru absurde. Puis une autre idée, peut-être aussi illogique que la précédente, lui vint à l'esprit : qu'était-ce donc que Wilfred Hurrell, couché sur son lit de mort, avait eu de tellement important à dire à Berowne ? Et se pouvait-il que quelqu'un ait voulu l'empêcher de parler ?

Un peu plus tard, les trois hommes déjeunèrent ensemble dans l'élégante salle à manger du premier étage qui donnait sur le fleuve. Avec la pluie, l'eau était devenue épaisse, agitée. Quand ils furent assis, Musgrave déclara :

« Mon arrière-grand-père a un jour dîné avec Disraeli à cette même table. La vue qu'ils en avaient alors a à peine changé. »

Ces paroles confirmèrent les suppositions de Dalgliesh : que c'était la famille de Musgrave qui avait toujours voté conservateur, trouvant impensable toute autre allégeance, tandis que le général avait abouti à sa philosophie politique par un processus mental et un engagement intellectuel.

Ce fut un agréable repas. Au menu : épaule

d'agneau farcie, légumes frais cuits à point, et une tarte aux groseilles à maquereaux accompagnée de crème fraîche. Dalgliesh devina que, par un accord tacite, ses deux compagnons avaient décidé de ne pas l'ennuyer en l'interrogeant sur les progrès de l'enquête. Un peu plus tôt, ils avaient posé les inévitables questions, mais devant sa réticence, ils avaient eu la discrétion de ne pas insister. Il était enclin à attribuer leur réserve au souci qu'ils avaient de le voir jouir d'un repas auquel, selon toutes les apparences, ils avaient apporté beaucoup de soin, et non pas au fait qu'ils répugnaient à discuter d'un sujet pénible ou craignaient de laisser échapper quelque parole imprudente. Le garçon qui les servait portait un habit noir. Déjà assez âgé, il avait une sympathique figure de crapaud empreinte de sollicitude. Il leur versa un excellent Niersteiner d'une main tremblante, mais sans en répandre une goutte. La salle à manger était presque vide. Il n'y avait que deux couples, et ils étaient assis loin d'eux. Dalgliesh soupçonna ses hôtes d'avoir tout mis en œuvre pour qu'il pût déjeuner en paix. Les deux hommes trouvèrent cependant l'occasion de lui donner leur opinion. Quand, après le café, le général se rappela qu'il avait un coup de fil à passer, Musgrave se pencha par-dessus la table avec une mine de conspirateur.

« Le général n'arrive pas à croire que Berowne s'est suicidé, dit-il. C'est là un acte qu'il ne commettrait jamais lui-même et il ne peut s'imaginer que ses amis en soient capables. Autrefois, j'aurais partagé son point de vue sur Berowne. Maintenant, je ne sais plus. Il y a de la folie dans l'air. On ne peut plus être sûr de rien, et surtout de personne. Vous croyez connaître quelqu'un, savoir comment il réagira, mais vous vous trompez. Nous sommes tous des étrangers. Je pense à cette fille, l'infirmière, qui s'est tuée. Si c'est de son enfant à lui qu'elle s'est fait avorter, Berowne a dû avoir du mal à vivre avec ce remords. Comprenez-moi, je n'essaie pas de résoudre cette affaire. C'est votre boulot, pas le mien. Elle me paraît néanmoins très claire. »

Et ce fut dans le parking, après que Musgrave les eût quittés pour aller à sa voiture, que le général lui confia :

« Je sais que Frank pense que Berowne s'est suicidé, mais il se trompe. Ce n'est pas par malveillance, par déloyauté ou par dureté. Il se trompe, c'est tout. Berowne n'était pas le genre d'homme à se suicider.

— J'ignore s'il l'était ou non, répondit Dalgliesh. Ce dont je suis presque certain, c'est qu'il ne l'a pas fait. »

En silence, Nollinge et lui regardèrent Musgrave franchir la grille sur un dernier signe d'adieu, accélérer et disparaître. Dalgliesh se demanda si le destin était en train de lui jouer un autre mauvais tour : Musgrave conduisait une Rover noire dont la plaque d'immatriculation comportait un A.

Une demi-heure plus tard, Frank Musgrave s'engagea dans l'allée qui conduisait chez lui. C'était une élégante petite maison de campagne en brique rouge construite par Lutyens et achetée par son père quarante ans plus tôt. Musgrave en avait hérité en même temps que de l'agence immobilière. Il en était aussi fier que si sa famille y avait demeuré depuis deux siècles. Il l'entretenait avec le soin jaloux dont il s'occupait de toutes ses possessions : sa femme, son fils, son affaire, sa voiture. D'habitude, quand il s'en approchait, il se contentait de louer mentalement le flair de son père, mais tous les six mois, comme pour obéir à quelque règle implicite, il s'arrêtait et, posément, en réévaluait le prix sur le marché. C'est ce qu'il était en train de faire.

A peine avait-il pénétré dans le vestibule que sa femme vint à sa rencontre, le visage inquiet. L'aidant à ôter son pardessus, elle demanda :

« Alors, comment cela s'est-il passé ?

— Bien. C'est un curieux personnage. Pas très amical, mais parfaitement poli. Il a eu l'air d'apprécier son déjeuner. » Musgrave se tut un instant, puis reprit : « Il est convaincu qu'il s'agit d'un meurtre.

— Oh non ! Que vas-tu faire, Frank ?

— La même chose que tous ceux qui sont liés à Berowne : essayer de limiter les dégâts. Est-ce que Betty Hurrell a appelé ?

— Oui, il y a une vingtaine de minutes. Je lui ai dit que tu irais la voir.

— Oui, acquiesça Musgrave d'un ton morne, c'est ce que je dois faire. »

Il posa un instant sa main sur l'épaule de sa femme. La famille de celle-ci s'était opposée à leur mariage. Elle ne l'avait pas jugé digne de la fille unique d'un ex-représentant de la Couronne dans le comté. Mais il l'avait épousée et ils avaient été, étaient encore, heureux. Saisi d'une brusque colère, il pensa : je ne vais pas risquer tout ce pourquoi j'ai travaillé, tout ce que j'ai acquis, tout ce que j'ai hérité de mon père simplement parce que Paul Berowne n'a rien trouvé de mieux que de perdre la boule dans une sacristie.

Scarsdale Lodge était un grand immeuble moderne en forme de L. Sa façade de brique était défigurée, plutôt qu'embellie, par une série de balcons irréguliers en saillie. Un chemin dallé menait entre deux pelouses à une entrée surmontée d'un dais. Au milieu de chaque rectangle de gazon, une petite corbeille de dahlias nains plantés en cercles blancs, jaunes et rouges, semblait lever vers le ciel un œil injecté de sang. A gauche, une allée conduisait à une rangée de garages et à un parking privé ; un écriteau avertissait que le parking était réservé aux visiteurs. Sachant à quel point les habitants d'un immeuble de ce genre pouvaient devenir paranoïaques au sujet de voitures en stationnement illicite, Dalgliesh se dit que Berowne devait avoir jugé plus sûr de laisser son véhicule au parking public de la station Stanmore, et parcouru à pied les derniers quatre cents mètres de côte. Il pouvait alors passer pour n'importe quel banlieusard rentrant d'un bureau londonien, l'inévitable attaché-case d'une main, dans l'autre, un sac contenant du vin et un bouquet provenant d'un stand du métro Baker Street ou Westminster. De plus, Stanmore ne représentait pas un grand détour. En fait, ce quartier avait l'avantage de se trouver sur le chemin de sa circonscription. Berowne devait réussir à grappiller quelques heures le vendredi soir, sorte de hiatus entre sa vie à Londres et ses consultations du samedi matin, à son bureau de Wrentham Green.

Dalgliesh et Kate s'approchèrent en silence de l'entrée. Celle-ci était pourvue d'un interphone. Ce dispositif n'assurait pas une grande protection, mais c'était mieux que rien, et cela évitait l'ennui d'avoir un gardien qui observe les allées et venues des locataires et de leurs visiteurs. En réponse au coup de sonnette de Kate et à l'annonce discrète de leurs noms au micro, ils entendirent la porte s'ouvrir en bourdonnant. Ils pénétrèrent dans ce type de hall qu'on retrouve dans des milliers d'autres immeubles similaires de la banlieue. Les carreaux en vinyle cirés qui recouvraient le sol brillaient comme des miroirs. Sur le mur de gauche, on apercevait un panneau de liège auquel le gérant avait affiché des avis concernant la date de la révision de l'ascenseur et l'échéance du contrat de nettoyage. A droite, dans un pot en plastique vert, un énorme philoden- dron mal étayé laissait tomber ses feuilles four- chues. Dalgliesh repéra deux ascenseurs. Un silence absolu régnait dans l'entrée. Quelque part en haut, des gens devaient vivre leurs vies cloisonnées, mais ici, l'air chargé d'une forte odeur d'encaustique était aussi immobile que si la maison n'était peuplée que de morts. Les locataires devaient être des Londoniens dont la plupart déménageraient bientôt, de jeunes membres des professions libérales en début de carrière, des secrétaires partageant un appartement, des couples de retraités vivant repliés sur eux-mêmes. Un visiteur pouvait se rendre dans n'importe lequel de cette quarantaine de logements. Si Berowne avait été sage, il aurait chaque fois arrêté l'ascenseur à un étage différent et monté les marches restantes à pied. Mais, de toute façon, il n'avait pas dû courir grand risque d'être vu. Malgré ses nombreux arbres, Stanmore n'était plus un village. Il ne devait guère y avoir d'yeux curieux dissimulés derrière les rideaux. Si c'était Berowne qui avait acheté ce logement à sa maîtresse pour pouvoir l'y retrouver, son choix avait été parfait : il était aussi commode qu'anonyme.

Le numéro 46 était un appartement d'angle situé au dernier étage. Ils avancèrent en silence le long du couloir recouvert d'un tapis en direction de la porte dépourvue de plaque ou de carte de visite. Quand Kate sonna, Dalgliesh se demanda si on les épiait par le judas, mais la porte s'ouvrit immédiatement, comme si Carole Washburn s'était tenue derrière le battant, à les guetter. Elle s'effaça pour les laisser passer.

« Je vous attendais, dit-elle en se tournant vers Dalgliesh. Je savais que vous viendriez un jour ou l'autre. Au moins cela me permettra d'apprendre ce qui s'est passé. Et je pourrai entendre quelqu'un, même si ce n'est qu'un policier, prononcer son nom. »

Elle était prête pour leur visite maintenant. Elle avait fini de pleurer, du moins pour le moment ; ces affreux cris d'angoisse qui semblent vous déchirer le corps s'étaient tus pour un temps. Dalgliesh avait été trop souvent obligé de constater les effets de la douleur pour ne pas en reconnaître les symptômes : paupières bouffies, peau grise, lèvres gonflées et anormalement rouges comme sur le point de se fendre. On avait du mal à imaginer l'aspect normal de cette jeune femme. Dalgliesh lui trouva un visage agréable : intelligent, le nez un peu trop long, mais de jolies pommettes saillantes et un menton ferme. Et elle avait une belle peau. Ses épais cheveux châtains étaient ramenés en arrière et attachés avec un bout de ruban chiffonné. Elle parlait d'une voix fêlée, rendue rauque par les sanglots, mais parfaitement maîtrisée. Dalgliesh éprouva du respect pour elle. Si l'on prenait le chagrin comme critère, la veuve, c'était elle. Alors qu'ils la suivaient dans le séjour, il dit :

« Je suis désolé d'avoir à vous déranger, surtout si tôt. Vous devinez certainement la raison de notre visite. Vous sentez-vous capable de parler de lui ?

Pour faire avancer mon enquête, j'ai besoin de mieux le connaître. »

Carole Washburn parut comprendre ce qu'il voulait dire : que la personnalité de la victime jouait un rôle capital dans son décès. Il était mort à cause de ce qu'il était, savait, avait fait et projetait de faire. Le meurtre détruisait l'intimité, dévoilait brutalement toutes les mesquines intrigues du défunt. Dalgliesh fouillerait aussi méthodiquement le passé de Berowne qu'il fouillait un placard ou les dossiers d'une victime. La vie privée du mort était la première atteinte, mais aucune personne que le meurtre touchait de près ne resterait indemne. La victime, au moins, était au-delà des considérations terrestres telles que dignité, gêne, réputation. Mais les vivants mêlés à une enquête criminelle subissaient un processus dont peu sortaient inchangés. Celui-ci avait au moins le mérite d'être démocratique. L'homicide demeurait le crime unique. Riches et pauvres étaient égaux devant lui. Bien entendu, comme dans tous les autres domaines, les riches avaient ici certains avantages. Ils avaient les moyens de se payer les meilleurs avocats. Toutefois, dans une société libre, c'était à peu près tout ce qu'ils pouvaient acheter.

« Je peux vous offrir un café ? demanda Carole Washburn.

— Oui, merci, si cela ne vous dérange pas trop, répondit Dalgliesh.

— Je peux vous aider ? demanda Kate.

— J'en ai pour une minute. »

Kate eut l'air de prendre cette réponse pour un acquiescement. Elle suivit la jeune femme à la cuisine en laissant la porte entrouverte. Dalgliesh reconnut là sa façon pratique, dénuée de sentimentalité, de réagir aux gens et à leurs préoccupations immédiates. Sans faire preuve d'autorité, elle réussissait à donner à la plus embarrassante des situations une apparence de normalité. C'était là une de ses forces. Par-dessus le cliquetis du couvercle de la bouilloire et des tasses, il entendit leurs voix : elles parlaient du ton presque banal de la conversation. D'après les quelques phrases qu'il put saisir, elles s'entretenaient des mérites d'une marque de bouilloire électrique que toutes deux possédaient. Soudain, il se sentit de trop, en tant que détective et en tant qu'homme. Les deux femmes s'entendraient certainement mieux sans sa présence masculine, dérangeante. Même la pièce semblait le rejeter et, pendant un instant, il aurait presque juré que les murmures qui lui parvenaient de la cuisine étaient complices.

Il y eut le ronronnement d'un moulin à café. Ainsi elle utilisait du café frais moulu. Il était normal qu'elle apportât du soin à la préparation d'une boisson qu'elle avait dû si souvent partager avec son amant. Il promena son regard autour de la salle de séjour. Par la fenêtre, on apercevait au loin la ligne des toits de Londres. Le mobilier était d'un bon goût assez classique. Le canapé, recouvert d'une toile beige encore immaculée, avait l'air coûteux. A en juger par l'austérité de ses lignes, il devait être scandinave. Deux fauteuils assortis flanquaient la cheminée. Leurs housses étaient plus usées que celle du sofa. La cheminée elle-même était moderne : une simple tablette en bois posée sur un manteau dénué d'ornements. Le feu, comme il s'en aperçut, consistait en un de ces modèles dernier cri de chauffage à gaz qui imitait un feu de charbon et des flammes. Sans doute l'allumait-elle dès que son amant sonnait à la porte d'entrée. Confort et chaleur instantanés. Et, quand il ne venait pas, quand ses affaires le retenaient à la Chambre, chez lui ou dans sa circonscription, au moins n'était-elle pas confrontée, le lendemain matin, au symbolisme facile des cendres froides.

Au-dessus du canapé, une rangée d'aquarelles : de charmants paysages anglais d'une indiscutable qualité. Dalgliesh crut reconnaître un Lear et un Cotman. Il se demanda si c'était Berowne qui les lui avait offerts, trouvant ainsi un moyen de lui donner un objet de valeur dont tous deux pouvaient jouir sans que son orgueil à elle en souffrît. Le mur opposé à la cheminée était couvert de rayonnages en bois ajustables. Ils contenaient une chaîne stéréo assez simple, un casier à disques, un poste de télévision et des livres. Quand il s'en approcha et en feuilleta quelques-uns, Dalgliesh constata que Carole Washburn avait fait des études d'histoire à l'université de Reading. Sans ces livres, et avec des reproductions très connues à la place des aquarelles, on aurait pu se croire dans la salle de séjour d'un appartement-témoin dont le bon goût désespérément classique devait séduire le client éventuel. Il y avait des pièces conçues pour qu'on en sorte, se dit Dalgliesh, des antichambres où l'on revêtait son armure pour aller affronter la réalité du monde extérieur. Il en était d'autres créées pour qu'on y revînt, des lieux étouffants dans lesquels on se réfugiait après la dure épreuve du travail et de la lutte pour se faire une place au soleil. Celle-ci était un monde en soi, un foyer de paix aménagé avec une soigneuse économie, mais contenant tout le nécessaire pour vivre ; l'appartement était bien plus qu'un simple investissement immobilier. Tout le capital de Carole Washburn, aussi bien financier qu'affectif, se trouvait immobilisé ici. Dalgliesh regarda les plantes vertes disposées sur le rebord de la fenêtre : elles étaient resplendissantes de santé. Cela n'avait rien d'étonnant. Leur propriétaire était là en permanence pour les soigner.

Les deux femmes revinrent dans la pièce. Miss Washburn portait un plateau sur lequel étaient placés une cafetière, trois grandes tasses blanches, un pot à lait et du sucre de canne. Elle le posa sur la table basse. Dalgliesh et Kate s'installèrent sur le canapé. Miss Washburn versa le café. Elle se servit et emporta sa tasse près de la cheminée, où elle s'assit. Comme Dalgliesh l'avait prévu, le café était excellent. La jeune femme n'y trempa même pas les lèvres. Elle les regardait et dit :

« Le présentateur de la télévision a parlé de blessures dues à un instrument tranchant. Que voulait-il dire ?

— Est-ce ainsi que vous avez appris la nouvelle ? En regardant le journal télévisé ?

— Évidemment, répliqua Carole Washburn avec amertume. De quelle autre manière aurais-je pu l'apprendre ? »

Dalgliesh fut saisi d'une pitié si inattendue, si aiguë que, pendant un instant, il n'osa pas prononcer un mot. L'intensité de la rancœur qui accompagna ce sentiment l'effraya. Berowne avait tout de même dû envisager la possibilité d'une mort subite ! C'était un homme public. Il devait savoir que sa position l'exposait constamment au danger. N'avait-il eu personne à qui confier son secret ? Quelqu'un qui aurait pu annoncer la nouvelle à cette femme avec délicatesse, lui rendre visite, lui apporter au moins la consolation d'apprendre que son amant avait pensé à adoucir son chagrin ? N'aurait-il pu trouver le temps, au milieu de ses multiples occupations, d'écrire une lettre qu'un ami aurait remis à sa maîtresse dans le cas d'un brusque décès ? Ou avait-il eu l'arrogance de se croire à l'abri des risques que court le commun des mortels : infarctus, accident de voiture, bombe de l'IRA ? La vague de colère se retira, laissant derrière elle un bourbier de dégoût de soi. C'était à lui-même qu'il en voulait. Ne me serais-je pas conduit de la même façon ? se demanda-t-il. Dans ce domaine, nous nous ressemblons. Si Berowne avait un éclat de glace dans le cœur, j'en ai un moi aussi.

« Que voulait-il dire ? » insista miss Washburn.

Il n'y avait aucun moyen d'édulcorer la vérité.

« Il avait la gorge tranchée, répondit-il. Lui et Harry Mack, le clochard qui était avec lui. »

Il se demanda pourquoi il jugeait important de lui préciser le nom de Harry. Il en avait fait de même avec lady Ursula. Peut-être tenait-il à ce que ni l'une ni l'autre n'oublient cette deuxième victime.

« Avec le rasoir de Paul ? demanda-t-elle.

— C'est probable.

— Et le rasoir était toujours là, près du corps ? »

Elle avait employé le singulier : pour elle, il n'y avait qu'un seul corps qui comptait.

« Oui. A proximité de sa main étendue.

— Et la porte extérieure était ouverte ?

— Oui.

— Il a donc fait entrer son assassin tout comme il a fait entrer le clochard. Ou bien est-ce ce dernier qui l'a tué ?

— Non. Harry était une victime, pas un assassin.

— Alors le coupable était quelqu'un de l'extérieur. Paul aurait été incapable de commettre un meurtre et je ne crois pas qu'il se soit suicidé.

— Nous ne le croyons pas non plus. Nous traitons cette affaire comme un homicide. C'est pour cela que nous avons besoin de votre aide. Il nous serait très utile d'avoir votre opinion sur sir Berowne. Vous le connaissiez sans doute mieux que personne.

— C'est ce que je croyais, murmura Carole Washburn si bas qu'on l'entendit à peine. C'est ce que je croyais... »

Elle leva sa tasse, essaya de la porter à ses lèvres, mais n'y parvint pas : sa main tremblait trop. Dalgliesh sentit Kate se raidir à ses côtés. Réprimait-elle une impulsion d'aller vers la fille, de lui entourer l'épaule de son bras, de l'aider à boire ? Toutefois, elle ne bougea pas. Au deuxième essai, miss Washburn réussit enfin à approcher la tasse de sa bouche. Elle avala sa boisson avec bruit, comme une enfant assoiffée.

Dalgliesh la regarda. Il savait ce qu'il était sur le point de faire et la partie la plus délicate de son esprit y répugnait. Cette fille était seule, sans statut officiel, privée du simple droit humain de partager sa douleur, de parler de son amant. Et c'était ce besoin qu'il allait exploiter. Il se disait parfois avec amertume que l'exploitation était vitale pour le succès d'une enquête, surtout dans une affaire de meurtre. Vous exploitiez la peur, la vanité du suspect, son envie de se confier, le manque d'assurance qui le poussait à dire une phrase essentielle. Une phrase de trop. Exploiter la douleur et la solitude n'était qu'une autre version de la même technique.

Levant les yeux vers lui, miss Washburn demanda :

« Pourrais-je voir l'endroit où il est mort ? Sans en faire toute une histoire ou attirer l'attention ? J'aimerais m'asseoir là pendant que les autres l'enterrent. Ça sera mieux pour moi que d'essayer de ne pas me donner en spectacle au dernier rang d'une foule de fidèles.

— Pour le moment, cette partie de l'église est fermée, mais je suis sûr que la chose pourra s'arranger dès que nous en aurons terminé avec notre travail là-bas. Le père Barnes, c'est ainsi que s'appelle le pasteur de la paroisse, vous laissera entrer. C'est une pièce tout à fait quelconque. Une sacristie poussiéreuse, assez encombrée, qui sent le vieux missel et l'encens. Mais il y règne une grande paix. »

Dalgliesh ajouta au bout d'une seconde : « Je pense que tout s'est passé très vite pour lui. Il n'a pas dû souffrir.

— Il doit avoir eu peur, malgré tout.

— Peut-être même cela lui a-t-il été épargné.

— Cela paraît tellement invraisemblable, cette conversion, cette révélation divine ou je ne sais quoi. Je veux dire : je n'aurais jamais pensé qu'une chose pareille pût arriver à Paul. C'était quelqu'un d'assez mondain. Je ne veux pas dire par là qu'il ne s'intéressait qu'à la réussite, à l'argent et au prestige. Mais il était tellement dans le monde, de ce monde. Ce n'était pas un mystique. S'il allait à la messe tous les dimanches et les jours de fêtes importantes, c'était parce qu'il aimait la liturgie — il n'allait pas dans les lieux du culte où l'on utilise la nouvelle Bible ou le rituel de l'Église anglicane. Il disait que cela lui permettait d'avoir un moment de tranquillité pendant lequel il pouvait réfléchir sans qu'on l'interrompe, sans sonneries de téléphone. Il m'a dit un jour que la pratique de la religion confirmait votre identité, vous rappelait les règles de la morale, ou quelque chose comme ça. Que la foi ne devait pas être un fardeau. Ni le manque de foi. Comprenez-vous ce qu'il voulait dire ?

— Oui.

— Il appréciait la bonne chère, les bons vins, l'architecture, les femmes. Il n'était pas coureur. Il aimait surtout la beauté féminine. Je ne possède pas cette qualité. Mais je pouvais lui donner des choses qu'il ne trouvait pas ailleurs : paix, sincérité, et une confiance absolue. »

Curieux, se dit Dalgliesh : c'était de l'expérience religieuse et non du meurtre dont elle avait le plus besoin de parler. Son amant était mort et même l'énormité de cette perte irrévocable ne pouvait effacer la douleur causée par sa première trahison.

Mais ils finiraient bien par en venir au crime. Rien ne pressait. Ce n'était pas en la bousculant qu'il obtiendrait d'elle ce qu'il voulait.

« Vous a-t-il expliqué ce qui lui était arrivé dans la sacristie ?

— Il est venu chez moi la nuit suivante. Comme il avait eu une séance à la Chambre, il était assez tard. Il ne pouvait pas rester longtemps. Il m'a simplement dit qu'il avait rencontré Dieu. C'est tout. Rencontré Dieu. Il disait ça comme si c'était la chose la plus naturelle du monde. Ça ne l'était pas, bien sûr. Puis il est parti, et j'ai compris que je l'avais perdu. Pas en tant qu'ami peut-être, mais son amitié ne m'intéressait pas. Je l'avais perdu en tant qu'amant. Je l'avais perdu à jamais. Il n'avait même pas besoin de me le dire. »

Il y a des femmes, songea Dalgliesh, pour lesquelles la clandestinité, le risque, la trahison augmentent la charge érotique d'une liaison. Aussi libres que leurs amants, aussi attachées à leur intimité, elles exigent des rapports passionnés, mais pas au prix de leurs carrières. Pour elles, amour physique et vie domestique sont inconciliables. Miss Washburn, pensa-t-il, n'en faisait pas partie. Il se rappela mot pour mot la conversation qu'il avait eue avec Higginson, de la *Special Branch*. Avec son costume de tweed fait sur mesure, sa raideur, ses yeux clairs, sa mâchoire énergique et sa petite moustache en brosse, Higginson correspondait tellement à l'idée conventionnelle qu'on peut se faire d'un officier que Dalgliesh le voyait entouré d'une aura de fausse respectabilité, comme ces escrocs qui se présentent, pleins de déférence, aux portes des maisons de banlieue, ou ces vendeurs de voitures d'occasion qui traînent aux abords du métro. Même son cynisme paraissait aussi fabriqué que son accent. Pourtant, l'un et l'autre étaient parfaitement authentiques. Le pire qu'on aurait pu dire de Higginson, c'était qu'il aimait trop son métier.

« C'est toujours la même histoire, mon cher Adam. Une épouse légitime très décorative pour la parade, une petite femme dévouée cachée quelque part pour l'usage courant. Sauf que, dans le cas présent, je me demande pour quel usage, exactement. Son choix est un peu surprenant. Vous verrez. Mais cette liaison ne présentait aucun problème au plan de la sécurité. Tous deux se sont montrés d'une remarquable discrétion. Berowne a toujours fait savoir qu'il acceptait toutes les mesures de précaution nécessaires relatives à sa sécurité, mais se réservait le droit de prendre certains risques dans sa vie privée. Cette fille n'a jamais créé d'ennuis. Cela m'étonnerait qu'elle en fasse maintenant. Il n'y aura pas de petit poupon embarrassant dans huit mois. »

Carole Washburn pouvait-elle vraiment avoir refusé de voir que sa liaison avec Berowne figurait dans un dossier? Que chacune des étapes de sa belle histoire d'amour était notée avec un détachement quasi clinique par des observateurs cyniques qui avaient décidé, à la suite, sans nul doute, de la procédure bureaucratique en vigueur, qu'on pouvait la considérer comme une innocente distraction, que Berowne pouvait jouir de son délassement hebdomadaire avec la bénédiction des autorités? Non, elle ne pouvait pas s'être aveuglée à ce point, et lui non plus. Après tout, elle-même était fonctionnaire, administrateur civil. Elle devait savoir comment marchait le système. Même si elle n'occupait encore qu'un poste relativement subalterne, c'était son monde. Si on avait eu le moindre doute quant à sa fiabilité, on aurait prévenu Berowne. Et celui-ci aurait tenu compte de l'avertissement. On ne devenait secrétaire d'État que lorsqu'on avait assez d'ambition, d'égoïsme et de dureté pour savoir à quels aspects de sa vie on voulait donner la priorité.

« Comment avez-vous fait sa connaissance ? demanda-t-il.

— Au travail, évidemment. J'étais administrateur civil dans son cabinet. »

J'ai donc vu juste, se dit Dalgliesh.

« Quand votre liaison avec lui a commencé, je suppose que vous avez demandé à être mutée ?

— Non. Je devais l'être de toute façon. On ne reste jamais bien longtemps dans un cabinet ministériel.

— Avez-vous jamais rencontré sa famille ?

— Il ne m'a jamais emmenée chez lui, si c'est à cela que vous pensez. Il ne m'a pas présentée à sa femme ou à lady Ursula en disant : "Voici ma maîtresse, Carole Washburn."

— Est-ce qu'il venait souvent ?

— Aussi souvent qu'il pouvait s'échapper. Parfois, nous avions une demi-journée, parfois, quelques heures. Il essayait de passer ici quand il allait à Wrentham Green, du moins quand il était seul. Parfois, nous ne pouvions pas nous voir pendant des semaines.

— Et il ne vous a jamais proposé le mariage ? Pardonnez-moi cette question, mais votre réponse pourrait être très importante.

— Si vous imaginez que quelqu'un l'a égorgé pour l'empêcher de divorcer et de m'épouser, vous faites complètement fausse route. La réponse à votre question est *non*, commandant. Il ne m'a jamais parlé de mariage. Et réciproquement.

— Auriez-vous dit que c'était un homme heureux ? »

L'apparente gratuité de la question ne parut pas surprendre la jeune femme. Elle n'eut pas besoin de réfléchir beaucoup : il y avait longtemps qu'elle connaissait la réponse.

« Non, pas vraiment. Ce qui lui est arrivé — je ne parle pas du meurtre, mais de son expérience mystique — n'aurait pas été possible s'il avait été satisfait de sa vie, si notre amour lui avait suffi. A moi, il me suffisait, me comblait même. Mais pour lui, c'était différent. Je l'ai toujours su. Rien ne suffisait jamais à Paul, rien.

— Vous a-t-il dit qu'il avait reçu une lettre anonyme concernant Theresa Nolan et Diana Travers ?

— Oui. Il ne l'a pas prise au sérieux.

— Assez tout de même pour me la montrer.

— L'enfant dont Theresa Nolan a avorté n'était pas de lui, si c'est à cela que vous pensez. C'est impossible. Il me l'aurait dit. Écoutez, ce n'était qu'une lettre anonyme. Tous les hommes politiques en reçoivent. Pourquoi vous préoccuper de ce détail maintenant ?

— Parce que tout ce qui est arrivé à sir Berowne durant les dernières semaines de sa vie pourrait être important. Vous devez le comprendre.

— Qu'importent maintenant scandale ou mensonges ? Ils ne peuvent plus l'atteindre ni le blesser.

— Y avait-il des choses qui le blessaient dans la vie ? demanda doucement Dalgliesh.

— Évidemment. C'était un être humain, non ?

— Quelles choses ? L'infidélité de sa femme ? »
Elle ne répondit pas.

« Miss Washburn, reprit Dalgliesh, ce que je veux, moi, c'est retrouver son assassin, et non protéger sa réputation. Les deux choses ne sont pas forcément incompatibles d'ailleurs, et je ferai tout mon possible pour qu'elles ne le soient pas. Mais, pour moi, il ne fait aucun doute que c'est le premier objectif qui a la priorité. Ne devriez-vous pas être du même avis ?

— Non, répondit la jeune femme avec une véhémence soudaine. J'ai protégé sa vie privée — je dis bien sa vie privée et non pas sa réputation — pendant trois ans. Et il m'en a coûté. Je ne me suis jamais plainte à lui. Et je ne me plains pas maintenant. Je connaissais les règles du jeu. Mais je continuerai à la protéger. Il y tenait beaucoup. Si je ne le faisais pas, à quoi auraient servi toutes ces années de discrétion, toute cette longue période où l'on ne nous a jamais vus ensemble, où je n'ai jamais pu dire : "C'est mon homme, mon amant", où je passais toujours après son travail, sa femme, ses électeurs, sa mère ? Vous ne le ressusciterez pas. »

Voilà le cri que poussaient tous les témoins quand l'interrogatoire devenait trop pénible : « Vous ne le ressusciterez pas. » Dalgliesh se rappela sa deuxième affaire de meurtre d'enfant, la cache pleine de photos pornographiques que la police avait découverte dans l'appartement de l'assassin, les poses indécentes des victimes, les pathétiques corps d'enfants violés et exhibés. Une de ses tâches en tant qu'inspecteur fraîchement promu avait été de demander à une mère d'identifier sa fille. Après un bref regard à la photo, la femme avait détourné les yeux et nié connaître cette enfant, nié la vérité. Il y avait certaines réalités que l'esprit refusait d'admettre, même au nom de la vengeance, même au nom de la justice. Vous ne les ressusciterez pas. Tel était le cri de tous les vaincus, tous les angoissés, tous les endeuillés du monde.

Mais miss Washburn poursuivait :

« Il y avait bien des choses qu'il m'était impossible de lui donner, mais je pouvais lui garantir le secret, la discrétion. J'ai entendu parler de vous. C'était à propos de cette affaire, là-bas dans les Fens. Le meurtre d'un médecin légiste. C'est Paul qui m'en avait parlé. Pour vous, ç'a été un grand triomphe, n'est-ce pas ? Vous dites : "Pensez à la victime". Mais vous, pensez-vous aux vôtres ? Je suppose que vous trouverez l'assassin de Paul. N'attrapez-vous pas toujours votre proie ? Mais vous est-il jamais arrivé de vous demander à quel prix ? »

Dalgliesh sentit Kate se raidir sous l'effet du ton agressif et méprisant dont avaient été prononcées ces paroles.

« Vous allez devoir vous débrouiller sans moi, reprit-elle. D'ailleurs, vous n'avez pas réellement besoin de mon aide. Je ne vais pas trahir des secrets que Paul m'a confiés simplement pour vous permettre de remporter un autre succès.

— Je vous rappelle qu'il y a une autre victime : Harry Mack.

— Désolée, mais il ne me reste plus une larme pour Harry Mack, pas même de la sympathie. Harry Mack n'entre pas dans mes calculs.

— Mais moi, je dois le faire entrer dans les miens.

— Évidemment, c'est votre boulot. Écoutez, rien de ce que je sais ne pourrait vous aider à résoudre cette affaire. Si Paul avait des ennemis, je ne les connais pas. Je vous ai parlé de la nature de nos rapports. Vous les connaissiez de toute façon. Je ne veux pas en dire plus. Je ne veux pas être obligée de paraître à la barre des témoins pour être ensuite photographiée devant le palais de justice et figurer à la une des journaux comme "la maîtresse secrète de Paul Berowne". »

Miss Washburn se leva. Alors qu'ils atteignaient la porte, elle dit :

« Je veux m'en aller une quinzaine de jours. Il me reste pas mal de jours de congé à prendre. Je ne veux pas être ici le jour où les journalistes découvriront le rôle que j'ai joué dans la vie de Paul, si jamais ils le découvrent. Je ne le supporterais pas. Je veux quitter Londres, l'Angleterre. Vous ne pouvez pas m'en empêcher.

— Non. Mais, à votre retour, nous serons toujours là.

— Et si je ne revenais pas ? » fit-elle.

Malgré ce défi, on la sentait vaincue. Comment, en effet, pouvait-elle vivre à l'étranger, dépendante comme elle l'était de son emploi, de son salaire ? Cet appartement avait peut-être perdu tout sens pour elle, mais Londres demeurait son port d'attache. Et elle devait tenir à sa situation pour plus de raisons que la simple survie matérielle. Pour une jeune femme, devenir administrateur civil nécessitait de l'intelligence, un travail acharné, de l'ambition. Dalgliesh répondit pourtant comme si la question avait été réaliste.

« Dans ce cas, il faudra que je me déplace pour venir vous voir. »

Au moment d'agrafer sa ceinture, dans la voiture, il dit à Kate :

« Je me demande si nous en aurions tiré davantage si vous l'aviez rencontrée seule. Sans ma présence, elle aurait peut-être parlé plus librement.

— C'est probable, sir, mais j'aurais sûrement dû lui jurer de garder la confidence pour moi. Or je vois mal comment j'aurais pu tenir ma promesse. »

Massingham, se dit Dalgliesh, aurait sans doute assuré la fille de sa discrétion, mais n'aurait eu aucun scrupule à tout raconter. C'était là une des différences qui existaient entre ses deux collaborateurs.

« En effet, acquiesça-t-il, ç'aurait été impossible. »

Rentrée à New Scotland Yard, Kate fit irruption dans le bureau de Massingham. Elle trouva son collègue seul, entouré de paperasses. Elle prit plaisir à interrompre son travail — un examen consciencieux, sinon enthousiaste des enquêtes de porte-à-porte — en lui rapportant d'un ton véhément l'entretien que le patron et elle avaient eu avec miss Washburn. Pendant le trajet de retour, elle avait eu du mal à contenir son indignation. Maintenant, elle était d'humeur à s'engueuler avec quelqu'un, de préférence avec un représentant du sexe masculin.

« Ce type était un salaud ! conclut-elle.

— Vous n'exagérez pas un peu ?

— C'est toujours la même histoire : lui, jouit de sa réussite dans le monde ; elle, cachée dans ce qui équivaut de nos jours à un nid d'amour victorien, attend qu'il ait un petit moment à lui consacrer. On se croirait revenus au XIXᵉ siècle.

— Pas du tout. Cette fille était libre de choisir. Elle a une bonne situation, un appartement, un salaire confortable, une carrière avec une retraite au bout. Elle aurait pu plaquer Berowne quand elle voulait. Il ne la forçait pas.

— Peut-être pas physiquement.

— Allons, Kate ! Ne venez pas me chanter une variante de la vieille chanson : "C'est le jules qu'a tout le plaisir, la nana, tous les tracas". De toute façon, le statut actuel de la femme est là pour vous donner tort. Rien n'empêchait cette fille d'avoir une explication avec son amant. Elle aurait pu lui présenter un ultimatum : "Tu dois choisir. C'est elle ou moi."

— Sachant quelle serait sa réponse ?

— C'était un risque à prendre, non ? Elle aurait pu avoir de la chance. Le fait est que nous ne sommes plus au XIXe siècle et que Berowne n'était pas Parnell. Le divorce n'aurait pas nui à sa carrière, du moins, à peine, et pas pour longtemps.

— Mais cela ne lui aurait pas fait du bien non plus.

— O.K. Prenons votre petit ami, par exemple, quel qu'il soit, ou n'importe quel type dont vous pourriez avoir le béguin. S'il vous fallait choisir entre lui et votre travail, cela vous serait-il si facile ? Avant de juger, commencez par vous demander quelle serait votre propre réaction. »

Cette question déconcerta Kate. Massingham devait connaître ou avoir deviné l'existence d'Alan. Il était difficile de garder des secrets au sein de la Met, et la réserve même qu'elle montrait au sujet de sa vie privée avait dû éveiller la curiosité. Toutefois, elle ne s'était pas attendue à autant de perspicacité ou de franchise de sa part. Et elle n'était pas sûre d'aimer ça.

« En tout cas, son comportement ne m'incite pas à le respecter.

— On ne nous demande pas de le respecter, de l'aimer, d'admirer sa politique, ses cravates ou la beauté de ses femmes. Notre boulot, c'est d'arrêter son assassin. »

Soudain très lasse, Kate s'assit en face de Massingham et laissa son sac-bandoulière glisser à terre. Puis elle regarda son collègue commencer à rassembler ses papiers. Elle aimait l'austérité masculine de son bureau, trouvait amusant le contraste que celui-ci offrait avec la salle de la brigade criminelle, à l'autre bout du couloir. Là régnait une atmosphère franchement virile, qui, à son avis, ressemblait à celle d'un mess d'officiers. Mais un jour, elle avait entendu Massingham dire à Dalgliesh, avec cette malice sournoise que ses subordonnés jugeaient offensante : « Pas exactement un régiment de première classe, vous ne trouvez pas, sir ? » On faisait appel à la brigade pour des crimes commis en mer. En récompense, elle recevait généralement une photo encadrée du navire concerné. De longues rangées de ces offrandes couvraient les murs en même temps que des portraits dédicacés de chefs de la police des pays du Commonwealth, des témoignages de reconnaissance et même deux ou trois photos de dîners de célébration. Les murs de Massingham n'étaient ornés que de gravures en couleurs représentant d'anciens matchs de cricket, et qui devaient provenir de la maison de ses parents. Ces douces évocations d'étés morts depuis longtemps, la forme bizarre des battes, les hauts-de-forme des joueurs, les flèches d'église familières perçant le ciel anglais, les pelouses sous les arbres, les dames à crinoline et à ombrelle avaient d'abord suscité un vague intérêt chez ses collègues ; maintenant, on ne les remarquait même plus. Pour Kate, ce choix représentait un agréable compromis entre conformisme masculin et goût personnel. De toute façon, il lui aurait été difficile d'accrocher ses photos de collège. Eton n'était pas exactement mal vu à la Met, mais c'était une école dont on ne se vantait pas.

« Qu'a donné le porte-à-porte ? demanda-t-elle.

— Rien, comme on pouvait s'y attendre. Tout le monde était cloué devant la télévision, au pub du coin ou au *bingo*. Nous avons ramené le menu fretin habituel. Dommage que nous ne puissions pas le rejeter. Enfin, ça occupera la division.

— Et les chauffeurs de taxi ?

— Pas de chance. Un des gars s'est rappelé avoir emmené un homme dans la cinquantaine à quarante mètres de l'église, à l'heure critique. Nous avons retrouvé ce client. Il rendait visite à son amie.

— Quoi ? Dans un nid d'amour situé près de Harrow Road ?

— Il avait des exigences un peu spéciales. Vous vous rappelez Fatima ?

— Pas possible ! Elle travaille toujours ?

— Plus que jamais. En outre, elle sert parfois d'indic à Bob White. Cette dame est franchement furieuse après nous à l'heure qu'il est. Bob aussi.

— Et le client ?

— Eh bien, il va porter plainte pour tracasseries policières, atteinte à la liberté individuelle, etc. Le truc habituel. Et nous avons eu six aveux.

— Six ! Déjà !

— Nous connaissions déjà quatre de ces zigotos. Tous bons à enfermer. L'un d'eux a commis le meurtre pour protester contre la politique d'immigration des conservateurs, un autre parce que Berowne avait séduit sa petite-fille et un troisième parce que l'archange Gabriel le lui avait ordonné. Tous se trompent d'heure. Tous ont utilisé un couteau, et non pas un rasoir, et vous ne serez guère surprise d'apprendre qu'aucun d'eux ne peut nous le montrer : avec un remarquable manque d'originalité, ils l'ont tous jeté dans le canal.

— Vous demandez-vous jamais dans quelle mesure notre travail est effectivement rentable ?

— Parfois. De toute façon, que voulez-vous qu'on y fasse ?

— On pourrait commencer par perdre moins de temps avec le "menu fretin".

— Voyons, Kate, vous savez bien qu'on ne peut pas trier ! Ou seulement dans certaines limites. C'est pareil pour un médecin : il ne peut pas rendre la santé à l'ensemble de la société, il ne peut pas guérir le monde entier. Il deviendrait fou s'il essayait.

Il doit se limiter à soigner ceux qu'il rencontre sur son chemin. Parfois il gagne, parfois il perd.

— Mais il ne passe pas son temps à cautériser des verrues, alors qu'il a des cancers à traiter.

— Bon dieu, si l'homicide n'est pas un cancer, alors qu'est-ce que c'est ? En fait, c'est probablement une enquête sur un meurtre, et non sur un crime ordinaire, qui revient le plus cher. Pensez un peu à ce qu'a dû coûter la prise de l'Éventreur du Yorkshire. Pensez à ce que cet assassin-ci va coûter au contribuable avant que nous ne l'attrapions.

— Si nous l'attrapons », fit Kate. Et, pour la première fois, elle fut tentée d'ajouter : « Et s'il existe. »

Massingham se leva de son bureau.

« J'ai l'impression que vous avez besoin d'un verre. Je vous l'offre. »

Soudain, Kate le trouva presque sympathique.

« D'accord, dit-elle. Merci. »

Elle ramassa son sac et tous deux sortirent pour se rendre au mess des officiers.

5

Mrs. Iris Minns vivait au deuxième étage d'une H.L.M. située tout près de Portobello Road. S'y garer un samedi, jour de marché en plein air, était impossible. Massingham et Kate laissèrent donc leur voiture devant le commissariat de Notting Hill Gate et firent le reste du chemin à pied. Comme d'habitude, le marché ressemblait à un carnaval, à une fête cosmopolite où les gens donnaient libre cours à leur instinct grégaire, leur curiosité, leur jobardise et leur avidité. Pour Kate, il était lié au souvenir de ses débuts dans la division. C'était toujours avec plaisir qu'elle parcourait cette rue encombrée. Pourtant elle achetait rarement quelque chose : elle n'avait jamais eu cette passion fort répandue pour les babioles du passé. Malgré ses airs bonhomme, le marché, comme elle le savait, était moins innocent qu'il n'y paraissait. Toutes ces liasses de billets en diverses monnaies qui changeaient de mains ne seraient pas déclarées au fisc, et l'on n'y gagnait pas seulement de l'argent en vendant d'inoffensifs objets de brocante. Le nombre habituel de visiteurs imprudents seraient délestés de leur portefeuille ou de leur porte-monnaie avant d'avoir atteint le bout de la rue. Mais peu de marchés londoniens étaient aussi amusants et décontractés. Ce matin-là, Kate pénétra dans la rue étroite et tumultueuse avec le même sentiment de joie que de coutume.

Iris Minns habitait l'appartement numéro 26 du bâtiment B. Une large allée asphaltée séparait celui-ci de l'immeuble principal et de la rue. Comme ils la descendaient, observés d'un air faussement indifférent, mais prudent, par plusieurs personnes, Massingham dit :

« C'est moi qui poserai les questions. »

Kate sentit monter en elle une colère familière, mais elle se tut.

Ils avaient pris rendez-vous par téléphone pour neuf heures et demie. A en juger par la rapidité avec laquelle la porte d'entrée s'ouvrit après leur coup de sonnette, Mrs. Minns devait faire partie des locataires qui les avaient regardés arriver de derrière leurs rideaux. Ils se trouvèrent face à une petite femme trapue, au visage carré, au menton énergique et rond. Sa bouche se fendit en un bref sourire qui semblait moins destiné à leur souhaiter la bienvenue qu'à les féliciter pour leur ponctualité.

Mrs. Minns les examina rapidement de ses yeux foncés, comme pour voir s'ils avaient besoin d'être époussetés. Elle prit la peine de regarder avec attention la carte de police de Massingham, puis s'effaça et leur fit signe d'entrer.

« En tout cas, vous êtes exacts, constata-t-elle. Je vous prépare du thé ou du café ? »

Massingham refusa vivement l'un et l'autre. Kate faillit répondre qu'elle prendrait bien un café, puis se ravisa. Cette entrevue pouvait s'avérer importante ; à quoi bon compromettre son succès à cause d'une petite piqûre d'amour-propre ? Car Mrs. Minns ne manquerait pas de remarquer tout signe d'antagonisme entre eux deux. Kate était certaine d'avoir vu de l'intelligence briller dans les yeux bruns de la femme.

La salle de séjour dans laquelle Mrs. Minns les introduisit était si extraordinaire que Kate craignit qu'on ne lût sa surprise sur sa figure. A partir de la boîte oblongue que lui avait octroyée la bureaucratie locale, avec une seule fenêtre et une porte vitrée ouvrant sur un balcon trop étroit pour servir à autre chose qu'à aérer quelques plantes en pots, Mrs. Minns avait créé un petit salon victorien sombre, encombré, étouffant. Les murs étaient tapissés d'un papier peint vert olive à motifs de lierre et de lis ; par terre s'étendait un tapis Wilton fané, mais encore utilisable. Une table rectangulaire en acajou aux pieds galbés, brillante comme un miroir, et quatre chaises sculptées à haut dossier occupaient presque tout le milieu de la pièce. Sur une table octogonale plus petite, on apercevait un aspidistra planté dans un chaudron en cuivre. Des gravures sentimentales encadrées ornaient les murs : *L'Adieu du marin*, *Le Retour du marin*, un bambin qui tend la main vers une fleur, au bord d'une source, veillé par un ange béat. Devant la fenêtre se trouvait une longue caisse à fleurs en fer forgé peinte en blanc et remplie de pots de géranium. Dehors, sur le balcon, on apercevait d'autres pots qui contenaient des lierres et des plantes grimpantes dont les feuilles panachées s'enroulaient autour de la balustrade.

La première chose qui sautait aux yeux était un énorme téléviseur. Cet anachronisme apparent était racheté par le fait que l'appareil se détachait sur un fond de fougères vertes dont les frondes se recourbaient contre l'écran, formant autour de lui un lourd cadre ornemental. Sur le rebord de la fenêtre s'alignaient de petits saintpaulias dont les couleurs allaient du violet foncé au mauve pâle moucheté. Kate eut l'impression qu'ils étaient plantés dans des pots de yaourt, mais elle ne pouvait en être sûre, chacun des récipients étant revêtu d'un cache-pot en papier plissé. Sur un buffet, dont le haut était abondamment sculpté, s'entassaient des animaux en porcelaine : chiens de toutes les tailles et de toutes les races, une biche tachetée et une demi-douzaine de chats dans des positions peu naturelles. Chaque figurine reposait sur un petit napperon amidonné, probablement pour protéger l'acajou ciré.

Reluisante de propreté, la pièce sentait fortement l'encaustique. En hiver, avec les lourds rideaux de velours rouge fermés, on devait pouvoir se croire dans un autre lieu, un autre siècle. Et Mrs. Minns y aurait été à sa place. Elle portait une jupe noire et un corsage blanc boutonné jusqu'au cou, orné d'un camée. Avec ses cheveux gris relevés sur le front et ramassés en un petit chignon sur la nuque, elle ressemblait, pensa Kate, à une actrice vieillissante jouant le rôle d'une gouvernante victorienne. La seule critique qu'on aurait pu lui adresser, c'était de s'être mis un peu trop de rouge à joues et de fard à paupières. Elle s'assit dans le fauteuil de droite et invita Kate à s'asseoir dans l'autre. Obligé de se débrouiller pour trouver un siège, Massingham tira l'une des chaises de dessous la table et la tourna face à ses compagnes. Ainsi perché, il avait l'air mal à l'aise et dans une position légèrement désavantageuse, se dit Kate : un homme faisant intrusion dans un douillet intérieur féminin. A la lumière automnale qui filtrait par les rideaux de dentelle et la verdure des plantes du balcon, sa figure paraissait blême sous sa crinière cuivrée. Les taches de rousseur qui constellaient son front ressortaient comme une éclaboussure de sang pâli.

« Pourriez-vous fermer cette porte ? demanda-t-il. On ne s'entend pas parler. »

La croisée qui menait au balcon était entrebâillée. Kate se leva pour aller la clore. A sa droite, elle distingua l'énorme théière blanche et bleue qui servait d'enseigne à la poterie Portobello et le mur peint du marché de porcelaine. Le vacarme de la rue monta vers elle, pareil au fracas de vagues déferlant sur des galets. Quand elle ferma la fenêtre, le bruit s'assourdit.

« C'est seulement le samedi qu'il y a autant de boucan, commenta Mrs. Minns. Mr. Smith et moi, on n'y fait même plus attention. L'habitude. Ça met un peu d'animation, que je dis toujours. » Elle se tourna vers Kate. « Vous êtes du quartier, n'est-ce pas ? Je suis sûre de vous avoir déjà vue faire votre marché par ici.

— C'est possible, Mrs. Minns. J'habite à côté.

— C'est un peu le village, ici. On finit par connaître toutes les têtes.

— Qui est ce Mr. Smith dont vous parlez ? demanda Massingham avec impatience.

— Il habite ici, mais vous ne le verrez pas. Il est allé vagabonder.

— Vagabonder ? Où ça ?

405

— Qu'est-ce que j'en sais, moi ? Il est parti en vélo. Sa famille est de Hillgate Village. Du temps de son grand-père, c'était vraiment la zone. Maintenant, c'est cent soixante mille livres qu'elles valent, les maisons là-bas. Il doit avoir un peu de sang bohémien dans les veines, Mr. Smith. Après la destruction de l'hippodrome, beaucoup de romanichels se sont installés dans le coin. Il est toujours en vadrouille. C'est plus facile pour lui, maintenant que les chemins de fer lui transportent son vélo gratis. Je suis contente pour vous qu'il soit pas là. Il peut pas pifer la police. Il s'est fait embarquer trop souvent par vos collègues, rien que parce qu'il dormait sous une haie. Voilà ce qui va pas dans ce pays : on s'en prend tout le temps aux braves gens. Et je pourrais vous donner d'autres exemples, si c'était pas défendu d'en causer. »

Kate se rendait compte que Massingham bouillait d'impatience. Comme si elle le sentait aussi, Mrs. Minns déclara :

« Ça m'a flanqué un sacré coup, vous savez. Lady Ursula m'a appelée juste avant neuf heures ce soir-là. Elle m'a dit que vous n'alliez sûrement pas tarder à venir me voir.

— Est-ce à ce moment-là que vous avez appris la mort de sir Paul, quand sa mère vous a téléphoné pour vous prévenir de notre visite ?

— Elle avait pas de raisons de me prévenir de votre visite ! C'est pas moi qui l'ai égorgé, ce pauvre monsieur, et je sais pas qui l'a fait. Ce qui est curieux, c'est que miss Matlock n'ait pas pris la peine de me téléphoner plus tôt. Ça m'aurait évité d'apprendre la nouvelle au journal de six heures. Je me suis demandé si je devais appeler la maison, pour voir si je pouvais rendre un service quel-conque, mais j'ai pensé que ces dames seraient déjà assez enquiquinées par le téléphone sans que je m'y mette moi aussi. Attends qu'elles t'appellent, que je me suis dit.

— Et c'est donc lady Ursula qui l'a fait, juste avant neuf heures ?

— Oui. C'était gentil de sa part. Mais faut dire qu'on s'est toujours bien entendues, elle et moi. On doit l'appeler lady Ursula Berowne parce qu'elle est fille de comte. Lady Berowne n'est que la femme d'un baronnet.

— Oui, oui, nous savons tout ça, fit Massingham, agacé.

— Ah bon ? Il y a des millions de gens qui non seulement l'ignorent, mais s'en fichent éperdument. Si vous comptez faire d'autres visites à Campden Hill Square, mieux vaut être au courant de ces choses-là.

— Comment était-elle au téléphone ? demanda Massingham.

— Lady Ursula ? Qu'est-ce que vous croyez ? Pouvait pas être en train de rire, la pauvre dame. Mais elle ne pleurait pas non plus. Pas le genre. Elle était aussi calme que d'habitude. Elle n'a pas pu me donner beaucoup de détails. Qu'est-ce qui s'est passé au juste ? C'était un suicide ?

— Nous n'en sommes pas encore sûrs, Mrs. Minns. Jusqu'à ce que nous recevions les résultats de certaines analyses, nous devons considérer ce décès comme une mort suspecte. Quand avez-vous vu sir Paul pour la dernière fois ?

— Juste avant qu'il sorte, le mardi. Il devait être dix heures et demie. J'étais dans la bibliothèque. Je voulais donner un coup de chiffon au bureau, mais il était assis devant. Alors je lui ai dit que je reviendrais plus tard. Mais lui, il m'a dit : "Mais non, Mrs. Minns, restez-là. J'aurai fini dans une minute."

— Qu'est-ce qu'il faisait ?

« — Comme je viens de vous le dire : il était assis à son bureau, son agenda ouvert devant lui.

— Vous en êtes sûre ? demanda vivement Massingham.

— Sûre et certaine. Il était en train de le feuilleter.

— Qu'est-ce qui vous fait penser que c'était son agenda ?

— Je le voyais sur son bureau, non ? Je sais à quoi ressemble un agenda, tout de même ! C'est un carnet qui contient une page pour chaque jour. Et monsieur avait inscrit quelque chose dedans. Ensuite, il l'a refermé et mis dans le tiroir supérieur de droite, c'est-à-dire, l'endroit où il le range habituellement.

— Comment savez-vous qu'il le range là habituellement ?

— Écoutez, ça fait quand même neuf ans que je travaille dans cette maison. Lady Ursula m'a engagée quand sir Hugo est devenu baronnet. Vous finissez forcément par savoir ce genre de choses.

— Et que s'est-il passé d'autre entre vous ?

— Pas grand-chose. Je lui ai demandé si je pouvais lui emprunter un de ses livres.

— Lui emprunter un de ses livres ? s'étonna Massingham.

— Parfaitement. Je l'avais repéré sur le rayon inférieur un jour que je faisais la poussière et j'avais envie de le lire. Il est là, sous la télé, si ça vous intéresse. *Rose du crépuscule* de Millicent Gentle. Ça faisait des années que j'avais plus vu un bouquin d'elle. »

La femme de ménage le prit et le tendit à Massingham. C'était un livre assez mince, encore revêtu de sa jaquette. Sur celle-ci, on voyait un bellâtre à cheveux noirs dans les bras duquel se pâmait une jeune fille blonde avec, à l'arrière-plan, un foisonnement de roses. Après l'avoir feuilleté, Massingham déclara avec une pointe de dédain amusé :

« Je n'aurais pas cru qu'il lisait ce genre de littérature. Je suppose que c'est une de ses électrices qui le lui a envoyé. Je vois que le livre est dédicacé par l'auteur. Je me demande pourquoi il l'a gardé.

— Et pourquoi qu'il l'aurait jeté ? s'indigna Mrs. Minns. Millicent Gentle est un bon écrivain. Pas qu'elle ait beaucoup produit ces derniers temps. Moi j'adore les bons romans d'amour. Je les préfère à ces horribles polars. Je lui ai donc demandé si je pouvais l'emprunter et il m'a dit que oui. »

Kate prit l'ouvrage et l'ouvrit. Sur la page de garde, on lisait : « A Paul Berowne, avec les meilleurs vœux de l'auteur ». Au-dessous s'étalaient la grande signature de Millicent Gentle ainsi que la date : le 7 août. Le jour de la mort de Diana Travers. Massingham n'avait pas l'air de l'avoir remarqué. Refermant le livre, Kate dit :

« Si vous l'avez terminé, Mrs. Minns, nous le rapporterons à Campden Hill Square.

— Si vous voulez. J'avais pas l'intention de le leur piquer, si c'est ça que vous pensez.

— Quoi d'autre vous a-t-il dit après vous avoir autorisée à emprunter le livre ? s'informa Massingham.

— Il m'a demandé depuis combien de temps je travaillais chez eux. Neuf ans, que je lui ai répondu. Alors, il a dit : "Vous ont-ils paru satisfaisants ?" — "Aussi satisfaisants que pour la plupart des gens", que j'ai répondu. »

Massingham sourit.

« Je ne pense pas que c'était cela qu'il voulait dire.

— Je sais parfaitement ce qu'il voulait dire. Mais qu'est-ce que je pouvais lui répondre ? Je fais mon travail, ils me paient : quatre livres l'heure, ce qui est au-dessus du tarif courant, et un taxi pour rentrer chez moi quand il fait nuit. Je ne resterais pas chez eux si je ne m'y plaisais pas. Mais qu'est-ce qu'ils attendent pour leur argent ? De l'amour ? S'il voulait que je lui dise que j'avais passé les meilleures années de ma vie à Campden Hill Square, il aura été déçu, le pauvre monsieur. Du vivant de la première lady Berowne, c'était différent, remarquez.

— Que voulez-vous dire par "différent" ?

— Différent, c'est tout. La maison semblait plus animée alors. J'aimais bien la première lady Berowne. Elle était très gentille. Elle n'a pas fait de vieux os, la pauvre.

— Pourquoi avez-vous continué à travailler là-bas ? » demanda Kate.

Mrs. Minns tourna vers elle ses petits yeux brillants et futés.

« Parce que j'aime astiquer les meubles. »

Kate devina que Massingham était tenté de demander à la femme ce qu'elle pensait de la seconde lady Berowne, mais il décida de ne pas s'écarter de la direction générale qu'il avait donnée à son interrogatoire.

« Et ensuite ? fit-il.

— Ensuite, il est sorti.

— Dans la rue ?

— Oui.

— En êtes-vous certaine ?

— Ben, il avait mis sa veste et pris son sac de voyage, il a traversé le hall et j'ai entendu la porte d'entrée s'ouvrir, puis se refermer. Si c'était pas lui, alors je me demande bien qui ça pouvait être d'autre.

— Malgré tout, vous ne l'avez pas vu sortir de vos propres yeux.

— Je ne l'ai pas suivi à la porte pour lui faire la bise, si c'est ça que vous me demandez. J'avais du boulot. Une chose en tout cas est certaine : c'est la dernière fois que je l'ai vu en ce monde et je n'ai pas grand espoir de le revoir dans l'autre.

— Êtes-vous sûre qu'il a remis l'agenda dans le tiroir ?

— Il ne l'a pas emporté. Qu'est-ce que c'est que cette histoire d'agenda ? Seriez-vous en train d'insinuer que je l'ai piqué ou quoi ?

— Il n'est plus dans le tiroir, Mrs. Minns, expliqua Kate. Bien entendu, nous ne suspectons personne de l'avoir volé. C'est un objet sans valeur. Mais il a disparu. Et il pourrait avoir de l'importance pour nous. Si sir Berowne a pris un rendez-vous pour le lendemain, alors il serait peu vraisemblable qu'il soit parti de chez lui dans l'intention de se suicider, comprenez-vous ? »

Rassérénée, Mrs. Minns déclara :

« Tout ce que je peux vous dire, c'est que monsieur ne l'a pas emporté. Je l'ai vu, de mes propres yeux, le ranger à sa place habituelle. S'il est revenu le prendre plus tard, ce n'était pas pendant que j'étais dans la maison.

— C'est possible, fit Massingham. A quelle heure êtes-vous partie ?

— A cinq heures, comme d'habitude. Je fais la vaisselle du déjeuner, puis je m'attelle à ma tâche spéciale de l'après-midi. Certains jours, c'est l'argenterie, d'autres, c'est le linge. Mardi, c'était épousseter les livres. J'étais dans le cabinet de travail de deux heures et demie à quatre heures. Ensuite, j'ai aidé miss Matlock à préparer le thé. Sir Paul n'est pas revenu à ce moment-là. Je l'aurais entendu traverser le vestibule.

— Pensez-vous qu'il était heureux en ménage ? demanda brusquement Kate.

— Je ne les ai pas vus souvent ensemble. Les fois où c'est arrivé, ils avaient l'air contents. Mais ils faisaient chambre à part.

— C'est là une chose assez courante, commenta Massingham.

— Peut-être, mais quand je dis "faire chambre à part", je m'entends. C'est moi qui fais les lits, vous comprenez. Pour moi, être mari et femme, c'est autre chose.

— Ce n'est certainement pas le meilleur moyen de fabriquer le prochain baronnet, admit Massingham.

— A dire vrai, je me suis interrogée là-dessus, il y a quelques semaines. Lady Berowne n'avait pas touché à son petit déjeuner, et ça, ça ne lui ressemble pas. Mais c'est peu probable. Elle tient beaucoup trop à sa ligne. Remarquez, elle peut être gentille quand elle est de bonne humeur. Un peu trop chatte à mon goût. "Oh, Mrs. Minns, soyez un amour et passez-moi ma robe de chambre", "Mrs. Minns, soyez un ange et faites-moi couler un bain", "Soyez mignonne et préparez-moi du thé". Tout sucre et tout miel tant qu'on fait ses quatre volontés. Je suppose que c'est normal qu'elle soit comme ça. C'est pareil pour lady Ursula. La reine mère n'aime pas tellement que miss Matlock l'aide à prendre son bain et à s'habiller. Pour moi ça crève les yeux, même si Matlock n'a pas l'air de s'en apercevoir. Mais c'est comme ça : si vous avez pris l'habitude de vous faire servir, il faut bien accepter les quelques petits inconvénients que ça comporte. Bien entendu, du temps de la jeunesse de lady Ursula, c'était différent : les domestiques, fallait pas les voir ni les entendre. On les pressait contre le mur quand ces messieurs-dames passaient à côté pour pas qu'ils aient à les regarder. Le courrier se remettait avec des gants pour ne pas contaminer les lettres. Estimez-vous heureuse d'avoir une bonne place, ma fille. Je sais de quoi je cause. Ma grand-mère était femme de chambre.

— A votre connaissance, donc, ils ne se disputaient pas ? demanda Massingham.

— Il aurait peut-être mieux valu qu'ils le fassent. Monsieur était trop poli, trop chichiteux, dans un sens. Dans un couple, c'est pas normal, à mon avis. Non, je ne les ai jamais entendus se disputer, jusqu'au matin de ce mardi fatal, justement. Et encore, je ne sais même pas si on pouvait appeler ça une dispute. Il faut deux personnes pour ça. Elle, elle hurlait à faire trembler les vitres, mais lui on l'entendait à peine.

— C'était à quel moment, exactement, Mrs. Minns ?

— A huit heures et demie, quand j'ai monté le petit déjeuner de lady Berowne, comme je le fais chaque matin. Sir Paul montait celui de lady Ursula. La reine mère ne prend que du jus d'orange, deux tranches de pain complet toastés, de la confiture d'orange et du café, mais pour lady Berowne, c'est presque la grande bouffe : jus d'orange, céréales, œufs brouillés, toasts. Elle ne grossit pas d'un poil, remarquez.

— Parlez-nous de la dispute, Mrs. Minns. Qu'avez-vous entendu ?

— Eh bien, au moment où j'arrivais devant la porte de la chambre, j'ai entendu lady Berowne crier : "Vous allez chez votre putain ! Vous ne pouvez pas me faire ça. Pas maintenant. Nous avons besoin de vous. Nous avons tous les deux besoin de vous. Je ne vous laisserai pas partir !" Quelque chose dans ce goût-là. Puis monsieur a répondu, mais si bas que je n'ai pas saisi ce qu'il disait. J'ai attendu devant la porte, ne sachant que faire. Comme à mon habitude, j'ai posé le plateau sur la table qui se trouve dans le couloir pour pouvoir frapper. Mais j'avais l'impression que ce n'était vraiment pas le moment d'entrer ! Par ailleurs, je ne pouvais pas rester plantée là comme une idiote. C'est alors que monsieur est sorti. Il était blanc comme un linge. Quand il m'a vue, il m'a dit : "Donnez-moi ce plateau, Mrs. Minns, je m'en occuperai." Je le lui ai donc remis. Quand je repense à sa figure, je m'étonne qu'il ne l'ait pas laissé tomber.

— Il est donc rentré dans la pièce avec le plateau ? demanda Massingham.

— Oui, et il a refermé la porte derrière lui. Moi, je suis retournée à la cuisine. »

Massingham changea de sujet.

« A votre connaissance, quelqu'un d'autre a-t-il pénétré dans le cabinet de travail, ce mardi ?

— Oui. Il y a d'abord eu Mr. Musgrave, de la circonscription de sir Paul. Il a attendu de midi et demie à presque deux heures dans l'espoir que monsieur rentrerait déjeuner. Puis il a fini par renoncer. Miss Sarah est arrivée vers quatre heures. Elle voulait voir sa grand-mère. Je lui ai dit que lady Ursula prenait le thé en ville, mais miss Sarah a quand même voulu attendre. Au bout d'un moment, elle a perdu patience, elle aussi. Elle a dû sortir sans prévenir personne. Je ne l'ai pas vue partir. »

Massingham se mit à questionner la femme sur Diana Travers. Kate sentit qu'il ne partageait pas entièrement la conviction de A.D. selon laquelle la mort des deux filles avaient un lien avec le meurtre de Paul Berowne. Il n'en accomplissait pas moins consciencieusement sa mission. Le résultat obtenu s'avéra beaucoup plus intéressant que ni l'un ni l'autre ne l'avaient escompté.

« J'étais là quand Diana est arrivée. Nous venions de perdre Maria. C'était une Espagnole. Son mari avait une place de cuisinier à Soho. Puis elle est tombée enceinte de son troisième enfant et le médecin lui a dit de réduire les activités qu'elle avait à l'extérieur. Une travailleuse, cette Maria. Les Espagnoles, ça sait faire le ménage, faut dire ce qui est ! Bref, miss Matlock a placé une carte dans la vitrine du marchand de journaux situé au bout de Ladbroke Grove et Diana s'est amenée. Cela ne devait pas faire plus d'une heure que l'annonce était mise. Un coup de chance, en fait. Moi je ne croyais pas que miss Matlock aurait des réponses. De nos jours, les bonnes femmes de ménage n'ont pas besoin d'aller chez le marchand de journaux pour trouver du boulot.

— Et Diana Travers en était une ?

— Elle n'avait jamais fait ce travail de sa vie. Ça se voyait tout de suite. Mais elle était pleine de bonne volonté. Naturellement, miss Matlock ne la laissait jamais toucher aux porcelaines précieuses ni cirer les meubles du salon. Diana s'occupait des salles de bains, des chambres à coucher, elle épluchait les légumes et faisait quelques courses. Une fille bien.

— C'est quand même curieux qu'elle ait choisi de faire ce genre de travail », observa Massingham.

Mrs. Minns comprit aussitôt ce qu'il voulait dire.

« D'accord, elle avait de l'instruction, ça se voyait, mais on est assez bien rémunéré à Campden Hill Square : quatre livres l'heure plus un bon déjeuner si on est là à midi et pas d'impôts à moins d'être assez bête pour les payer. D'après ce qu'elle disait, c'était une comédienne au chômage et elle voulait un job qu'elle pouvait laisser tomber si elle trouvait un engagement. Qu'est-ce qu'elle a de si intéressant, cette Diana Travers ? »

Sans répondre à cette question, Massingham demanda : -

« Vous vous entendiez bien toutes les deux ?

— Je ne vois pas pourquoi on se serait disputées. Je le répète : c'était une fille bien. Un peu trop curieuse, peut-être. Un jour, je l'ai surprise en train de regarder dans le tiroir du bureau de monsieur. Elle ne m'a pas entendue approcher. Culottée, la môme. Elle s'est contentée de rire. Elle posait aussi un tas de questions sur la famille Berowne. C'était pas moi qui allais la renseigner, ni miss Matlock non plus, d'ailleurs. Mais ce n'était pas méchant. Elle aimait bien potiner, voilà tout. Je la trouvais sympathique. Sinon je ne lui aurais pas offert de venir ici.

— Vous voulez dire qu'elle habitait ici ? Personne ne nous en a rien dit à Campden Hill Square.

— C'est parce qu'ils n'en savaient rien. Je ne vois pas pourquoi on le leur aurait dit. Ça ne les regardait pas. Diana s'était acheté un appartement à Ridgmount Gardens, mais elle ne pouvait pas encore emménager : la nouvelle maison des anciens propriétaires n'était pas encore prête. Vous savez ce que c'est. Bref, Diana était obligée de quitter l'endroit où elle habitait et de se trouver un logement pour un mois. Comme j'ai deux chambres à coucher, je lui ai proposé de venir ici. Vingt-cinq livres par semaine pour la chambre et un bon petit déjeuner. Je trouve que c'est correct. Je ne sais pas si cela enchantait tellement Mr. Smith, mais, de toute façon, il était de nouveau sur le point de partir en vadrouille. »

Mrs. Minns dévisagea Massingham de ses yeux noirs comme pour le mettre au défi de lui demander si Mr. Smith partageait ou non sa chambre. Puis elle déclara :

« Ma grand-mère me disait toujours qu'une femme se doit à elle-même de se marier une fois, mais que ce n'est pas une raison pour en faire une habitude.

— Un appartement à Ridgmount Gardens ?

s'étonna Kate. Est-ce que ça ne dépasse pas les moyens d'une actrice au chômage ?

— C'est ce que j'ai pensé, moi aussi, mais elle m'a dit que son père lui donnait un coup de main. Je ne sais pas si c'était vrai. C'était peut-être son père ou quelqu'un d'autre. Son père était en Australie, c'est du moins ce qu'elle m'a dit. Ça ne me regardait pas.

— Elle est donc venue habiter ici ? fit Massingham. Quand est-elle partie ?

— Juste dix jours avant de se noyer, la pauvre gosse. Ne me dites pas que sa mort était suspecte. J'ai assisté à l'enquête du coroner. Cela m'intéressait, c'est normal. A aucun moment on n'a précisé où, ni pour qui, elle travaillait. Vous croyez que les Berowne ont envoyé une couronne ? Des clous. Ils ne voulaient rien avoir à faire avec ce décès.

— Que faisait-elle toute la journée quand elle habitait ici avec vous ? questionna Massingham.

— Je la voyais à peine. Deux matins par semaine elle travaillait à Campden Hill Square. Le reste du temps, elle disait passer des auditions. Elle sortait souvent le soir, mais elle n'a jamais ramené personne ici. Toujours propre et ordonnée. Elle ne m'a pas posé le moindre problème. Mais ça, je le savais d'avance. Puis le lendemain de sa mort, dans l'après-midi, avant même que l'enquête ait eu lieu, deux gars se sont amenés.

— Ici ?

— Parfaitement. Je rentrais de Campden Hill Square. Ils étaient dans leur voiture, en train de m'attendre, je suppose. M'ont dit qu'ils venaient de la part de l'avoué de Diana pour récupérer les affaires qu'elle avait pu laisser chez moi.

— Vous ont-ils montré une justification quelconque de leur identité ?

— Oui. Une lettre de leur société. Du papier à

lettres très chic, que c'était. Et aussi une carte de visite. Je les ai donc fait entrer. Suis restée à la porte de la chambre pour les surveiller, remarquez. Ils n'ont pas eu l'air d'aimer ça, mais moi je voulais voir ce qu'ils fabriquaient. "Il n'y a plus rien ici, que je leur ai dit. Voyez par vous-même. Cela fait presque quinze jours que miss Travers a quitté cette maison". Ces deux types ont tout mis sens dessus dessous, ils ont même soulevé le matelas. Ils n'ont rien trouvé, naturellement. Cette affaire est louche, que je me suis dit, mais comme ensuite je n'ai plus eu de leurs nouvelles, j'ai laissé tomber. C'était pas la peine de faire des histoires pour rien.

— Qui étaient ces hommes, à votre avis ? »

Mrs. Minns éclata d'un rire bruyant.

« Vous n'allez pas me faire croire que vous ne le savez pas ! C'étaient deux des vôtres. Je suis capable de reconnaître un flic à cent mètres. »

Malgré le peu de lumière que laissaient filtrer les plantes, Kate vit Massingham rosir d'excitation. Mais son collègue avait trop d'expérience pour insister. Il se contenta de poser quelques questions anodines au sujet de l'organisation domestique de Campden Hill Square et s'apprêta à mettre fin à l'entretien. Toutefois, Mrs. Minns semblait en avoir décidé autrement. Kate sentit qu'elle voulait lui communiquer quelque chose en privé. Se levant, elle dit :

« Me permettez-vous d'utiliser vos toilettes, Mrs. Minns ? »

Massingham ne devait pas être dupe, mais il pouvait difficilement les suivre. Lorsque Kate ressortit de la salle de bains, Mrs. Minns l'attendait devant la porte.

« Vous avez vu la date sur le bouquin ? demanda-t-elle dans un chuchotement.

— Oui, Mrs. Minns. C'est celle du jour où Diana Travers s'est noyée. »

Les petits yeux futés de la femme brillèrent de satisfaction.

« Je savais bien que vous le remarqueriez ! Mais votre collègue n'a pas fait le rapprochement, pas vrai ?

— Ce n'est pas certain. Il n'a peut-être pas voulu faire de commentaires.

— Il a pas fait le rapprochement, je vous dis. Je connais les gars de son espèce. Tellement malin qu'un jour ça leur retombera dessus, mais incapables de voir ce qui est en plein sous leur nez.

— Quand avez-vous vu ce livre pour la première fois ?

— Le lendemain, le 8 août. C'était dans l'après-midi. Monsieur venait de rentrer de sa circonscription. Il devait l'avoir apporté avec lui.

— L'auteur avait donc dû le lui remettre la veille.

— Peut-être que oui, peut-être que non. Mais c'est intéressant, vous ne trouvez pas ? Si je peux me permettre un conseil, gardez ce détail pour vous. C'est un prétentieux, votre Mr. Massingham. »

Ils avaient déjà quitté Portobello Road et descendaient Ladbroke Grove quand Massingham ouvrit enfin la bouche. Il rit.

« Bonté divine ! Ce salon ! Je plains le mystérieux Mr. Smith. Si je devais vivre avec cette femme et dans cet appartement, je partirais sur les routes moi aussi. »

Kate explosa.

« Qu'est-ce que vous avez à leur reprocher, à elle ou à son appartement ? Au moins son salon a du caractère. On ne peut pas en dire autant de ce foutu immeuble où elle habite. Celui-là a été conçu par un fonctionnaire à qui on avait donné la consigne : "Créez un maximum de logements avec un budget minimum." Ce n'est pas parce que vous n'avez jamais été obligé de vivre dans ce genre de bâtiment que ceux qui le sont s'y plaisent. » Puis d'un ton férocement défensif, elle ajouta : « Sir. »

Massingham rit de nouveau. Quand elle était en colère, Kate se montrait toujours très pointilleuse sur le chapitre de la hiérarchie.

« D'accord, d'accord, fit-il. J'admets que Mrs. Minns et son salon ont du caractère. Mais pourquoi l'immeuble vous déplaît-il tant ? Je l'ai trouvé plutôt bien. Si la municipalité m'offrait un de ces appartements, je sauterais dessus. »

Ça devait être vrai en plus, se dit Kate. Son collègue se souciait sans doute beaucoup moins qu'elle de cette sorte de détails : cadre de vie ou même vêtements. Irritée, elle constata qu'une fois de plus elle s'était laissée enfermer par lui dans une attitude peu sincère. Elle n'avait jamais accordé une si grande importance à l'architecture. C'étaient les gens, et non les architectes, qui transformaient les maisons en taudis. Même Ellison Fairweather Building aurait été acceptable s'il avait été construit ailleurs et habité par d'autres personnes.

« Et puis, elle nous a été bien utile, cette brave femme, poursuivit Massingham. Si elle a raison, si sir Paul a vraiment rangé l'agenda dans le tiroir et que nous pouvons prouver qu'il n'est pas repassé... »

Kate l'interrompit.

« Ça, ça va être dur. Il faudrait pouvoir reconstituer son emploi du temps minute par minute. Or, pour l'instant, nous ne savons même pas ce qu'il a fait après avoir quitté l'agence immobilière. Il avait la clé de sa maison. Il peut être entré et ressorti en l'espace de quelques secondes.

— Oui, mais selon toutes les apparences, il ne l'a pas fait. Après tout, il est parti avec son sac de voyage. De toute évidence, il avait l'intention de

passer la journée dehors, puis de se rendre directement à l'église. Et si lady Ursula a vraiment consulté
l'agenda avant six heures, quand le général Nollinge
a téléphoné, alors nous savons quel doit être notre
suspect numéro un, n'est-ce pas ? Dominic Swayne. »

Tout cela allait sans dire. Elle avait vu l'importance de l'agenda aussi vite que lui.

« Selon vous, qui étaient ces types qui sont venus
fouiller ? demanda-t-elle. Des agents de la Special
Branch ?

— Je pense que oui. Diana Travers devait travailler pour eux et ils l'ont introduite à Campden Hill
Square. Ou alors, elle travaillait pour quelqu'un ou
quelque chose de beaucoup plus sinistre et ces
gens-là l'ont supprimée. Il se peut aussi que ces
hommes aient été ce qu'ils disaient être : des
employés d'un cabinet d'avoués venus chercher des
papiers, un testament.

— Sous le matelas ? C'était une fouille drôlement
professionnelle. »

Si ç'avaient été des collègues de la Special Branch,
il allait y avoir du grabuge, pensa Kate.

« Ils nous ont quand même dit que Berowne avait
une maîtresse, fit-elle remarquer.

— Ouais, mais c'est parce qu'ils se rendaient
bien compte que nous ne tarderions pas à découvrir
ce fait par nous-mêmes. Ça ressemble bien à la
Special Branch. Pour eux, coopérer, c'est se
comporter comme un ministre qui répond à une
question à la Chambre : on reste bref, précis et
surtout on ne dit que ce que votre interlocuteur
sait déjà. Si jamais Diana Travers était un de leurs
agents, ça va barder !

— Entre Miles Gilmartin et A.D. ?

— Entre tout le monde. »

Ils marchèrent un moment en silence, puis Massingham demanda :

« Pourquoi avez-vous emporté ce roman ? »

Pendant un instant, Kate fut tentée de biaiser. Quand elle avait compris l'importance de la date, elle avait d'abord décidé de ne pas en parler, de faire quelques investigations personnelles, retrouver l'auteur, voir si cette dédicace cachait quelque chose d'intéressant. Puis la prudence avait prévalu. Si cette piste s'avérait fructueuse, Kate devait en référer à A.D. Or elle imaginait fort bien de quelle façon son chef réagirait à ce genre d'initiative personnelle. Il serait hypocrite de sa part de se plaindre du manque de coopération entre les services si elle-même essayait de garder un renseignement sous le coude au sein de la brigade.

« La signature date du 7 août, jour où Diana Travers s'est noyée, répondit-elle.

— Et alors ? L'auteur a dédicacé son livre et l'a posté le 7.

— Mrs. Minns a vu le livre le lendemain dans la bibliothèque. Depuis quand la poste londonienne est-elle aussi rapide ?

— C'est tout à fait possible quand on envoie un paquet en exprès.

— Il est beaucoup plus probable que Berowne a rencontré Millicent Gentle ce jour-là et qu'elle le lui a remis personnellement. Je me suis dit qu'il serait intéressant de savoir quand et pourquoi. »

Massingham regarda sa compagne.

« Peut-être, fit-il. Mais il est tout aussi probable qu'elle l'a signé le 7, puis a déposé l'ouvrage au bureau de Berowne, à la section locale de son parti. » Il se tut un instant, puis ajouta : « C'était donc ça la raison de vos conciliabules de collégiennes ! »

A la vue du sourire furtif qui passa sur ses lèvres, Kate comprit avec irritation que son collègue avait tout deviné. Le fait qu'elle eût été tentée de cacher la pièce à conviction l'amusait !

6

Une fois qu'ils furent remontés en voiture, en route pour le Yard, Kate dit brusquement :

« S'il y a bien une chose que je ne comprends pas, c'est la foi religieuse.

— Vous voulez dire que vous ne savez pas dans quelle catégorie la classer ?

— Pour vous, c'est différent. Vous avez certainement été élevé avec. On vous a endoctriné dès le berceau : prières dans la chambre d'enfants, messe dans la chapelle de votre collège, tout le bazar. »

Lors d'une excursion à Windsor, elle l'avait vue, cette chapelle. L'édifice l'avait impressionnée. Passant sous sa haute voûte en éventail, elle avait éprouvé de l'intérêt, de l'admiration et même un certain respect, mais l'église n'en était pas moins restée un lieu où elle se sentait une étrangère, un lieu qui lui parlait d'histoire, de privilèges, de tradition. Ce monument semblait affirmer qu'après avoir hérité de la terre, les riches pouvaient espérer s'assurer des avantages similaires au ciel. Quelqu'un avait joué de l'orgue et elle était demeurée assise à écouter avec plaisir ce qu'elle croyait être une cantate de Bach, mais pour elle cette musique n'avait pas recelé d'harmonies secrètes.

Les yeux fixés sur la chaussée, Massingham répondit :

« Je connais assez bien les rites, c'est-à-dire, les formes extérieures. Pas autant que mon père, toutefois. Lui s'estime obligé d'aller tous les jours à la messe, c'est du moins ce qu'il dit.

— Je ne ressens même pas le besoin de croire ou de prier.

— C'est tout à fait normal. Beaucoup de gens sont dans le même cas. Vous faites partie d'une majorité. C'est une question de tempérament. Qu'est-ce qui vous tracasse ?

— Rien. Mais c'est quand même étrange, cette histoire de prière. Il paraît que la plupart des gens prient. Quelqu'un a fait une enquête là-dessus. Ils prient, même s'ils ne savent pas très bien à qui ils s'adressent. Et A.D., croyez-vous qu'il prie ?

— Les seuls besoins que je lui connaisse sont sa poésie, son boulot et son intimité. Dans cet ordre-là, je pense.

— Vous travaillez avec lui depuis beaucoup plus de temps que moi, dit Kate. Vous ne croyez pas que, dans une certaine mesure, cette affaire le perturbe ? »

Massingham la regarda comme s'il roulait en voiture avec une parfaite inconnue, comme s'il la jaugeait pour savoir combien il pouvait lui en dire sans se montrer imprudent.

« Oui, oui, en effet », finit-il par répondre.

Kate considéra cette preuve de confiance comme une petite victoire.

« Qu'est-ce qui l'embête alors ? insista-t-elle.

— Ce qui est arrivé à Berowne dans cette église, je suppose. A.D. voudrait que la vie soit rationnelle. Curieux pour un poète, mais c'est comme ça. Or, cette affaire ne l'est pas tellement.

— Lui en avez-vous parlé, de cette présumée révélation, je veux dire ?

— Non. J'ai essayé une fois, mais tout ce que j'ai pu tirer de lui, ç'a été : "Le monde réel est déjà assez compliqué, John. Tâchons d'y rester." Comme je ne suis pas fou, je l'ai bouclée. »

Le feu passa au vert. Kate débraya. La Rover redémarra vite et en douceur. Massingham et elle prenaient grand soin de conduire à tour de rôle. Massingham lui laissait le volant sans rechigner, mais, comme tous les bons conducteurs, il détestait être passager. Aussi Kate mettait-elle un point d'honneur à imiter le style rapide et sûr de son collègue. Elle savait que celui-ci la tolérait, la respectait même, mais on ne pouvait pas dire qu'ils s'aimaient beaucoup. Massingham admettait qu'il fallait une femme dans la brigade ; toutefois, sans se montrer ouvertement phallocrate, il aurait préféré avoir un homme comme adjoint. Kate, elle, éprouvait à son égard des sentiments beaucoup plus tranchés : antipathie et ressentiment. Il y entrait sans doute une part de haine de classes, mais, au fond, il s'agissait d'une aversion plus instinctive. Elle trouvait les hommes roux plutôt repoussants. Quelles que fussent leurs relations, leur antagonisme n'était certainement pas dû à une attirance physique refoulée. Dalgliesh, bien entendu, s'en rendait parfaitement compte. Il exploitait cette inimitié comme il exploitait tant d'autres choses. Pendant un moment, Kate en voulut à tous les hommes. Je suis un cas, se dit-elle. Jusqu'à quel point serais-je affectée, vraiment affectée, si Alan me plaquait ? Supposons qu'il me faille choisir entre une possibilité d'avancement et Alan, mon appartement et Alan ? Elle avait une sorte de penchant pour ces introspections alambiquées, ces choix imaginaires, ces conflits moraux. Le fait qu'ils ne se présenteraient jamais dans la réalité ne semblait pas les rendre moins intéressants.

« Croyez-vous qu'il soit vraiment arrivé quelque

chose à Berowne dans cette sacristie ? demanda-t-elle.

— Forcément. Un homme ne laisse pas tomber sa situation et ne change pas complètement de vie pour rien.

— Mais cette expérience était-elle réelle ? O.K., ne me demandez pas ce que j'entends par ce mot. Réelle comme peut l'être cette voiture, comme moi, réel comme vous. A-t-il eu une hallucination, était-il ivre, drogué ? Ou a-t-il vraiment eu une révélation, disons surnaturelle ?

— Cela paraît invraisemblable pour un membre de cette vieille bonne Église anglicane, ce qu'il était censé être. C'est plutôt le genre de chose qui arrive aux personnages d'un roman de Graham Greene.

— A vous entendre, on dirait que c'est de mauvais goût, excentrique et même un peu prétentieux. » Kate se tut un instant, puis demanda : « Si un jour vous avez un gosse, le ferez-vous baptiser ?

— Oui. Pourquoi ?

— Vous y croyez, donc, à Dieu, à l'Église, à la religion ?

— Je n'ai pas dit ça.

— Pourquoi alors ?

— Tous les membres de ma famille sont baptisés depuis quatre siècles, sinon plus. Ceux de la vôtre aussi, j'imagine. Cela n'a pas l'air de nous faire du mal. Je ne vois pas pourquoi je serais le premier à rompre avec cette tradition si elle n'est pas contraire à mes convictions, ce qui n'est pas le cas. »

N'était-ce pas précisément là une des choses que Sarah Berowne reprochait à son père ? se dit-elle. Ce détachement, cette ironie, cette arrogance ?

« C'est donc une question de classe sociale », conclut-elle.

Massingham rit.

« Avec vous, tout est toujours une question de

classe sociale. Non, c'est une question de famille, de piété familiale, si vous voulez. »

Évitant de regarder son compagnon, Kate dit :

« Je ne suis guère la personne à qui il faut parler de cela. Je suis une enfant illégitime, vous savez.

— Ah bon ? Je l'ignorais.

— Merci de ne pas me dire que ça n'a pas d'importance.

— Cela ne regarde qu'une seule personne : vous. Si vous jugez que c'est important, alors ça l'est, forcément. »

Soudain, Kate trouva Massingham presque sympathique. Elle jeta un coup d'œil à sa figure constellée de taches de rousseur, à sa crinière flamboyante et essaya de l'imaginer posant devant la chapelle de son collège. Puis elle pensa à sa propre école. Le lycée polyvalent d'Ancroft avait eu sa religion lui aussi, une religion à la mode et bien pratique, vu qu'il était fréquenté par des élèves de vingt nationalités différentes : l'antiracisme. Vous ne tardiez pas à comprendre que vous pouviez vous permettre d'être aussi rebelle, paresseuse ou stupide que vous vouliez si vous connaissiez à fond cette doctrine fondamentale. Celle-ci ressemblait à n'importe quelle autre religion : on pouvait l'interpréter comme on voulait ; composée de quelques banalités, mythes et slogans, elle était facile à apprendre ; elle était intolérante, pouvait parfois servir de prétexte à une agression sélective et permettait d'ériger en vertu morale le fait de mépriser les gens qu'on n'aimait pas. Et, par-dessus tout, elle ne vous coûtait rien. Kate avait tendance à nier que cet endoctrinement subi dans son adolescence eût quoi que ce soit à voir avec la colère froide qui s'emparait d'elle quand elle tombait sur ses manifestations opposées : graffiti obscènes, insultes, intimidation de certaines familles asiatiques qui osaient à peine sortir de leurs domiciles barricadés. Quand une école avait besoin d'une éthique pour créer une illusion de communauté, l'antiracisme en valait bien une autre. De plus, quoi qu'on pût penser des formes bizarres qu'elle prenait parfois, il y avait peu de chances qu'elle vous amenât à avoir des visions dans une église poussiéreuse.

7

Dalgliesh avait décidé de se rendre le samedi après-midi dans le Surrey pour voir les Nolan. Seul. D'habitude, il aurait confié ce genre de tâche à Massingham et à Kate, ou même à un brigadier accompagné d'un agent. Son adjoint ouvrit de grands yeux quand il lui annonça qu'il n'avait pas besoin de témoin ni d'un assistant pour prendre des notes. Le voyage, lui, n'était pas inutile. Si le meurtre de Berowne était lié au suicide de Theresa Nolan, tout ce qu'il découvrirait sur cette fille pouvait être important. Pour l'heure, celle-ci n'était pour lui qu'une photographie dans un dossier de police, un visage pâle et enfantin sous une coiffe d'infirmière. Il devait découvrir la personnalité que recouvrait ce vague fantôme. Mais en allant troubler le deuil des grands-parents, il pouvait au moins faire preuve d'un peu de tact. Il leur serait certainement plus facile de recevoir un policier que deux. Il était toutefois conscient d'avoir encore une autre raison d'aller là-bas, personnellement et seul. Il avait besoin de deux ou trois heures de solitude et de calme, d'un prétexte pour fuir Londres, son bureau, la sonnerie du téléphone, Massingham, la brigade ;

d'échapper à la réprobation de l'adjoint au préfet de police qui considérait en effet que lui, Dalgliesh, transformait une affaire tragique, mais somme toute banale, de suicide et de meurtre en énigme, que toute son équipe perdait son temps à rechercher un assassin inexistant ; de s'éloigner, ne fût-ce que brièvement, de son bureau encombré de paperasses et de la pression de son entourage afin d'examiner l'affaire d'un œil plus lucide et impartial.

C'était une journée chaude et venteuse. Des lambeaux de nuages filaient dans le ciel bleu azur et projetaient leurs ombres fragiles sur les champs dénudés. Il avait décidé de passer par Cobham et Effingham. Une fois sorti de l'A3, il gara sa Jaguar XJS sur une aire de stationnement et ouvrit le toit de la voiture. Après Cobham, il crut pouvoir déceler dans les rafales de vent qui lui tiraient les cheveux la riche odeur de pin de feux de bois. Toutes blanches entre leurs accotements herbeux, les étroites routes du Surrey serpentaient à travers bois. Soudain, ceux-ci s'entrouvrirent, lui offrant un vaste panorama des Downs et du Sussex. Il se surprit à souhaiter que la route s'allongeât sans fin devant lui, droite, vide et dénuée de panneaux de signalisation de manière à pouvoir appuyer sur l'accélérateur et se défouler dans un grisant excès de vitesse, que l'air au parfum automnal qui sifflait à ses oreilles pût laver à jamais son esprit et ses yeux de la couleur du sang.

Il appréhendait presque la fin de son voyage. Celle-ci arriva plus vite qu'il ne s'y était attendu. Après avoir traversé Shere, il se trouva en train de gravir une petite colline et soudain, sur sa gauche, entouré de chênes et de bouleaux, il aperçut un cottage victorien banal, séparé de la route par un petit jardin. Son nom, *Weaver's Cottage*, était peint sur le portail blanc. Une vingtaine de mètres plus loin, la route devenait droite. Il gara doucement sa Jaguar sur le bas-côté. Quand il coupa le moteur, un silence absolu, dénué de cris d'oiseaux, tomba. Il resta un moment assis, parfaitement immobile, épuisé comme s'il venait de se tirer indemne d'une épreuve auto-infligée.

Il avait téléphoné. Par conséquent, on devait l'attendre. Pourtant toutes les fenêtres étaient closes, aucune fumée ne s'élevait de la cheminée. La maison avait cet air mystérieux et oppressant d'une demeure habitée mais délibérément fermée au monde. Le jardin de devant était à l'abandon, mais sans rien de cette exubérance fortuite qu'on trouve normalement dans ce genre d'endroit. Chrysanthèmes, asters et dahlias poussaient en rangs bien droits entrecoupés d'alignements clairsemés de légumes. Mais le terrain était envahi par les mauvaises herbes et le carré de gazon, devant l'entrée, était mal entretenu. Sur la porte, il aperçut un heurtoir en forme de fer à cheval, mais pas de sonnette. Il le laissa retomber doucement en se disant que le couple avait sûrement dû entendre sa voiture, mais une bonne minute s'écoula avant qu'on ne lui ouvrît.

« Mrs. Nolan ? » dit-il en sortant sa carte avec ce sentiment qu'il avait toujours d'être pareil à un représentant de commerce importun.

La femme regarda à peine le bout de carton, mais s'effaça pour lui permettre d'entrer. Elle devait avoir près de soixante-dix ans. Elle avait une ossature délicate et un étroit visage empreint d'anxiété. Elle leva vers lui ses yeux saillants, si semblables à ceux de sa petite-fille, avec une expression qui ne lui était que trop familière : un mélange de crainte et de curiosité. Puis elle parut soulagée de voir qu'il ressemblait à un être humain. Elle portait un tailleur en crêpe acrylique bleu aux épaules mal ajustées et dont l'ourlet, qu'elle avait dû faire elle-même pour raccourcir la jupe, godait. A l'un des revers, elle arborait une broche ronde de pierres colorées montées sur argent. Le bijou fronçait le tissu léger. Dalgliesh devina que ce n'était pas sa tenue habituelle pour un samedi après-midi, qu'elle s'était mise sur son trente-et-un pour le recevoir. Peut-être appartenait-elle à cette catégorie de femmes qui s'habillent avec soin pour affronter les épreuves et les drames de la vie. Un petit geste d'orgueil et de défi face à l'inconnu.

La salle de séjour carrée pourvue d'une seule fenêtre lui parut plus typique d'une banlieue londonienne que de cette campagne profonde couverte de forêts. La pièce était très ordonnée, très propre, mais dénuée de cachet et plutôt sombre. La cheminée d'origine avait été remplacée par une autre, faite en faux marbre et surmontée d'une tablette en bois. Le foyer contenait un radiateur électrique dont l'un des éléments était allumé. Deux des murs étaient tapissés d'un atroce papier peint à motifs de roses et de violettes, deux autres avec un papier uni à rayures bleues. Le côté imprimé des rideaux faisait face à la rue, de sorte que le soleil de l'après-midi filtrait à travers un dessin de roses bulbeuses et d'un treillage couvert de lierre. Deux fauteuils modernes flanquaient la cheminée et, au milieu de la pièce, se dressait une table entourée de quatre chaises. Contre le mur du fond, on voyait un grand téléviseur juché sur une table roulante. A part un exemplaire du *Radio Times* et un autre du *TV Times*, il n'y avait ni magazines ni livres. Une seule image ornait ce lieu : une horrible gravure représentant le Sacré-Cœur, au-dessus de la cheminée.

Mrs. Nolan présenta son mari. Celui-ci était assis dans le fauteuil de droite, face à la fenêtre. C'était un homme très grand et très maigre. Il répondit au salut de Dalgliesh par une inclinaison raide de la tête, mais ne se leva pas. Son visage paraissait pétrifié. A la lumière du soleil qui passait entre les rideaux, on l'aurait dit sculpté dans du chêne. De sa main gauche, le vieillard tambourinait une marche incessante et involontaire sur son genou.

« Vous prendrez bien une tasse de thé, n'est-ce pas ? demanda Mrs. Nolan.

— Oui, merci, si cela ne vous donne pas trop de travail », répondit Dalgliesh.

J'ai l'impression d'avoir entendu cette question et prononcé ces paroles toute ma vie, se dit-il.

Mrs. Nolan sourit, opina d'un air satisfait et sortit en hâte. Je dis les phrases convenues, pensa Dalgliesh, et cette femme réagit comme si c'était moi qui lui faisais une faveur. C'est à croire que mon métier a vraiment quelque chose de bizarre si les gens sont si contents de voir que je peux me conduire comme un être humain.

Les deux hommes attendirent en silence, mais le thé arriva très vite. Cela expliquait le temps que Mrs. Nolan avait mis à lui ouvrir la porte, se dit Dalgliesh. En l'entendant frapper, elle avait dû se précipiter à la cuisine pour allumer sa bouilloire. Assis, raides et guindés à la table, ils attendirent que Albert Nolan se levât de son fauteuil et se glissât péniblement sur sa chaise. Cet effort déclencha chez lui un nouvel accès de tremblement. Sans dire un mot, sa femme lui remplit une tasse de thé qu'elle plaça devant lui. Au lieu de la prendre dans sa main, l'homme se pencha et but bruyamment à même la table. Sa femme ne lui jeta pas un seul regard. Elle avait posé devant le visiteur un plat contenant un gâteau à moitié coupé. Un gâteau aux noix et à la confiture d'orange, précisa-t-elle. Elle sourit de nouveau quand Dalgliesh en accepta une tranche. Sèche et fade, la pâtisserie se désintégra dans sa bouche pour former une pâte collante. De petits morceaux de noix se logèrent entre ses dents et les rares morceaux d'écorce d'orange perdus dans l'ensemble avaient un goût aigre. Il fit descendre cette espèce de plâtre avec une gorgée de thé fort contenant trop de lait. Par intermittences, on entendait une mouche bourdonner dans la pièce.

« Je m'excuse d'avoir à vous déranger et je crains que ma visite ne vous soit pénible, dit Dalgliesh. Comme je vous l'ai expliqué au téléphone, j'enquête sur le décès de sir Paul Berowne. Peu avant sa mort, il avait reçu une lettre anonyme insinuant qu'il était mêlé à la mort de votre petite-fille. C'est pour cela que je suis ici. »

La tasse de Mrs. Nolan tressauta dans la soucoupe. La femme mit ses deux mains sous la table comme une enfant sage à un goûter d'anniversaire. Puis elle regarda son mari.

« Theresa s'est suicidée, dit-elle. Je pensais que vous étiez au courant, monsieur.

— Je le suis. Mais tout ce qui a pu arriver à sir Paul pendant les dernières semaines de son existence pourrait être important pour nous. La réception de la lettre anonyme constitue l'un de ces événements. Nous aimerions découvrir qui l'a expédiée. Nous pensons en effet que sir Paul a été assassiné.

— Assassiné ! s'écria Mrs. Nolan. Cette lettre n'a pas été envoyée d'ici. Doux Jésus ! Nous n'avons aucune raison de faire une chose pareille.

— Je sais. Et d'ailleurs nous ne vous avons jamais soupçonnés. Je me demandais toutefois si votre petite-fille vous avait jamais parlé de quelqu'un, d'un ami intime peut-être, qui aurait pu rendre sir Paul responsable de sa mort. »

Mrs. Nolan secoua la tête.

« Vous voulez dire quelqu'un qui aurait pu le tuer ?

— C'est là une hypothèse que nous devons retenir.

— Je ne vois vraiment pas. C'est absurde. Elle n'avait personne à part nous et nous ne nous sommes jamais attaqués à ce monsieur. Pourtant Dieu sait si nous lui en voulions.

— A sir Paul ?

— Elle est tombée enceinte pendant qu'elle vivait sous son toit, intervint soudain le mari. Et il a su où chercher le cadavre. Comment pouvait-il savoir ? Expliquez-moi ça. »

Il parlait d'une voix rauque, presque inexpressive, mais les mots sortaient avec une telle violence que son corps en tremblait.

« Sir Paul a déclaré à l'enquête que votre petite fille lui avait parlé un soir de l'amour qu'elle avait pour la forêt, répondit Dalgliesh. Il a donc pensé que si elle avait décidé de se suicider, elle avait peut-être choisi de le faire dans le seul bois sauvage existant à Londres.

— Ce n'est pas nous qui lui avons envoyé cette lettre, assura Mrs. Nolan. J'ai vu sir Paul à l'enquête. Papa n'a pas voulu y aller, mais moi j'ai pensé que l'un de nous, au moins, devait y assister. Ce monsieur m'a parlé. Très gentiment, en fait. Il m'a dit qu'il était navré. De toute façon, que pouvait-il dire d'autre ?

— Navré. Il y a de quoi ! » fit Albert Nolan.

Sa femme se tourna vers lui.

« Nous n'avons aucune preuve, papa. Et c'était un homme marié. Theresa n'aurait jamais... Pas avec un homme marié.

— Que savons-nous de ce qu'elle aurait fait elle ou de ce qu'il aurait fait lui ? Theresa s'est tuée, pas vrai ? D'abord elle tombe enceinte, puis elle se fait avorter et, pour finir, elle se suicide. Quand on a tout ça sur la conscience, un péché de plus ou de moins ne compte plus.

— Pouvez-vous me parler d'elle ? dit Dalgliesh. Si j'ai bien compris, c'est vous qui l'avez élevée ?

— C'est exact. Elle n'avait personne d'autre. Nous n'avons eu qu'un enfant : son père. Sa mère est morte dix jours après sa naissance. Elle avait l'appendicite et l'opération s'est mal passée. Une chance sur un million, nous a dit le médecin. »

Je ne veux pas entendre ça, pensa Dalgliesh. Je ne veux pas qu'ils me parlent de leur chagrin. C'était aussi ce que lui avait dit l'obstétricien quand il était allé regarder une dernière fois sa femme avec son nouveau-né niché au creux du bras, tous deux reposant paisiblement dans le mystérieux néant de la mort. Une chance sur un million. Comme si on pouvait tirer quelque consolation, voire quelque fierté, du fait que le destin avait choisi votre famille pour illustrer à titre d'exemple les statistiques arbitraires de la faillibilité humaine. Soudain, le bourdonnement de la mouche devint insupportable.

« Excusez-moi », dit-il en s'emparant du numéro du *Radio Times*.

Il tapa sur l'insecte, mais le manqua. Il lui fallut encore assener deux coups sur le carreau pour le réduire au silence. La mouche tomba quelque part hors de vue, ne laissant qu'une légère tache sur la vitre.

« Et votre fils ? interrogea-t-il.

— Il ne pouvait pas s'occuper du bébé. C'est compréhensible : il n'avait que vingt et un ans. Je pense qu'il voulait quitter la maison, quitter ses parents, et même quitter sa fille. Chose curieuse, d'une certaine façon il nous rendait responsable de son malheur. Nous étions assez opposés à son mariage, voyez-vous. Shirley, sa femme, n'était pas vraiment la compagne que nous aurions souhaitée pour lui. Nous lui avions dit qu'il n'en sortirait rien de bon. »

Et, quand la prédiction s'était réalisée, c'était à ses parents qu'il en avait voulu, comme si leur ressentiment avait plané, tel une malédiction, au-dessus de sa jeune épouse.

« Où est-il à présent ?

— Nous l'ignorons. Nous pensons qu'il est parti au Canada, mais il n'écrit jamais. Il avait un bon métier : mécanicien. Il s'y connaissait en voiture. Et il était très habile de ses mains. Il nous a dit qu'il n'aurait aucun mal à trouver du travail.

— Il ne sait donc pas que sa fille est morte ?

— C'est à peine s'il se rappelait qu'il en avait une, grommela Albert Nolan. Pourquoi s'en soucie-rait-il maintenant qu'elle n'est plus ? »

Sa femme baissa la tête comme pour esquiver ce flot d'amertume.

« Je crois qu'elle s'est toujours sentie coupable, notre pauvre Theresa, dit-elle. Elle pensait avoir tué sa maman. C'est absurde, évidemment. Et le fait d'avoir été abandonnée par son père n'a rien arrangé. Elle a grandi comme une orpheline et je pense qu'elle en a gardé du ressentiment. Quand un malheur frappe un enfant, il pense toujours que c'est sa faute.

— Mais elle devait être heureuse avec vous ? Elle aimait vivre ici, dans les bois ?

— Peut-être, mais elle était très seule. Elle devait aller à l'école en car et ne pouvait pas rester pour les activités qui avaient lieu après la classe. Et il n'y avait pas d'autres filles de son âge par ici. Elle adorait se balader dans la forêt, mais nous n'encou-ragions pas ces promenades, pas quand elle était seule, en tout cas. On ne sait jamais de nos jours. Il n'y a plus de sécurité nulle part. Nous espérions qu'elle se ferait des amies quand elle commencerait à travailler comme infirmière.

— Et votre espoir s'est-il réalisé ?

— Elle n'a jamais ramené personne à la maison. Mais il faut dire qu'il n'y a aucune distraction ici pour les jeunes. Pas vraiment.

— Et parmi ses papiers, ou les choses qu'elle a laissées, vous n'avez rien trouvé qui aurait pu vous donner une idée de l'identité du père de son enfant ?

— Elle n'a rien laissé, pas même ses cours d'infirmière. Après son départ de Campden Hill Square, elle est allée vivre dans un foyer près d'Oxford Street. Elle a complètement vidé sa chambre, tout jeté. La police ne nous a remis que sa lettre, sa montre et les vêtements qu'elle portait. Nous avons détruit la lettre. Cela ne servait à rien de la garder. Vous pouvez voir sa chambre, si vous voulez. C'est celle qu'elle a toujours eue depuis son enfance. Il n'y a plus rien dedans. Nous avons tout donné à Oxfam, ses vêtements, ses livres. Nous nous sommes dit que c'était ce qu'elle aurait voulu. »

C'était, pensa Dalgliesh, ce qu'ils avaient voulu eux. Mrs. Nolan le guida jusqu'en haut de l'étroit escalier, lui indiqua la chambre et partit. C'était une petite pièce donnant au nord, pourvue d'une fenêtre treillissée. Dehors, pins et bouleaux étaient si proches que leurs feuilles touchaient presque les carreaux. La chambre baignait dans une lumière verte, aquatique. L'air immobile sentait un peu le désinfectant, comme si on avait brossé les murs et le plancher. La pièce lui rappela une chambre d'hôpital dont on vient de sortir un cadavre — espace clos aux dimensions appropriées, fonctionnel, qui ne retrouvera un sens que lorsque le malade suivant y aura apporté sa peur, sa souffrance, son espoir. Les Nolan avaient même défait le lit. Un couvre-lit blanc recouvrait le matelas nu et un unique oreiller. Les étagères de la bibliothèque étaient vides. Elles étaient certainement trop fragiles pour avoir pu contenir beaucoup de livres. Rien d'autre ne subsistait, à part un crucifix fixé au mur, au-dessus du lit. N'ayant que des souvenirs douloureux à se rappeler, les Nolan avaient même dépouillé la chambre de la personnalité de leur petite fille. Puis ils avaient soigneusement fermé la porte.

Regardant le lit étroit, Dalgliesh se remémora le mot d'adieu de la jeune fille. Il ne l'avait lu que deux fois pendant qu'il étudiait le compte rendu de l'enquête, mais il le connaissait par cœur.

« Je vous en prie, pardonnez-moi. Je souffre trop pour continuer. J'ai tué mon enfant et je sais que je ne le reverrai jamais, pas plus que je ne vous reverrai vous. Je suis sans doute damnée, mais je ne suis plus capable de croire en l'Enfer. Je ne suis plus capable de croire en quoi que ce soit. Vous avez toujours été très bons pour moi. Moi, par contre, je ne vous ai jamais rien apporté. Je croyais que lorsque je deviendrais infirmière tout changerait, mais le monde m'a toujours été hostile. Je sais maintenant que je ne suis pas obligée d'y vivre. J'espère que ce ne seront pas des enfants qui découvriront mon cadavre. Pardonnez-moi. »

Ce n'était pas une lettre spontanée, se dit-il. Il avait lu assez de messages de ce genre depuis ses débuts dans le métier. Certains, écrits dans la douleur ou la colère, dégageaient parfois cette poésie inconsciente que confère le désespoir. Malgré son ton pathétique et sa fausse simplicité, celui-ci était plus guindé, plein d'un respect de soi contenu, mais évident. Theresa Nolan, se dit-il, avait peut-être été une de ces jeunes femmes dangereusement innocentes, souvent plus dangereuses et moins innocentes qu'elles ne le paraissent, qui déclenchent des catastrophes. Elle se dressait en bordure de son enquête comme un pâle fantôme en uniforme d'infirmière, inconnue et maintenant inconnaissable. Pourtant, il était convaincu qu'elle se trouvait au cœur du mystère de la mort de Berowne.

Il n'avait plus aucun espoir d'apprendre quoi que ce fût d'utile à *Weaver's Cottage*. Pourtant, son instinct lui fit ouvrir le tiroir de la table de chevet. Quelque chose de Theresa Nolan était tout de même resté dans la chambre : son missel. Il le prit et, à tout hasard, le feuilleta. Un petit morceau de papier, une page arrachée d'un carnet, en tomba. Il le ramassa et découvrit trois colonnes de chiffres et de lettres :

R	F3	G
B	F2	G
P	F1	G
S-N	G2	F

En bas, les Nolan étaient toujours assis à la table. Il leur montra le papier. Mrs. Nolan pensa reconnaître l'écriture de Theresa, mais ajouta qu'elle ne pouvait pas en être tout à fait sûre. Ni elle ni son mari ne purent lui donner d'explication. Cela n'avait d'ailleurs pas l'air de les intéresser. Mais ils n'élevèrent aucune objection quand Dalgliesh leur dit qu'il aimerait emporter le papier.

Mrs. Nolan l'accompagna à la porte d'entrée, puis, à sa légère surprise, descendit avec lui jusqu'au portail. Quand ils l'atteignirent, elle regarda les ombres noires de la forêt et dit avec une véhémence à peine contenue :

« Cette maison est liée au travail d'Albert. Nous aurions dû la quitter il y a trois ans, quand son état a empiré, mais son employeur s'est montré très gentil avec nous. Nous déménagerons dès que la municipalité nous aura trouvé un appartement. Ce sera sans regrets. Je hais ces bois, je les hais ! Ici, il n'y a que le vent, la terre mouillée, l'obscurité et des animaux qui crient la nuit. »

Après avoir fermé le portail, elle leva les yeux vers lui.

« Pourquoi ne m'a-t-elle rien dit au sujet du bébé ? J'aurais compris. Je me serais occupée d'elle. J'aurais pu fléchir son grand-père. C'est cela qui fait mal. Pourquoi ne m'a-t-elle rien dit ?

— Je suppose qu'elle voulait vous éviter de souffrir. C'est ce que nous essayons tous de faire : protéger ceux que nous aimons contre la souffrance.

— Mon mari lui en veut. Il pense qu'elle s'est damnée. Moi, je lui ai pardonné. Dieu ne peut pas montrer moins de miséricorde que moi. Cela me paraît impossible.

— Je crois que vous avez raison », répondit Dalgliesh.

Mrs. Nolan resta au portail à le regarder. Mais lorsqu'après être remonté en voiture et avoir attaché sa ceinture il se retourna, il constata qu'elle avait disparu, presque comme par enchantement. Le cottage avait repris son air énigmatique. Il y a trop de souffrance dans ce métier, se dit-il. Et quand je pense, bonté divine ! que j'avais l'habitude de me réjouir, de trouver utile que les gens se confient si volontiers à moi ! Et qu'est-ce que mon affrontement avec la réalité m'a rapporté aujourd'hui ? Une inscription sur une page de carnet, quelques lettres et quelques chiffres qui ne sont peut-être même pas de la main de la défunte. Il eut l'impression d'avoir été contaminé par l'amertume et la tristesse des Nolan. Et si je me disais que tout a des limites — vingt ans passés à exploiter la faiblesse des gens contre eux-mêmes, vingt ans passés à essayer de rester détaché —, si je démissionnais, que deviendrais-je ? Quelle que soit la vérité que Berowne a découverte dans sa sordide sacristie, il ne m'est même pas donné de pouvoir partir à sa recherche. Alors que la Jaguar remontait en cahotant sur la route, il fut saisi d'un sentiment irrationnel de rancune et d'envie à l'égard de Berowne. Berowne qui avait trouvé un moyen si commode de se tirer d'affaire.

8

A six heures et quart ce dimanche soir, Carole Washburn se tenait sur son balcon, les mains agrippées à la balustrade, les yeux fixés sur la vue qu'elle avait du nord de Londres. Quand Paul était avec elle, elle n'avait jamais eu besoin de fermer les rideaux, même tard la nuit. Tous deux pouvaient contempler la ville en se sachant inobservés, invulnérables. Alors ç'avait été une joie de sortir à l'air, de sentir la chaleur de son bras à travers la manche de sa chemise et de rester là, ensemble, le regard baissé vers l'agitation d'un monde défini par des lueurs. Alors elle avait été une spectatrice privilégiée. Désormais elle se sentait pareille à une exilée, le cœur plein de nostalgie pour cet inaccessible paradis dont elle avait été proscrite à jamais. Depuis la mort de Paul, elle regardait chaque nuit les lumières s'allumer, une rue après l'autre, une maison après l'autre, des lumières carrées ou rectangulaires qui brillaient à travers les rideaux de ces appartements où des gens vivaient des vies secrètes ou partagées.

Et maintenant, ce qui lui semblait être le dimanche le plus long qu'elle eût jamais enduré touchait à sa fin. Dans l'après-midi, dans un dernier effort pour sortir de sa cage, elle s'était rendue en voiture au supermarché le plus proche, du moins le seul qui fût ouvert. Bien qu'elle n'eût besoin de rien, elle avait pris un caddie et l'avait poussé au hasard d'un rayon à l'autre, tendant machinalement la main vers des boîtes de conserve, des paquets, des rouleaux de papier hygiénique, remplissant le chariot à ras bord, indifférente aux regards que lui jetaient les autres clients. Puis elle s'était remise à pleurer. Les larmes tombaient sur sa main en un flot intarissable, éclaboussant les paquets de céréales, ridant les rouleaux de papier hygiénique. Abandonnant son Caddie chargé d'articles dont elle ne voulait pas, qui ne lui servaient à rien, elle était sortie dans le parking. Pour rentrer, elle avait roulé avec la lenteur et le soin d'une novice, le monde, devant ses yeux, flou et désorienté, les passants agités de mouvements saccadés de marionnettes, comme si une pluie perpétuelle dissolvait la réalité.

Vers le soir, elle avait été prise d'une envie folle de compagnie. Non pas de l'envie de commencer une vie indépendante, de faire des projets d'avenir, de jeter son filet d'un geste inexpert dans le vide qu'elle avait créé autour de son existence secrète et d'attirer vers elle d'autres personnes. Aussi impensable que cela parût maintenant, celle-ci lui viendrait peut-être un jour. Pour l'instant, il s'agissait simplement d'un désir irrépressible d'être avec quelqu'un, d'entendre une voix humaine produire des sons humains tout à fait quelconques. Elle avait téléphoné à Emma. Elle avait été sa camarade d'étude à Reading. Puis elle avait choisi elle aussi de devenir fonctionnaire. Maintenant, elle était administrateur civil au ministère de la Santé. Avant sa liaison avec Paul, Carole avait passé une bonne partie de ses moments de loisirs avec elle : déjeuners sur le pouce dans des pubs ou des cafés proches de leurs bureaux, cinéma, parfois théâtre. Elles étaient même parties un week-end à Amsterdam pour visiter le Rijksmuseum. Leur amitié avait été peu exigeante et singulièrement exempte de confidences. Carole savait qu'Emma n'aurait jamais sacrifié une occasion de sortir avec un homme pour rester avec elle, mais, réciproquement, Emma avait été la première victime de son besoin quasi maniaque d'intimité, de sa répugnance à s'engager, ne fût-ce que pour une heure, si elle pouvait donner ce moment-là à Paul. Elle regarda sa montre. Il était six heures quarante-deux. A moins qu'elle ne passât le week-end à la campagne, Emma serait probablement chez elle.

Elle fut obligée de chercher son numéro. Les chiffres familiers inscrits sur son carnet lui sautèrent à la figure comme la clé d'une existence antérieure à moitié oubliée. N'ayant parlé à personne, depuis le départ des policiers, elle se demanda si sa voix paraissait aussi brusque et fausse aux oreilles d'Emma qu'elle l'était aux siennes.

« Allô, Emma ? Incroyable mais vrai : c'est Carole, Carole Washburn. »

En bruit de fond, elle entendit une musique joyeuse, contrapuntique. Peut-être du Mozart ou du Vivaldi.

« Baisse le son, chéri, s'il te plaît ! cria Emma. Puis elle dit : Pas possible ! Comment vas-tu ?

— Bien. Cela fait des siècles que nous ne nous sommes pas vues. Je me demandais si tu avais envie de sortir ce soir. D'aller au cinéma, par exemple. »

Il y eut un bref silence, puis Emma répondit d'une voix neutre, en dissimulant le mieux possible sa surprise et peut-être aussi une pointe de rancune.

« Désolée, mais nous avons du monde à dîner ce soir. »

Emma avait toujours employé ce mot, *dîner*, même quand il s'était agi d'aller chercher un repas chez le Chinois du coin et de le manger sur la table de la cuisine. C'était là le petit côté snob d'Emma. Carole l'avait toujours trouvé agaçant.

« Nous pourrions remettre ça au week-end prochain ? proposa-t-elle.

— Je crains que ça ne soit impossible. Alistair et moi allons dans le Wiltshire en voiture, pour voir ses parents, en fait. Une autre fois, peut-être. Ravie d'avoir de tes nouvelles. Maintenant, il faut que je te quitte : nos invités arrivent à sept heures et demie. Je te rappelle ces jours-ci. »

Carole dut se retenir pour ne pas crier : « Invite-moi ! Invite-moi, je t'en prie ! J'ai besoin de venir chez toi ! » Emma raccrocha. Voix et musique disparurent. Alistair. Bien sûr ! Elle avait oublié qu'Emma était fiancée. Un administrateur civil du ministère des Finances. Il s'était donc installé chez elle. Carole pouvait imaginer ce qu'ils étaient en train de dire :

« Trois ans sans donner signe de vie et voilà qu'elle téléphone pour me demander d'aller au cinéma avec elle. Et un dimanche soir par-dessus le marché ! »

Emma ne rappellerait pas. Elle avait Alistair, une vie à deux, des amis communs. On ne pouvait rayer les gens de son existence, puis s'attendre à les retrouver aimables, disponibles, simplement parce qu'on avait besoin de se sentir à nouveau un être humain.

Il lui fallait survivre à deux autres jours de congé. Elle pouvait aller chez elle, bien sûr, sauf que chez elle, c'était cet appartement. Et cela valait à peine le coup de faire ce long trajet en voiture jusqu'à Clacton où, depuis la mort de son père, douze ans plus tôt, sa mère s'était installée dans une haute villa carrée située un peu en dehors de la ville. En quatorze mois, Carole ne lui avait pas rendu visite. Pour elle, les vendredis soir étaient sacro-saints : elle pouvait espérer passer quelques heures avec Paul quand celui-ci se rendait dans sa circonscription. Et elle lui avait toujours réservé ses dimanches. Habituée à cet abandon, sa mère n'avait plus l'air de s'en préoccuper beaucoup. La sœur de sa mère habitait à côté. Oubliant leurs dissensions passées, les deux veuves s'entraidaient. Elles s'étaient organisé une petite vie confortable et routinière ponctuée de menus plaisirs : le matin, courses, café dans leur établissement préféré, bibliothèque municipale pour emprunter des livres ; le soir, télé et dîner sur une table roulante. Carole avait pratiquement cessé de s'interroger sur leur existence, sur la raison pour laquelle elles s'étaient établies au bord de la mer alors qu'elles n'approchaient jamais de l'eau, sur ce qu'elles pouvaient trouver à se dire. Si elle téléphonait maintenant, sa mère accepterait sa visite à contrecœur, ennuyée par le dérangement que cela représentait : le lit à faire, son programme du weekend bouleversé, un problème de ravitaillement. Carole se dit que, durant les trois dernières années, elle l'avait dressée à ne pas compter sur elle, à ne pas peser sur les brefs moments qu'elle passait avec Paul. Il serait ignoble de se précipiter maintenant chez elle et de quêter un réconfort que, même si elle avait été au courant, sa mère était incapable de lui donner.

Six heures quarante-cinq. Si l'on avait été un vendredi, il serait déjà arrivé, calculant bien le moment d'entrer pour être sûr de ne rencontrer personne dans le hall. Il sonnerait un coup long, suivi de deux courts. C'était son signal. A cet instant, le timbre retentit : une longue sonnerie insistante. Carole crut entendre une seconde, puis une troisième, mais sans doute les avait-elle imaginées. Pendant une merveilleuse seconde, pas plus, elle pensa qu'il était venu, que tout le reste n'avait été qu'une stupide erreur. Elle cria : « Paul ! Paul, mon amour ! » et se jeta presque contre la porte. Puis, revenant à la réalité, elle comprit la vérité. Le récepteur glissa dans ses mains moites. Elle avait les lèvres si sèches qu'elle put les entendre craquer.

« Qui est là ? » murmura-t-elle.

Une voix féminine aiguë répondit :

« C'est Barbara Berowne. Puis-je monter vous voir ? »

Presque sans réfléchir, Carole appuya sur le bouton. Elle entendit le bourdonnement de la serrure, puis le déclic de la porte qui se refermait. Il était trop tard pour changer d'avis. De toute façon, elle n'avait pas eu le choix : vu l'effroyable solitude dans laquelle elle se trouvait, elle n'aurait renvoyé personne. Et cette rencontre devait inévitablement se produire un jour. Depuis le début de sa liaison avec Paul, elle avait toujours voulu voir sa femme. Maintenant, son désir serait satisfait. Elle ouvrit la porte et attendit, guettant le gémissement de l'ascenseur, les pas de la visiteuse sur le tapis, tout comme elle avait autrefois guetté ceux de son amant.

Vêtue avec une élégance décontractée, Barbara Berowne parcourut le couloir d'une démarche légère, comme une apparition dorée. Subtil, évanescent, son parfum sembla la précéder, puis se perdre dans l'air. Elle portait un manteau de drap beige aux emmanchures et aux épaules plissées ; les manches étaient confectionnées en un tissu plus fin et d'une texture différente. Ses bottes de cuir noir paraissaient aussi souples que ses gants assortis ; son sac à main était pourvu d'une fine bandoulière. Elle allait tête nue. Ses cheveux couleur de blé mûr, striés de mèches d'un blond plus pâle, étaient coiffés en arrière et torsadés sur la nuque. Carole s'étonna de pouvoir remarquer tous ces détails, de pouvoir se demander en quoi étaient faites les manches du manteau, où elle avait acheté le vêtement et combien elle l'avait payé.

Comme la visiteuse entrait dans la pièce, Carole crut voir ses yeux bleus regarder ouvertement autour d'elle avec un léger dédain. D'une voix qu'elle-même jugea discordante et peu aimable, elle dit :

« Asseyez-vous. Puis-je vous offrir quelque chose à boire ? Du café, du xérès, un peu de vin ? »

Elle alla s'installer dans le fauteuil de Paul. Elle eût en effet trouvé impensable que l'épouse de son amant occupât la place où elle avait eu l'habitude de le voir lui. Les deux femmes se firent face, à quelques mètres l'une de l'autre. Avant de déposer son sac par terre, Barbara Berowne jeta un coup d'œil au tapis comme pour s'assurer qu'il était propre.

« Non, merci. Je ne peux pas rester longtemps. Je dois rentrer. Nous attendons du monde : des collègues de Paul. Ils veulent parler du service commémoratif. Nous ne pourrons pas le célébrer avant que la police découvre l'assassin, mais, si l'on veut Saint-Margaret, ce genre de chose doit être fixé des semaines à l'avance. Ils ne pensent pas que Paul mérite l'abbaye, le pauvre chéri. Vous viendrez n'est-ce pas ? Au service, je veux dire. Il y aura tellement de monde que personne ne vous remarquera. Je veux dire : surtout, ne vous sentez pas gênée à cause de moi.

— Cette idée ne m'a jamais effleurée.

— Tout ceci est assez pénible, je trouve. Je ne crois pas que Paul aurait aimé toutes ces cérémonies. Mais les gens de sa circonscription ont l'air de penser que c'est nécessaire. Il était secrétaire d'État, après tout. L'incinération aura lieu dans l'intimité.

Vous ne devriez pas y assister, à mon avis. Il n'y aura que la famille et ses plus proches amis. »

Ses plus proches amis ! Carole faillit éclater de rire.

« Est-ce pour cela que vous êtes ici ? fit-elle. Pour m'informer des services funèbres ?

— Je me suis dit que Paul souhaiterait qu'on vous mît au courant. Après tout, nous l'avons aimé toutes les deux, chacune à notre manière. Nous tenons toutes les deux à sauvegarder sa réputation.

— Dans ce domaine, vous n'avez certainement pas de leçon à me donner. Comment m'avez-vous trouvée ?

— Oh, cela fait des mois que je connais votre adresse. Un de mes cousins a engagé un détective privé. Ç'a été un jeu d'enfant pour lui. Il lui a suffi de suivre la voiture de Paul un vendredi soir. Ensuite, il a éliminé de sa liste tous les couples qui habitent cet immeuble, toutes les vieilles femmes et tous les hommes seuls. Pour finir, il ne restait que vous. »

Barbara Berowne avait enlevé ses gants et les avait posés sur ses genoux. Elle se mit à les lisser, un doigt après l'autre, de ses mains aux ongles vernis.

« Je ne suis pas venue vous créer des ennuis, dit-elle sans lever la tête. Nous sommes dans le même bateau. Je suis venue vous aider.

— Nous ne sommes pas dans le même bateau. Nous ne l'avons jamais été. Et que voulez-vous dire par "aider" ? M'offrez-vous de l'argent ? »

L'autre leva les yeux et Carole crut y déceler une lueur d'inquiétude comme si la question devait être prise au sérieux.

« En fait, non. D'ailleurs, je ne pense pas que vous en ayez besoin. Est-ce Paul qui vous a acheté cet appartement ? Un peu petit, non ? Mais certainement agréable, si cela ne vous ennuie pas d'habiter en banlieue. Je crains qu'il ne vous ait pas couchée sur son testament. C'est là une autre chose que je pensais devoir vous dire. Vous vous êtes peut-être posé des questions à ce sujet.

— Cet appartement est le mien, répliqua Carole d'une voix qui lui parut trop forte et trop acerbe. C'est moi qui ai versé les arrhes et c'est moi qui rembourse le crédit. Non que cela vous regarde en quoi que ce soit. C'est simplement pour vous dire que vous pouvez laisser tomber vos scrupules, pour le cas où vous en auriez. Je ne veux rien de vous ni de toute autre personne liée à Paul. Les femmes qui préfèrent se faire entretenir toute leur vie par des hommes sont incapables de se mettre dans la tête que certaines d'entre nous aiment payer leur part.

— Aviez-vous le choix ? »

Interloquée, Carole entendit Barbara Berowne poursuivre de sa voix enfantine et haut perchée :

« Après tout, vous avez toujours été discrète. Je vous admire pour ça. Cela devait être assez pénible de ne voir Paul que lorsqu'il n'avait rien de mieux à faire. »

L'étonnant, c'était que cette insulte n'était même pas délibérée. Bien entendu, Barbara Berowne était capable de blesser à dessein, mais la remarque qu'elle venait de faire naissait de son égoïsme, de son manque total de sensibilité : elle disait tout ce qui lui passait par la tête sans se demander si ses paroles risquaient de blesser. Paul, comment as-tu pu épouser cette femme ? songea Carole. Comment a-t-elle pu te séduire ? Elle est stupide, médiocre, méchante, mesquine. La beauté a-t-elle vraiment autant d'importance ?

« Si c'est tout ce que vous avez à me dire, fit-elle, vous pouvez vous en aller. Vous m'avez vue. Vous savez maintenant à quoi je ressemble. Vous avez vu l'appartement. Ça, c'est le fauteuil dans lequel Paul avait l'habitude de s'asseoir. Ça, c'est la table sur laquelle il posait son verre. Si vous voulez, je peux vous montrer le lit dans lequel nous faisions l'amour.

— Je sais parfaitement ce qui l'amenait ici. »

Carole eut envie de crier : « Oh non, vous ne le savez pas ! Vous ne savez rien de lui. Couchée avec lui dans ce lit, j'ai été aussi heureuse que je ne l'ai jamais été et que je ne le serai jamais. Mais ce n'était pas pour cela qu'il venait. » Elle avait cru, et croyait encore, que c'était seulement ici, avec elle, qu'il trouvait la paix. Il compartimentait sa vie trépidante en parties bien séparées : la maison de Campden Hill Square, la Chambre des communes, ses bureaux au ministère, la section locale du parti à Wrentham Green. Ce n'était qu'ici, dans ce banal appartement de banlieue, que tous ces éléments disparates fusionnaient, qu'il devenait intégralement et uniquement lui-même. Il entrait, s'asseyait en face d'elle, laissait tomber son attaché-case à ses pieds et lui souriait. Combien de fois n'avait-elle eu la joie de voir son visage s'adoucir, se détendre, devenir presque aussi lisse que s'ils venaient de faire l'amour ? Elle savait qu'il taisait certains aspects de sa vie privée, pas consciemment ou par manque de confiance, mais parce que, quand ils étaient ensemble, ceux-ci semblaient perdre leur importance. Mais lui-même se livrait toujours entièrement.

Barbara Berowne admirait sa bague de fiançailles. Elle faisait lentement bouger sa main devant sa figure. L'énorme diamant serti de saphirs brillait et scintillait. Elle eut un sourire mystérieux, comme si elle se rappelait quelque chose, puis regarda Carole :

« Il y a une autre nouvelle que je ferais aussi bien de vous annoncer : je suis enceinte.

« — Ce n'est pas vrai ! cria Carole. Vous mentez ! C'est impossible ! »

Son ancienne rivale écarquilla les yeux.

« Bien sûr que c'est vrai ! Comment voulez-vous mentir à ce sujet ? Dans quelques mois, tout le monde s'en apercevra.

— Ce n'est pas son enfant ! »

Je ne dois pas hurler, se dit Carole, je dois garder mon sang-froid. Oh mon Dieu, aidez-moi à ne pas la croire.

Barbara Berowne eut le culot de rire.

« Évidemment que c'est le sien. Il a toujours désiré un héritier, ne le saviez-vous pas ? Vous feriez bien de l'admettre. Le seul autre homme avec lequel j'ai couché depuis mon mariage est stérile : il s'est fait faire une vasectomie. Je vais accoucher du fils de Paul.

— Il ne peut pas avoir fait ça. Vous ne pouvez pas lui avoir fait ça.

— Vous vous trompez. Il y a une chose qu'on peut toujours faire faire à un homme, s'il aime un tant soit peu les femmes. N'avez-vous pas encore découvert ça ? Vous n'êtes pas enceinte vous aussi, j'espère ? »

Carole enfouit son visage dans ses mains.

« Non, murmura-t-elle.

— J'ai pensé que je devais m'en assurer. » Barbara Berowne pouffa. « Ça aurait compliqué les choses, n'est-ce pas ? »

Carole ne put se contenir plus longtemps. Soudain, plus rien n'exista à part la colère et la honte. Elle s'entendit crier comme une mégère :

« Sortez de chez moi ! Fichez le camp ! »

Quoique submergée d'angoisse et de fureur, elle remarqua qu'une petite lueur craintive passait dans les yeux de sa visiteuse. Pendant un court instant, elle en éprouva du plaisir et un sentiment de triomphe. Ainsi Barbara Berowne n'était pas invulnérable. Elle connaissait la peur. Mais cette constatation lui fut plutôt désagréable : cela rendait sa rivale plus humaine. Celle-ci se leva presque lourdement, se baissa, attrapa son sac par la bandoulière et gagna la porte d'entrée avec la gaucherie d'une enfant. Ce n'est que lorsque Carole lui ouvrit et s'écarta pour la laisser passer qu'elle se tourna de nouveau vers elle.

« Je regrette que vous l'ayez pris comme ça, dit-elle. Je trouve votre réaction stupide. Après tout, j'étais sa femme. C'est moi, la partie lésée. »

Puis elle descendit en hâte le corridor. Carole cria derrière elle :

« La partie lésée ! Ça c'est vraiment trop fort ! La partie lésée ! »

Elle referma la porte et s'adossa contre le battant. Soudain, prise de nausée, elle dut se précipiter à la salle de bains. Elle vomit dans le lavabo, les mains agrippées aux robinets. Puis elle fut envahie de colère, d'une colère purificatrice, presque vivifiante. Déchirée entre la rage et le chagrin, elle eut envie de rejeter la tête en arrière et de hurler comme une bête. Se tenant aux murs, elle retourna dans le séjour et, tâtonnant derrière elle comme une aveugle, s'assit dans son fauteuil. Elle regarda le siège vide de Paul en s'exhortant au calme. Quand elle se fut maîtrisée, elle alla chercher son sac et en sortit la carte sur laquelle était inscrit le numéro de téléphone de Scotland Yard ainsi que celui du poste qu'on lui avait demandé d'appeler.

C'était dimanche, mais il y aurait quelqu'un de service. Même si l'inspecteur Miskin était absente, elle laisserait un message. L'affaire ne pouvait pas attendre au lendemain. Carole devait s'engager irrévocablement. Tout de suite.

Une voix d'homme inconnue lui répondit. Après

s'être nommée, Carole demanda à parler à l'inspecteur Miskin.

« C'est urgent, dit-elle. Il s'agit du meurtre de Berowne. »

Elle attendit quelques secondes, puis l'inspecteur s'annonça. Bien qu'elle n'eût entendu sa voix qu'une seule fois, Carole tressaillit en la reconnaissant.

« Carole Washburn à l'appareil, dit-elle. Je voudrais vous voir. J'ai décidé de vous communiquer un certain renseignement.

— Nous venons vous voir tout de suite.

— Non, pas ici. Je ne veux pas que vous remettiez les pieds chez moi. Jamais. Je vous donne rendez-vous pour demain. A neuf heures. Dans le jardin à la française de Holland Park, près de l'Orangerie. Vous voyez où c'est ?

— Oui. Nous y serons.

— Je refuse que le commandant Dalgliesh, ou tout policier homme, soit présent. Je ne parlerai qu'à vous seule. »

Il y eut un silence, puis, sans marquer de surprise, consentante, la voix reprit :

« C'est entendu. A neuf heures demain matin. Dans le jardin de Holland Park. Je serai seule. Pouvez-vous me donner une idée de ce dont il s'agit ?

— C'est au sujet de la mort de Theresa Nolan. Au revoir. »

Carole raccrocha et pressa son front contre le métal froid et poisseux de l'appareil. Elle se sentait vidée, au bord du vertige, secouée par les battements de son cœur. Elle se demanda ce qu'elle éprouverait, comment elle pourrait continuer à vivre quand elle prendrait pleinement conscience de ce qu'elle venait de faire. Elle faillit crier : « Pardonne-moi mon amour ! Pardonne-moi ! » Mais elle ne pouvait plus retourner en arrière. Pareil à la souillure que laisse une trahison, le parfum fugace de Barbara Berowne semblait encore flotter dans la pièce. Carole eut l'impression qu'il empesterait à jamais son appartement.

Cinquième partie

RHÉSUS POSITIF

1

Une série de contrôles protégeait Miles Gilmartin, le directeur de la Special Branch, des importuns et des gens malintentionnés. Aux yeux de Dalgliesh, qui attendait l'accomplissement de chacune de ces formalités en réprimant sa colère et son impatience, ce système était plutôt d'une puérile ingéniosité que nécessaire ou efficace. Il n'était pas d'humeur à jouer à ce petit jeu. Quand il fut finalement introduit dans le bureau de Gilmartin par une secrétaire qui, à son irritation, alliait une exceptionnelle beauté à la fierté manifeste de seconder le grand homme, il ne se souciait plus de prudence ni de retenue. Bill Duxbury se trouvait là, avec Gilmartin. Dalgliesh leur laissa à peine le temps de le saluer qu'il donnait déjà libre cours à son indignation.

« Nous sommes censés être dans le même camp. Ou bien, pour vous, n'existe-t-il que celui de votre service ? Paul Berowne a été assassiné. Si je ne peux pas compter sur votre aide dans cette affaire, c'est à désespérer !

— Je comprends que vous nous en veuillez un peu, concéda Gilmartin. Nous aurions dû vous dire plus tôt que Travers était un de nos agents.

— En effet. Il a fallu que je découvre ce fait par moi-même. Oh, je vois très bien ce que votre petit monde peut avoir de fascinant. Ça me rappelle l'école primaire. Nous avions nos petits secrets nous aussi, nos mots de passe, nos cérémonies d'initiation. Mais quand diable vous déciderez-vous à devenir adultes ? Bon, d'accord, je sais qu'il y a des précautions nécessaires. Certaines, du moins, et pendant un certain temps. Mais chez vous, c'est une véritable manie ! Vous, ce que vous aimez, c'est le secret pour le secret, toute l'énorme paperasserie bureaucratique de l'espionnage. Pas étonnant que votre genre d'organisation engendre ses propres traîtres. Pendant ce temps, moi j'enquête sur un vrai meurtre. Je vous serais obligé de laisser là vos petits jeux et de revenir à la réalité.

— Pourquoi ne faites-vous pas ce petit discours à MI5 ? Il me semble que son contenu s'applique beaucoup plus à eux qu'à nous. Cependant, j'admets que vous n'avez pas tout à fait tort. Nous devrions nous garder de faire du zèle, et il est vrai que nous souffrons d'une bureaucratisation excessive. Mais quelle organisation ne connaît pas ce problème ? Nous sommes un service de renseignement. Et un renseignement n'a de valeur que s'il est convenablement fiché et facile à retrouver. Cependant, tout bien considéré, j'estime qu'avec nous le contribuable en a pour son argent. »

Dalgliesh le regarda.

« Vous n'avez rien compris.

— Mais si, Adam ! Seulement cette sortie vous ressemble si peu. Quelle véhémence ! Vous avez lu trop de romans d'espionnage. »

Il y a trois ans, songea Dalgliesh avec amertume, Gilmartin aurait peut-être pensé, même s'il n'avait pas osé l'exprimer : « Vous écrivez trop de poésie ».

Mais il ne pouvait plus se servir de cet argument-là maintenant.

« Êtes-vous sûr que ce meurtre ne vous perturbe pas un peu ? poursuivit Gilmartin. Vous connaissiez Berowne, n'est-ce pas ?

— Bon dieu, si j'entends encore quelqu'un insinuer que je suis incapable de m'occuper de cette affaire parce que je connaissais la victime, je démissionne ! »

Pour la première fois, une légère inquiétude, pareille à une crispation de douleur, passa sur le visage inexpressif et blême de Gilmartin.

« Vous n'allez pas nous faire ça tout de même ! Pas à cause d'un petit péché d'omission de notre part. Au fait, je suppose que Berowne a bien été assassiné. Le bruit court qu'il se serait suicidé. Cela n'aurait rien d'impossible. Il n'était pas tout à fait normal ces derniers temps. Cette habitude qu'il avait prise de dormir dans des sacristies... Et n'est-il pas censé avoir eu une sorte de révélation divine ? Au lieu d'écouter des voix surnaturelles, il aurait mieux fait d'écouter le Premier ministre. Et puis, quelle idée de choisir cette église ! Je comprends qu'on puisse s'enthousiasmer pour du gothique perpendiculaire anglais, mais pour une basilique romane de Paddington... Je ne vois pas comment on pourrait y passer une bonne nuit de sommeil, et encore moins y rencontrer son chemin de Damas. »

Dalgliesh faillit lui demander s'il aurait trouvé Saint Margaret en Westminster plus acceptable. Ayant, à son évidente satisfaction, fait preuve d'une connaissance, au moins superficielle, de l'architecture religieuse et de la Bible, Gilmartin se leva et se mit à arpenter la pièce, entre les deux fenêtres. On aurait dit qu'il s'était brusquement rendu compte qu'il était le seul à être assis derrière un bureau, et que cette position pouvait lui être désavantageuse.

Il avait les moyens de se payer un bon tailleur et prenait soin de s'habiller dans un style très classique. Chez un homme moins sûr que lui, cela aurait pu indiquer qu'il avait conscience de la réputation légèrement ambiguë de son service et tenait à ne pas renforcer celle-ci par un quelconque débraillé dans les manières ou l'apparence. Mais si Gilmartin se vêtait avec élégance, c'était pour son propre plaisir, comme tout ce qu'il faisait. Aujourd'hui, il était en gris. Au-dessus de son costume à rayures plus foncées, pratiquement invisibles, sa figure carrée presque exsangue et ses cheveux brillants, prématurément blanchis et brossés en arrière pour dégager son front haut, renforçaient à la fois son image de marque et l'assortiment des couleurs : une subtile combinaison de gris et d'argent sur laquelle la cravate de son collège, malgré sa sobriété, pendait comme un drapeau criard et provocant.

Avec son corps trapu, son teint coloré, sa voix forte, Bill Duxbury, par contraste, avait l'air d'un gentleman farmer qui aurait eu plus de dons pour l'agriculture que pour la culture. Il était à moitié tourné vers la fenêtre, comme si on lui avait ordonné de se tenir à distance des adultes et de leurs affaires. Dalgliesh remarqua qu'il venait de se raser la moustache, ce qui donnait à sa figure un aspect incomplet et nu. On aurait dit qu'il avait été rasé de force. Il portait un costume de tweed à carreaux un peu trop épais pour la température relativement douce de la saison ; pourvue de basques, la veste se tendait sur son gros postérieur, d'une rondeur presque féminine. Quand Gilmartin le regardait, ce qui n'arrivait que rarement, il prenait une expression peinée et légèrement surprise comme s'il trouvait la silhouette et le tailleur de son subordonné également déplorables.

Dalgliesh avait déjà compris que c'était Gilmartin

qui parlerait. Duxbury devait lui avoir donné toutes les informations nécessaires, mais il demeurerait silencieux jusqu'à ce qu'on l'invitât à émettre son opinion. Dalgliesh se souvint subitement d'une conversation qu'il avait eue quelques années plus tôt, à une réception. Il s'était trouvé avec une femme sur l'un de ces canapés « trois-places », impraticables pour plus de deux personnes. Le décor : un salon du XVIIIᵉ siècle, dans une maison située sur une place d'Islington nord. Il ne se rappelait plus le nom de son hôtesse ni ce qu'il avait bien pu fabriquer là. Sa compagne était légèrement ivre, pas d'une manière désagréable, juste assez pour la pousser au flirt, à la gaieté, puis au bavardage. La mémoire de Dalgliesh refusait de lui livrer le nom de cette personne, mais c'était sans importance. Ils étaient restés assis ensemble une demi-heure avant que leur hôtesse, avec ce doigté que donne l'expérience, fût venue les séparer. Il ne se rappelait qu'une partie de cette conversation. Cette femme et son mari habitaient un appartement de grand standing construit sur le toit d'un immeuble. La rue sur laquelle il donnait était souvent empruntée par des manifestations d'étudiants. La police — des agents de la Special Branch, elle en était sûre, — leur avait demandé s'ils pouvaient utiliser leur salle de séjour pour prendre des photos par la fenêtre.

« Nous y avons consenti, bien sûr, et ils se sont montrés fort aimables. Mais, au fond de moi, j'étais un peu gênée. J'avais envie de leur dire : "Ce sont des sujets britanniques. Ils ont le droit de manifester s'ils en ont envie. Si vous voulez les photographier, pourquoi ne le faites-vous pas ouvertement dans la rue ?" Mais je me suis tue. Et puis, d'une certaine manière, c'était assez amusant. Nous avions l'impression de jouer aux espions, d'être "au parfum".

D'ailleurs, ce n'était pas vraiment à nous de protester. Ils savent ce qu'ils font. Et il n'est jamais bon de se mettre ces gens-là à dos. »

Il s'était dit alors, comme il se le disait maintenant, que cette attitude résumait bien celle de tous les libéraux du monde entier : Ils savent ce qu'ils font. Et il n'est jamais bon de se mettre ces gens-là à dos.

« Je m'étonne que MI5 et vous-même ne détachiez pas certains de vos hommes auprès du K.G.B., déclara-t-il avec amertume. Vous avez plus de choses en commun avec eux qu'avec n'importe quel autre service qui ne s'occupe pas de contre-espionnage. Il serait peut-être très instructif de voir comment ils s'organisent pour leur paperasserie. »

Gilmartin leva une de ses paupières en direction de Duxbury comme pour l'inviter à se solidariser avec lui face à quelqu'un d'aussi déraisonnable.

« A propos de paperasserie, Adam, dit-il, cela nous rendrait service si vos hommes se montraient un peu plus consciencieux. Lorsqu'il a demandé des renseignements sur Ivor Garrod, Massingham aurait dû remplir un IR 49.

— En quatre exemplaires, bien sûr.

— Il en faut un pour le bureau de l'enregistrement et un autre pour vous, je présume. Nous sommes censés tenir MI5 au courant. Nous pourrions vérifier encore une fois la procédure, bien sûr, mais, à mon avis, quatre exemplaires, c'est un minimum.

— Cette fille, Diana Travers, était-elle la personne la plus indiquée que vous ayez pu trouver pour espionner un secrétaire d'État ? Même pour la Special Branch, le choix me paraît curieux.

— Le fait est que nous n'espionnions pas un secrétaire d'État. La mission de Travers ne consistait pas à surveiller Berowne. Comme nous vous l'avons dit quand vous vous êtes renseignés sur sa maîtresse, Berowne n'a jamais représenté de risque au plan de la sûreté. Au fait, à cette occasion-là aussi, on a omis de nous soumettre un IR 49.

— Je vois. Vous avez infiltré Travers dans le groupe, la cellule de Garrod, puis vous avez très commodément "oublié" de nous signaler cette opération quand nous nous sommes renseignés sur lui. Vous deviez tout de même savoir que Garrod faisait, et fait toujours partie des suspects.

— La connaissance de ce fait ne semblait pas vraiment utile pour votre enquête. Après tout, votre travail comme le nôtre est régi par un principe : se limiter à l'information strictement indispensable. Et ce n'est pas nous qui avons introduit cette fille à Campden Hill Square. C'est Garrod. Le petit boulot que Travers faisait pour nous n'avait aucun rapport avec le décès de Berowne.

— Mais la mort de Travers en avait peut-être un.

— Celle-ci n'avait rien de suspect. Vous avez dû voir les résultats de l'autopsie.

— Oui. Comme je l'ai remarqué, elle n'a pas été pratiquée par le pathologiste du ministère de l'Intérieur qui travaille d'habitude pour la police de la Tamise.

— Nous préférons employer nos propres médecins-légistes. Celui qui a rédigé le rapport est parfaitement compétent, je peux vous l'assurer. Travers est morte de mort naturelle, plus ou moins. Cela aurait pu arriver à n'importe qui. Après avoir trop mangé et trop bu, elle a plongé dans l'eau glacée, s'est empêtrée dans les joncs, a manqué d'air et s'est noyée. On n'a pas relevé de marques suspectes sur son corps. Selon le rapport, souvenez-vous, elle avait... eu des rapports sexuels juste avant de mourir. »

C'était la première fois que Dalgliesh voyait Gilmartin légèrement troublé. On aurait dit que son collègue trouvait les mots « faire l'amour » inadéquats et ne pouvait se résoudre à employer un terme plus grossier.

Dalgliesh resta un moment silencieux. Sous l'effet de la colère, il avait élevé une protestation qui maintenant lui semblait d'une humiliante puérilité en même temps qu'inefficace. Tout ce qu'il avait obtenu, c'était sans doute d'exacerber la rivalité professionnelle latente qui existait entre la P.J., la Special Branch et MI5, dont les rapports difficiles dégénéraient si facilement en haute politique. La prochaine fois, Gilmartin serait capable de dire : « Et, pour l'amour du Ciel, mettez A.D. au courant. Il risque de piquer une crise si on ne lui donne pas sa part du gâteau ». Mais ce qui le déprimait le plus et le fâchait contre lui-même c'était de constater qu'il avait bien failli perdre son sang-froid. Il se rendit compte à quel point il attachait maintenant de l'importance à sa réputation d'homme calme et détaché. Eh bien, il ne l'était plus, détaché. Peut-être les autres avaient-ils raison, après tout. Il fallait refuser de conduire une enquête quand on connaissait la victime. Mais comment pouvait-il prétendre avoir connu Berowne ? Combien de temps avait-il passé avec lui ? Seulement trois heures de voyage en train, puis dix minutes dans son bureau et encore les quelques minutes qu'avait duré leur promenade interrompue. Pourtant, il savait qu'il ne s'était encore jamais trouvé en si grande empathie avec une victime. Cette envie qu'il avait de foutre son poing sur la mâchoire de Gilmartin, de voir du sang gicler sur son plastron immaculé, sa cravate de collège... Quinze ans plus tôt, il y aurait peut-être cédé. Cela lui aurait coûté sa carrière. Pendant un moment, il regretta presque la spontanéité un peu fruste de sa jeunesse.

« Je m'étonne que vous jugiez Garrod digne de votre attention, dit-il. C'était déjà un militant de gauche à l'université. Il était inutile de recourir à un agent secret pour découvrir qu'il ne votait pas conservateur. Il n'a jamais caché ses opinions.

— Ses opinions, non, mais ses activités, oui. Son groupe diffère de l'habituelle association de bourgeois mécontents, à la recherche d'un exutoire moralement acceptable à leur agressivité, et d'une cause quelconque qui leur donne l'illusion d'un engagement. Contrairement à ce que vous pensez, Garrod vaut la peine que nous nous en occupons. »

Gilmartin lança un regard-signal à Duxbury.

« Ce n'est qu'un groupuscule, dit celui-ci. Garrod l'appelle "cellule". A l'heure actuelle, quatre de ses membres sont des femmes. Il y en a treize au total. Garrod n'en recrute jamais plus, jamais moins. Une charmante note d'anti-superstition. Et puis, cela contribue à la mystique de la conspiration. Nombre magique, cercle fermé. »

Et ce nombre avait aussi une certaine logique opérationnelle, songea Dalgliesh. Garrod pouvait organiser trois groupes de quatre ou deux de six pour le travail sur le terrain tout en restant lui-même libre pour jouer le rôle de coordinateur et de chef incontesté.

« Tous les membres sont issus de la bourgeoisie privilégiée, poursuivit Duxbury, ce qui contribue à la cohésion et évite les tensions de classe. Car les "camarades" ne se sont jamais distingués par leur amour fraternel. Cette bande-là parle le même langage, y compris, évidemment, le jargon marxiste habituel, et ils sont tous très intelligents. Infantiles, peut-être, mais intelligents. Ils sont potentiellement dangereux. Aucun d'eux n'est membre du parti travailliste, soit dit en passant. D'ailleurs, le Labour n'en voudrait pas. Six d'entre eux, dont Garrod,

465

sont membres de la Workers' Revolutionary Campaign, mais aucun d'entre eux n'y occupe de fonction officielle. J'ai l'impression que la W.R.C. sert surtout de couverture. Garrod préfère avoir son propre mouvement. A cause d'un penchant inné pour le complot, je suppose.

— Il aurait dû entrer à la Special Branch, ironisa Dalgliesh. Sarah Berowne est-elle membre de cette cellule ?

— Oui, depuis deux ans. Et elle est la maîtresse de Garrod, ce qui lui confère un prestige particulier au sein du groupe. Dans certains domaines, les bolchos sont terriblement vieux jeu.

— Et qu'avez-vous obtenu de Travers ? Attendez, je vais essayer de deviner. Garrod l'a introduite à Campden Hill Square. Étant donné la pénurie d'employées de maison sûres, ça n'a dû présenter aucune difficulté. Sarah Berowne lui a peut-être parlé de l'annonce, si ce n'est pas elle-même qui a suggéré l'opération. N'importe quel individu disposé à faire des travaux domestiques et se présentant avec de bonnes références — que vous lui avez certainement fournies — était à peu près certain d'être engagé. C'était cela la fonction de la cellule de Garrod, je suppose : discréditer certains députés. »

Cette fois, ce fut Gilmartin qui répondit :

« Une de ses fonctions. La cellule des Treize s'en prenait surtout aux socialistes modérés. En utilisant une bonne vieille méthode éprouvée. Déterrer un scandale quelconque : une liaison illicite, de préférence homosexuelle, une amitié imprudente, un voyage tous frais payés à demi oublié en Afrique du Sud, un hypothétique détournement des fonds du parti. Puis, quand le pauvre bougre se représente aux élections, étaler judicieusement les ordures autour de lui et attirer discrètement l'attention sur leur odeur. Compromettre de temps à autre un membre du gouvernement en place doit relever davantage du devoir que du plaisir. Je soupçonne Garrod d'avoir choisi Paul Berowne pour des raisons personnelles plutôt que politiques. Sarah Berowne ne déteste pas seulement le parti de son papa. »

C'était donc Garrod qui avait envoyé la lettre anonyme à Ackroyd et aux échotiers des journaux nationaux. Dalgliesh n'en fut pas surpris. Il avait toujours soupçonné Garrod d'être l'auteur de cet acte de malveillance. Comme s'il entendait ses pensées, Gilmartin déclara :

« Je doute que vous soyez capable de prouver qu'il a communiqué ce texte à la presse. L'action a été très habilement menée. Un membre de la cellule se rend dans un magasin qui vend des machines à écrire neuves et d'occasion. Vous voyez ce que je veux dire : des rangées de machines enchaînées sur lesquelles le visiteur peut taper autant qu'il lui plaît. Les chances de retrouver l'un de ces clients potentiels sont à peu près nulles. Et il nous est impossible d'exercer une surveillance permanente sur tous les membres de la cellule. Ils ne méritent pas un tel effort et, de toute façon, je vois mal quelle infraction on pourrait leur imputer. Les informations qu'ils exploitent sont exactes. Sinon, elles ne leur serviraient à rien. Au fait, comment avez-vous découvert qu'il existait un lien entre Travers et nous ?

— Grâce à la femme chez laquelle elle habitait avant d'emménager dans votre appartement. Les femmes ont un profond mépris pour les sociétés secrètes masculines et le don de les percer à jour.

— L'ensemble de la gent féminine ne forme qu'une seule et vaste société secrète, affirma Gilmartin. Nous voulions que Travers vive seule. Nous aurions dû insister. Mais je m'étonne qu'elle ait parlé.

— Elle n'a pas parlé. Sa logeuse n'a pas entièrement gobé son histoire d'actrice au chômage ayant les moyens de s'acheter un appartement. Mais c'est l'arrivée de vos hommes, venus fouiller la chambre, qui a confirmé ses soupçons. Au fait, pour quelle raison vous intéressez-vous réellement à Garrod, à part le désir d'ajouter quelques noms à votre liste d'activistes ? »

Gilmartin fit la moue.

« Il aurait pu avoir des liens avec l'I.R.A.

— En avait-il ? »

Pendant un instant, Dalgliesh crut que Gilmartin allait refuser de répondre. Puis ce dernier se tourna vers Duxbury.

« Pas que nous ayons découverts. Croyez-vous que Garrod soit votre coupable ?

— Il pourrait l'être.

— Eh bien, bonne chasse. » Gilmartin parut soudain mal à l'aise comme s'il se demandait comment clore cet entretien. Il ajouta : « Notre petite conversation a été fructueuse, Adam. Nous avons pris bonne note des questions que vous avez soulevées. Et vous, vous respecterez la procédure, n'est-ce pas ? Le IR 49 est un modeste formulaire, mais il a son utilité. »

Tandis que l'ascenseur le ramenait vers son propre étage, Dalgliesh eut l'impression qu'il était resté enfermé à la Special Branch pendant des jours, et non pas un peu moins d'une heure. Il se sentait contaminé par une sorte de désespoir morbide. Il se débarrasserait assez vite de ces symptômes ; il le faisait toujours. Mais l'infection demeurerait dans son sang comme un élément de cette maladie de l'esprit au sujet de laquelle il commençait à se dire qu'il devait apprendre à l'endurer.

Cependant, malgré son côté « explication orageuse » qui maintenant l'humiliait, cette entrevue avait été fort utile : elle avait permis de dégager la piste principale de son enquête, encombrée par tout un enchevêtrement de faits accessoires. Il connaissait à présent l'identité et le motif de l'auteur de la lettre anonyme. Il savait ce que Diana Travers était venue faire à Campden Hill Square, qui l'avait placée là-bas et pourquoi, après sa mort, on était venu fouiller sa chambre. Deux jeunes femmes étaient décédées, l'une à la suite d'un suicide, l'autre par accident. On savait tout sur la façon dont elles étaient mortes et presque tout sur celle dont elles avaient vécu. Pourquoi, alors, continuait-il obstinément à croire que ces deux décès étaient non seulement liés au meurtre de Paul Berowne, mais au centre même de cette énigme ?

2

Quand il revint de ce monde secret et autarcique des dix-huitième et dix-neuvième étages, Dalgliesh trouva son propre couloir anormalement silencieux. Il passa la tête dans le bureau de sa secrétaire, mais la machine à écrire de Susie était recouverte d'une housse, le dessus du bureau rangé. Il se rappela alors que la jeune femme avait un rendez-vous chez le dentiste ce matin-là. Kate rencontrait Carole Washburn à Holland Park. Tout à sa mauvaise humeur, il avait à peine réfléchi aux résultats que pouvait donner cette entrevue. Massingham était parti voir le directeur du Wayfarer's Refuge, dans Cosway Street, pour parler avec lui de Harry Mack ; ensuite, il devait aller interroger deux des filles qui étaient dans le canot la nuit de la mort de Diana Travers. Selon leur témoignage à l'enquête, ni l'une ni l'autre n'avait vu Diana plonger dans le fleuve. Elles et leurs copains l'avaient laissée sur la berge en compagnie de Dominic Swayne. Ils ne l'avaient plus vue ni entendue jusqu'à cet affreux instant où ils avaient heurté son corps avec la gaffe. Les deux filles avaient avoué au coroner qu'elles étaient à moitié ivres à ce moment-là. Dalgliesh doutait qu'elles pussent donner maintenant des renseignements plus utiles. Mais, dans le cas contraire, Massingham était certainement plus apte que quiconque à les leur soutirer.

Massingham avait laissé un message. Alors qu'il entrait dans son bureau, Dalgliesh aperçut une feuille de papier fichée sur son sous-main avec le coupe-papier de son adjoint, un long poignard que l'inspecteur principal disait avoir gagné à une foire, dans son enfance. Ce geste théâtral ainsi que les quelques lignes de lettres et de chiffres inscrites d'une écriture bien droite, à l'encre noire, étaient éloquents. La laboratoire médico-légal avait téléphoné les résultats des analyses de sang. Sans retirer le couteau, Dalgliesh s'immobilisa et baissa les yeux vers la preuve qui, plus que toute autre, étayait sa théorie selon laquelle Berowne avait été assassiné.

Berowne	Mack	Taches sur tapis et doublure de la veste
Rhésus pos.	Pos.	Pos.
ABO A	A	A
AK 2-1 (7,6 %) (enzymes)	1 (92,3 %)	2-1
PGM 1 + (40 %) (enzymes)	2 + 1 – (4,8 %)	1+
Lame de rasoir :		
AK 2-1		
PGM 2+, 1–, 1+		

Comme Dalgliesh le savait, la méthode PGM était très précise. Sans doute n'avait-il même pas été nécessaire de faire une analyse témoin. Mais l'équipe du labo devait avoir travaillé pendant le week-end, malgré son horaire déjà chargé et en dépit du fait que, jusqu'ici, on n'avait encore arrêté aucun suspect. Dalgliesh leur en était reconnaissant. Il y avait eu deux sortes de sang sur le rasoir, mais cela n'avait rien d'étonnant. Pour cela, l'analyse n'avait été qu'une simple formalité. L'élément significatif, c'était que la traînée sur le tapis, au-dessus de la veste de Harry, ne correspondait pas au sang du clochard. En fin d'après-midi, Dalgliesh avait un autre rendez-vous qui, à sa manière, promettait d'être aussi irritant que son entretien avec Gilmartin. Cette importante preuve scientifique arrivait à point nommé.

3

Holland Park n'était qu'à quelques minutes de marche de Charles Shannon House. Kate s'était réveillée peu après six heures. A sept heures, elle avait pris son petit déjeuner. Elle avait hâte de sortir. Après avoir tourné en rond dans l'appartement déjà parfaitement propre et bien rangé, cherchant quelque tâche qui l'aiderait à passer le temps, elle fourra un sac en papier plein de miettes pour les oiseaux dans la poche de sa veste et partit avec quarante-cinq minutes d'avance. Il serait moins frustrant, se dit-elle, de se promener dans le parc que de rester enfermée chez elle à se demander si

Carole Washburn viendrait au rendez-vous, si elle ne regrettait pas sa promesse.

Dalgliesh avait accepté qu'elle respectât l'engagement pris envers la jeune femme de la voir sans témoin. Il ne lui avait donné ni instructions, ni conseils. D'autres supérieurs auraient été tentés de lui rappeler l'importance de cette entrevue. Dalgliesh était différent. Kate le respectait pour cela, mais cette liberté alourdissait ses responsabilités. Tout pouvait dépendre de la manière dont elle mènerait l'entretien.

Peu avant neuf heures, elle se dirigea vers la terrasse qui surplombait les jardins à la française. Lors de sa dernière visite, les parterres exhibaient une profusion de fleurs estivales : géraniums, fuchsias, héliotropes et bégonias. Maintenant, c'était la saison de l'arrachage. La moitié des plates-bandes n'offraient déjà plus que l'aspect d'étendues de terreau parsemées de tiges cassées, de pétales pareils à des gouttes de sang et de feuilles jaunissantes. Une benne municipale attendait d'autres victimes de ce grand nettoyage. Alors que la grande aiguille de la montre de Kate approchait du douze, les cris et les piaillements qui provenaient de la cour de récréation de l'école de Holland Park se turent soudain. Le parc retrouva son silence du début de matinée. Une vieille femme, courbée comme une sorcière, passa en traînant les pieds, une bande de six petits chiens léthargiques au bout d'une laisse, puis s'arrêta pour renifler les dernières fleurs d'un buisson de lavande. Un jogger solitaire bondit au bas des marches et disparut sous l'arcade qui menait à l'orangerie.

Soudain, Carole Washburn fut là. Presque sur le coup de neuf heures, une silhouette de femme apparut tout au bout du jardin. Elle portait une courte veste grise au-dessus d'une jupe assortie. La grande écharpe blanche et bleue dont elle s'était coiffée lui cachait presque le visage. Mais, avec un sentiment très vif de soulagement, Kate la reconnut aussitôt. Après être restées un moment immobiles à se regarder, les deux jeunes femmes marchèrent l'une vers l'autre à pas mesurés, presque solennels. Kate pensa à des romans d'espionnage, à un échange de transfuges à quelque poste-frontière, épié par des yeux invisibles, où l'on tend l'oreille dans l'attente d'un coup de feu. Quand elles se rejoignirent, Carole salua silencieusement d'un signe de tête. Kate se contenta de dire :

« Merci d'être venue. »

Puis elle se tourna et, de concert avec l'autre, monta les marches du jardin, traversa la vaste pelouse spongieuse et s'engagea dans le sentier de la roseraie. Ici, à la fraîcheur de l'air matinal, se mêlait la senteur remémorée de l'été. Les roses ne se terminaient jamais, se dit Kate. Une fleur incapable de comprendre que sa saison était passée avait quelque chose d'agaçant. Même en décembre, les rosiers continuaient à produire des boutons serrés et bruns qui se flétriraient avant de s'ouvrir et quelques fleurs anémiques qui s'inclinaient vers la terre jonchée de pétales. Marchant lentement entre les buissons, consciente de l'épaule de Carole tout près de la sienne, elle se dit : il faut que je sois patiente, il faut que j'attende qu'elle parle la première. C'est à elle de choisir le moment et le lieu.

Elles atteignirent la statue de Lord Holland qui, assis sur son piédestal, contemplait sa maison d'un air bienveillant. Toujours sans parler, elles descendirent le chemin détrempé qui traversait le bois. Puis sa compagne s'arrêta. Regardant le paysage, elle dit :

« C'est ici qu'il l'a trouvée. Là-bas, sous ce bouleau légèrement penché, celui qui est à côté du buisson de houx. Nous sommes venus ici ensemble une semaine plus tard. Je crois qu'il avait besoin de me montrer cet endroit. »

Kate attendit. On avait du mal à imaginer que ce bois sauvage se trouvait à proximité du centre d'une capitale. Une fois qu'on avait franchi la palissade peu élevée, on pouvait se croire en pleine campagne. Pas étonnant que Theresa Nolan, qui avait grandi dans les forêts du Surrey, eût choisi ce lieu calme et vert pour y mourir. Elle avait dû avoir l'impression de revenir à sa petite enfance : l'odeur de terreau, l'écorce rugueuse d'un arbre contre son dos, le bruit d'oiseaux et d'écureuils furetant dans le sous-bois, la douceur de la terre qui transformait la mort en quelque chose d'aussi normal et apaisant que le sommeil. Pendant quelques secondes, elle eut l'extraordinaire impression d'entrer dans cette mort, de ne plus faire qu'un avec cette fille qui agonisait là-bas, seule sous cet arbre. Elle frissonna. Ce moment d'empathie passa rapidement, mais son intensité la surprit et la troubla un peu. Elle avait vu assez de suicidés pendant ses cinq premières années de métier pour avoir appris le détachement. Ça ne lui avait pas été très difficile. Elle avait toujours été capable de prendre de la distance, de se dire : ceci est un cadavre, et non pas : ceci était une femme vivante. Je peux peut-être me permettre un peu d'émotion, un peu de pitié. Mais ce qui était curieux, c'était qu'elle commençât à le faire maintenant. Qu'y avait-il donc de si particulier dans l'affaire Berowne qu'elle parût changer jusqu'à la façon dont elle voyait son travail ? Alors qu'elle reportait ses yeux sur le sentier, Carole Washburn dit :

« Quand Paul a appris qu'elle avait disparu — sa clinique avait appelé Campden Hill Square pour demander si quelqu'un l'avait vue ou savait où elle était —, il a pensé qu'elle était peut-être venue ici. Avant de devenir secrétaire d'État et d'être astreint au respect de certaines règles de sécurité, il se rendait souvent à son travail en passant par le parc. Il pouvait traverser Lensington Church Street, entrer dans Hyde Park, puis dans Green Park à Hyde Park Corner. Ainsi il pouvait aller à pied à la Chambre en marchant presque tout le temps sur de l'herbe et sous des arbres. Il était donc normal pour lui de venir jeter un coup d'œil. Il n'était même pas obligé de faire un détour. Je veux dire : cela ne lui coûtait pas grand-chose. »

Une amertume choquante avait soudain percé dans sa voix. Kate continua à se taire. Elle extirpa le paquet de miettes de la poche de sa veste et versa une partie de son contenu sur sa paume tendue. Un moineau peu farouche, comme seuls peuvent l'être les moineaux de Londres, sauta sur ses doigts en lui grattant délicatement la peau de ses griffes. En un mouvement saccadé, il baissa la tête et se mit à picorer, ses coups de bec pareils à des piqûres d'aiguille. L'instant d'après, il s'était envolé.

« Il doit l'avoir très bien connu, cette fille, dit-elle finalement.

— Peut-être. Elle bavardait souvent avec lui la nuit, quand lady Ursula dormait. Elle lui parlait d'elle-même, de sa famille. Paul avait des contacts faciles avec les femmes, certaines femmes. »

Toutes deux se turent un moment. Mais il y avait une chose que Kate devait absolument demander.

« L'enfant que portait Theresa Nolan, pouvait-il avoir été de lui ? »

A son soulagement, Carole Washburn prit cette question avec calme, comme si elle l'avait prévue.

« Autrefois, j'aurais répondu sans hésiter par la négative. Maintenant, je ne suis plus sûre de rien. Paul ne me disait pas tout. Je le savais déjà et j'en ai eu la confirmation. Mais je pense que cela, il me l'aurait confié. Ce n'était pas son enfant. Mais il se sentait responsable de ce qui était arrivé à cette fille.

— Pourquoi ?

— La veille de son suicide, elle avait essayé de le voir. Elle s'était rendue à son ministère. Il fallait vraiment être naïve pour faire ce genre de choses. De plus, elle tombait mal. Paul était sur le point de se rendre à une réunion très importante. Il aurait pu prendre cinq minutes pour la voir, mais cela aurait été aussi peu commode qu'imprudent. Quand le jeune attaché de son cabinet est venu lui annoncer qu'une certaine Theresa Nolan désirait lui parler d'urgence, il a répondu que cette personne devait être une de ses électrices. Il lui a fait dire de laisser son adresse, qu'il se mettrait en rapport avec elle. La fille est partie sans dire un mot et Paul n'a plus eu de ses nouvelles. Je crois qu'il aurait fini par l'appeler. Mais il n'en a pas eu le temps. Le lendemain, elle était morte. »

Kate nota avec intérêt que, lorsque Dalgliesh avait interrogé les collaborateurs de sir Paul, personne ne leur avait parlé de cette visite. Par métier ou par intuition, ces hommes protégeaient prudemment leur ministre. Étendaient-ils également cette protection à un ministre mort ? Ils avaient parlé de l'habileté et de la rapidité avec lesquelles Berowne résolvait un problème, mais il n'avait pas été question de l'arrivée intempestive d'une jeune femme importune. Le fonctionnaire qui avait transmis le message devait occuper un poste relativement subalterne. Une fois de plus, on avait omis de questionner l'homme qui détenait le renseignement intéressant. Mais, même si on l'avait fait, celui-ci aurait peut-être jugé l'incident sans importance, à moins qu'il n'eût lu le rapport de l'enquête et se fût souvenu du nom de la visiteuse — et même alors, ce n'était pas certain.

Carole Washburn continuait à scruter les bois, les mains enfoncées dans les poches de sa veste, les épaules courbées comme si la première bise hivernale soufflait à travers l'enchevêtrement des branches.

« Elle était adossée contre un tronc, dit-elle, ce tronc là-bas. On le voit à peine maintenant, et, en été, il est complètement caché. Elle aurait pu rester là pendant des jours. »

Non, se dit Kate, pas pendant très longtemps. L'odeur aurait bientôt alerté les gardiens. Holland Park avait beau être un petit paradis au centre de la ville, il ne différait pas d'autres édens. Il contenait des prédateurs quadrupèdes qui rampaient dans le sous-bois et des prédateurs bipèdes qui marchaient sur les sentiers. La mort restait la mort. Jusqu'à nouvel ordre, un corps en décomposition puait. Elle regarda sa compagne. Carole Washburn fixait toujours le bois avec une douloureuse attention. On aurait dit qu'elle conjurait la silhouette affalée au pied du bouleau.

« Paul a dit la vérité au sujet de ce qui s'est passé, déclara-t-elle finalement, mais pas toute la vérité. Il y avait *deux* lettres dans la poche de la veste de Theresa. Celle adressée à ses grands-parents, dans laquelle elle leur demandait pardon, a été lue à l'enquête. Mais, l'autre, qui portait l'inscription "confidentiel" sur l'enveloppe, était adressée à Paul. C'est cela que je suis venue vous dire.

— L'avez-vous vue ? Vous l'a-t-il montrée ? »

Kate essayait d'éliminer de sa voix toute trace d'excitation. Allait-on enfin tenir un début de preuve matérielle ?

« Non. Il l'a apportée chez moi, mais il ne me l'a pas fait lire. Il m'en a résumé le contenu. Il semble que, lorsque Theresa travaillait à Pembroke Lodge, elle prenait sa garde la nuit. L'une des patientes avait reçu de son mari plusieurs bouteilles de champagne et donnait une petite fête. C'est bien dans le style de cette clinique. Quoi qu'il en soit, cette femme était un peu éméchée. Elle exultait parce qu'elle venait d'avoir un garçon après une série de trois filles. "Grâce à ce cher Stephen", dit-elle. Puis elle lâcha que si une patiente souhaitait un enfant d'un sexe déterminé, Lampart pratiquait très tôt une amniocentèse et faisait avorter un fœtus non désiré. Les femmes qui détestaient accoucher et ne voulaient pas subir cette épreuve pour se retrouver ensuite avec un enfant du sexe non désiré savaient à qui s'adresser.

— Mais Lampart prenait — prend — là de terribles risques !

— Pas s'il n'y a aucune trace précise ni d'indiscrétions. Paul s'est demandé si l'on falsifiait certains examens pathologiques pour montrer que le fœtus présentait des anomalies. La plus grande partie des analyses est effectuée sur place. Par la suite, Theresa a essayé de se procurer une preuve, mais ça n'a pas été chose facile. Lorsqu'elle a questionné cette patiente le lendemain, celle-ci s'est mise à rire et a déclaré qu'elle n'avait fait que plaisanter. Mais, de toute évidence, elle était terrifiée. Elle a quitté la clinique l'après-midi même. »

C'était donc là l'explication des mystérieux caractères qu'A.D. avait trouvés dans le missel de Theresa. L'infirmière avait tenté de réunir des renseignements sur le sexe des enfants que les patientes avaient eus précédemment.

« Theresa en a-t-elle parlé à quelqu'un sur son lieu de travail ?

— Non. Elle n'a pas osé. Elle savait que quelqu'un avait diffamé son patron dans le passé et que cette personne l'avait payé très cher. Lampart avait, a toujours, la réputation d'être extrêmement procédurier. Que pouvait-elle espérer faire, une jeune infirmière comme elle, pauvre, sans relations, contre un homme comme lui ? Qui l'aurait crue ? Puis elle a découvert qu'elle était enceinte et il lui a fallu résoudre ses propres problèmes. Comment pouvait-elle s'élever contre ce qu'elle considérait comme un péché de la part de ce médecin, quand elle était elle-même sur le point d'en commettre un ? Un péché mortel. Mais pendant qu'elle se préparait à mourir, elle a senti qu'il était de son devoir de faire quelque chose. Elle a pensé à Paul. Quelqu'un de fort et qui n'avait rien à craindre. Il était secrétaire d'État, un homme influent. Il se chargerait de mettre fin aux agissements de Lampart.

— L'a-t-il fait ?

— Comment le pouvait-il ? Theresa ne s'est pas rendu compte du fardeau qu'elle déposait sur ses épaules. Encore une fois, c'était une innocente. Et ce sont toujours les innocentes qui font le plus de mal. Lampart était l'amant de sa femme. Si Paul l'avait attaqué, cela aurait ressemblé à du chantage, pis encore : à une vengeance. De plus, comme il se sentait coupable envers Theresa, parce qu'il l'avait présentée comme une électrice et s'était montré incapable de l'aider, tout ce que faisait Lampart a dû lui paraître moins immoral que sa propre conduite.

— Qu'a-t-il décidé ?

— Il a déchiré la lettre en ma présence et l'a jetée dans la cuvette des cabinets.

— Il était pourtant avocat. Instinctivement, il aurait pu vouloir conserver une preuve.

— Pas celle-ci. Il m'a dit : "Si je n'ai pas le courage de m'en servir, je dois m'en débarrasser. Le compromis est exclu. Ou bien j'accomplis le vœu de Theresa ou bien je détruis sa lettre". Il devait penser que la mettre de côté avait quelque chose de vil, que cela pouvait sentir le chantage potentiel. Il ne voulait pas garder une arme en réserve contre son ennemi.

— Vous a-t-il demandé conseil ?

— Non. Il avait besoin de réfléchir à la question et j'étais là pour l'écouter. C'était généralement pour cela qu'il avait besoin de moi, pour l'écouter. Je m'en rends compte maintenant. De toute façon, il savait ce que je lui aurais dit : "Divorce d'avec Barbara et sers-toi de cette lettre de façon à ce que ni elle ni son amant ne puissent t'en empêcher. Sers-t'en pour obtenir ta liberté". Je ne l'aurais peut-être pas dit aussi brutalement, mais il savait que c'était là ce que je souhaitais qu'il fît. Avant de détruire la lettre, il m'a fait jurer que je n'en parlerais à personne.

— Êtes-vous sûre qu'il n'a absolument rien entrepris ?

— Il a peut-être parlé à Lampart. Il m'avait dit qu'il le ferait, mais nous ne nous sommes plus jamais entretenus de ce sujet. Il voulait dire à Lampart ce qu'il savait, tout en admettant qu'il n'avait aucune preuve. Et il a repris l'argent qu'il avait, ou plutôt que son frère avait, investi dans la clinique. Cela représentait une assez grosse somme. »

Elles se mirent à descendre lentement le sentier. Supposons que Paul Berowne ait effectivement parlé à Lampart, se dit Kate. Vu que la preuve n'existait plus, une preuve ridiculement insuffisante, de toute façon, le médecin n'aurait pas eu grand-chose à craindre. Un scandale aurait nui à Paul Berowne aussi bien qu'à Lampart. Mais après la révélation que sir Paul avait eue dans la sacristie, la situation avait peut-être changé. Ayant mis fin à sa carrière, le nouveau Berowne avait peut-être considéré de son devoir de démasquer et de ruiner Lampart, avec ou sans preuve. Et que devenait Barbara Berowne là-dedans, confrontée d'une part à un mari qui avait renoncé à sa position et à toute perspective d'avenir et qui se proposait même de vendre leur maison et, de l'autre, à un amant susceptible de se retrouver sans le sou ? Bien qu'en d'autres circonstances elle eût jugé ce genre de question imprudente, Kate demanda brutalement :

« Croyez-vous que c'est Stephen Lampart qui a tué sir Paul, avec ou sans la complicité de lady Berowne ?

— Non. Il aurait été fou d'associer sa maîtresse à un acte pareil. Quant à elle, elle n'a ni le courage ni l'intelligence de concevoir seule un tel crime. C'est le genre de femme qui trouve toujours un homme pour exécuter les sales besognes à sa place et qui, ensuite, prétend n'être au courant de rien. Mais je vous ai fourni un mobile, pour l'un comme pour l'autre. Cela devrait suffire à créer des ennuis à Barbara Berowne.

— Est-ce là une chose que vous souhaiteriez ? » fit Kate.

Sa compagne se tourna vers elle.

« Non, répondit-elle d'un ton véhément. Ce que je souhaite, c'est qu'on la harcèle, qu'on la tourmente, qu'on la terrifie. Je souhaite qu'on la déshonore, qu'on l'arrête et qu'on la jette en prison pour la vie. Je souhaite qu'elle meure. Mais rien de tout cela ne se produira. Et le pire, c'est que c'est à moi que je fais mal, plus que je ne lui ferai jamais mal à elle. Après vous avoir téléphoné et donné rendez-vous, je savais que je devrais venir. Mais Paul m'avait dit tout cela sous le sceau du secret, il m'avait toujours fait confiance. Maintenant, il ne reste rien. Aucun souvenir de notre histoire d'amour ne sera jamais plus exempt de douleur et de remords. »

Kate s'aperçut que la jeune femme pleurait. Sans bruit, sans même un sanglot. Ses yeux, fixes et agrandis comme sous l'effet de la terreur, déversaient un flot de larmes qui coulaient sur sa figure pâle, sa bouche entrouverte et tremblante. Ce chagrin continu et silencieux avait quelque chose d'effrayant. Aucun homme au monde ne valait qu'on souffrît autant pour lui, se dit Kate. A sa sympathie se mêlaient un sentiment d'impuissance et d'irritation et aussi, elle l'admettait, un peu de mépris. Ce fut toutefois la pitié qui l'emporta. Elle ne trouvait rien de réconfortant à dire, mais elle pouvait offrir à Carole quelque chose de concret : elle pouvait lui proposer de venir boire une verre chez elle avant qu'elles ne se séparent. Elle était sur le point d'ouvrir la bouche, quand elle se ravisa. La fille n'était pas une suspecte. Même si, raisonnablement, on pouvait la considérer comme telle, elle avait un alibi : une réunion tardive, hors de Londres, au moment du décès. Mais à supposer qu'on demandât à Carole de témoigner en justice, toute allusion à un lien d'amitié ou à une entente avec une détective pouvait compromettre les poursuites. Pis encore : elle pouvait compromettre sa propre carrière. C'était là le genre d'erreur de jugement sentimental qui ne déplairait pas à Massingham si jamais il l'apprenait. Puis elle s'entendit dire :

« J'habite tout près, juste de l'autre côté de l'avenue. Venez prendre un café chez moi avant de rentrer. »

Dans l'appartement, Carole Washburn s'approcha de la fenêtre comme une automate et regarda dehors en silence. Puis elle gagna le canapé et examina le tableau qui le surmontait : trois triangles partiellement superposés dans des tons brun-rouge, vert clair et blanc. Elle demanda, mais sans exprimer beaucoup d'intérêt :

« Aimez-vous l'art moderne ?

— J'aime jouer avec des formes et des couleurs. Les reproductions ne me disent rien et je n'ai pas les moyens de me payer des originaux. Ces tableaux sont de moi. Je ne pense pas qu'on puisse les qualifier d'artistiques, mais ils me font plaisir.

— Où avez-vous appris à peindre ?

— J'ai acheté de la toile et des couleurs et je me suis appris à peindre toute seule. J'ai aménagé la deuxième chambre à coucher en une sorte d'atelier, mais je n'ai guère le temps de peindre ces derniers temps.

— C'est astucieux. J'aime la matière du fond.

— J'ai obtenu cet effet en pressant un morceau de tissu sur la peinture encore fraîche. Créer une matière intéressante est facile. C'est appliquer la couleur d'une façon régulière que je trouve délicat. »

Kate partit à la cuisine moudre le café. Carole la suivit et resta nerveusement debout sur le seuil à la regarder. Quand Kate eut arrêté le moulin, son invitée demanda brusquement :

« Pourquoi êtes-vous entrée dans la police ? »

Kate fut tentée de répliquer : pour les mêmes raisons que celles qui vous ont fait entrer dans l'administration. Je me sentais douée pour ce travail. J'avais de l'ambition. Je préfère l'ordre et la hiérarchie au chaos. Puis elle se demanda si Carole, en une tentative, aussi timide fût-elle, d'aller vers l'autre, n'avait pas besoin d'interroger plutôt que de répondre.

« Je n'avais pas envie d'un travail de bureau, dit Kate. Je voulais une carrière qui m'offrait un bon salaire dès le début et des perspectives d'avancement. Je crois que j'aime me mesurer aux hommes. Et puis, à mon lycée, ils étaient plutôt contre cette idée. Pour moi, c'était un motif de plus. »

Carole Washburn ne répondit pas. Elle continua à la regarder un moment, puis retourna dans le séjour. Alors qu'elle rassemblait cafetière, tasses, soucoupes, plateau et biscuits, Kate repensa soudain au dernier entretien qu'elle avait eu avec miss Shepherd, la conseillère d'orientation professionnelle :

« Nous espérions que vous viseriez plus haut, l'université, par exemple. Vous êtes assurée d'y entrer.

— Je veux commencer à gagner ma vie.

— Je comprends cela, Kate, mais vous recevriez une bourse, ne l'oubliez pas. Cela vous permettrait de vous débrouiller.

— Je ne veux pas avoir à me débrouiller. Je veux un emploi, un logement qui soit à moi. Si je commençais des études universitaires, je perdrais trois ans.

— L'éducation n'est jamais perdue.

— Je n'ai pas dit que j'y renonçais. Je peux m'éduquer toute seule.

— Bon, mais devenir femme-agent... Nous pensions que vous choisiriez un métier plus orienté vers le social.

— Vous voulez dire : qui soit plus utile.

— Qui touche davantage aux problèmes humains fondamentaux.

— Je ne vois pas ce qui pourrait être plus fondamental que d'assurer la sécurité, de permettre aux gens de marcher tranquillement dans la rue.

— Les dernières recherches montrent malheureusement que la sécurité dans la rue ne dépend que fort peu de l'accroissement des mesures et des effectifs policiers. Vous devriez lire la brochure qui se trouve à la bibliothèque : *Maintien de l'ordre dans les centres urbains : une solution socialiste ?* Mais vous êtes libre et, naturellement, nous ferons tout ce qui est en notre pouvoir pour vous aider. Quel genre de fonction aimeriez-vous assumer ? Une responsabilité au service de protection de l'enfance ?

— Non. Je me vois inspecteur de la police judiciaire. » Elle avait failli ajouter par espièglerie : « Puis chef de la police. La première femme à avoir jamais occupé un poste pareil. » Mais ça c'était se montrer aussi irréaliste qu'une recrue de la WRAC* qui se serait vue commandant de la cavalerie de la Garde royale. L'ambition, si on voulait en jouir, sans même parler de la réaliser, devait tenir compte des possibilités. Même ses rêves d'enfance avaient été ancrés dans la réalité. Son père inconnu réapparaîtrait soudain, plein d'amour pour elle, prospère et repentant, mais elle n'avait jamais pensé qu'il pût descendre d'une Rolls-Royce. Finalement, il n'était pas venu, et elle avait compris qu'elle ne l'avait jamais vraiment attendu.

Aucun son ne lui parvenait du séjour. Quand elle entra avec le café, elle vit que Carole était assise très droite sur une chaise, les yeux baissés sur ses mains jointes. Kate posa le plateau. Carole versa aussitôt du lait dans sa tasse, et entourant celle-ci de ses mains, se mit à boire avidement, courbée sur son siège comme une vieille femme affamée.

C'était curieux, se dit Kate, cette fille paraissait plus bouleversée, moins maîtresse d'elle-même que lors de leur première rencontre, quand elles avaient échangé quelques mots dans sa propre cuisine. Quel événement survenu depuis l'avait incitée à trahir la confidence de Berowne, avait suscité en elle tant

* WRAC : Women's Royal Army Corps.

d'amertume et de rancœur ? Avait-elle appris que son amant ne l'avait pas mentionnée dans son testament ? Elle devait tout de même s'y être attendue. Il se pouvait toutefois que l'ultime confirmation — publique par-dessus le marché — qu'elle avait toujours été en marge de sa vie, qu'elle était aussi dénuée d'existence officielle maintenant, après sa mort, qu'elle l'avait été pendant les années de leur liaison, l'eût blessée davantage qu'elle ne l'aurait cru possible. Elle pensait lui avoir été indispensable. Elle pensait qu'il avait trouvé avec elle, dans cet appartement banal si rarement visité, un foyer de contentement et de paix. Cela avait peut-être été vrai, du moins pour ces quelques heures de liberté qu'il parvenait à se ménager. Mais elle ne lui avait pas été indispensable ; personne ne l'avait été. Comme tout le reste de sa vie ultra-organisée, il avait compartimenté les gens de sa connaissance, les rangeant dans quelque recoin de son esprit jusqu'à ce qu'il eût besoin de ce qu'ils avaient à offrir. Est-ce tellement différent de ce que je fais avec Alan ? se demanda Kate.

Elle savait qu'elle n'oserait pas demander à Carole ce qui l'avait amenée à lui fixer ce rendez-vous. Pour l'enquête, cela n'avait d'ailleurs pas d'importance. Ce qui en avait, c'était qu'elle eût révélé le secret de Berowne et, de ce fait, considérablement renforcé le mobile de Lampart. Mais à quoi, finalement, cela les avançait-il ? Une petite preuve matérielle valait une douzaine de mobiles. On en revenait toujours à la même vieille question : Lampart et Barbara Berowne avaient-ils vraiment eu le temps ? Quelqu'un, Berowne ou son assassin, avait utilisé l'évier de la cuisine attenante à la sacristie à huit heures. Trois personnes avaient vu de l'eau sortir du tuyau d'écoulement et aucune d'elles n'était revenue sur sa déclaration. Ou bien Berowne était encore vivant à ce moment-là ou bien son meurtrier se trouvait encore sur les lieux. Dans un cas comme dans l'autre, comment Lampart aurait-il pu arriver au *Black Swan* à huit heures et demie ?

Quand elle eut fini son café, Carole réussit à ébaucher un faible sourire.

« Merci, dit-elle, je ferais bien de partir maintenant. Je suppose que vous voudrez avoir tout ce que je vous ai dit par écrit ?

— Oui, une déposition nous serait utile. Vous pourriez la faire au commissariat de Harrow Road, ou bien venir au Yard.

— J'irai à Harrow Road. Vous n'aurez plus d'autres questions à me poser, n'est-ce pas ?

— Encore quelques-unes, peut-être, mais cela ne devrait pas prendre beaucoup de temps. »

Elles se tinrent un moment à la porte, l'une en face de l'autre. Kate crut soudain que Carole allait faire un pas en avant et tomber dans ses bras. Malgré son inexpérience, elle serait peut-être capable d'étreindre et de réconforter, peut-être même de trouver les mots adéquats. Mais cet instant passa, et elle se dit que cette idée avait été aussi embarrassante que ridicule. Dès qu'elle fut seule, elle téléphona à Dalgliesh. S'efforçant de garder une voix neutre, dénuée du moindre soupçon de triomphe, elle annonça :

« Elle est venue, sir. Elle ne nous a pas apporté de preuve matérielle, mais elle a renforcé le mobile d'un des suspects. Je crois que vous allez vouloir vous rendre à Hampstead.

— D'où appelez-vous ? De chez vous ?

— Oui, sir.

— Je serai là-bas dans une demi-heure. »

Mais, à peine vingt minutes plus tard, il sonnait déjà à la porte de l'immeuble.

« Je suis garé un peu plus haut dans Lansdowne Road. Pourriez-vous descendre ? »

Comme elle l'avait prévu, il ne lui proposa pas de la rejoindre. Aucun haut gradé du Yard ne respectait aussi scrupuleusement que lui la vie privée de ses subordonnés. Mais, dans son cas, cela ne pouvait guère compter pour de la vertu : il veillait bien trop scrupuleusement à protéger sa propre intimité. Alors qu'elle descendait en ascenseur, une pensée lui traversa l'esprit : plus elle apprenait à connaître Berowne et plus celui-ci avait l'air de ressembler à Dalgliesh. Pendant un instant, elle en voulut à tous les deux. En bas l'attendait un homme tout aussi capable de faire souffrir une femme qui aurait l'imprudence de l'aimer. Heureusement, se dit-elle, qu'elle n'avait aucune intention de céder à cette tentation-là.

4

« C'est tout à fait absurde ! s'écria Stephen Lampart. Theresa Nolan était perturbée, ou, pour dire les choses brutalement, assez folle pour se suicider. Rien de ce qu'elle a écrit avant de commettre cet acte ne peut être considéré comme une preuve convaincante, même si vous êtes en possession de cette fameuse lettre, ce dont je doute. Si vous l'aviez, vous seriez en train de me l'agiter sous le nez. Vous vous basez sur des renseignements de seconde main. Or nous savons tous deux qu'ils sont pratiquement sans valeur en justice, ou partout ailleurs, du reste.

— Vous affirmez donc que ce que cette fille a raconté est faux ?

— Soyons charitable et disons : inexact. Elle était seule, tourmentée par des sentiments de culpabilité, surtout vis-à-vis de sa sexualité, déprimée, en train de perdre prise sur la réalité. A son dossier médical figure un rapport psychiatrique qui, abstraction faite du jargon, dit exactement cela. On pourrait également soutenir qu'elle mentait. Ou que Berowne mentait. Ni l'un ni l'autre ne sont des témoins très sûrs. Et il se trouve que tout deux sont morts. Que cette histoire soit censée me donner un mobile est ridicule. En outre, il s'agit là d'une allégation qui frise la diffamation. Or je sais me défendre contre ce genre d'ennuis.

— Vous l'avez déjà prouvé, en effet. Mais un officier de police qui procède à une enquête criminelle est plus difficile à abattre.

— Sur le plan financier, c'est probable. Les tribunaux font preuve d'une indulgence scandaleuse envers la police. »

L'infirmière qui les avait reçus avait dit : « Le docteur Lampart vient de terminer sa dernière opération. Si vous voulez bien me suivre ». Elle les avait conduits dans une pièce jouxtant la salle d'opération. Lampart les avait rejoints presque aussitôt en ôtant son bonnet vert et ses gants. Étroit et nu, cette espèce de cabinet semblait plein d'un bruit d'eau courante, de pas se dirigeant vers la salle, de voix assurées parlant au-dessus du corps inconscient de la patiente. C'était un lieu de passage, un endroit où l'on pouvait échanger quelques rapides propos d'ordre médical, mais non pas des confidences. Dalgliesh se demanda si Lampart les avait fait venir là pour montrer le subtil pouvoir de son prestige professionnel, pour rappeler à la police qu'il existait plus d'une forme d'autorité. Il doutait que le médecin eût appréhendé l'entrevue, même s'il avait jugé prudent de l'affronter sur son propre terrain. Il n'avait pas manifesté le moindre signe d'inquiétude. Il était vrai qu'il jouissait depuis assez longtemps du pouvoir, d'une sorte de pouvoir, en tout cas, pour avoir acquis l'orgueil démesuré que donne la réussite. Auréolé de l'assurance d'un obstétricien à la mode, comment aurait-il pu craindre d'affronter un enquêteur de la police métropolitaine ?

« Je n'ai pas tué Berowne, disait-il à présent. Même si j'étais capable d'un crime aussi brutal et sanglant, je n'aurais certainement pas emmené Barbara en lui demandant d'attendre dans la voiture pendant que j'égorgeais son mari. Quant à cette autre histoire, en supposant que je fasse vraiment avorter des fœtus sains parce qu'ils ne sont pas du sexe voulu, comment comptez-vous le prouver ? Les opérations ont été pratiquées ici. Les rapports pathologiques figurent dans les dossiers médicaux. Il n'y a pas le plus petit élément compromettant sur aucune des fiches de cet établissement. Et, même dans le cas contraire, vous n'y auriez pas accès, du moins pas sans d'immenses difficultés. Je crois fermement au secret des dossiers médicaux. Alors, que pouvez-vous faire ? Interroger une série de patientes dans l'espoir de leur arracher, par la ruse ou les menaces, quelque indiscrétion ? Et comment les retrouveriez-vous sans ma collaboration ? Votre allégation est ridicule, Commandant.

— Mais Paul Berowne y a cru. Il s'est débarrassé des parts qu'il détenait dans Pembroke Lodge. Je crois qu'il vous a parlé. Je ne sais pas ce qu'il vous a dit, mais c'est facile à deviner. A l'époque, vous pouviez être certain de son silence, mais après son expérience religieuse ou sa conversion — appelez-la comme vous voudrez —, pouviez-vous encore compter sur sa discrétion ? »

Dalgliesh se demanda s'il avait été sage de sa part de découvrir son jeu si vite et si nettement. Mais ce doute fut de courte durée. Il devait confronter Lampart avec cette nouvelle preuve, aussi faible fût-elle. Il fallait donner au médecin le droit de réponse. Si cet indice ne valait rien, plus vite on l'aurait écarté, mieux ce serait.

« C'est faux. Nous n'avons jamais parlé. De plus, en supposant qu'il ait cru à cette histoire, il se serait trouvé dans une situation assez inconfortable, plus inconfortable que vous ne le pensez. Il désirait un fils, et non pas une autre fille. Ma cousine aussi, d'ailleurs. Barbara pouvait consentir à lui donner un héritier, ne fût-ce que pour consolider sa position. Elle voyait cela comme une condition du marché. Mais supporter neuf mois d'inconfort pour mettre au monde une autre fille que son mari aurait prise en grippe, dédaignée et négligée, c'était demander beaucoup à une femme surtout à Barbara qui déteste et craint l'épreuve de l'accouchement. Toujours en admettant que votre accusation soit fondée, Berowne aurait dû faire face à un conflit moral. Car, s'il répugnait aux moyens, je le soupçonne d'avoir approuvé la fin. A mes yeux, cette attitude manque de dignité. Barbara a fait une fausse couche — c'était une fille — huit mois après son mariage. Croyez-vous que Berowne l'ait beaucoup regretté ? Pas étonnant que le pauvre type n'ait plus su où il en était. Pas étonnant qu'il se soit tranché la gorge. Si votre découverte correspond à une réalité, Commandant, elle constitue une raison supplémentaire de se suicider, non un mobile de meurtre. »

Lampart décrocha sa veste, puis avec une courtoisie souriante semblable à une insulte, il tint la porte ouverte pour Dalgliesh et Kate. Ensuite, il les conduisit au salon, ferma la porte et leur fit signe de s'asseoir dans les fauteuils devant le feu. Lui-même s'installa en face d'eux, jambes écartées. Il avança brusquement la tête vers Dalgliesh. Celui-ci vit le beau visage du médecin comme s'il l'examinait à la loupe. Il distingua ses pores luisants de sueur — l'obstétricien sortait d'une salle d'opération surchauffée —, ses muscles tendus qui tiraient sur sa nuque, les cernes sous ses yeux et les veinules rouges autour de son iris, les pellicules à la racine de ses mèches rebelles. C'était un visage encore relativement jeune, mais on y décelait déjà des signes de vieillissement. Dalgliesh imagina soudain Lampart tel qu'il serait trente ans plus tard : peau tavelée et blanchie, chairs molles, son assurance virile remplacée par le cynisme grincheux des vieillards. Mais à présent sa voix puissante était dure. Son agressivité atteignait Dalgliesh de plein fouet.

« Je serai franc avec vous, Commandant, plus franc que je ne l'estimerais prudent si ce que vous avancez était vrai. Si j'avais fait avorter ces fœtus non désirés, cela ne troublerait en rien ce que vous appelez probablement "ma conscience". Il y a deux siècles, anesthésier une femme pour l'accoucher était considéré comme immoral. Il y a moins d'un siècle, le contrôle des naissances était pratiquement illégal. Une femme a le droit de choisir la maternité. Il se trouve que je pense qu'elle a aussi le droit de choisir le sexe de son bébé. Un enfant non désiré est généralement une calamité pour lui-même, pour la société, pour ses parents. Et un fœtus de deux mois n'est pas un être humain : c'est un assemblage compliqué de tissus. Je suppose que vous, commandant, vous ne croyez pas que l'enfant ait une âme avant, pendant et après la naissance. Poète ou non, vous n'êtes pas le genre d'homme à avoir des visions ou à entendre des voix dans une sacristie. Je ne suis pas croyant. Je suis né avec ma part de névroses, mais celle-là, je ne l'ai pas. Ce qui me surprend chez tous ceux qui disent avoir la foi, c'est qu'ils semblent penser que nous pouvons découvrir des faits scientifiques à l'insu de Dieu. Le mythe du jardin d'Eden nous colle à la peau. Nous avons toujours l'impression que nous n'avons pas droit au savoir ou, quand nous l'acquérons, que nous n'avons pas le droit de nous en servir. A mon avis, nous avons le droit de faire tout ce qui peut rendre la vie plus agréable, plus sûre, moins douloureuse. »

Avec sa voix grinçante et la lueur qui s'était allumée dans ses yeux gris, Lampart ressemblait fâcheusement à un fanatique. Dalgliesh l'aurait bien vu en mercenaire religieux du XVIIᵉ siècle, récitant son credo, l'épée tirée.

« A condition de ne pas nuire à autrui et de respecter la loi, répondit-il.

— A condition de ne pas nuire à autrui, je vous l'accorde. Se débarrasser de fœtus non désirés ne fait de mal à personne. Ou bien l'avortement ne se justifie jamais, ou bien il se justifie pour des motifs que la mère trouve importants. Le mauvais sexe est une raison aussi bonne qu'une autre. J'ai plus de respect pour les chrétiens qui rejettent totalement l'avortement que pour les gens qui font d'habiles compromis, qui veulent arranger la vie à leur manière et avoir bonne conscience par-dessus le marché. Au moins, les premiers sont conséquents.

— La loi aussi est conséquente. Avorter n'importe qui est illégal.

— Oh, mais ça n'aurait pas du tout été le cas. D'accord, je sais ce que vous voulez dire, mais la loi n'a pas à se mêler de la morale individuelle, que ce soit dans le domaine de la sexualité ou dans d'autres.

— Où diable interviendrait-elle alors ? » fit Dalgliesh.

Il se leva. Lampart raccompagna ses visiteurs à la porte avec déférence, souriant, sûr de lui. Cependant, mis à part les indispensables formules de politesse, nul ne prononça une autre parole.

De retour dans la voiture, Kate déclara :

« C'était pratiquement un aveu, sir. Il ne s'est même pas donné la peine de nier.

— En effet, mais il ne ferait jamais cette déclaration par écrit, et telle quelle, nous ne pouvons l'utiliser en justice. De plus, il a avoué une faute professionnelle, pas un meurtre. Et, comme il le dit lui-même, celle-ci serait pratiquement impossible à prouver.

— Mais cela lui donne un double mobile : sa liaison avec lady Berowne et le fait que Berowne peut avoir pensé qu'il était de son devoir de le dénoncer. Malgré son bluff et son arrogance, Lampart doit savoir qu'il souffrirait d'un scandale autant que n'importe quel autre médecin. Même une simple rumeur aurait pu lui nuire. Et, venant de quelqu'un comme Berowne, on aurait pris l'accusation au sérieux.

— Oh, je sais, Lampart a tout : moyens, mobile, occasion, connaissances, et l'arrogance de penser qu'il s'en tirera. J'accepte toutefois un de ses arguments. Il n'aurait pas emmené Barbara Berowne avec lui dans la sacristie et je la vois mal, elle, acceptant de rester seule dans une voiture garée dans une partie peu recommandable de Paddington, quel que soit le prétexte invoqué. Et puis, nous retombons toujours sur la question de l'heure. Le gardien de nuit les a vus quitter la clinique ensemble. Higgins les a vus arriver au *Black Swan*. A moins que l'un ou l'autre ne mente, Lampart doit être mis hors de cause. »

Puis Dalgliesh se dit : à moins que nous ne nous soyons laissés induire en erreur par l'eau qui sortait

494

du tuyau d'écoulement. A moins que nous ne nous soyons trompés sur l'heure du décès. Si Berowne était mort plus tôt, à l'heure limite que Kynaston jugeait encore possible, c'est-à-dire, à sept heures, que devenait alors l'alibi de Lampart ? Il avait déclaré être à Pembroke Lodge avec sa maîtresse, mais il y avait sûrement plusieurs moyens de quitter la clinique et d'y retourner sans être vu. Toutefois, quelqu'un s'était trouvé dans la cuisine de l'église à huit heures. A moins, évidemment, que le robinet eût été laissé ouvert à dessein. Par qui ? Par quelqu'un qui était venu plus tôt, à sept heures, quelqu'un qui était arrivé dans une Rover noire ? Si Berowne était mort à sept heures, Stephen Lampart n'était plus le seul suspect en piste. Mais quel but aurait rempli ce robinet ouvert ? Bien entendu, il pouvait s'être agi d'un accident. Mais alors, comment et quand l'avait-on fermé ?

5

Les amis de lady Ursula avaient exprimé leurs condoléances avec des fleurs. Ces offrandes donnaient au salon de la vieille dame un air de fête incongru. On y voyait des roses à longues tiges dépourvues d'épines, des œillets et des branches de lilas blancs importés qu'on eût dit fabriqués avec du plastique et vaporisés avec du parfum. Les fleurs avaient été fourrées, plutôt que disposées, dans des vases, et ceux-ci placés tout autour de la pièce pour des raisons de commodité, sans souci d'esthétique. A côté du fauteuil, sur la table en bois de rose, il y avait une petite coupe en cristal remplie de freesias.

Humant leur délicate fragrance, Dalgliesh s'approcha de l'invalide. Lady Ursula n'essaya pas de se lever. Elle tendit à son visiteur une main sèche et froide qui ne répondit pas à la pression de la sienne. Comme d'habitude, la vieille dame se tenait très droite. Elle portait une jupe portefeuille noire qui lui arrivait aux chevilles et un corsage à col montant en fine laine grise. Comme bijoux, elle n'avait mis qu'une double chaîne en vieil or et ses bagues. Ses longs doigts posés sur les accoudoirs étaient chargés de grandes pierres étincelantes. Ses mains parcheminées aux veines saillantes paraissaient presque trop frêles pour supporter le poids de tout cet or.

Elle fit signe à Dalgliesh de s'asseoir en face d'elle. Quand il fut installé et que Massingham eut trouvé une place sur un petit canapé placé contre le mur, elle dit :

« Le père Barnes est venu me voir ce matin. Peut-être jugeait-il de son devoir de me présenter ses condoléances. Ou s'excusait-il pour l'emploi que mon fils avait fait de sa sacristie ? Il ne pouvait tout de même pas croire que je le rendais responsable de la mort de Paul ? S'il avait l'intention de m'offrir une consolation spirituelle, je crains de l'avoir déçu. C'est un homme curieux. Je l'ai trouvé assez stupide, commun. Vous a-t-il fait la même impression ?

— Je ne dirais pas qu'il est commun, mais je le vois mal influençant votre fils.

— Il m'a fait l'effet d'un homme qui a depuis longtemps abandonné l'espoir d'influencer qui que ce soit. Il a peut-être même perdu la foi. N'est-ce pas la mode dans l'Église d'aujourd'hui ? Mais pourquoi cela le tourmenterait-il ? Le monde est plein de gens qui sont dans le même cas que lui : des hommes politiques qui ne croient plus à la politique, des assistants sociaux qui ne croient plus au travail social, des enseignants qui ne croient plus à

496

l'enseignement et, pour autant que je le sache, des policiers qui ne croient plus au maintien de l'ordre et des poètes qui ne croient plus à la poésie. C'est le propre de la foi d'être perdue de temps à autre, ou, du moins, égarée. Et pourquoi ne fait-il pas nettoyer sa soutane ? C'est bien une soutane, n'est-ce pas ? Il avait des dégoulinades de ce qui m'a semblé être du jaune d'œuf sur le devant et le poignet droit.

— C'est un vêtement qu'il porte tout le temps, jour et nuit, pratiquement.

— Il pourrait peut-être s'en acheter un de rechange.

— S'il en avait les moyens. Il a quand même essayé d'enlever les taches.

— Ah oui ? Mais pas très efficacement. Évidemment, c'est là le genre de détail qu'on vous apprend à remarquer, à vous autres policiers. »

Qu'ils fussent en train de discuter du vêtement d'un ecclésiastique alors que le fils de son interlocutrice gisait décapité et étripé dans un casier de la morgue n'étonna pas Dalgliesh. Contrairement au père Barnes, il avait été capable de communiquer avec la vieille dame dès leur première rencontre. Changeant légèrement de position, lady Ursula déclara :

« Mais vous n'êtes pas ici pour parler des problèmes spirituels du père Barnes. Qu'avez-vous à me dire, Commandant ?

— Je suis venu vous redemander si vous avez vu l'agenda de votre fils dans le tiroir quand le général Nollinge vous a appelée à six heures, mardi dernier. »

Lady Ursula planta ses beaux yeux dans les siens.

« C'est la troisième fois que vous me posez cette question. Je suis toujours très heureuse de bavarder avec l'auteur de *Rhésus négatif*, mais vos visites se font assez fréquentes et vos propos, monotones. Je n'ai rien à ajouter à mes déclarations antérieures. Je trouve votre insistance plutôt offensante.

— Êtes-vous tout à fait consciente de l'implication de vos paroles ?

— Bien sûr que je le suis. Avez-vous d'autres questions à poser ?

— J'aimerais que vous me confirmiez que vous avez effectivement parlé deux fois à Halliwell au cours de la nuit où votre fils est mort et que, à votre connaissance, la Rover est restée au garage jusqu'à dix heures ce soir-là.

— Je vous l'ai déjà dit, commandant. J'ai parlé à mon chauffeur vers huit heures, puis de nouveau à neuf heures un quart, c'est-à-dire, quarante-cinq minutes avant son départ pour le Suffolk. Et je pense que vous pouvez admettre sans difficulté que si quelqu'un avait pris la Rover, Halliwell s'en serait aperçu. C'est tout ?

— Non. Je voudrais revoir miss Matlock.

— Dans ce cas, je préférerais que vous la voyiez ici, en ma présence. Voulez-vous sonner ? »

Dalgliesh tira le cordon. Miss Matlock ne se pressa pas. Cependant, trois minutes plus tard, elle apparut sur le seuil, vêtue de la même jupe grise au pli bâillant et du même corsage mal coupé que d'habitude.

« Asseyez-vous, Mattie, dit lady Ursula. Le commandant veut vous poser quelques questions. »

La femme prit une des chaises placées contre le mur et la mit à côté du fauteuil de lady Ursula. Elle dévisagea Dalgliesh. Cette fois, elle semblait presque sereine. Elle commence à acquérir de l'assurance, se dit-il. Elle sait qu'en maintenant sa version des faits, elle nous rend pratiquement impuissants. Elle commence à croire qu'elle s'en tirera sans trop de mal. Il se remémora ses déclarations. Elle répondit à ses questions concernant le mardi soir dans les mêmes termes, ou à peu près, que précédemment. Quand elle eut terminé, il demanda :

« Que Mr. Dominic Swayne soit venu prendre un bain et manger ici n'avait rien d'exceptionnel, je suppose ?

— Comme je vous l'ai déjà dit, il le fait de temps en temps. C'est le frère de lady Berowne, après tout.

— Mais sir Paul n'était pas nécessairement au courant de ces visites ?

— Parfois il l'était, parfois il ne l'était pas. Ce n'était pas à moi de le lui dire.

— Parlez-moi de la visite qui a précédée celle du mardi. Qu'avez-vous fait alors ?

— Mr. Dominic a pris son bain, comme d'habitude, puis je lui ai préparé à dîner. Il ne mange pas toujours ici après s'être lavé, mais cette fois-là il l'a fait. Je lui ai préparé une côte de porc à la sauce moutarde, des pommes de terre sautées et des haricots verts. »

Un repas plus copieux, se dit Dalgliesh, que l'omelette qu'elle lui avait servie la nuit de la mort de Berowne. Mais ce soir-là, il était arrivé à l'improviste et l'avait prise de court. Pourquoi ? Parce que sa sœur lui avait téléphoné après sa dispute avec son mari ? Parce qu'elle lui avait dit où Berowne serait ce soir-là ? Parce que le projet qu'il avait de tuer son beau-frère commençait à se matérialiser ?

« Et ensuite ?

— Ensuite, il a mangé de la tarte aux pommes et du fromage.

— Je veux dire : qu'avez-vous fait après le repas ?

— Nous avons joué au Scrabble.

— Vous semblez avoir tous deux une passion pour ce jeu.

— C'est amusant. Je crois que Mr. Dominic y

joue surtout pour me faire plaisir. Cela n'intéresse personne d'autre ici.

— Et qui a gagné cette fois-là, miss Matlock ?

— Je crois que c'était moi. Je ne me souviens plus par combien de points, mais je suis presque sûre que c'était moi.

— Vous *croyez* avoir gagné ? Il n'y a que dix jours de cela, et vous ne pouvez pas en être certaine ? »

Deux paires d'yeux plongèrent leur regard dans les siens : ceux de la gouvernante et ceux de lady Ursula. Normalement, ce n'étaient pas des alliées, se dit-il, mais maintenant, assises côte à côte, très droites, immobiles, elles semblaient se trouver dans un champ de forces qui à la fois les soutenaient et les soudaient. Il eut l'impression que lady Ursula était au bord de l'effondrement, mais il crut voir une lueur de triomphe et de défi passer dans les yeux d'Evelyn Matlock.

« Cela me revient maintenant. C'est moi qui ai gagné. »

Comme Dalgliesh le savait, c'était le moyen le plus efficace de se fabriquer un alibi. On décrivait des événements qui avaient bien eu lieu, mais à un autre moment. C'était ce genre d'alibis que la police avait le plus de mal à réfuter, puisque, à part le changement d'heure ou de jour, le suspect disait la vérité. Dalgliesh soupçonnait la gouvernante de mentir, mais il ne pouvait en avoir la certitude. C'était une névrosée et le fait qu'elle commençât à prendre plaisir à jouer au plus fin avec lui ne traduisait peut-être que le goût du drame d'une femme à laquelle la vie avait procuré peu d'excitations aussi grisantes. Il entendit lady Ursula dire :

« Miss Matlock a répondu à toutes vos questions, Commandant. Si vous avez l'intention de continuer à la tracasser, je me verrai dans l'obligation de demander à mon avocat de l'assister.

— C'est votre droit le plus strict, répondit Dalgliesh avec froideur. Mais nous ne sommes pas ici pour vous tracasser ni l'une ni l'autre.

— Dans ce cas, Mattie, veuillez reconduire ces messieurs. »

Dalgliesh et Massingham descendaient Victoria Street en voiture quand le téléphone sonna. L'inspecteur principal décrocha, écouta, puis tendit le combiné à son supérieur.

« C'est Kate, sir. Elle a l'air excitée comme un pou. Apparemment, ça ne peut pas attendre notre retour. Mais je crois qu'elle veut vous parler personnellement. »

Bien que Kate maîtrisât sa voix, Dalgliesh y décela lui aussi une note d'euphorie.

« Il y a du nouveau, sir. Hearne et Collingwood, l'éditeur de Millicent Gentle, a appelé il y a dix minutes pour nous donner l'adresse de cet écrivain. Depuis la parution de son dernier livre, elle avait déménagé, mais sans leur dire où. Cela a donc pris un certain temps pour la retrouver. Elle habite Riverside Cottage, Coldham Lane, près de Cookham. J'ai regardé la carte d'état-major : Coldham Lane se trouve presque en face du *Black Swan*. On peut donc supposer qu'elle a personnellement remis son roman à sir Paul le 7 août.

— En effet. Avez-vous un numéro de téléphone ?

— Oui, sir. L'éditeur ne voulait pas me le donner, pas plus que l'adresse, avant d'avoir appelé l'auteur et obtenu son autorisation.

— Téléphonez-lui, Kate. Demandez-lui si nous pouvons la voir dès demain matin. »

Dalgliesh raccrocha.

« L'indice de la romancière, plaisanta Massingham. Je meurs d'impatience de rencontrer l'auteur de *Rose du crépuscule*. Voulez-vous que j'aille à Cookham, sir ?

— Non, John. J'irai moi-même. »

A l'entrée du Yard, il descendit, laissant à Massingham le soin de mettre la Rover au garage. Après un moment d'hésitation, il se dirigea à grands pas vers Saint Jame's Park. Son bureau semblait trop exigu pour contenir ce flot d'optimisme irrationnel qui l'envahissait soudain. Il avait besoin de marcher librement et seul. Ç'avait été une sale journée pour lui, depuis son accès de mauvaise humeur dans le bureau de Gilmartin jusqu'aux mensonges impossibles à réfuter qu'il avait entendus à Campden Hill Square. A présent, tracas et frustrations s'envolaient.

Demain, se dit-il, je saurai exactement ce qui s'est passé au *Black Swan*, la nuit du 7 août. Et, à ce moment-là, je saurai aussi pourquoi Paul Berowne devait mourir. Je ne serai peut-être pas encore en mesure de prouver quoi que ce soit, mais au moins je saurai.

6

Brian Nichols, récemment promu adjoint du préfet de police, n'aimait pas Dalgliesh. Il trouvait son aversion d'autant plus irritante qu'il se demandait si elle était justifiée. Vingt-cinq ans dans la police l'avaient conduit à tout considérer — y compris ses antipathies — avec l'œil d'un juge : il préférait être sûr qu'un tribunal admettrait ses accusations. Or, en ce qui concernait Dalgliesh, il avait des doutes. Qu'il fût son supérieur hiérarchique lui apportait peu de satisfaction : il savait que Dalgliesh aurait pu prendre sa place, s'il l'avait voulu. L'indifférence de son subordonné à l'égard de toute forme d'avancement — indifférence qu'il n'avait jamais daigné expliquer — lui semblait être une sorte de critique adressée à sa propre ambition. Il déplorait le fait que le commandant écrivît de la poésie, non par principe, mais parce que cette activité lui conférait du prestige et, en conséquence, ne pouvait être tenue pour un passe-temps inoffensif, tels que pêche, jardinage ou sculpture sur bois. A son avis, un policier devait se contenter d'assurer le maintien de l'ordre. Un autre grief était que Dalgliesh choisissait la plupart de ses amis en dehors du corps, et que le grade des collègues qu'il fréquentait n'avait pas la hauteur convenable. Chez un officier en début de carrière, on aurait considéré ce manque de conformisme comme une dangereuse idiosyncrasie ; chez un chef, c'était presque une trahison. Et, pour aggraver encore son cas, Dalgliesh s'habillait trop bien. Maintenant il se tenait avec une assurance décontractée devant la fenêtre, vêtu d'un costume en tweed d'une subtile couleur marron que Nichols le voyait porter depuis près de quatre ans. Le complet sortait sans nul doute de chez un bon tailleur, probablement le même qu'avait eu son grand-père. Nichols, qui aimait acheter des vêtements, parfois avec plus d'enthousiasme que de discernement, estimait qu'il seyait à un homme d'avoir une garde-robe plus fournie et des costumes moins bien coupés. Enfin, chaque fois qu'il était en compagnie de Dalgliesh, il avait l'impression inexplicable qu'il aurait peut-être mieux fait de raser sa moustache. Il se surprenait à lever la main vers sa lèvre inférieure comme s'il voulait s'assurer que ladite moustache présentait toujours l'aspect d'un appendice respectable. Cette impulsion irration-

nelle, presque névrotique, l'agaçait prodigieuse-
ment.

Les deux hommes savaient que Dalgliesh n'avait
rien à faire là, dans ce bureau du dixième étage,
que la suggestion qui lui avait été faite de mettre
l'adjoint du patron au courant n'avait été qu'une
simple invitation, non un ordre. Sa nouvelle brigade
était officiellement entrée en fonction, mais le
meurtre de Berowne avait eu lieu six jours trop tôt.
A l'avenir, Dalgliesh rendrait des comptes directement au préfet de police. Mais, pour l'heure, Nichols
pouvait prétendre à un intérêt légitime. C'était son
département, après tout, qui avait fourni la majorité
des hommes qui composaient l'équipe spéciale de
Dalgliesh. Et comme le préfet, parti à une réunion,
était provisoirement absent, il pouvait avancer qu'il
avait au moins droit à un bref rapport sur les
progrès de l'enquête. Toutefois, d'une façon irra-
tionnelle, une partie de lui-même souhaitait que
Dalgliesh eût refusé, lui eût donné un prétexte pour
déclencher une de ces disputes intestines qu'il
aimait provoquer quand son travail lui offrait moins
d'excitations que n'en exigeait son esprit inquiet, et
dont il avait le chic de sortir vainqueur.

Pendant que Nichols parcourait le dossier de
l'affaire, Dalgliesh regarda la ville qui s'étendait à
ses pieds. Ce spectacle lui était familier. Un soir, en
contemplant Manhattan de sa chambre d'hôtel, la
beauté spectaculaire de ses immeubles vertigineux
lui avait semblé précaire, voire condamnée. Des
images de films vus dans son enfance avaient surgi
dans son esprit : monstres préhistoriques se penchant au-dessus des gratte-ciel pour les démolir de
leurs griffes, un raz de marée venu de l'Atlantique
effaçant la ligne des toits, la cité pailletée de lumières
plongeant dans les ténèbres de l'holocauste final.
Par contre, Londres, sous son plafond bas de nuages

gris-argent, avait l'air éternelle, enracinée. Il voyait ce panorama, dont il ne se lassait jamais, en termes de peinture. Parfois il avait la douceur et la fraîcheur d'une aquarelle ; parfois, au cœur de l'été, quand le parc foisonnait de verdure, il avait la riche texture d'une huile. Ce matin, c'était une gravure sur acier aux lignes dures, grise, unidimensionnelle.

Il se détourna à contrecœur de la fenêtre. Nichols avait refermé le dossier, mais il faisait pivoter son fauteuil et s'y trémoussait comme s'il voulait souligner le caractère relativement informel de cette entrevue. Dalgliesh approcha et s'installa sur un siège en face de lui. Il lui fit un résumé concis des résultats obtenus jusque-là. Nichols l'écouta avec une patience ostentatoire, sans cesser de pivoter, les yeux au plafond. Quand Dalgliesh eut terminé, il dit :

« D'accord, Adam, vous m'avez convaincu que Berowne avait été assassiné. Mais ce n'est pas moi qu'il faut convaincre. Qu'avez-vous en fait de preuve concrète ? Une petite tache de sang sous un pli de la veste de Harry Mack.

— Et une tache correspondante sur la doublure. Le sang de Berowne. Il est mort le premier. Il n'y a pas de doute possible. Nous sommes à même de prouver que la traînée a la même composition que son sang.

— Mais pas comment elle a pu être faite ? Vous savez ce que dira l'avocat de la défense si jamais l'affaire passe au tribunal : qu'un de vos hommes a apporté ce sang sur ses semelles. Ou le gosse, celui qui a découvert le cadavre. Ou cette vieille dame — comment s'appelle-t-elle déjà — Edith Wharton ?

— Emily Wharton. Nous avons examiné leurs chaussures et je suis certain qu'aucun de ces deux témoins n'a pénétré dans la petite sacristie. Et, même dans le cas contraire, je vois mal comment ils auraient pu laisser du sang de Berowne *sous* la veste de Harry.

— Cette tache vous arrange bien. Tout comme elle doit arranger la famille de la victime, je suppose. Mais, à part ce détail, rien n'indique que cette affaire n'est pas ce qu'elle semblait être de prime abord : un meurtre suivi d'un suicide. Un homme politique en vue fait une expérience religieuse ou mystique. Il laisse tomber sa situation, sa carrière, peut-être même sa famille. Puis — ne me demandez pas comment, ni pourquoi — il découvre que sa révélation n'était qu'une chimère. Pourquoi Berowne est-il retourné dans cette église, au fait ? Le savez-vous ?

— Peut-être à cause d'une nouvelle complication survenue dans son ménage. Je crois que sa femme lui avait annoncé ce matin-là qu'elle était enceinte.

— Vous voyez ! Il commençait déjà à avoir des doutes. Il retourne à l'église, prend conscience de la gravité de son erreur. Pour lui, l'avenir ne recèle plus qu'échec, humiliation, ridicule. Il décide alors d'en finir sur-le-champ. Il dispose du moyen de le faire. Pendant qu'il se prépare, qu'il brûle son agenda, Harry entre dans la pièce et tente de l'empêcher de se suicider. Résultat : deux cadavres au lieu d'un.

— Cela présupposerait qu'il ignorait que Harry Mack fût là. Or je pense qu'il était au courant de sa présence, et même que c'est lui qui l'a fait entrer. Ce n'est guère le geste d'un homme qui a l'intention de se suicider.

— Vous ne pouvez pas prouver qu'il l'a laissé entrer. Rien de tout ce que vous venez de me dire ne convaincrait un jury.

— Berowne a partagé son casse-croûte avec Harry : du pain complet, du roquefort et une pomme. C'est dans le dossier. Vous n'allez tout de même pas me dire que Harry s'est acheté du roquefort ? Il n'aurait pas pu surprendre Berowne. Il était déjà depuis un certain temps dans l'église quand Berowne est mort. Il s'était installé dans la grande sacristie avec l'intention d'y dormir. Nous avons trouvé des indices matériels : cheveux, fibres provenant de son pardessus, ainsi que des miettes de son repas. Et il n'était ni dans la sacristie ni dans l'église quand le père Barnes a fermé l'édifice après les vêpres.

— Ou pense l'avoir fermé. Jurerait-il à la barre des témoins qu'il a tourné la clé dans la serrure du portail sud, qu'il a regardé derrière chaque banc ? Et pourquoi aurait-il regardé ? Il ne s'attendait pas à un meurtre. Il y a beaucoup d'endroits où Harry, ou un assassin d'ailleurs, aurait pu se cacher. L'église devait être sombre ; une faible lueur religieuse. »

Le sous-préfet aimait émailler sa conversation de citations tronquées. Dalgliesh se demandait toujours si c'était délibéré ou si ces mots remontaient à sa conscience depuis quelque nappe souterraine de connaissances scolaires à demi oubliées.

« Jusqu'à quel point connaissiez-vous Berowne ?

— J'ai été assis deux ou trois fois en face de lui à une table, lors de réunions de la commission. Nous avons fait un voyage ensemble : nous nous rendions tous deux à un séminaire sur les décisions de justice. Une fois, il m'a demandé de venir le voir dans son bureau. Nous avons marché dans le parc Saint Jame's jusqu'à la Chambre. Je le trouvais sympathique, mais je n'étais pas attaché à lui. Je ne m'identifie pas plus à lui que n'importe qui ne le ferait avec n'importe quelle victime. Je ne mène pas une campagne personnelle. J'admets cependant que, pour des raisons tout à fait valables, je refuse qu'on en fasse le meurtrier brutal d'un homme qui est mort après lui.

— En vous basant sur une petite tache de sang ?

— De quelle preuve avons-nous besoin ?

— Pour étayer la thèse du meurtre ? Aucune. Je le répète : ce n'est pas moi qu'il faut convaincre. Mais je ne vois pas comment votre enquête peut progresser si vous ne trouvez pas la preuve irréfutable qui relie un de vos suspects au lieu du crime. De plus, ça commence à presser.

— Des gens se sont déjà plaints au patron, je suppose ?

— Le truc habituel. Deux hommes ont été égorgés et l'assassin court toujours. Pourquoi n'arrêtons-nous pas ce fou dangereux au lieu d'examiner les voitures, les effets et les maisons de respectables citoyens ? A propos, avez-vous trouvé la moindre trace sur les vêtements des suspects ? »

Une ironie du sort, mais qui n'avait rien d'étonnant, se dit Dalgliesh : la nouvelle brigade créée pour enquêter avec doigté sur des crimes graves était déjà accusée de maladresse insigne. Et il se doutait bien d'où venaient ces critiques.

« Non, mais je ne m'attendais d'ailleurs pas à en trouver, répondit-il. L'assassin était nu ou presque. Il avait le moyen de se laver à proximité. Trois passants ont entendu de l'eau sortir à gros bouillons du tuyau d'écoulement peu après huit heures.

— Ça pouvait être Berowne qui se lavait les mains avant de manger.

— Dans ce cas, il les nettoyait vraiment à fond.

— Étaient-elles propres quand vous l'avez trouvé ?

— La main gauche, oui. La droite était couverte d'une épaisse couche de sang.

— Vous voyez bien.

— La serviette de Berowne pendait sur le dos d'une chaise, dans la sacristie. Je pense que l'assassin s'est essuyé avec le torchon à vaisselle qui se trouvait dans la cuisine. Celui-ci était encore légèrement humide, pas par endroits, mais entièrement.

Et Berowne a été tué avec l'un de ses propres rasoirs. Il en avait deux, des Bellingham, dans un étui, à côté de l'évier. Quelqu'un qui se serait introduit là par hasard, ou même Harry Mack, n'aurait pas su qu'ils étaient là, n'aurait peut-être même pas deviné ce que contenait l'étui.

— Qu'est-ce qu'un Bellingham, pour l'amour du ciel ? Ce type ne pouvait pas utiliser une lame Gillette ou un rasoir électrique, comme tout le monde ? Bon, admettons que l'individu en question savait que Berowne se servait d'un rasoir de coiffeur, et qu'il se trouverait dans cette église, ce soir-là. Admettons qu'il ait pu entrer à Campden Hill Square pour prendre les allumettes et l'agenda. Or quelle est la personne qui remplit le mieux toutes ces conditions ? Berowne lui-même. Et vous, tout ce que vous avez à opposer à la théorie du suicide, c'est une petite tache de sang. »

Dalgliesh commençait à croire que ces cinq derniers mots allaient le poursuivre jusqu'à la fin de son enquête. Il répliqua :

« Vous n'êtes tout de même pas en train de suggérer que Berowne s'est à moitié tranché la gorge, s'est approché en chancelant de Harry pour le tuer, répandant son propre sang, puis est retourné à l'autre bout de la pièce pour pratiquer la troisième et dernière entaille sur sa gorge ?

— Moi non, mais l'avocat de la défense le fera peut-être. Et "doc" Kynaston n'a pas entièrement exclu cette possibilité. Vous et moi connaissons des cas où le jury a accepté des arguments moins ingénieux.

— Berowne a écrit quelque chose pendant qu'il était dans la sacristie. Le labo est incapable de déchiffrer les mots, mais croit identifier sa signature. En tout cas, l'encre sur le buvard est la même que celle qui remplit son stylo.

— Il a donc écrit un message d'adieu.

— C'est possible, mais où est passé ce document ?

— Il l'a brûlé avec son agenda. D'accord, je sais ce que vous allez me dire, Adam. Un désespéré brûlerait-il la lettre qu'il vient d'écrire ? Ça n'a rien d'extravagant. Il pourrait l'avoir trouvée insatisfaisante. Mots inadéquats, banals. Après tout, l'acte en lui-même est suffisamment éloquent. Tous les suicidés n'entrent pas dans "cette bonne nuit" munis d'une note d'accompagnement. »

Une expression d'heureuse surprise passa sur la figure du préfet adjoint comme s'il était content de l'à-propos de son allusion, mais qu'il eût préféré se rappeler sa source.

« Il y a une chose qu'il aurait pu écrire, dit Dalgliesh, une chose que, selon toute vraisemblance, il aurait préservée, mais qu'une autre personne aurait peut-être eu de bonnes raisons de vouloir détruire. »

Parfois Nichols était un peu lent à saisir, mais il n'hésitait jamais à prendre son temps. C'est ce qu'il fit. Finalement, il répondit :

« Et au bas d'un tel document, il faut trois signatures, bien sûr. C'est une théorie intéressante. Cela renforcerait certainement le mobile de deux au moins de vos suspects. Mais là, de nouveau, nous n'avons pas de preuve. Nous butons sans cesse sur le même problème. C'est un échafaudage astucieux que vous avez dressé là, Adam. Il me convainc presque. Mais, encore une fois, ce dont nous avons besoin, c'est d'une preuve matérielle valable. » Nichols ajouta : « Votre argumentation me fait penser à une église : un bel édifice érigé avec beaucoup d'adresse sur une supposition non prouvée, logique en elle-même, mais qui n'a de validité que si l'on en accepte les prémisses, c'est-à-dire, l'existence de Dieu. »

Il parut très satisfait de son analogie. Dalgliesh douta qu'il en fût l'auteur. Il le regarda feuilleter les dernières pages du dossier presque comme s'il s'en désintéressait. Fermant la chemise, Nichols déclara :

« C'est dommage que vous n'ayez pas pu reconstituer l'emploi du temps de Berowne après son départ du 62 Campden Hill Square. On a l'impression qu'il s'est évanoui dans la nature.

— Pas tout à fait. Nous savons qu'il s'est rendu chez Westertons, l'agence immobilière qui se trouve dans Kensington High Street, et qu'il y a parlé à l'un des associés de cette société, Simon Follett-Briggs. Il lui a demandé d'envoyer un de leurs experts chez lui le lendemain. Il voulait faire évaluer sa maison. Voilà une autre démarche qui paraît bizarre pour un homme qui envisage de se suicider. Selon Follett-Briggs, Berowne n'avait pas l'air plus ému que s'il lui demandait de vendre un deux-pièces en sous-sol d'une valeur de quarante mille livres. L'agent a dit avec tact qu'il regrettait que la famille du baronnet vendît une demeure qu'elle occupait depuis la date de sa construction. Berowne a répliqué qu'elle l'avait eue pendant un siècle et demi, qu'il était temps qu'une autre en profitât à son tour. Il n'a pas donné d'explication. Il s'est simplement assuré qu'un agent viendrait le lendemain matin effectuer l'expertise. L'entretien a été assez bref. A onze heures et demie, il sortait déjà de l'agence. Mais il s'est peut-être promené dans l'un des parcs ou au bord du fleuve : ses chaussures étaient boueuses et il les avait lavées et grattées pour les nettoyer.

— Où ça ?

— Justement. Cela suggère qu'il est peut-être

511

retourné chez lui, mais à Campden Hill Square, personne n'admet l'avoir vu. Il aurait pu à la rigueur passer inaperçu s'il n'avait fait qu'entrer et sortir, mais pas s'il avait pris le temps de décrotter ses souliers. Et le père Barnes est certain qu'il est arrivé à six heures à l'église. Cela nous laisse sept heures à expliquer.

— Vous l'avez vu, ce Follett-Briggs ? Quel nom à coucher dehors ! Cette affaire doit le rendre malade. C'est une jolie commission qui lui est passée sous le nez ! Enfin, tout n'est peut-être pas perdu pour lui : la veuve de Berowne pourrait décider de vendre. »

Dalgliesh ne répondit pas.

« Follett-Briggs vous a-t-il dit ce que cette maison pouvait valoir ?

— Il n'a pas voulu se mouiller, bien sûr. De toute façon, il n'a pas examiné les lieux. Il considère que les instructions que lui avait données Berowne ne sont plus valables. Mais quand j'ai discrètement insisté, il a murmuré qu'elle allait chercher dans le million de livres, au moins. Vide, bien entendu.

— Et elle revient en totalité à sa veuve ?

— Oui.

— Mais sa veuve a un alibi. Comme l'amant de sa veuve, ainsi que, si j'ai bien compris, chacun des autres suspects de cette affaire. »

Alors que Dalgliesh reprenait son dossier et se dirigeait vers la porte, le sous-préfet lui lança :

« Une seule petite preuve matérielle, Adam, voilà ce qu'il nous faut. Et, pour l'amour du ciel, tâchez de vous la procurer avant que nous n'ayons à donner notre prochaine conférence de presse ! »

Sarah Berowne trouva la carte sur la table du hall, le lundi matin. Publiée par le British Museum, elle représentait un chat en bronze portant des boucles d'oreilles. Au recto, Ivor avait écrit un message de son écriture droite et serrée. « Ai vainement tenté de te joindre par téléphone. Espère que tu vas mieux. Pourrions-nous dîner ensemble mardi prochain ? »

Ainsi, il se servait toujours de leur code. Il disposait d'une petite réserve de cartes postales des divers musées et galeries de Londres. Toute mention de téléphone équivalait à une proposition de rencontre. Une fois déchiffré, ce message-ci lui demandait de se trouver près du stand de cartes postales du British Museum le mardi suivant. L'heure variait avec le jour. Les mardis, la convocation était toujours pour trois heures. Comme dans d'autres messages de ce genre, Ivor supposait qu'elle serait libre. Dans le cas contraire, elle était censée l'appeler en disant qu'il lui serait impossible de dîner avec lui. Mais Ivor avait toujours tenu pour certain qu'à réception d'une de ces cartes, elle annulerait tous ses autres rendez-vous. Un message envoyé de cette façon était toujours urgent.

Ce code, se dit-elle, ne pouvait guère tromper des policiers perspicaces, sans même parler des services de la Sûreté si jamais ceux-ci commençaient à s'intéresser à eux. Mais l'aspect ouvert et simple de ces communications constituait peut-être une protection. Après tout, aucune loi ne vous empêchait de passer une heure avec un ami à regarder des œuvres d'art. Et le lieu du rendez-vous était bien choisi. Ils pouvaient se pencher au-dessus du même guide ou catalogue, parler à voix basse comme l'exige ce genre d'endroit, se promener à loisir le long des galeries pour trouver une salle vide.

Durant les premiers mois grisants qui avaient suivi son entrée dans la cellule des Treize, alors qu'elle tombait amoureuse d'Ivor, elle avait attendu ces messages comme elle aurait attendu des lettres d'amour. Elle guettait l'arrivée du courrier, en bas dans le hall, s'emparait de la carte quand celle-ci tombait par la fente de la boîte aux lettres et en étudiait longuement le texte comme si ces caractères serrés pouvaient lui dire tout ce qu'elle avait si désespérément besoin d'entendre, mais qu'Ivor, elle le savait, n'exprimerait jamais par écrit et encore moins par la parole. Maintenant, pour la première fois, elle lut la convocation avec un mélange de dépression et d'agacement. Ivor la prenait vraiment de court : il lui serait difficile d'arriver à Bloomsbury pour trois heures. Et pourquoi diable ne pouvait-il pas téléphoner ? Déchirant le rectangle de carton, elle sentit avec plus de force que jamais que ce code était une ruse puérile et vaine née du besoin obsessionnel d'Ivor de manipuler et de comploter. Cela les rendait tous deux ridicules.

Ponctuel comme d'habitude, il était déjà là, en train de choisir des cartes. Elle attendit qu'il eût payé, puis, sans se parler, ils quittèrent la salle ensemble. Comme Ivor se passionnait pour les antiquités égyptiennes, ils prirent presque machinalement le chemin des galeries du rez-de-chaussée. Il s'arrêtèrent devant le buste de Ramsès II. Autrefois, les yeux morts de la statue, sa bouche finement ciselée qui ébauchait un sourire, sa barbe saillante, lui étaient apparus comme un symbole chargé d'érotisme, une image de leur amour. Tant de phrases elliptiques avaient été échangées à voix basse entre Ivor et elle tandis qu'ils se tenaient là, épaule contre épaule, à regarder le pharaon comme s'ils le voyaient pour la première fois et qu'elle devait se retenir pour ne pas étendre la main et serrer les doigts de son amant dans les siens. Désormais la sculpture avait perdu tout son pouvoir. C'était un objet intéressant, un gros bloc de granite fissuré, rien de plus.

« Il paraît que Shelley s'est inspiré de cette tête quand il a écrit *Ozymandias*, dit Ivor.

— Je sais. »

Ayant terminé leur examen, le couple de touristes japonais qui se tenait près d'eux s'éloigna. Sans hausser la voix ni changer de ton, Ivor poursuivit :

« La police semble être de plus en plus certaine que ton père a été assassiné. Je suppose qu'ils ont dû recevoir le rapport de l'autopsie et les analyses de laboratoire. Ils sont venus me voir. »

Pareil à de l'eau glacée, un frisson de peur lui parcourut l'échine.

« Pourquoi ? fit-elle.

— Dans l'espoir de réfuter notre alibi. Ils n'y sont pas parvenus, bien sûr, et ils n'y parviendront pas. À moins que tu ne parles. Sont-ils revenus chez toi ?

— Une fois. Pas le commandant Dalgliesh, mais la femme détective et un homme plus jeune, un certain inspecteur principal Massingham. Ils m'ont posé des questions au sujet de Theresa Nolan et de Diana Travers.

— Que leur as-tu dit ?

— Que j'avais vu Theresa Nolan deux fois, une fois lors d'une visite à ma grand-mère, pendant sa maladie, une autre fois à un dîner chez mon père, et que je n'avais jamais rencontré Diana. N'était-ce pas ce que j'étais censée déclarer ?

— Allons dire bonjour à Poil de Carotte. »

Poil de Carotte, ainsi nommé à cause de la

couleur des quelques cheveux qui lui restaient, était un homme pré-dynastique momifié par le sable brûlant du désert trois mille ans avant Jésus-Christ. Il fascinait Ivor et ils ne quittaient jamais le musée sans cette visite quasi rituelle. Sarah baissa les yeux vers le corps émacié, recroquevillé sur le côté gauche, la pitoyable collection de pots contenant la nourriture et la boisson destinées à le sustenter pendant son long voyage dans les enfers ; la lance qui l'aiderait à se défendre contre de spectrales attaques sur le chemin du ciel égyptien. Peut-être que si la momie ressuscitait maintenant, voyait toutes ces lumières, l'énorme pièce, les silhouettes mouvantes d'hommes du XXe siècle, elle penserait être parvenue à destination. Mais Sarah n'avait jamais partagé le plaisir que ce *memento mori* procurait à Ivor. La maigreur de ce cadavre, et même son attitude, évoquaient trop vivement des horreurs modernes : les photos et les films montrant les morts de Belsen. Même ici, il ne me demande jamais ce que je pense, ce que je ressens, ce que j'aimerais voir, songea-t-elle.

« Allons dans la salle Duveen, dit-elle. Je voudrais regarder la frise du Parthénon. »

Ils s'éloignèrent lentement. Tout en marchant, les yeux fixés sur le guide ouvert, elle reprit :

« A propos de Diana Travers. Tu m'avais dit que tu ne l'avais pas infiltrée dans la maison de Campden Hill Square pour espionner la vie de papa. Tu m'avais dit que la seule chose qui t'intéressait c'était le travail de mon père, que tu voulais découvrir ce que contenait le nouveau manuel de la police intitulé *Options tactiques*. Je me demande comment j'ai pu te croire. Quelle naïveté de ma part !

— Je n'ai pas besoin d'envoyer un membre de la cellule astiquer l'argenterie des Berowne pour apprendre ce qu'il y a dans ce manuel. Mais je

516

maintiens que Diana n'était pas là-bas pour espionner la vie privée de ton père. Du moins, ce n'était pas mon principal objectif. Je l'ai introduite dans votre maison familiale pour lui faire croire qu'elle avait une mission à accomplir, que nous avions confiance en elle. Cela l'occupait pendant que je réfléchissais à ce que je devais faire d'elle.

— Que veux-tu dire ? Diana était membre de la cellule. Elle a remplacé Rose quand celle-ci est rentrée en Irlande.

— Elle *croyait* l'être. Après tout, je peux bien te le dire, maintenant qu'elle est morte : Diana Travers était un agent de la Special Branch. »

Ivor l'avait dressée à ne pas le regarder pendant qu'ils parlaient, à garder les yeux fixés sur les objets exposés, sur le guide, ou droit devant elle. Sarah choisit cette dernière alternative.

« Pourquoi ne nous l'as-tu pas dit ? demanda-t-elle.

— Je l'ai dit à quatre d'entre vous, pas à toute la cellule. Je ne dis pas tout à la cellule. »

Sarah avait toujours su que l'appartenance d'Ivor à la Workers' Revolutionary Campaign n'était qu'une couverture pour la cellule des Treize. Mais, apparemment, même la cellule n'avait été qu'une couverture pour son cabinet intérieur personnel. C'était comme une de ces poupées russes : on dévissait une imposture et l'on en trouvait une autre nichée dans la première. Il n'y avait donc que quatre personnes auxquelles il se fiait totalement, qu'il informait, qu'il consultait, et elle n'avait pas été du nombre. Lui avait-il jamais fait confiance, se demanda-t-elle, même au début ?

« Le premier coup de téléphone que tu m'as passé pour me commander des photos de Brixton, faisait-il partie d'un plan de recrutement ? Était-ce pour attirer la fille d'un député conservateur dans la Workers' Revolutionary Campaign ?

— Dans une certaine mesure, oui. Je savais à qui allaient tes sympathies politiques et je devinais que le remariage de ton père ne te ferait pas particulièrement plaisir. J'ai pensé que c'était un bon moment pour te contacter. Ensuite, je me suis intéressé à toi d'une manière... disons, plus personnelle.

— Mais as-tu jamais été amoureux de moi ? »

Ivor fronça les sourcils. Comme le savait Sarah, il détestait qu'un élément sentimental vînt s'introduire dans la conversation ou les rapports.

« J'éprouvais — et j'éprouve encore — pour toi une grande affection, du respect, de l'attirance physique. Tu peux appeler cela de l'amour si tu tiens à employer ce mot.

— Et toi, comment l'appelles-tu, Ivor ?

— Je l'appelle affection, respect, attirance physique. »

Ils avaient pénétré dans la salle Duveen. Au-dessus d'eux caracolaient les chevaux de la frise du Parthénon montés par des cavaliers au corps nu sous des capes volant au vent. Derrière eux venaient les chariots, les musiciens, les sages et les vierges. Tout le cortège avançait vers les dieux et les déesses assis sur leurs trônes. Mais Sarah regarda cette merveille sans la voir. Il faut que je sache, se disait-elle, il faut que je sache tout. Je dois affronter la vérité.

« Et c'est toi qui as envoyé cette lettre anonyme à papa et à la *Paternoster Review*, n'est-ce pas ? fit-elle. Tu ne trouves pas que c'est un peu mesquin pour quelqu'un comme toi, le grand révolutionnaire, le champion de la lutte contre l'oppression, le prophète de la nouvelle Jérusalem, d'en être réduit à répandre des bruits calomnieux, à commettre un acte aussi puéril et méchant ? Pourquoi as-tu fait cela ?

— Pour lui jouer un mauvais tour.

— Un bel euphémisme quand on contribue à discréditer un homme respectable. Si encore il ne s'était agi que de mon père. Mais les autres auxquels tu t'en es pris ? La plupart d'entre eux sont dans ton propre camp. Ils ont consacré des années de leur vie au mouvement travailliste, une cause que tu es censé soutenir.

— La respectabilité n'entre pas en ligne de compte. Nous sommes en guerre. Or, même si les guerres sont menées par des hommes respectables, ce ne sont pas eux qui les gagnent. »

Un petit groupe de visiteurs s'était approché. Sarah et Ivor s'éloignèrent en longeant lentement un côté de la galerie.

« Quand on a pour mission d'organiser un groupe révolutionnaire, reprit Ivor, et que ses membres sont obligés d'attendre une action réelle, le pouvoir réel, il faut veiller à ce qu'ils demeurent occupés, vigilants, à leur donner l'illusion d'accomplir quelque chose. Les discours ne suffisent pas. Il faut de l'action. Il s'agit en partie d'un exercice d'entraînement, en partie d'un moyen de maintenir leur moral.

— A partir d'aujourd'hui, tu devras le faire sans moi.

— Je m'en rends parfaitement compte. Après cet entretien que tu as eu avec Dalgliesh, j'ai tout de suite compris que tu allais nous lâcher. Mais je te demande de rester, du moins pour la forme, jusqu'à ce que cette enquête criminelle soit terminée. Je ne veux pas prévenir les autres pendant que Dalgliesh est en train de fourrer son nez partout. Ensuite, tu pourras t'inscrire au parti travailliste. Cela te conviendra mieux. Ou au parti social-démocrate, bien sûr. Peu importe, c'est bonnet blanc et

blanc bonnet. De toute façon, quand tu auras quarante ans, tu voteras conservateur.

— Et tu continues à avoir confiance en moi ? Je
ne comprends pas que tu aies pu me dire tout cela
en sachant que je voulais quitter la cellule.

— Je te connais. Tu as hérité de l'orgueil de ton
père. Tu n'aimerais pas que les gens disent que tu
as trahi ton amant parce que celui-ci t'avait plaquée.
Tu n'aimerais pas que tes amis, et même ta grand-
mère, apprennent que tu as comploté contre ton
père. Tu pourrais dire que je table sur tes valeurs
bourgeoises. Mais je ne prends pas beaucoup de
risques. La cellule sera dissoute, puis reformée. Elle
se réunira ailleurs. Cette mesure-là est devenue
nécessaire de toute façon. »

Voilà un autre aspect de la lutte révolutionnaire,
pensa Sarah : découvrir quelles sont les valeurs des
gens, puis s'en servir contre eux.

« Il y a quelque chose que j'ai compris au sujet
de papa, quelque chose dont je ne m'étais pas
rendue compte jusqu'ici. Il essayait d'être bon. Je
suppose que ces mots n'ont pas de sens pour toi.

— Ils ont un sens, certes, mais je ne sais pas
exactement lequel toi tu leur donnes. Il essayait
sans doute de se comporter de manière à ne pas
être écrasé par un sentiment de culpabilité. Nous
en sommes tous là. Vu ses opinions politiques, ça
n'a pas dû être facile. A la fin, il n'a peut-être même
plus fait cet effort.

— Je ne parlais pas de politique. Ça n'a rien à
voir. Je sais que, pour toi, tout en dépend, mais il y
a un autre point de vue. Il y a un monde en dehors
de la politique.

— Je te souhaite d'y être heureuse. »

Ils sortaient de la salle à présent. Sarah comprit
qu'ils y étaient ensemble pour la dernière fois. A

son étonnement, elle constata que cette idée lui causait peu de chagrin.

« Pour en revenir à Diana Travers, fit-elle. Tu m'as dit que tu l'avais introduite à Campden Hill Square en attendant de savoir ce que tu allais en faire. Qu'en as-tu fait ? Tu l'as noyée ? »

Pour la première fois, elle vit qu'il était furieux.

« Nous voilà en plein mélo !

— Mais sa mort t'arrangeait bien, n'est-ce pas ?

— Oui, et pas seulement moi. Il y avait encore quelqu'un d'autre qui avait tout intérêt à se débarrasser d'elle, nommément ton père. »

Oubliant la consigne de discrétion, Sarah s'écria presque à voix haute :

« Papa ? Mais il n'était pas là-bas ! On l'attendait, mais il n'a pas pu venir.

— Eh bien, moi je peux te dire qu'il y était. Je l'ai suivi cette nuit-là. On pourrait appeler ça un exercice de surveillance. Je l'ai filé en voiture jusqu'au *Black Swan* et l'ai vu tourner dans l'allée qui mène au parking du restaurant. Si tu décidais de parler à Dalgliesh, qui à l'air de provoquer en toi un besoin infantile de confidences sentimentales, je me sentirais obligé de révéler ce fait.

— Mais cela te forcerait à avouer que tu étais là-bas toi aussi. Pour ce qui est des mobiles, Dalgliesh pourrait se dire que le tien vaut bien celui de papa. Or toi tu es vivant, papa est mort.

— Oui, mais à la différence de ton père, j'ai un alibi. Un vrai, cette fois. J'ai fait demi tour et je suis rentré directement à Londres pour me rendre à une réunion d'assistants sociaux à l'hôtel de ville. Je suis hors de cause. Mais lui, l'est-il ? Sa mémoire est déjà assez équivoque. Veux-tu qu'on puisse associer un autre scandale à son nom ? Ce pauvre Harry Mack ne te suffit pas ? Si jamais tu es tentée de passer un coup de fil anonyme à la Special Branch, penses-y. »

8

Le mardi matin n'aurait pu annoncer une meilleure journée pour une balade en voiture hors de Londres. Bien qu'intermittent, le soleil était d'une chaleur surprenante et, au-dessus des nuages véloces, s'étendait un ciel d'azur éthéré. Dalgliesh roulait vite, presque en silence. Kate croyait qu'ils se rendraient directement à Riverside Cottage, mais quand ils passèrent devant le *Black Swan*, qui était sur leur chemin, Dalgliesh s'arrêta, parut réfléchir, puis tourna dans l'allée.

« Allons prendre une bière, dit-il. J'aimerais longer le fleuve et regarder le cottage depuis cette rive. De plus, comme la plus grande partie de ce terrain doit appartenir à Higgins, nous ferions mieux de l'informer de notre présence. »

Après avoir laissé la Rover au parking, où ils ne virent qu'une Jaguar, une BMW et deux Ford, ils se dirigèrent vers l'entrée du restaurant. Henry les salua avec une politesse impassible, comme s'il se demandait s'il était censé les reconnaître. En réponse à la question de Dalgliesh, il leur apprit que M. Jean-Paul était à Londres. Dans le bar, il n'y avait qu'un quatuor d'hommes d'affaires confidentiellement penchés au-dessus de leurs whiskies. En veste blanche amidonnée et nœud papillon, le barman, un homme au visage poupin, leur servit une ale véritable, d'une excellente qualité, qui faisait l'orgueil du *Black Swan* ; ensuite, avec un zèle ostensible, il commença à laver des verres et à mettre de l'ordre derrière son comptoir, comme s'il espérait que son affairement dissuaderait Dalgliesh de l'interroger. Dalgliesh se demanda par quel extraordinaire tour de magie Henry avait réussi à lui communiquer leur identité. Emportant leurs chopes, ils allèrent s'asseoir dans les fauteuils placés de chaque côté de la cheminée et burent leur bière en un silence convivial. Quelques minutes plus tard, ils retournèrent au parking, franchirent la porte pratiquée dans la haie et descendirent sur la berge.

C'était une de ces parfaites journées d'automne en Angleterre, telles qu'il s'en produit plus souvent dans la mémoire que dans la réalité. La douce lumière d'un soleil presque assez chaud pour être printanier accentuait les couleurs intenses de l'herbe et de la terre ; l'air évoquait à Dalgliesh d'agréables souvenirs des automnes de son enfance : fumée de feu de bois, pommes mûres, les dernières gerbes de la moisson et les puissants effluves marins qui montent d'une rivière. La Tamise coulait à flots rapides sous la brise. Celle-ci couchait l'herbe et poussait l'eau dans les petites échancrures creusées dans la rive. Sous la surface irisée de bleus et de verts, chatoyante comme du verre coloré, les feuilles de jonc en forme de lames flottaient et ondulaient. Sur l'autre berge, derrière des groupes de saules, un troupeau de vaches frisonnes paissaient tranquillement.

En face, à une vingtaine de mètres en amont, Dalgliesh pouvait voir un bungalow. Ce n'était guère plus qu'une grande cabane peinte en blanc, montée sur pilotis. Leur lieu de destination, se dit-il. De nouveau, comme pendant sa promenade sous les arbres du parc Saint Jame's, il pressentit qu'il y trouverait la clé qu'il cherchait. Mais il n'était pas pressé. Comme un enfant qui remet à plus tard une satisfaction garantie, il était content d'être en avance et de pouvoir profiter d'un instant de calme. Soudain, il se sentit transporté d'un grand bonheur. L'extase fut si vive, si inattendue, qu'il faillit retenir son souffle dans l'espoir de suspendre le temps. Il n'en avait plus que très rarement maintenant, de ces moments d'intense joie physique, et c'était la première fois que pareille chose lui arrivait au beau milieu d'une enquête criminelle. Son euphorie disparut et il s'entendit soupirer. Rompant l'enchantement, il proféra une banalité :

« Ça doit être Riverside Cottage, là-bas.

— Je pense que oui, sir. Voulez-vous que j'aille chercher la carte ?

— Non. Nous ne tarderons pas à le découvrir. Il va falloir y aller. »

Il resta toutefois immobile, jouissant du vent dans ses cheveux, d'une autre minute de paix. Ce qu'il appréciait aussi, c'était que Kate Miskin fût capable de partager ce moment avec lui sans éprouver le besoin de parler ni de lui faire sentir qu'elle se taisait par discipline. Motivé par le fait qu'il avait besoin d'une femme dans son équipe et qu'elle était la meilleure recrue disponible, son choix avait été en partie rationnel, en partie instinctif. Il commençait à se rendre compte à quel point son intuition l'avait bien servi. Il eût été malhonnête de sa part de prétendre qu'il n'y avait pas la moindre trace de sexualité dans leurs rapports. Il savait par expérience que cet élément, même réprimé ou inavoué, existait presque toujours entre deux collaborateurs de sexe opposé dont l'apparence présentait quelque charme. Il n'aurait pas élu Kate s'il l'avait jugée trop troublante, mais il ne pouvait nier qu'elle l'attirait. Pourtant, malgré cette pincée de sexualité, peut-être même à cause d'elle, il trouvait étonnamment reposant de travailler avec Kate. Elle devinait ses désirs, savait se taire au bon moment, ne se montrait pas d'une déférence excessive. Il avait l'impression qu'une partie d'elle-même voyait ses faiblesses avec plus de clarté, le comprenait mieux et le critiquait davantage que ne le faisait aucun de ses subordonnés hommes. Sans avoir la dureté de Massingham, elle n'était nullement sentimentale. Mais, à sa connaissance, aucune femme policier, ou presque, ne l'était.

Il jeta un dernier regard au pavillon. Si, comme il avait été tenté de le faire, il avait marché sur la berge lors de leur première visite au *Black Swan*, il aurait considéré les pitoyables prétentions de cette cabane d'un œil dédaigneux. Mais à présent que ses murs fragiles semblaient luire dans la légère brume qui montait de la rivière, elle semblait recéler pour lui une infinie et troublante promesse. Construite à une trentaine de mètres de l'eau, elle comportait une large véranda, une cheminée centrale et à gauche, en aval, un petit débarcadère. Dalgliesh crut distinguer un carré de terre retournée couvert de grosses touffes de plantes blanches et mauves. Des asters, sans doute. On avait essayé d'aménager un jardin. De loin, le pavillon paraissait bien entretenu : sa peinture blanche brillait. Malgré tout, il avait l'aspect précaire, un peu délabré, d'une maison d'été. Higgins ne devait guère apprécier de le voir se dresser là, juste en face de ses pelouses.

Alors qu'ils regardaient, une femme boulotte sortit par la porte de côté et descendit vers le ponton, un grand chien sur ses talons. Elle monta dans un canot, détacha l'amarre et se mit à ramer énergiquement en direction du *Black Swan*. Le chien se tenait bien droit à l'avant. Comme le bateau approchait, ils purent voir que l'animal était une sorte de croisement entre un caniche et un terrier. Son poil laineux cachait presque entièrement sa sympathique gueule empreinte d'anxiété. Courbée sur ses avirons, la femme avançait à contre-courant dans leur direction. Quand l'embarcation toucha enfin la rive, Dalgliesh et Kate allèrent à sa rencontre. Dalgliesh s'aperçut que ce n'était pas par hasard que la canoteuse avait choisi d'accoster à cet endroit : il y avait un pieu d'acier enfoncé profondément dans l'herbe, au bord de l'eau. Il glissa l'amarre dessus et tendit la main. La femme s'en saisit et sauta presque littéralement à terre, d'un seul pied. Il s'aperçut qu'une botte orthopédique enserrait son pied gauche. Le chien bondit sur la berge à la suite de sa maîtresse, renifla le bas du pantalon de Dalgliesh, puis s'affala sur l'herbe comme si c'était lui qui venait de faire tous les efforts qu'avait coûté cette traversée.

« Je suppose que vous êtes miss Millicent Gentle, dit Dalgliesh. Dans ce cas, nous sommes en route pour venir vous voir. Nous vous avons appelé ce matin de Scotland Yard. Voici l'inspecteur Miskin ; moi, je m'appelle Adam Dalgliesh. »

Baissant le regard, il aperçut une figure ronde, ratatinée comme une vieille pomme. Les joues brunes dénuées de tout maquillage formaient deux balles dures. Quand la vieille dame souriait, ses yeux se plissaient en deux minces fentes, puis s'ouvraient pour révéler deux iris bruns et brillants comme des galets polis. Elle portait un pantalon informe en Térylène marron, un gilet matelassé d'un rouge délavé et un pullover feutré. Elle avait enfoncé sur sa tête un bonnet pointu à rayures vertes et rouges pourvu d'oreillettes. Celles-ci se terminaient par deux cordons en laine tressée décorés d'un pompon rouge. Elle ressemblait à un de ces vieux gnomes de jardin qui ont essuyé trop d'hivers. Mais, quand elle ouvrit la bouche, il en sortit une voix basse et sonore, une des plus belles que Dalgliesh eût jamais entendues.

« Je vous attendais, commandant, mais pas avant une demi-heure. Je suis ravie de vous rencontrer d'une manière si inattendue. Je vous emmènerais bien de l'autre côté, mais vu que j'ai Makepeace, je ne pourrais embarquer qu'un passager à la fois et l'opération prendrait beaucoup de temps. D'ici à chez moi, il y a malheureusement huit kilomètres par la route. Mais vous avez peut-être une voiture ?

— Nous en avons une.

— Évidemment, puisque vous êtes des policiers ! Que je suis sotte ! Je vous attends alors. J'ai juste traversé pour apporter mes lettres. Mr. Higgins me permet de les déposer dans le hall pour qu'elles soient postées avec les siennes. La boîte aux lettres la plus proche est à trois quarts d'heure de marche. C'est d'autant plus aimable de sa part qu'il déteste mon cottage. Je crois qu'il le trouve affreux. Vous ne pouvez pas vous tromper de chemin. Vous prenez la première route à gauche en direction de Frolight, vous franchissez un pont en dos d'âne, puis vous tournez de nouveau à gauche à la ferme de Mr. Roland — elle est signalée par un panneau représentant une vache frisonne —, ensuite, vous verrez un sentier qui conduit à la rivière et à ma maison. C'est facile, n'est-ce pas ? Ah, pendant que j'y pense, vous boirez bien un peu de café, j'espère ?

— Merci, avec plaisir.

— C'est bien ce que j'avais prévu. C'est en partie pour cela que je suis venue. Mr. Higgins a la gentillesse de me dépanner pour un demi-litre de lait supplémentaire. Il s'agit de sir Paul Berowne, n'est-ce pas ?

— Oui, miss Gentle, il s'agit de cela.

— C'est ce que j'avais cru comprendre quand vous m'avez téléphoné. Ce pauvre cher homme. Eh bien, je vous verrai tous les deux dans une dizaine de minutes. »

La femme partit d'un pas vif et claudicant vers le *Black Swan*, accompagnée du chien. Dalgliesh et Kate les regardèrent un moment, puis remontèrent vers le parking. Suivre les instructions de la vieille dame ne présenta aucune difficulté. Dalgliesh, cependant, roula très doucement. Il savait qu'ils arriveraient malgré tout en avance sur l'heure du rendez-vous et voulait donner à miss Gentle le temps de revenir à la rame. Selon les apparences, Gentle était son vrai nom et non pas un pseudonyme : il avait semblé presque trop adéquat pour un auteur de romans sentimentaux. La voiture se traînait sur la route et il sentit que Kate refrénait son impatience. Mais, dix minutes plus tard, ils quittèrent la petite route transversale et s'engagèrent dans le sentier raboteux qui menait au cottage.

Le chemin traversait un champ non clôturé ; l'hiver devait le transformer en un bourbier impraticable, se dit Dalgliesh. De près le bungalow paraissait plus spacieux. Une plate-bande à l'aspect automnal, triste et broussailleuse, bordait l'allée cendrée qui conduisait à des marches latérales. Sous celles-ci, Dalgliesh aperçut des jerricans, sans doute pleins de pétrole, rangés sous une bâche. Derrière la maison, on voyait un petit potager : des choux rabougris, les troncs marqués de cicatrices de choux de Bruxelles, des oignons bulbeux aux feuilles cassées et les derniers haricots grimpants qui pendaient comme des chiffons de leurs tuteurs. L'odeur du fleuve était plus intense ici et Dalgliesh se représenta ce lieu en hiver ; le brouillard glacé, les champs détrempés, l'unique sentier boueux qui menait à une route de campagne déserte.

Mais quand miss Gentle leur ouvrit et s'effaça en souriant, ils pénétrèrent dans une ambiance claire et gaie. En regardant par les larges fenêtres du séjour, on pouvait se croire sur un bateau : on n'apercevait en effet que la balustrade blanche de la véranda et le reflet de la rivière. Malgré la présence d'un poêle en fer forgé, la pièce était effectivement plus caractéristique d'un cottage que d'une cabane au bord de l'eau. Un des murs, tapissé d'un curieux papier peint à motifs de boutons de roses et de rouges-gorges disparaissait presque sous une profusion d'images : paysages à l'aquarelle, datés ; deux gravures, l'une représentant la cathédrale de Winchester, l'autre celle de Wells ; quatre gravures de mode victoriennes mises dans le même cadre ; une broderie en laine et soie montrant l'Ange saluant les Apôtres devant la tombe vide ; deux assez bons portraits miniatures dans des cadres ovales. Des livres recouvraient le mur du fond. Dalgliesh remarqua que certains d'entre eux étaient des œuvres de miss Gentle. Leurs jaquettes paraissaient encore neuves. De chaque côté du poêle il y avait un fauteuil et, entre les deux, une table à abattants sur laquelle étaient déjà disposés un pot à lait et trois tasses décorées de fleurs. Avec l'aide de Kate, miss Gentle approcha le fauteuil à bascule pour le second invité. Makepeace, qui avait accompagné sa maîtresse à la porte pour les saluer, se coucha devant le poêle froid et poussa un soupir malodorant.

Miss Gentle apporta le café presque immédiatement. La bouilloire sifflait déjà ; elle n'eut plus qu'à verser l'eau sur les grains moulus. En avalant sa première gorgée, Dalgliesh fut saisi de remords. Il avait oublié les problèmes qu'une visite inattendue pose à une personne solitaire. Plutôt que pour poster ses lettres, miss Gentle avait dû traverser le fleuve pour se procurer du lait.

« Vous savez certainement que sir Paul Berowne est mort ? dit-il doucement.

— Oui. Il a été assassiné et c'est pour cela que vous êtes ici. Comment m'avez-vous trouvée ? »

Dalgliesh lui parla de la découverte de son livre.

« Tout ce qui a pu arriver à sir Berowne les dernières semaines de sa vie nous intéresse, poursuivit-il. C'est pourquoi nous aimerions que vous nous racontiez ce qui s'est exactement passé en cette nuit du 7 août. Vous l'avez vu, n'est-ce pas ?

— Absolument. »

Comme si elle avait brusquement froid, miss Gentle frissonna et posa sa tasse. Puis, comme à des enfants réunis autour d'une cheminée, elle commença à leur raconter son histoire.

« Je m'entends vraiment très bien avec Mr. Higgins. Naturellement, il voudrait acheter mon cottage et le démolir. Je lui ai dit qu'à ma mort mes exécuteurs testamentaires lui donneraient un droit de préemption. C'est devenu pour nous un petit sujet de plaisanterie. Et le *Black Swan* est vraiment un endroit très convenable. Des clients agréables, discrets. Sauf cette fameuse nuit. J'essayais de travailler ; or, il y avait dehors des gens qui riaient et criaient très fort. Je suis donc sortie et j'ai aperçu quatre jeunes dans un canot. Il tanguait dangereusement : deux d'entre eux, debout, essayaient de changer de place. J'ai décidé de prendre mon canot et d'aller parler à Mr. Higgins. Henry pourrait peut-être raisonner ces fous. Makepeace et moi avons donc traversé. Je me suis dirigée vers mon piton d'amarrage habituel. Il aurait été très imprudent de ma part de ramer jusqu'au bachot pour réprimander personnellement ces jeunes gens. Je ne suis plus aussi forte qu'autrefois. Alors que je tournais le bateau pour accoster, j'ai vu deux autres hommes.

— Les connaissiez-vous ?

— Pas à ce moment-là. La nuit était tombée entre-temps. L'endroit n'était éclairé que par la lumière qui passe par-dessus la haie du parking. Ensuite, j'ai fait la connaissance de l'un d'eux : sir Paul Berowne.

— Que faisaient-ils ?

— Ils se bagarraient. »

Miss Gentle prononça ces mots sans la moindre désapprobation dans la voix. En fait, elle paraissait presque surprise de ce que ses auditeurs n'eussent pas deviné ce qui se passait. A en juger par son ton, elle trouvait tout à fait normal que deux messieurs, qui n'avaient rien de mieux à faire, fussent en train de se battre au bord d'une rivière, dans une semi-obscurité.

« Ils n'ont pas remarqué ma présence, bien sûr, poursuivit-elle. Seule ma tête dépassait le niveau de la berge. Je craignais que Makepeace se mît à aboyer et je lui ai ordonné de se taire. Il est resté très sage. Mais je voyais qu'il avait très envie de sauter à terre et de participer à la rixe. Je me suis demandé si je devais intervenir, puis je me suis dit que ça ne serait ni très digne ni très efficace. Et, de toute évidence, ils se battaient pour des motifs personnels. Je veux dire : ça n'avait pas l'air d'être une attaque non provoquée, chose qu'à mon avis on a le devoir d'arrêter. Le deuxième homme semblait beaucoup plus petit que sir Paul, ce qui était plutôt déloyal, dans un sens. Mais comme il était plus jeune, cela rétablissait l'équilibre. Ils n'avaient pas du tout besoin de moi ni de Makepeace. »

Dalgliesh ne put résister à la tentation de couler un regard vers le susnommé. Le chien somnolait, calmement. Il était peu probable qu'il eût trouvé l'énergie d'aboyer et, à plus forte raison, de mordre.

« Qui a eu le dessus ?

— Sir Paul. Il a décoché à l'autre ce qu'on doit appeler un crochet à la mâchoire. Avec un certain style, m'a-t-il semblé. Le jeune homme s'est effondré. Sir Paul l'a alors attrapé par le col de sa veste et le fond du pantalon et l'a balancé dans la rivière, presque comme un chiot. Le garçon est tombé dans un grand bruit d'éclaboussures. "Seigneur ! Quelle extraordinaire soirée !" ai-je dit à Makepeace. »

Cette scène commençait à ressembler étrangement à un échantillon de la prose de miss Gentle, songea Dalgliesh.

« Que s'est-il passé ensuite ? demanda-t-il.

— Sir Paul est entré dans l'eau et l'a repêché. Il craignait sans doute que son adversaire ne se noie. Peut-être ignorait-il s'il savait nager. Puis il l'a jeté sur l'herbe, a dit quelque chose que je n'ai pu entendre et s'est mis à remonter la berge dans ma direction. Alors qu'il s'approchait, j'ai dressé la tête et dit : "Bonsoir. Je ne pense pas que vous me reconnaissiez, mais nous nous sommes rencontrés en juin dernier, à la fête du parti conservateur, dans votre circonscription. Je rendais visite à une de mes nièces. Je m'appelle Millicent Gentle".

— Qu'a-t-il fait ?

— Il est venu vers moi, s'est accroupi près du canot et m'a serré la main. Tout à fait calme, pas le moins du monde déconcerté. Mais trempé, évidemment. Et sa joue saignait. On aurait dit une égratignure. J'ai dit : "J'ai vu la bagarre. Vous ne l'avez pas tué, j'espère ? — Non, mais ce n'était pas l'envie qui m'en manquait", m'a-t-il répondu. Puis il s'est excusé et je lui ai dit qu'il n'y avait pas de quoi. Il commençait à trembler. Il faisait vraiment trop froid pour se promener en vêtements mouillés. Je lui ai donc proposé de venir chez moi, se sécher. "C'est très gentil de votre part, a-t-il dit, mais je devrais d'abord changer ma voiture de place." Bien entendu, j'ai compris ce qu'il voulait dire : qu'il serait préférable qu'il quitte le *Black Swan* avant que quelqu'un ne l'aperçoive ou se rende compte de sa présence. Les hommes politiques doivent prendre tellement de précautions ! Je lui ai suggéré de se garer quelque part au bord de la route. J'attendrais son retour un peu plus en amont. Il aurait pu se rendre chez moi en voiture, mais cela représentait huit kilomètres et il était vraiment transi. Il est donc parti. Cinq minutes plus tard, il revenait.

— Et qu'est-il advenu de son adversaire ?

— Je ne m'en suis pas occupée. De toute façon, je savais qu'il se remettrait de son aventure. Et il n'était pas seul. Il y avait une fille avec lui.

— Une fille ? Vous êtes sûre ?

— Tout à fait certaine. Elle est sortie des buissons et a regardé sir Paul jeter le garçon dans la rivière. Impossible de ne pas la remarquer : elle était toute nue.

— Seriez-vous capable de la reconnaître ? »

Sans y être invitée, Kate ouvrit son sac à main et tendit la photo de Diana Travers à miss Gentle.

« Est-ce la fille qui s'est noyée ? demanda la romancière. C'était peut-être la même, en effet, mais je n'ai pas très bien vu sa figure. Il y avait très peu de lumière, comme je vous l'ai dit, et ces personnes se trouvaient à une quarantaine de mètres de moi.

— Qu'a-t-elle fait ?

— Elle a ri. C'était tout à fait extraordinaire. Quand sir Paul est entré dans l'eau pour ramener son adversaire, la fille était assise sur la berge, en costume d'Ève, et riait à gorge déployée. On ne devrait pas rire des mésaventures d'autrui, mais j'avoue que la scène avait quelque chose de comique. La fille avait un rire communicatif, éclatant, joyeux.

Quand on l'entendait résonner sur l'eau, il ne paraissait pas bien méchant mais il devait l'être un peu, tout de même.

— Et que devenaient les jeunes gens du bachot ?

— Ils descendaient le fleuve en direction du *Black Swan*. Peut-être commençaient-ils à avoir peur. La nuit, l'eau est si noire, si étrange, presque sinistre. Maintenant que j'y suis habituée, cela ne me dérange plus du tout. Mais eux, ils devaient avoir envie de revenir vers la lumière et la chaleur.

— Donc la dernière fois que vous avez vu ce garçon et cette fille, ils étaient ensemble sur la berge, puis vous vous êtes mise à remonter silencieusement le fleuve sans qu'on vous remarque.

— Oui. A cet endroit-là, la Tamise fait un coude et les joncs qui poussent au bord de l'eau sont plus hauts. Je les ai bientôt perdus de vue. J'ai attendu tranquillement, assise dans mon canot, que sir Paul réapparaisse.

— D'où est-il venu ?

— D'un peu plus haut, c'est-à-dire, de la direction dans laquelle j'avais ramé. Il avait traversé le parking, vous comprenez.

— Toujours hors de vue et de portée d'oreille du jeune couple ?

— Hors de vue, oui, mais pendant notre traversée j'ai continué à entendre le rire de la fille. Je devais avancer avec prudence. Chargé d'un passager supplémentaire, le canot s'enfonçait dans l'eau. »

L'image du trio assis dans l'espèce de cuvette qui servait de bateau, avec Makepeace jouant les figures de proue, avait quelque chose de ridicule mais aussi de touchant. Dalgliesh faillit éclater de rire. Ce n'était pas une réaction qu'il se serait attendu à avoir au beau milieu d'une enquête criminelle, et de celle-ci encore moins. Il en éprouva de la gratitude.

« Pendant combien de temps a-t-elle ri, cette fille ?

— Jusqu'au moment où nous avons abordé l'autre rive. A ce moment, le rire a brusquement cessé.

— Avez-vous entendu alors un cri ou un plongeon ?

— Non. Rien. De toute façon, si elle avait plongé tête la première, elle n'aurait pas fait grand bruit. Et celui de mes avirons m'aurait empêché de l'entendre.

— Que s'est-il passé ensuite, miss Gentle ?

— D'abord, sir Paul a demandé s'il pouvait passer un coup de fil dans la région. Il ne m'a pas dit à quel endroit et, naturellement, je ne le lui ai pas demandé. Pour ne pas le gêner, je me suis retirée à la cuisine. Puis je lui ai vivement conseillé de prendre un bain chaud. J'ai allumé mon radiateur mural électrique dans la salle de bains et tous mes poêles à pétrole. Ce n'était pas le moment de faire des économies. Je lui ai donné un antiseptique pour sa figure. Je ne sais pas si je vous l'ai dit, mais le jeune homme lui avait égratigné profondément la joue. Pas une façon très virile de se battre, ai-je pensé. Pendant que sir Paul était dans la baignoire, j'ai séché ses vêtements dans l'essoreuse. Je n'ai pas de machine à laver. Étant seule, je n'en ai pas vraiment besoin. Maintenant qu'on les fait en tissu synthétique, je peux même laver mes draps. Mais je ne crois pas que je pourrais me passer de mon essoreuse. Ah oui, et puis je lui avais prêté la vieille robe de chambre de mon père pour qu'il ait quelque chose à se mettre sur le dos en attendant de pouvoir se rhabiller. Elle est en pure laine et merveilleusement douillette. On n'en fait plus de cette qualité. Quand sir Paul est sorti de la salle de bains, je l'ai trouvé vraiment très beau dans ce peignoir. Nous nous sommes installés devant le feu et je lui ai préparé du chocolat chaud. Comme c'était un homme, je me suis dit qu'il préférerait peut-être un alcool et je lui ai offert de mon vin de sureau. Il m'a répondu qu'il préférerait le chocolat. En fait, il a dit qu'il aurait bien aimé goûter le vin, que celui-ci était sûrement excellent, mais que, vu les circonstances, une boisson chaude serait plus indiquée. Je suis tombée d'accord avec lui. Il n'y a vraiment rien de plus réconfortant qu'un bon cacao chaud quand on est transi et affamé. Je l'ai fait avec du lait entier. J'en avais commandé un demi-litre supplémentaire parce que je pensais me faire un chou-fleur au gratin pour le dîner. Ça tombait bien, n'est-ce pas ?

— En effet. Avez-vous parlé de cet incident à quelqu'un ?

— A personne. Je ne vous en aurais pas parlé à vous non plus si vous n'aviez pas téléphoné et que sir Paul n'était pas mort.

— Vous a-t-il priée de garder cette histoire pour vous ?

— Oh, non ! Il n'aurait jamais fait une chose pareille ! Ce n'était pas du tout son genre et d'ailleurs il savait que je me tairais. On voit tout de suite si l'on a affaire à une personne discrète. Si elle l'est, pourquoi lui demander le secret ? Si elle ne l'est pas, ça ne servirait à rien de le faire.

— Soyez gentille et continuez à vous taire. Ça pourrait être très important pour nous. »

En guise de réponse, la vieille dame fit un signe d'assentiment. Tout en se demandant pourquoi il y attachait tant d'importance, pourquoi il tenait tant à le savoir, Dalgliesh s'informa :

« De quoi avez-vous parlé ?

— Pas de la bagarre, ou du moins, à peine. Je lui ai dit : "C'était au sujet d'une femme, n'est-ce pas ?" et il a acquiescé.

— La fille nue qui riait ?

— Je ne crois pas. Je ne sais pas très bien pourquoi, mais cela m'étonnerait. J'ai l'impression que c'était plus compliqué que ça. Et puis, il ne se serait pas battu devant elle, du moins s'il avait su qu'elle était là. Mais il est vrai qu'il ne devait pas le savoir. Elle s'est sûrement cachée dans les buissons en le voyant arriver. »

Dalgliesh croyait savoir pourquoi Berowne était descendu sur la berge. Il était venu se joindre aux convives du dîner d'anniversaire, saluer sa femme et l'amant de sa femme, participer à une comédie policée dans laquelle il jouerait le rôle classique du mari complaisant. Soudain, il avait entendu le murmure de l'eau, avait senti, comme l'avait fait Dalgliesh, cette forte et nostalgique odeur de rivière qui lui promettait un instant de solitude et de paix. Après un moment d'hésitation, il avait franchi le portail qui menait du parking à la rive. Et c'était cette chose insignifiante, le fait de céder à une simple impulsion, qui l'avait conduit à la boucherie de la sacristie.

Swayne avait dû surgir des buissons à ce moment-là, peut-être en enfilant sa chemise, incarnation de tout ce que Berowne méprisait dans sa propre vie et en lui-même. Avait-il sommé le jeune homme de s'expliquer au sujet de Theresa Nolan ou bien était-il déjà au courant ? Était-ce là un autre secret que l'infirmière lui avait confié dans son ultime message : le nom de son amant ?

Dalgliesh redemanda avec une douce insistance :
« De quoi alors avez-vous parlé, miss Gentle ?

— Surtout de mon travail, de mes livres. Il avait vraiment l'air intéressé. Il voulait savoir comment j'avais commencé à écrire, comment je trouvais mes idées. Il est vrai que cela fait six ans que je n'ai rien publié. Mon genre littéraire n'est plus à la mode. C'est ce que ce cher Mr. Hearne, mon éditeur, m'a expliqué. Le roman sentimental est plus réaliste de nos jours. Je crains d'être trop vieux jeu. Mais je ne peux pas changer. Bien que les gens soient parfois un peu durs pour les auteurs de ce qu'ils appellent "romans à l'eau de rose," nous ne différons pas des autres écrivains : nous ne pouvons écrire que ce que nous avons *besoin* d'écrire. Quoi qu'il en soit, j'ai beaucoup de chance. Je suis en bonne santé, je touche une pension, j'ai une maison, et Makepeace me tient compagnie. Et je continue à écrire. Mon prochain livre sera peut-être un best-seller !

— Combien de temps sir Paul est-il resté chez vous ? demanda Dalgliesh.

— Oh, plusieurs heures, presque jusqu'à minuit. Je ne pense pas que c'était par politesse. Je crois qu'il se sentait bien ici. Nous sommes restés à bavarder, puis quand nous avons commencé à avoir faim, j'ai préparé des œufs brouillés. Évidemment, je n'avais plus assez de lait pour un chou-fleur au gratin. A un certain moment, sir Paul m'a dit : "Personne ne sait où je suis maintenant. Personne ne peut venir m'embêter." Il l'a dit comme s'il me remerciait, comme si je lui avais donné quelque chose de très précieux. Il était assis là, dans le fauteuil que vous occupez, commandant. Il avait l'air bien au chaud dans cette vieille robe de chambre de mon père et parfaitement à l'aise, comme s'il était chez lui. Vous lui ressemblez beaucoup, commandant. Je ne parle pas de vos traits. Sir Paul était blond et vous êtes brun. Mais vous avez la même façon de vous asseoir, les mêmes mains, la même démarche. Même votre voix ressemble un peu à la sienne. »

Dalgliesh posa sa tasse et se leva. Kate le regarda, surprise, puis elle l'imita et ramassa son sac-bandoulière. Dalgliesh s'entendit remercier miss Gentle pour son café, la prier encore une fois de se taire et expliquer qu'ils aimeraient une déposition écrite. Une voiture de la police viendrait la chercher et l'emmènerait à New Scotland Yard, si cela ne la dérangeait pas. Ils avaient atteint la porte quand Kate demanda sur une impulsion :

« Et après cette nuit-là, vous n'avez plus jamais eu de ses nouvelles ?

— Pas du tout ! Je l'ai revu l'après-midi du jour de sa mort. Je croyais que vous le saviez.

— Mais miss Gentle, fit Dalgliesh avec douceur, comment aurions-nous pu le savoir ?

— Eh bien, je pensais que sir Paul aurait dit à quelqu'un où il allait. Est-ce important ?

— Très important. Nous avons désespérément essayé de reconstituer son emploi du temps pour cet après-midi là. Dites-nous ce qui s'est passé.

— En fait, il n'y a pas grand-chose à raconter. Sir Paul est arrivé à l'improviste, juste avant trois heures. Je me souviens que j'étais en train d'écouter une émission féminine sur Radio Quatre. Il était à pied et portait un sac de voyage. Il devait avoir marché depuis la gare. Cela représente plus de six kilomètres, mais il a eu l'air surpris quand je le lui ai fait remarquer. Il m'a dit qu'il avait eu envie d'une promenade le long du fleuve. Je lui ai demandé s'il avait déjeuné. Il m'a répondu qu'il avait du fromage dans son sac et que cela ferait l'affaire. Il devait mourir de faim. Heureusement, je m'étais mitonné un ragoût de bœuf à midi et il en restait un peu. Je le lui ai donc servi. Ensuite, nous avons pris le café ensemble. Il a très peu parlé. Je ne crois pas qu'il était venu pour ça. Puis, laissant son sac chez moi, il est parti faire sa promenade. Quand il est revenu, vers quatre heures et demie, j'ai préparé du thé. Ses chaussures étaient toutes crottées — les prés étaient terriblement détrempés cet été. Je lui ai passé du cirage et des brosses et il s'est assis dehors, sur l'escalier, pour les nettoyer. Ensuite, il a pris son sac, m'a dit au revoir et s'en est allé. C'est aussi simple que ça. »

Aussi simple que ça, pensa Dalgliesh. L'emploi du temps de Berowne reconstitué, le morceau de boue sur sa chaussure expliqué. Berowne ne s'était pas rendu chez sa maîtresse, mais chez une femme qu'il n'avait vue qu'une seule fois de sa vie, qui ne posait pas de questions, n'exigeait rien de lui et qui lui avait donné quelques inoubliables instants de paix. Il avait voulu passer ces quelques heures en un lieu où personne ne le trouverait. Puis il avait dû se rendre directement de la gare de Paddington à Saint-Matthew. Il faudrait qu'ils vérifient les horaires, calculent le temps que l'ensemble du voyage pouvait avoir pris. Mais, que lady Ursula mentît ou non, il était peu probable que Berowne eût pu repasser chez lui chercher son agenda et arriver au presbytère à six heures.

Tournant la tête vers la porte qui se refermait, Kate déclara :

« Je connais une vieille dame qui, à sa place, dirait : "Personne ne veut de mes livres, je suis pauvre et estropiée, je vis dans une maison humide avec un chien pour toute compagnie." Elle, elle dit : "Je suis en bonne santé, j'ai une pension, une maison. Makepeace me tient compagnie et je continue à écrire." »

Dalgliesh se demanda à qui elle pensait. Il ne lui avait encore jamais vu cette amertume. Puis il se rappela qu'il y avait une vieille grand-mère dans l'existence de la jeune femme.

Curieux, se dit-il. C'était la première fois qu'elle faisait allusion à sa vie privée. Avant qu'il ait pu répondre, elle poursuivit :

« Voilà donc pourquoi Higgins nous a dit que les

vêtements de Swayne étaient trempés. On était en août, après tout. S'il avait nagé nu, puis s'était rhabillé après la noyade, pourquoi ceux-ci auraient-ils été mouillés ? »

« Nous tenons là un nouveau mobile, sir, ajouta-t-elle. Un double mobile. Swayne doit l'avoir haï. Être ainsi corrigé, humilié, jeté dans le fleuve et tiré dehors comme un chien, tout cela devant la fille !

— Oh oui, Swayne doit l'avoir haï, cela ne fait aucun doute », acquiesça Dalgliesh.

Ainsi il savait enfin non seulement pourquoi on avait tué Berowne, mais aussi pourquoi on l'avait fait avec ce mélange de préméditation et d'impulsion, cette brutalité, ce raffinement excessif, cette habileté qui n'avait pas tout à fait atteint le degré nécessaire. Il était là le mobile, exposé à ses yeux dans toute sa mesquinerie et son arrogance, fondamentalement insuffisant, mais terriblement puissant. Et il reconnut l'esprit qui se trouvait derrière. Il en avait rencontré plusieurs du même genre dans sa carrière. C'était celui d'un meurtrier qui ne se contente pas d'ôter la vie, mais qui se venge de l'humiliation par l'humiliation, qui ne supporte pas de savoir que son ennemi respire le même air que lui, qui souhaite non seulement la mort, mais aussi le déshonneur de sa victime. C'était celui d'un homme qui s'était senti inférieur et méprisé toute sa vie et qui s'était à jamais débarrassé de ce complexe. Toutefois, si son intuition était fondée et que Swayne fût l'assassin, il ne pourrait s'emparer de sa proie que s'il faisait craquer une femme solitaire, vulnérable et obstinée. Il frissonna et remonta le col de son pardessus. Un pâle soleil brillait encore sur les prés, mais le vent avait fraîchi et une désagréable odeur d'humidité provenait de la Tamise, pareille au premier souffle de l'hiver.

« Croyez-vous qu'avec les méthodes autorisées nous réussirons à démolir son alibi, sir ? » dit Kate.

Dalgliesh se secoua et marcha vers la voiture.

« Nous devons essayer, inspecteur, nous devons essayer. »

Sixième partie

CONSÉQUENCES MORTELLES

1

Quand le père Barnes lui avait parlé pour la première fois de l'idée de Susan Kendrick — il s'agissait de passer un jour ou deux chez eux, au presbytère de Nottingham, en attendant que les choses se calment —, miss Wharton avait accepté avec reconnaissance et soulagement. Il avait été convenu qu'elle partirait pour Nottingham dès la fin de l'enquête du coroner et que le père Barnes l'accompagnerait personnellement en métro jusqu'à la gare de King's Cross, pour lui porter sa valise et la mettre dans le train. Ce projet lui était apparu alors comme la réponse à une prière. Le respect quasi obséquieux dont l'entouraient maintenant les McGrath, comme si elle était quelque objet ou animal primé qui rehaussait leur prestige dans la rue, lui semblait plus terrifiant encore que leur hostilité passée. Ce serait une délivrance que d'échapper à leurs yeux avides et à leurs incessantes questions.

L'enquête avait été moins pénible qu'elle ne l'avait craint. On l'avait simplement priée de décliner son identité et de raconter brièvement comment elle avait découvert les cadavres. Ensuite, à la demande de la police, la séance avait été ajournée. Le coroner l'avait traitée avec gravité et considération. Elle avait passé si peu de temps à la barre qu'avant même de se rendre vraiment compte où elle était, on l'avait déjà libérée. Elle avait anxieusement cherché Darren des yeux, mais ne l'avait pas vu dans la salle. Elle avait le vague souvenir d'avoir été présentée à une série d'inconnus dont un jeune homme blond qui avait dit être le beau-frère de sir Paul. Aucun autre membre de la famille n'assistait à l'enquête. Elle avait remarqué la présence d'un certain nombre d'hommes en costumes sombres. Le père Barnes lui avait expliqué que c'étaient des avocats. Le pasteur lui-même, tout resplendissant dans une soutane et une barrette neuves, avait paru extraordinairement détendu. La guidant par le bras d'un air de propriétaire, il l'avait fait passer devant les photographes et avait salué des fidèles de sa paroisse avec une assurance qu'elle ne lui avait encore jamais vue. Et avec la police, il avait semblé tout à fait à l'aise. A sa consternation, miss Wharton se surprit à penser que les meurtres lui avaient fait du bien.

Dès le premier jour passé à Saint Crispin, elle avait compris que sa visite était une erreur. Bien qu'enceinte de plusieurs mois de son premier enfant, Susan Kendrick n'avait rien perdu de son énergie. Chaque minute de sa journée semblait remplie soit par des occupations paroissiales ou domestiques, soit par son travail de physiothérapeute à mi-temps à l'hôpital local. Plein de coins et de recoins, le presbytère n'était jamais vide et, mis à part le bureau du père Kendrick, jamais paisible. Miss Wharton était constamment présentée à des personnes dont elle n'arrivait ni à très bien saisir le nom, ni à deviner la fonction exacte dans la paroisse. En ce qui concernait les meurtres, son hôtesse lui avait témoigné une sympathie conforme à son devoir ; elle estimait toutefois que s'affliger longtemps au sujet de deux cadavres, aussi déplaisante qu'ait été leur fin, n'était guère raisonnable, et que s'appesantir sur cette expérience avait quelque chose de complaisant, voire de morbide. Mais miss Wharton avait atteint un stade où parler l'aurait soulagée. Et Darren commençait à lui manquer cruellement. Elle se demandait où il était, ce qu'il devenait, s'il était heureux.

Elle avait exprimé le plaisir que lui procurait la venue prochaine du bébé, mais sa nervosité lui avait peut-être fait adopter un ton effarouché et ses paroles avaient semblé d'une sentimentalité excessive, même à ses propres oreilles. Face au robuste bon sens avec lequel Susan prenait sa grossesse, elle s'était sentie une vieille fille ridicule. Elle avait offert de rendre des services dans la paroisse, mais son hôtesse n'ayant pu lui trouver une activité adéquate, elle avait perdu le peu d'assurance qui lui restait. Elle s'était mise à errer furtivement dans le presbytère, pareille à une de ces souris d'église à laquelle on devait la comparer de toute façon. Au bout de deux jours elle avait timidement suggéré qu'il serait peut-être temps pour elle de rentrer à Londres. Personne n'avait essayé de l'en dissuader.

Cependant, le matin de son départ, elle avait trouvé le courage de confier à Susan ses inquiétudes au sujet de Darren. Et là, son hôtesse avait pu l'aider. Le dédale bureaucratique des autorités locales ne lui inspirait aucune crainte. Elle avait su qui appeler, comment trouver le numéro. Elle avait parlé à son interlocutrice inconnue avec les accents complices d'une conversation d'égale à égale. Elle avait téléphoné du bureau de son mari. Assise dans le fauteuil destiné à ceux qui venaient chercher conseil auprès du pasteur, miss Wharton avait eu l'impression, pendant tout cet entretien, de bénéficier indûment de la patiente attention de deux professionnelles du travail social. Elle avait vaguement senti qu'on eût jugé son cas plus intéressant si elle avait été mère célibataire ou délinquante — de préférence les deux — et noire.

Ensuite, Susan Kendrick lui avait communiqué le verdict. Elle ne pouvait voir Darren pour le moment ; l'assistante sociale chargée de l'enfant pensait que ce n'était pas du tout souhaitable. Le garçon avait comparu devant un tribunal pour enfants et été placé sous la tutelle de l'autorité locale. Celle-ci espérait pouvoir organiser pour lui un programme éducatif, mais tant que la chose n'était pas en bonne voie, elle jugeait qu'il ne serait pas bon pour lui de rencontrer miss Wharton. Le garçon s'était montré très réticent au sujet des meurtres et, lorsqu'il se résoudrait à en parler, il valait mieux qu'il le fît avec une personne compétente en matière de psychologie, quelqu'un qui pût investiguer avec lui le traumatisme subi. Il va être furieux ! se dit miss Wharton. Lui qui n'a jamais aimé qu'on se mêle de ses affaires !

La première nuit qu'elle passa de nouveau chez elle, couchée dans son lit sans pouvoir dormir — cela lui arrivait souvent maintenant —, elle eut une idée. Elle se rendrait à Scotland Yard et demanderait à la police de l'aider. Le commandant et l'inspecteur auraient certainement quelque pouvoir, ou du moins quelque influence, sur l'assistante sociale de Darren. Ils avaient toujours été très gentils pour elle. Ils seraient en mesure d'assurer à l'autorité locale qu'elle était une personne responsable à laquelle on pouvait confier Darren. Cette décision apaisa un peu son esprit tourmenté et elle finit par s'endormir.

Le lendemain matin, elle se sentit moins sûre

d'elle, mais toujours aussi fermement résolue. Elle sortirait après dix heures : il était inutile d'affronter la cohue des heures de pointe. Sachant combien il était important de faire bonne impression, elle s'habilla avec soin. Avant de se mettre en route, elle s'agenouilla et récita une courte prière pour le succès de sa démarche. Faites qu'on m'accueille avec sympathie, que Scotland Yard ne soit pas l'endroit terrifiant que j'imagine, que le commandant Dalgliesh et l'inspecteur consentent à parler à l'autorité locale, à leur expliquer que je ne mentionnerai pas les meurtres à l'enfant puisque son assistante sociale le juge dangereux. Elle alla à pied à la station de métro Paddington et y prit la Circle Line. A la station Saint James, elle se trompa de sortie. Pendant un instant, elle se sentit complètement perdue et dut demander son chemin. Soudain, elle aperçut de l'autre côté de la rue l'enseigne tournante du Yard et la longue construction de verre que les images du journal télévisé avaient rendue si familière.

Le hall d'entrée la surprit. Qu'avait-elle imaginé ? Un agent en uniforme montant la garde, une grille de fer, peut-être même des prisonniers qu'on emmenait vers des cellules, menottes au poing ? L'endroit bourdonnait d'une activité efficace, mais détendue. Des hommes et des femmes montraient leurs laissez-passer, puis se dirigeaient en bavardant gaiement vers les ascenseurs. Abstraction faite de la flamme du souvenir brûlant sur son socle, on aurait pu se croire dans n'importe quel bureau, se dit-elle. Elle demanda à parler à l'inspecteur Miskin. Elle avait décidé entre-temps que c'était là une affaire pour laquelle une femme montrerait plus de sympathie qu'un homme, et qu'elle pouvait difficilement déranger le commandant Dalgliesh pour un si petit problème, qui n'avait d'importance que pour elle.

Non, avoua-t-elle à la réceptionniste, elle n'avait pas rendez-vous. On lui demanda de s'asseoir sur l'une des chaises alignées contre le mur de gauche. Elle regarda la fille téléphoner. Peu à peu, elle prit de l'assurance ; ses mains, qui agrippaient nerveusement son sac, se détendirent. Elle fut capable de s'intéresser aux allées et venues des gens, de sentir qu'elle avait le droit d'être là.

Puis, subitement, l'inspecteur Miskin se tint à côté d'elle. Elle ne s'était pas attendue à la voir apparaître. Elle avait cru qu'un messager la conduirait à son bureau. Elle veut éviter de perdre du temps, se dit-elle. Si elle pense que c'est important, elle m'emmènera en haut. De toute évidence, l'inspecteur Miskin ne pensait pas que ça l'était. Quand miss Wharton eut expliqué l'objet de sa visite, la jeune femme s'assit à côté d'elle et resta un moment silencieuse. Elle est déçue, se dit miss Wharton. Elle espérait que je lui apportais un renseignement concernant les meurtres, que je m'étais souvenue d'un détail nouveau et vital.

« Je suis désolée, mais je ne vois pas comment nous pouvons vous aider, dit finalement l'inspecteur. Le juge des enfants a ordonné la mise sous tutelle. Son cas est désormais du ressort de l'autorité locale.

— Je sais. C'est ce que m'a dit Mrs. Kendrick, mais je pensais que vous pourriez peut-être user de votre influence. La police, après tout...

— Nous n'en avons aucune dans ce domaine. »

Ces mots avaient quelque chose d'horriblement définitif. Miss Wharton se trouva en train de supplier.

« Je ne lui parlerai pas des meurtres — bien que j'aie parfois l'impression que les enfants sont plus solides que nous, dans un sens. Je serai extrêmement prudente. Je me sentirais tellement mieux si seulement je pouvais le revoir, ne serait-ce que quelques minutes, juste pour savoir s'il va bien.

— Et pourquoi n'en avez-vous pas le droit ? Vous l'ont-ils dit ?

— Ils pensent que Darren ne devrait parler des meurtres qu'avec une personne compétente en matière de psychologie, une assistante sociale qui puisse investiguer avec lui le traumatisme subi.

— Je reconnais bien là leur jargon. »

L'amertume qui perça soudain dans la voix de l'inspecteur surprit miss Wharton. Elle devina qu'elle avait trouvé une alliée. Elle ouvrit la bouche pour insister, puis se ravisa : s'il y avait quelque chose à faire, l'inspecteur Miskin le ferait. Celle-ci paraissait réfléchir.

« Je ne peux pas vous donner son adresse, dit-elle. De toute façon, je ne m'en souviens pas. Il faudrait que je consulte le dossier. Je ne suis même pas sûre qu'ils l'ont laissé avec sa mère. Quoique, si on avait voulu le séparer d'elle, le tribunal pour enfants aurait ordonné le placement hors de la famille. Mais je me souviens du nom de son école. Bollington Road Junior. Vous la connaissez ?

— Oh oui. Je connais Bollington Road. Je peux y aller.

— Ils sortent toujours à trois heures et demie, n'est-ce pas ? Vous pourriez passer juste à ce moment-là. Si vous le rencontrez par hasard, je ne vois pas ce que l'autorité locale pourrait y objecter.

— Oh, merci. Merci beaucoup. »

Avec une perception aiguisée par l'angoisse et, maintenant, par le soulagement, miss Wharton sentit que l'inspecteur Miskin se demandait si elle devait de nouveau l'interroger sur les cadavres de la sacristie, mais elle ne dit rien. Alors qu'elles se levaient et que l'inspecteur l'accompagnait à la porte, elle leva les yeux vers elle et dit :

« Vous avez été très bonne. Si je me souviens de quoi que ce soit au sujet des meurtres, quoi que ce soit de neuf, je vous appellerai immédiatement. »

Dans le métro de l'aller, elle s'était dit que si tout se déroulait selon ses vœux elle s'offrirait un café dans un *Army and Navy Stores*. Mais sa visite au Yard semblait l'avoir curieusement vidée de son énergie. Rien que l'idée d'affronter la circulation de Victoria Street la découragea. Peut-être serait-il moins fatigant de renoncer au café et de rentrer directement chez elle ? Tandis qu'elle hésitait au bord du trottoir, elle sentit une épaule frôler la sienne. Puis une voix masculine, jeune et agréable, demanda :

« Excusez-moi, n'êtes-vous pas miss Wharton ? Je vous ai rencontrée à l'enquête du coroner. Je suis Dominic Swayne, le beau-frère du défunt. »

Un peu déconcertée, elle cligna des paupières, puis le reconnut.

« Nous bloquons le passage », dit-il.

Elle le sentit poser sa main sur son bras et la guider fermement de l'autre côté de la rue. Puis, sans la relâcher, il dit :

« Je suppose que vous avez été au Yard. Moi aussi. J'ai besoin d'un verre. Faites-moi plaisir et accompagnez-moi. Je pensais aller à l'hôtel Saint Ermin.

— C'est très aimable de votre part, mais je...

— Je vous en prie. J'ai envie de parler à quelqu'un. Vous me feriez une faveur. »

C'était vraiment impossible de refuser. Sa voix, son sourire, la pression de son bras sur le sien étaient persuasifs. Il l'entraîna doucement mais avec résolution à travers la station de métro, puis dans Caxton Street. Soudain, ils furent en face de l'hôtel. Avec sa vaste cour flanquée de bêtes héraldiques, ce bâtiment paraissait si solide et accueillant ! Cela lui ferait du bien de s'asseoir dans un endroit tranquille avant d'entamer le voyage du retour. Par une porte sur la gauche, il l'introduisit dans le hall.

Quelle magnificence ! se dit-elle. L'escalier en fer à cheval surmonté d'un balcon arrondi, les lustres étincelants, les murs couverts de miroirs et les piliers délicatement sculptés. Pourtant, à sa surprise, elle se sentait tout à fait à l'aise. Cette élégance 1900, cette atmosphère de confort et de respectabilité avaient quelque chose de rassurant. Foulant un tapis beige et bleu, elle suivit son compagnon en direction de deux chaises à haut dossier placées devant la cheminée. Quand ils furent assis, il demanda :

« Que prendrez-vous ? On sert du café ici, mais je pense que vous avez besoin de quelque chose de plus fort. Un xérès ?

— Oh oui, bonne idée. Merci.

— Sec ?

— Pas trop, si c'est possible. »

Au presbytère de Saint Crispin, Mrs. Kendrick avait sorti la carafe de xérès chaque soir avant le dîner. Pâle et sec, cet apéritif avait toujours eu un goût aigrelet qu'elle n'avait pas tellement aimé. Mais à son retour à la maison, ce rituel nocturne lui avait manqué. Il n'y avait pas de doute : on s'habituait vite à ces petits luxes. Son compagnon leva le doigt et le garçon arriva avec une respectueuse diligence. On apporta le xérès : un liquide ambré, semi-sec, qui la remonta aussitôt. L'accompagnaient deux coupelles, l'une remplie de noix, l'autre de biscuits salés. Que tout cela était donc raffiné, propice à la détente ! Ils auraient pu être à des kilomètres de l'agitation et du vacarme de Victoria Street. Elle se laissa aller contre le dossier et, avec une admiration craintive, regarda le plafond profusément orné, les deux appliques murales avec leurs abat-jour à franges, l'urne énorme pleine de fleurs au bas de l'escalier. Soudain elle comprit pourquoi tout lui paraissait tellement familier. Décor, bruits, sensations, et même la figure souriante du jeune homme qui se penchait vers elle, fusionnèrent pour recomposer une image oubliée depuis longtemps. Elle était assise dans un hall d'hôtel, certainement celui-ci, à cette même place, avec son frère. C'était sa première permission depuis qu'il avait obtenu ses galons de sergent. Puis elle se souvint. Sa base se trouvait dans l'East Anglia. Ils devaient s'être rencontrés dans un hôtel près de Liverpool Street, et non pas près de Victoria. Mais ç'avait été un endroit identique. Elle se rappela l'orgueil qu'elle avait ressenti en voyant l'élégant uniforme de son frère, l'emblème de mitrailleur de la R.A.F., une aile unique, qui ornait sa poitrine, l'éclat de ses galons tout neufs, sa fierté de l'avoir pour compagnon. Elle avait pris un immense plaisir à ce luxe inaccoutumé, à la façon pleine d'assurance dont il avait commandé un xérès pour elle, une bière pour lui. Son compagnon actuel la faisait penser à John. Comme son frère, il était à peine aussi grand qu'elle. « Ils nous préfèrent petits, nous les gars de la tourelle », avait dit John. Et il était blond comme lui. Il avait aussi quelque chose de John dans ses yeux bleus, ses sourcils arqués, et exactement la même gentillesse, la même courtoisie. Elle pouvait presque imaginer que lui aussi portait l'emblème du mitrailleur de la R.A.F. sur sa veste.

« Ils vous ont de nouveau interrogé au sujet des meurtres, n'est-ce pas ? Ils vous ont tourmentée ?

— Oh non, ce n'était pas du tout ça ! »

Elle lui expliqua la raison de sa visite au Yard. Elle trouva très facile de lui parler de Darren, de leurs promenades sur le chemin de halage, de leurs visites à l'église, de son besoin de le revoir.

« L'inspecteur Miskin ne peut pas influencer l'autorité locale, mais elle m'a donné le nom de l'école de Darren. C'était vraiment très gentil de sa part.

— Les flics ne sont jamais gentils, sauf quand ça les arrange. Ils n'ont pas été gentils avec moi. Ils croient que je leur cache quelque chose, voyez-vous. Ils croient que c'est peut-être ma sœur qui a fait le coup, avec son amant.

— Quelle idée affreuse ! Une femme, sa propre épouse en plus ! Une femme ne pourrait jamais avoir commis ce genre de meurtre. Comment peuvent-ils croire une chose pareille ?

— Peut-être font-ils seulement semblant de le croire. En tout cas, ils essaient de me faire dire que ma sœur s'est confiée à moi, qu'elle m'a tout avoué, même. Nous avons toujours été très proches, comprenez-vous, depuis notre plus jeune âge. Elle n'a que moi et réciproquement. Ils savent qu'elle me parlerait de ses ennuis, si elle en avait.

— Ça doit être extrêmement pénible pour vous. J'ai du mal à croire que le commandant Dalgliesh pense vraiment cela.

— Il a besoin d'arrêter quelqu'un. Or la femme, ou le mari, de la victime sont toujours les suspects numéro un. Je viens de passer deux heures fort désagréables. »

Miss Wharton avait terminé son xérès. Comme par enchantement, un autre le remplaça. Elle en avala une gorgée, pensant : ce pauvre jeune homme. Lui buvait un liquide plus pâle mélangé avec de l'eau, dans un verre droit. Du whisky peut-être. Il posa sa boisson et se pencha vers elle par-dessus la table. Elle put sentir l'alcool sur son haleine, une odeur masculine, aigre, légèrement inquiétante.

« Parlez-moi des meurtres, dit-il. Racontez-moi ce que vous avez vu, ce que vous avez éprouvé. »

Son désir d'entendre ce récit parut déferler vers elle avec la force d'une vague ; son propre désir de parler surgit, rencontra le sien. Elle avait passé de trop nombreuses nuits blanches à lutter contre l'horreur, à s'interdire de penser, de se rappeler. Il valait mieux rouvrir la porte de cette sacristie et affronter la réalité. Elle se mit donc à lui dépeindre la scène à voix basse. Elle était de retour dans cet abattoir. Elle décrivit tout : les blessures pareilles à des bouches molles, Harry Mack avec son plastron de sang séché, la puanteur, plus pénétrante en imagination qu'elle ne l'avait été dans la réalité, les mains pâles retombant comme des fleurs fanées. Le jeune homme se pencha par-dessus la table, sa bouche face à la sienne.

« Et c'est tout ce que je me rappelle, dit-elle pour terminer. Je ne me souviens pas de ce qui s'est passé avant ou après. Je ne vois que les cadavres. Et la nuit, quand je rêve d'eux, ils sont toujours nus, entièrement nus. N'est-ce pas étrange ? »

Elle pouffa doucement de rire et, avec précaution, porta son verre à ses lèvres.

Elle entendit le jeune homme soupirer comme si son effroyable récit l'avait libéré d'une oppression. Il se radossa en respirant bruyamment, comme s'il venait de courir.

« Mais vous n'êtes pas entrée dans cette pièce, cette sacristie où on les a trouvés ?

— C'est ce que le commandant ne cessait de nous demander. Il a même examiné nos semelles. Pas tout de suite. Un peu plus tard, avant que nous ne partions. Puis, le lendemain, un policier est venu chez moi et a emporté mes chaussures. C'est curieux n'est-ce pas ?

— Ils cherchaient des traces de sang.

— C'est vrai qu'il y en avait partout », dit-elle tristement.

Le jeune homme pencha de nouveau son visage pâle et attentif par-dessus la table. Miss Wharton aperçut une petite goutte de mucus au coin de son œil gauche et une fine pellicule de transpiration au-dessus de sa lèvre supérieure. Elle avala une autre gorgée de xérès. Comme cette boisson la réchauffait et la réconfortait !

« Quel que soit celui qui a commis ce crime, dit son compagnon, ça ne peut pas être un individu ordinaire, un intrus quelconque. Ce meurtre a été soigneusement prémédité, fantastiquement organisé aussi. Il s'agit d'un homme pourvu d'intelligence et de sang-froid. Vous vous rendez compte : revenir dans cette pièce, nu, un rasoir à la main ! Affronter le regard de la victime, puis la tuer ! Dieu, ça doit demander un sacré courage ! » Il se rapprocha encore un peu plus. « Vous êtes bien de mon avis ? »

Du courage ? se dit-elle. Le courage était une vertu. Un homme pouvait-il être aussi mauvais et montrer quand même du courage ? Il faudrait qu'elle posât cette question au père Barnes, sauf qu'il n'était pas facile de lui parler ces jours-ci. A la différence de ce jeune homme qui la regardait avec les yeux de John.

« Pendant que j'étais assise avec Darren dans l'église, attendant que la police nous interroge, j'ai eu l'impression que le petit cachait quelque chose. Quelque chose dont il n'était peut-être pas très fier.

— En avez-vous parlé aux flics ?

— Bien sûr que non. Cela leur aurait paru stupide. Et puis, qu'aurait-il pu cacher ? Nous étions tout le temps ensemble.

— Il aurait pu remarquer un détail qui vous a échappé.

— Dans ce cas, la police l'aurait vu elle aussi. C'est juste une impression que j'ai eue. Je sais quand il se sent... un peu honteux, disons. Mais cette fois, je dois me tromper. J'en saurai peut-être un peu plus après l'avoir vu.

— Que comptez-vous faire ? Aller à son école ?

— Oui. L'inspecteur m'a dit que les enfants sortaient à trois heures et demie.

— Mais il sera en compagnie d'autres garçons. Vous savez comment sont les gosses. Ils courent à la maison en criant et en se bousculant. Il ne voudra peut-être pas quitter ses copains. Il sera peut-être gêné de voir que vous l'attendez. »

Peut-être aura-t-il honte de moi, pensa miss Wharton. Les garçons sont si bizarres. Ce serait terrible si je le voyais et qu'il passait devant moi en faisant semblant de ne pas me connaître.

« Pourquoi ne lui écrivez-vous pas un mot dans lequel vous lui donnez rendez-vous à l'endroit habituel ? suggéra son compagnon. Il saura que cela veut dire le chemin de halage. Je pourrais le lui porter, si vous voulez.

— C'est vrai ? Mais comment le reconnaîtrez-vous ?

— Je donnerai la lettre à l'un des gosses en lui demandant de la remettre à son destinataire. Je lui glisserai une pièce et lui dirai que c'est ultra-secret. Ou bien je lui demanderai de me désigner Darren. De toute façon, le message lui parviendra, je vous le promets. Je vais même l'écrire pour vous. Il sait lire, non ?

— Oh, certainement. Il lisait les avis dans l'église. Il est vraiment très intelligent. Son assistante sociale a dit à Mrs. Kendrick que Darren avait beaucoup manqué la classe. Il paraît que sa mère était partie s'installer avec lui à Newcastle, mais comme elle n'y a pas trouvé les mêmes possibilités de travail qu'ici, elle est revenue à Londres. Seulement, elle n'en a jamais informé son école et Darren a dû faire l'école buissonnière en toute tranquillité. C'était très vilain de sa part, mais je suis sûre qu'il sait lire. »

Le jeune homme courba son index pour appeler le garçon. Celui-ci approcha à pas feutrés. Quelques minutes plus tard, il revint avec une feuille de papier à en-tête et une enveloppe. Le verre vide de miss Wharton fut remplacé par un verre plein.

« J'écrirai le message et votre nom en caractère d'imprimerie. Comme ça il pourra le lire plus facilement. Et nous devrions lui demander de vous rencontrer après l'école. Ça sera plus simple pour lui que d'avoir à sortir subrepticement de chez lui de bon matin. Je ne pourrai peut-être pas le contacter aujourd'hui, mais je le ferai certainement demain. Si on disait vendredi quatre heures, sur le chemin de halage ? Ça vous convient ?

— Oh, c'est parfait. Je ne le retiendrai pas longtemps. Je ne voudrais pas qu'il rentre trop tard à la maison. »

Le jeune homme écrivit rapidement, plia la feuille sans la lui montrer et la glissa dans l'enveloppe.

« Quel est son nom de famille ? demanda-t-il.

— Wilkes. Darren Wilkes. Et l'école se trouve dans Bollington Road, près de Lisson Grove. »

Elle le regarda adresser l'enveloppe en caractères d'imprimerie, puis la mettre dans la poche de sa veste. Il lui sourit.

« Finissez votre xérès et ne vous tracassez pas. Tout va s'arranger. Il sera au rendez-vous. Vous le verrez, c'est promis. »

Quand ils quittèrent l'hôtel et sortirent dans le pâle soleil, miss Wharton eut l'impression de flotter dans une extase de gratitude et de soulagement. Elle eut à peine conscience d'indiquer son adresse, d'être mise dans un taxi, du billet de cinq livres qu'on glissait dans la main du chauffeur. Anormalement grande, la figure du jeune homme remplissait la fenêtre du taxi.

« Ne vous tracassez pas, répéta-t-il. J'ai réglé la

course. Le chauffeur vous rendra un peu de monnaie. Et n'oubliez pas : c'est vendredi, quatre heures. »

Miss Wharton sentit des larmes de reconnaissance lui monter aux yeux. Elle tendit la main, cherchant vainement ses mots. Puis la voiture démarra. Elle fut projetée en arrière, sur son siège, et le jeune homme disparut. Pendant tout le trajet, elle resta assise très droite, serrant son sac à main contre sa poitrine, comme si cet objet symbolisait le bonheur grisant qu'elle venait de trouver. Vendredi, dit-elle à haute voix, vendredi quatre heures.

Quand le taxi fut hors de vue, Swayne sortit le message et le relut d'un air impassible. Puis il lécha et colla le rabat. L'heure et le lieu correspondaient exactement à ce qu'il avait dit, mais le rendez-vous était fixé au lendemain, jeudi, et non au vendredi. Et au lieu de miss Wharton, ce serait lui qui attendrait sur le chemin de halage.

2

Cela faisait dix minutes que Kate était remontée, quand Massingham entra dans son bureau. Dalgliesh et lui avaient interrogé Swayne. Déçue d'être exclue de cette importante entrevue, la première qui eût lieu après le témoignage de miss Gentle, elle avait caché ses sentiments en se disant que son heure viendrait. Car si les autres ne parvenaient pas à faire avouer Swayne rapidement, les interrogatoires — construits avec soin, menés selon la « loi des juges » et le règlement de la police, mais élaborés, variés et opiniâtres — se poursuivraient jour après jour jusqu'au moment où il leur faudrait soit inculper le suspect, soit le laisser tranquille, du moins temporairement. L'expression sur le visage de Massingham lui indiquerait si elle avait une chance. Ce fut tout juste si son collègue ne jeta pas le dossier sur son bureau. Ensuite, il s'approcha de la fenêtre comme si la vue spectaculaire des tours de Westminster et de la boucle de la Tamise pourrait apaiser sa frustration.

« Alors, qu'est-ce que ça a donné ? demanda Kate.

— Rien. Il est assis là, souriant, à côté de son avocat, et il parle de moins en moins. Ou, plus exactement, il répète sans cesse la même chose : "Oui, Berowne et moi nous sommes rencontrés sur la berge. Oui, nous avons eu une petite bagarre. Il m'a accusé d'avoir séduit Theresa Nolan, ce qui m'a rendu furieux : il avait un sacré culot de me coller la paternité de son bâtard sur le dos. Tout à coup, il s'est jeté sur moi comme un fou. En fait, il l'était vraiment — fou, je veux dire. Mais il ne m'a pas balancé dans la Tamise. Quand j'ai nagé jusqu'au canot, il était déjà parti. Et ce n'est pas moi qui l'ai tué. J'ai passé toute cette soirée avec miss Matlock. On m'a vu arriver à Campden Hill Square. J'ai pris le coup de téléphone de Mrs. Hurrell à neuf heures moins vingt. Je suis resté chez les Berowne jusqu'au moment où je suis parti au pub. Là-bas, on m'a vu de dix heures quarante-cinq jusqu'à l'heure de la fermeture. Si vous pensez que je mens, prouvez-le."

— Qui est son avocat ? Quelqu'un de chez Torrington, Farrel et Penge ?

— Non. Ce n'est pas une relation des Berowne. J'ai l'impression que Barbara Berowne prend ses distances vis-à-vis d'un personnage aussi louche que son frère. Il a dégotté un brillant et jeune avocat de chez Maurice et Sheldon, un type tout à fait compétent et qui est déjà en train de calculer le montant de ses honoraires. Rien de tel qu'une affaire notoire pour se faire un nom. Ce qui fait sa force, c'est qu'il croit réellement à l'innocence de son client. Ça ne doit pas arriver tous les jours aux avocats de ce cabinet. Je voyais très bien son raisonnement. Il ne croit pas que Swayne ait eu le cran de commettre un meurtre comme celui-ci ; il ne voit pas comment Swayne aurait pu quitter Campden Hill Square assez longtemps pour perpétrer son crime, puis revenir sans que Matlock s'en aperçoive ; et il ne voit certainement pas pourquoi la gouvernante menti-rait. Mais, surtout, il nous a fait clairement comprendre qu'il ne croit pas que Berowne ait été assassiné. En cela, il est loin d'être le seul. L'adjoint du sous-préfet et lui peuvent se donner la main. »

Donc, pensa Kate, il leur faudrait de nouveau essayer de faire craquer Evelyn Matlock. Elle serait assise là, chaperonnée par lady Ursula, avec son air mi-buté mi-triomphant, jouissant du martyre volon-taire qu'elle s'infligeait. Pour quelle cause ? La haine, la vengeance, sa propre glorification, l'amour ? Pour la première fois, Kate se trouva confrontée à l'idée que cette enquête, la première que menait la nouvelle brigade, pouvait se terminer sans arresta-tion, par un échec honteux. Massingham se détourna de la fenêtre.

« Nous n'avons toujours pas la moindre preuve matérielle qui pourrait relier Swayne au crime. D'accord, il avait un mobile. Mais une demi-dou-zaine d'autres personnes en avaient un.

— Mais s'il a tué Berowne par haine, il doit lui être difficile de cacher ce sentiment, même main-tenant ?

— Oh, il le cache très bien, suffisamment, en tout cas. Il l'a assouvie, sa haine, n'est-ce pas ? Il n'est plus sous son influence. Maintenant il peut sourire parce qu'il s'est débarrassé à jamais de son ennemi.

Il se maîtrisait bien, mais il exultait comme un amant comblé.

— Il a tué Berowne et nous savons qu'il l'a fait. Mais nous devons démolir son alibi. Plus que cela, nous devons trouver une preuve matérielle.

— Swayne le sait aussi bien que nous. Il est persuadé que cette preuve n'existe pas. Nous n'avons que des présomptions. Si nous avions disposé d'un élément plus sérieux, nous l'aurions déjà utilisé contre lui. Il se borne à dire ce que d'autres personnes pensent : que Berowne a engrossé Theresa Nolan, l'a laissée tomber, puis s'est suicidé, en partie par remords, en partie parce que l'article dans la *Paternoster Review* l'avertissait qu'un scandale était sur le point d'éclater. Bon dieu, Kate, si le patron s'est trompé, on sera dans la merde jusqu'au cou ! »

Kate regarda son collègue avec surprise. Il n'employait que rarement des mots grossiers. Elle comprit qu'il ne pensait pas seulement au succès de la nouvelle brigade ou à ces collègues du C1, et pas des moins gradés, qui ne verraient pas d'un mauvais œil Dalgliesh, le non-conformiste, se faire remettre à sa place. Comme elle, Massingham avait soigneusement programmé sa carrière et la dernière chose qu'il aurait voulu, c'est qu'on pût lui coller un échec éclatant sur le dos. Comme s'il avait du souci à se faire ! se dit Kate avec amertume. Ce n'est pas lui qui retournerait à la division.

« Si erreur il y avait, on ne pourrait guère vous en rendre responsable, dit-elle. De toute façon, en janvier prochain, vous partez en stage de perfectionnement au collège de Bramshill, prochaine étape sur la voie qui conduit à la présidence de l'association des hauts fonctionnaires de la police. »

Comme s'il avait oublié sa présence, Massingham murmura :

« La mort de mon père va poser quelques problèmes.

— Il n'est pas malade, j'espère ?

— Non, mais il a plus de soixante-dix ans et il
semble avoir beaucoup décliné depuis la mort de
ma mère, en avril. J'aimerais déménager, m'acheter
un appartement, mais cela n'est guère possible pour
le moment. »

C'était la première fois qu'il lui parlait de sa
famille. Cette confidence la surprit. Qu'il l'eût faite
devait signifier que leurs relations étaient en train
de changer. Mais il lui parut plus prudent de ne pas
poser de questions.

« A votre place, je ne me tracasserais pas pour le
titre, dit-elle. Vous pouvez toujours y renoncer. De
toute façon, la police acceptera beaucoup plus
facilement "le chef de la police, lord Dungannon"
que "le chef de la police Kate Miskin". »

Massingham rit.

« C'est vrai, admit-il d'un ton léger. Mais si vous
aviez choisi la carrière d'auxiliaire féminin de la
marine, vous ne vous attendriez pas à devenir
amiral-chef. Cela viendra, remarquez. A mon avis,
nous aurons la première femme chef de la police
dix ans environ après la première femme archevêque de Canterbury. Pas de mon vivant, Dieu
merci ! »

Kate ne répondit pas à cette provocation. Elle
s'aperçut qu'il lui jetait un regard perçant.

« Que se passe-t-il ? demanda-t-il. Quelque chose
vous tracasse ? »

Cela se voit-il tellement ? se demanda-t-elle, plutôt
contrariée par la sensibilité inhabituelle de son
collègue. S'il avait aussi facilement accès à ses
pensées, elle n'avait plus de raisons de ne jamais
l'inviter chez elle.

« Miss Wharton est venue ici pendant que vous interrogiez Swayne. Elle voudrait voir Darren.

— Qu'est-ce qui l'en empêche ?

— L'assistante sociale du gosse, à ce qu'il paraît, dans l'intérêt du bon exercice de sa profession. Miss Wharton aime beaucoup le garçon. Manifestement, elle le comprend. Ils s'entendent bien. Il la trouve sympa. Pas étonnant que son assistante sociale fasse tout pour les séparer. »

Massingham eut un petit sourire amusé, indulgent. Dans le monde privilégié où il vivait, les mots « assistance sociale » n'avaient jamais eu d'autre sens que celui que leur donnait le dictionnaire.

« Vous avez la dent dure !

— Quoi qu'il en soit, j'ai indiqué à miss Wharton le nom de l'école et je lui ai suggéré d'aller attendre le gosse à la sortie.

— Et maintenant vous vous demandez si ça plaira aux services sociaux ?

— Je sais foutrement bien que ça ne leur plaira pas. Ce que je me demande, c'est si c'était prudent. » Comme pour se rassurer, Kate ajouta : « Bon, elle va traîner devant le portail et, avec un peu de chance, elle pourra l'accompagner jusqu'à sa maison. Je ne vois pas le mal que ça pourrait faire.

— Moi non plus, déclara Massingham. Allez, venez prendre un pot. »

Mais ils n'avaient pas encore atteint la porte que le téléphone sonna. Massingham décrocha, puis tendit le combiné à Kate.

« C'est pour vous », dit-il.

Kate le lui prit des mains, écouta un instant, puis répondit laconiquement :

« D'accord, je viens tout de suite. »

L'observant pendant qu'elle raccrochait, Massingham demanda :

« Que se passe-t-il ?

— C'est ma grand-mère. Elle s'est fait agresser par des loubards. C'était l'hôpital. Ils me demandent de venir la chercher.

« C'est moche, dit Massingham avec une sympathie facile. Est-ce grave ? Comment va-t-elle ?

— Mal, évidemment ! Elle a plus de quatre-vingts ans. Elle n'est pas sérieusement blessée, si c'est ce que vous voulez dire, mais elle n'est pas en état de rester seule. Il va falloir que je demande un congé pour cet après-midi et pour demain aussi.

— Personne d'autre ne peut s'occuper d'elle ?

— S'il y avait quelqu'un d'autre, ils ne m'appelleraient pas ! » Kate ajouta d'un ton plus calme : « Elle m'a élevée. Elle n'a que moi.

— Dans ce cas, vous feriez mieux d'y aller tout de suite, dit Massingham. Je préviendrai A.D. Désolé pour le pot. » Continuant à la fixer des yeux, il ajouta : « Ça tombe mal.

— Évidemment ! s'écria-t-elle avec véhémence. Vous n'avez pas besoin de me le dire. Ça tombe *toujours* mal ! »

Tandis qu'ils descendaient le couloir ensemble dans la direction de son bureau à elle, Kate demanda brusquement :

« Que se passerait-il si votre père tombait malade ?

— Je n'y ai jamais réfléchi. Je suppose que ma sœur reviendrait aussitôt de Rome. »

Évidemment, se dit-elle. Qui d'autre ? Le ressentiment qu'elle éprouvait à son égard, et qu'elle avait cru en train de s'estomper, revint au galop. L'enquête allait enfin commencer à bouger et elle ne serait pas là. Même si son absence ne durait qu'un jour et demi, elle avait lieu à un moment crucial. Et elle pouvait durer plus longtemps, beaucoup plus longtemps. Ils étaient arrivés devant sa porte. Regardant le visage volontairement impassible de Massingham, elle pensa : maintenant A.D. et lui se retrouveront seuls. Ça sera comme au bon vieux temps. John regrette peut-être notre pot loupé, mais c'est bien tout ce qui le chagrine.

3

Dalgliesh ne se souvenait pas d'avoir connu une journée plus frustrante que ce jeudi. Ils avaient décidé de donner à Swayne un jour de repos. Il n'y avait pas eu d'autres interrogatoires, mais la conférence organisée en début d'après-midi s'était avérée particulièrement pénible. Les médias commençaient à s'impatienter, non pas tant à cause du piétinement de l'enquête que du manque d'information. Ou bien sir Paul Berowne avait été assassiné, ou bien il s'était suicidé. Dans le dernier cas, la famille et la police devaient admettre ce fait ; dans le premier, il était temps que la nouvelle brigade se montrât plus disposée à communiquer les résultats obtenus. Mais à l'intérieur comme à l'extérieur du Yard on murmurait que la brigade se faisait remarquer davantage par sa sensibilité que par son efficacité. Comme un superintendant du C1 le disait à Massingham au bar :

« Voilà une affaire qu'il serait dangereux de laisser non résolue. Elle pourrait engendrer ses propres mythes. Encore heureux que Berowne ait été de droite et non de gauche, sinon quelqu'un serait déjà en train d'écrire un livre pour démontrer que c'est MI5 qui l'a liquidé. »

Même l'éclaircissement de certains petits mystères, bien que satisfaisant, n'avait pu lui remonter le moral. Massingham lui avait fait un rapport sur la visite qu'il avait rendue à Mrs. Hurrell. Son adjoint devait s'être montré très persuasif : Mrs. Hurrell lui avait en effet avoué que, quelques heures avant sa mort, son mari s'était confié à elle. Lors des comptes définitifs qui avaient été faits après les dernières élections générales, on avait laissé de côté une petite facture concernant des affiches. Celle-ci aurait fait passer les dépenses du parti au-dessus de la limite statutaire et annulé la victoire de Berowne. Hurrell avait comblé lui-même la différence et décidé de ne rien dire. Mais cet acte avait pesé sur sa conscience et il avait voulu s'en confesser à Berowne. Il était difficile de comprendre exactement pourquoi. Mrs. Hurrell mentait assez mal, dit Massingham : elle avait assuré de manière peu convaincante que son mari n'en avait jamais parlé à Frank Musgrave. De toute façon, il ne s'agissait pas d'une piste. Ils enquêtaient sur un crime, non sur une faute professionnelle, et Dalgliesh était persuadé qu'il connaissait l'assassin.

Quant à Stephen Lampart, il avait été mis absolument hors de cause dans l'affaire de la noyade de Diana Travers. Massingham avait vu les deux personnes que l'obstétricien avait invitées ce soir-là : un chirurgien esthétique en vogue et sa jeune femme. Apparemment, ils connaissaient vaguement l'inspecteur. Après avoir insisté pour qu'il prît un verre, et découvert avec satisfaction qu'ils avaient des relations communes, ils lui avaient confirmé que Stephen Lampart n'avait pas quitté la table durant le repas et qu'il avait mis moins de deux minutes à aller chercher la Porsche pendant qu'ils bavardaient avec Barbara Berowne, à l'entrée du *Black Swan*.

Il était utile de déblayer ces détails, tout comme d'apprendre du brigadier Robins, chargé de se renseigner, que la femme et la fille de Gordon

Halliwell s'étaient noyées pendant des vacances en Cornouailles. Dalgliesh s'était demandé un instant si le chauffeur pouvait avoir été le père de Theresa Nolan. Bien que peu vraisemblable, cette hypothèse avait dû être examinée. Tous ces petits problèmes avaient donc été résolus. La piste principale restait toutefois bloquée. Les mots de l'adjoint du préfet résonnaient dans la tête de Dalgliesh, répétitifs et agaçants comme une publicité à la télévision : « Apportez-moi la preuve matérielle. »

Chose curieuse, il fut plus soulagé qu'irrité en apprenant que le père Barnes avait téléphoné pendant qu'il était à la conférence de presse. Le pasteur désirait le voir. Le message qu'il avait laissé était un peu confus, à l'image de l'homme. Il semblait que l'ecclésiastique voulait savoir si Scotland Yard allait ôter les scellés sur la porte de la petite sacristie pour qu'il pût remettre celle-ci en service, et quand — si jamais — l'église récupérerait son tapis. La police le ferait-elle nettoyer ou cela lui incombait-il ? Leur faudrait-il attendre le procès si ledit objet constituait une pièce à conviction ? Y avait-il la moindre chance que la commission, pour le dédommagement des victimes d'un acte criminel, leur payât un tapis neuf ? Comment quelqu'un, même d'aussi peu réaliste que le père Barnes, pouvait-il croire sérieusement que les pouvoirs statutaires de la commission de dédommagement comprenaient celui de fournir des tapis neufs ? Mais pour Dalgliesh, qui commençait à craindre que l'affaire Berowne ne passât jamais au tribunal, cette innocente et dérisoire préoccupation avait quelque chose de rassurant, presque de touchant. Sur une impulsion, il décida d'aller voir le pasteur.

Au presbytère, personne ne répondit à son coup de sonnette. Les fenêtres étaient sombres. Puis il se rappela que, lors de sa première visite à Saint

Matthew, il avait aperçu un écriteau qui annonçait la célébration de vêpres tous les jeudis à quatre heures. Le père Barnes devait être à l'église. La supposition de Dalgliesh se trouva fondée. Le portail principal était ouvert. Quand il tourna la lourde poignée de fer et poussa le battant, les habituels effluves d'encens vinrent à sa rencontre. Il vit des lumières dans la chapelle de la Vierge. En surplis et étole, le père Barnes dirigeait les répons. Les fidèles étaient plus nombreux que Dalgliesh s'y serait attendu. Il perçut avec netteté le doux murmure de leurs voix désaccordées. Il s'assit près de la porte et écouta patiemment les vêpres, cette partie la plus négligée et pourtant la plus satisfaisante, d'un point de vue esthétique, de la liturgie anglicane. C'était la première fois qu'il voyait l'église employée à son usage fondamental : la célébration des offices divins. Mais, d'une façon subtile, elle paraissait changée. Dans le candélabre où, le mercredi passé, n'avait brûlé que son seul cierge, il y en avait maintenant une double rangée, les uns encore entiers, les autres réduits à des lumignons surmontés d'une flamme tremblante. Il ne se sentit aucune envie de renforcer cet éclat. A la lueur des bougies, le visage préraphaélite de la Madone, dont les cheveux blonds et crêpés bouffaient sous une haute couronne, luisait comme si on venait de le repeindre, et les marmonnements distants des fidèles semblaient annoncer l'aube d'une nouvelle renommée.

Le service ne dura pas longtemps. Il n'y eut ni sermon ni chants et quelques minutes plus tard, la voix du père Barnes, lointaine mais distincte — ou Dalgliesh s'imaginait-il entendre les mots parce qu'il les connaissait par cœur ? — récita la Troisième Collecte : « Éclaire nos ténèbres, ô Seigneur, et par Ton infinie miséricorde protège-nous contre les périls et les dangers que recèle cette nuit, pour l'amour de Ton Fils unique, notre Sauveur. »

Les fidèles murmurèrent : amen, se levèrent et commencèrent à se disperser. Dalgliesh se leva aussi et descendit la nef. Le père Barnes avança vers lui d'un pas vif, dans un voltigement de lin blanc. Il avait certainement gagné de l'assurance depuis leur première rencontre, se dit Dalgliesh, et même quelques centimètres aurait-on pu croire. Maintenant il avait l'air plus propre, mieux habillé, peut-être même un peu plus gros, comme si un brin de notoriété, somme toute assez agréable, l'avait remplumé.

« Comme c'est aimable de votre part d'être venu, Commandant, dit-il. Je suis à vous dans un instant. Je dois simplement vider les troncs. Mes bedeaux tiennent à ce que je le fasse régulièrement. Pas que nous espérions y trouver de grosses sommes ! »

Il sortit une clé de sa poche, ouvrit la boîte fixée au candélabre votif, devant la statue de la Vierge, en retira les pièces et, les comptant au fur et à mesure, les glissa dans une bourse en cuir.

« Trois livres en petite monnaie et six pièces d'une livre, annonça-t-il. Nous n'avons encore jamais recueilli autant d'argent. Depuis les meurtres, les quêtes sont assez fructueuses, elles aussi. »

Il tenta de prendre un air solennel, mais sa voix était aussi joyeuse que celle d'un enfant.

Dalgliesh le suivit vers le bas de la nef jusqu'au deuxième tronc, celui qui se trouvait devant la grille. Miss Wharton qui avait fini d'accrocher les coussins des prie-Dieu et d'aligner les chaises dans la chapelle de la Vierge s'approcha d'eux. Alors que le pasteur ouvrait la boîte, elle dit :

« Cela m'étonnerait que vous y trouviez plus de quatre-vingts pence. Je donnais toujours une pièce de dix pence à Darren pour qu'il puisse allumer un cierge, mais en dehors de lui, personne, pratiquement, ne se servait de ce tronc. Le petit adorait passer la main à travers les barreaux et frotter l'allumette. Il atteignait tout juste le candélabre. C'est drôle, j'avais complètement oublié ce détail. C'est peut-être parce qu'il n'a pas eu le temps de l'allumer ce matin fatal. Regardez, le cierge est toujours là, intact. »

Le père Barnes fouillait dans la boîte.

« Seulement sept pièces cette fois et un bouton — un bouton peu ordinaire. On dirait de l'argent. Je l'ai d'abord pris pour une pièce étrangère. »

Miss Wharton regarda l'objet de plus près.

« Ça doit être Darren qui l'a mis. Oh, le vilain polisson ! Je me rappelle, à présent : il s'est baissé près du sentier, et moi je croyais qu'il cueillait une fleur. C'était vraiment très mal de sa part de voler l'église. Pauvre enfant ! Ce méfait a dû peser sur sa conscience. Je comprends maintenant pourquoi j'ai pensé qu'il se sentait coupable. J'espère le voir demain. Je lui dirai deux mots à ce sujet. Si nous l'allumions maintenant, ce cierge, et disions une prière pour le succès de l'enquête du commandant ? Je dois avoir une pièce de dix pence. »

Elle se mit à fourrager dans son sac.

« Pourrais-je voir ce bouton, mon père ? » dit doucement Dalgliesh.

Elle était là enfin, dans la paume de l'ecclésiastique, cette preuve matérielle qu'ils avaient tant cherchée. Dalgliesh avait déjà vu un bouton identique : sur la veste italienne de Dominic Swayne. Un seul bouton. Un objet si petit, si commun et pourtant si vital. De plus, deux témoins avaient assisté à la trouvaille. Alors qu'il regardait le bouton il éprouva soudain, non pas de l'excitation ou du triomphe, mais une grande lassitude, une sensation de satiété.

« Quand avez-vous vidé ce tronc la dernière fois, mon père ? demanda-t-il.

— Mardi dernier. Ça devait être le 17, après la messe. Comme je vous l'ai dit, j'aurais dû le vider ce mardi-ci, mais avec tous ces événements, j'ai oublié. »

Le 17, c'est-à-dire, le matin du jour où Berowne avait été assassiné.

« Et le bouton n'était pas dans la boîte à ce moment-là ? Auriez-vous pu ne pas le voir ?

— Oh, non, c'est tout à fait impossible. Je suis certain qu'il n'y était pas. »

Après la découverte des cadavres, on avait fermé toute l'extrémité ouest de l'église. En principe, bien sûr, quelqu'un qui se trouvait dans le corps du sanctuaire, un fidèle ou un visiteur, aurait pu le glisser dans la boîte. Mais pour quelle raison ? Le tronc à utiliser, ne fût-ce que pour faire une farce, était manifestement celui qui se trouvait devant la statue de la Vierge. Pourquoi descendre toute la nef jusqu'au fond de l'édifice ? Et il ne pouvait y avoir été introduit par erreur : on n'avait allumé aucun cierge dans ce candélabre. De toute façon, ces considérations étaient purement théoriques. Il ripostait à des arguments comme un avocat de la défense. Il n'y avait certainement qu'une seule veste dont pouvait provenir ce bouton. Ç'aurait été une coïncidence vraiment trop grande si quelqu'un ayant un lien avec Saint-Matthew, autre que Swayne, l'avait perdu devant le portail sud.

« Je vais mettre ce bouton dans une des enveloppes que vous avez à la sacristie. Après l'avoir collée, je vous demanderai de signer vos noms sur le rabat. Nous pouvons enlever les scellés maintenant, mon père.

— Voulez-vous dire que ce bouton est important ? Est-ce un indice ?

— Oh oui. Absolument.

— Mais son propriétaire ne viendra-t-il pas ici, le chercher ? demanda nerveusement miss Wharton.

— Je suis persuadé qu'il ne s'est pas encore aperçu de sa disparition. Mais, même dans le cas contraire, personne ne courra de risque à partir du moment où il saura que la police l'a trouvé. Toutefois, en attendant son arrestation, je vous enverrai un de mes hommes pour garder l'église, mon père. »

Comme aucun de ses deux compagnons ne demanda le nom du propriétaire en question, Dalgliesh ne vit pas de raison de le leur dire. Il sortit, gagna sa voiture et appela Massingham.

« Nous ferions bien d'aller chercher le gosse, alors, dit l'inspecteur.

— Oui, immédiatement. C'est la première des priorités. Ensuite, Swayne. Et puis, nous aurons besoin de la veste. Regardez le rapport du labo, John. Les boutons étaient au complet quand nous avons vu Swayne à Campden Hill Square. Ça doit être celui de rechange. Le labo aura remarqué s'il y avait une patte sur l'ourlet. Et voyez si vous pouvez obtenir la preuve que Swayne l'a achetée. Il nous faut le nom des importateurs et ceux des détaillants. Mais je suppose que cela devra attendre demain.

— Je m'en occupe, sir.

— L'ennui, c'est qu'il nous faut un double de ce bouton tout de suite. Je vais mettre celui-ci sous enveloppe, mais, bien entendu, elle n'est pas transparente. Vous avez reconnu la marque de la veste. Croire que vous en avez une serait trop espérer, n'est-ce pas ?

— Beaucoup trop. Plus de trois cents livres de trop. Mon cousin en a une. Je peux me procurer un bouton. Pensez-vous que miss Wharton ou le père Barnes courent le moindre danger ?

— De toute évidence, Swayne ne s'est pas encore rendu compte de la disparition de son bouton ; ou alors il n'a aucune idée de l'endroit où il a pu le perdre. Je vais tout de même placer un agent ici, dans l'église, jusqu'à ce que nous ayons attrapé notre zèbre. Mais allez d'abord chercher Darren, et vite ! Je reviens tout de suite. Ensuite, vous m'accompagnerez au 62 Campden Hill Square.

— Oui, sir. Il y a beaucoup à faire. Dommage que Kate ne soit pas là. Voilà ce qui arrive avec les femmes policiers. Elles sont toujours à la merci d'une urgence domestique.

— Cela ne me paraît pas évident, John, répondit Dalgliesh avec froideur, surtout avec cet officier. Je vous vois dans vingt minutes. »

4

Ce n'était que la deuxième fois que Sarah venait au 62 Campden Hill Square depuis la mort de son père. La première fois, ç'avait été le lendemain du jour où elle avait appris la nouvelle. Un petit groupe de journalistes attendait devant la grille et elle s'était instinctivement détournée en les entendant l'appeler par son nom. Le matin suivant, elle avait vu dans un journal une photo qui la représentait montant furtivement les marches, telle une femme de chambre qui s'introduit dans une maison où elle n'a rien à faire. Au-dessous, une légende disait : « Miss Sarah Berowne faisait partie des visiteurs qui se sont rendus aujourd'hui à Campden Hill Square. » A présent, la place était vide. Les grands ormes attendaient, résignés, la venue de l'hiver en balançant doucement leurs branches dans l'air saturé de pluie. Bien que l'orage fût passé, il faisait si sombre que plusieurs fenêtres étaient déjà éclairées aux premiers étages des immeubles. Derrière ces vitres, se dit-elle, des gens vivaient des vies secrètes, désunies, peut-être même sans espoir ; pourtant ces pâles lumières semblaient contenir la promesse d'une inaccessible sécurité.

Elle n'avait pas de clé. Quand elle était partie, son père lui en avait offert une. Il l'avait fait avec toute la raideur d'un père victorien qui ne veut plus de sa fille sous son toit, mais qui admet qu'en tant que célibataire, celle-ci a droit à sa protection et à une chambre chez lui en cas de besoin. Du moins, c'était ainsi qu'elle l'avait vu à l'époque. Levant les yeux vers la célèbre façade, ses hautes et élégantes fenêtres cintrées, elle comprit que pour elle cette demeure n'avait jamais été et ne serait jamais un chez-soi. Combien son père y avait-il vraiment tenu ? Elle avait toujours eu l'impression qu'il l'habitait sans la faire sienne, tout comme elle. Dans son adolescence avait-il envié à son aîné ces prestigieuses pierres mortes ? Avait-il convoité cette maison comme il avait convoité la fiancée de son frère ? A quoi pensait-il quand, sa première femme à ses côtés, il avait accéléré dans ce virage dangereux ? A quel événement du passé avait-il finalement dû faire face dans cette sacristie minable de Saint Matthew ?

Alors qu'elle attendait que Mattie lui ouvrît, elle se demanda comment elle allait la saluer. Il semblait normal de demander : « Comment allez-vous, Mattie », mais cette question ne voulait rien dire. Depuis quand s'intéressait-elle au bien-être de la gouvernante ? Et que pouvait-elle recevoir d'autre qu'une réponse polie tout aussi dénuée de sens ? La porte s'ouvrit. La regardant avec les yeux d'une

étrangère, Mattie dit tranquillement : « Bonsoir ».
Elle semblait un peu différente. Mais n'avaient-ils
pas tous changé depuis ce matin fatal ? Elle avait
cet air épuisé que Sarah avait vu à une amie qui
venait d'accoucher, les yeux brillants et le teint
coloré, mais la chair bouffie et sa personne légèrement amoindrie, comme si toute sa force d'âme
l'avait quittée.

« Comment allez-vous, Mattie ? demanda-t-elle.

— Je vais bien, merci, miss Sarah. Lady Ursula
et lady Berowne sont dans la salle à manger. »

Le dos tourné à la fenêtre, sa grand-mère était
assise, droite comme un I, à la table ovale couverte
de courrier. Devant elle, il y avait un grand buvard,
à sa gauche, des boîtes de papier à lettres et
d'enveloppes. Quand Sarah s'approcha, elle pliait
une lettre manuscrite. Comme toujours, la jeune
fille trouva curieux que sa grand-mère observât si
scrupuleusement ces règles subtiles de la politesse
mondaine, alors que, toute sa vie, elle avait méprisé
les conventions sexuelles et religieuses de son milieu.

Sa belle-mère n'avait pas l'air d'avoir de lettres
de remerciement à écrire, à moins qu'elle ne laissât
cette corvée à quelqu'un d'autre. Assise au bout de
la table, elle s'apprêtait à se vernir les ongles. Ses
mains hésitaient au-dessus de la rangée de bouteilles. Pas rouge sang tout de même ! pensa Sarah.
Non. Le choix de Barbara Berowne se porta sur un
rose très doux, parfaitement neutre, parfaitement
convenable. Faisant semblant de ne pas voir sa
marâtre, Sarah s'adressa à sa grand-mère.

« J'ai reçu votre lettre au sujet du service commémoratif. C'est pour cela que je suis ici. Je regrette,
mais je n'y assisterai pas. »

Lady Ursula la scruta du regard. On aurait dit,
pensa Sarah, qu'elle examinait une femme de

chambre venue se présenter chez elle avec des références suspectes.

« Ce service ne correspond pas particulièrement à mes vœux, mais les collègues de Paul ont l'air de le trouver nécessaire et ses amis, désirable ! J'y serai donc et j'espère bien que sa veuve et sa fille se tiendront à mes côtés.

— Je viens de vous le dire : pour moi, il n'en est pas question. Je viendrai à l'incinération, bien sûr, parce qu'elle aura lieu dans la plus stricte intimité. Mais je refuse de m'exhiber à Saint Margaret tout de noir vêtue comme il se doit. »

Lady Ursula passa un timbre sur l'éponge humide et le colla avec précision dans le coin droit de l'enveloppe.

« Vous me rappelez une fille que j'ai connue dans mon enfance, la fille d'un évêque. Elle provoqua un petit scandale dans le diocèse parce qu'elle refusait d'être confirmée. Ce qui m'a paru bizarre, même à cet âge-là — j'avais treize ans —, c'est qu'elle n'avait pas l'intelligence de se rendre compte que ses scrupules n'avaient rien à voir avec la religion. Ce qu'elle voulait, c'était embarrasser son père, chose tout à fait compréhensible, surtout quand on connaît l'évêque en question. Mais pourquoi ne pas l'admettre ? »

Je n'aurais pas dû venir, se dit Sarah. J'ai eu la bêtise de penser qu'elle me comprendrait ou essaierait de me comprendre.

« Je suppose, grand-mère, que vous auriez préféré qu'elle se soumît, même si elle avait eu de *vrais* scrupules.

— Je crois que oui. Je place la bonté au-dessus de ce que vous devez appeler les convictions. Car après tout, si la cérémonie n'était qu'une comédie, ce qui, comme vous le savez, est mon opinion, qu'est-ce que ça aurait pu lui faire de laisser les mains épiscopales de son père reposer un instant sur sa tête ?

— Je n'aimerais pas vivre dans un monde qui place la bonté au-dessus des convictions, répliqua calmement Sarah.

— Ah non ? Pourtant il serait sans doute plus agréable que celui dans lequel nous vivons aujourd'hui, et certainement plus sûr.

— Quoi qu'il en soit, je préfère ne pas participer à cette comédie-là. Je ne partageais pas les idées politiques de papa et en cela je n'ai pas changé. Je n'irai donc pas à cette cérémonie et j'espère que les gens comprendront pourquoi.

— Ceux qui remarqueront votre absence comprendront, répondit lady Ursula sèchement, mais n'en escomptez pas trop de profit du point de vue de la propagande. Les vieux regarderont ceux de leur génération en se demandant quel sera le prochain d'entre eux à disparaître et en espérant que leur vessie les laissera tranquilles jusqu'à la fin du service. Quant aux jeunes, ils regarderont les vieux. Mais parmi ceux qui remarqueront votre absence, beaucoup, j'imagine, penseront que vous haïssiez votre père et que vous poursuivez votre vendetta politique par-delà la tombe.

— Ce n'est pas vrai ! protesta Sarah presque en criant. Je ne le haïssais pas. Je l'ai aimé pendant la plus grande partie de ma vie et j'aurais continué à le faire s'il me l'avait permis. Il n'aurait pas voulu que j'assiste à cette cérémonie, il ne se serait pas attendu à ce que j'y aille. Lui-même l'aurait trouvée détestable. Oh, je sais, tout sera de très bon goût : paroles et musique choisies avec soin, vêtements appropriés, brillante assistance. Sauf que ce n'est pas à mon père, à sa personne, que vous rendrez hommage, mais à une classe, une philosophie politique, un club de privilégiés. Ce que vous ne parvenez pas à vous mettre dans la tête, vous et vos pareils, c'est que le monde dans lequel vous avez grandi est mort !

— Je le sais, mon enfant. J'étais là, en 1914, quand c'est arrivé. »

Lady Ursula prit la lettre suivante sur le dessus de la pile et sans lever la tête poursuivit :

« Je n'ai jamais eu l'esprit de parti, mais je comprends que les gens pauvres et stupides votent pour le marxisme ou l'une de ses variantes à la mode. Quand on n'a aucun espoir d'être autre chose qu'un esclave, autant choisir la forme d'esclavage la plus efficace. Mais je dois dire que je m'élève contre l'action d'individus comme votre amant. Cet homme qui, toute sa vie, a joui de privilèges, s'attache à promouvoir un système politique dont le triomphe signifierait que personne ne pourrait jamais avoir ce dont il a si singulièrement profité. On pourrait l'excuser s'il était laid physiquement, malheur qui tend à rendre un homme envieux et agressif. Mais il ne l'est pas. Je suis capable de comprendre l'attirance sexuelle, même si j'ai cinquante ans de trop pour la ressentir, mais vous auriez pu coucher avec lui sans adopter tout ce fatras d'idées en vogue. »

Sarah Berowne se détourna avec lassitude, s'approcha de la fenêtre et regarda dehors. Ma vie avec Ivor et la cellule est terminée, pensa-t-elle. Elle n'a jamais été honnête, n'a jamais eu de réalité. Je n'ai jamais été à ma place dans leur monde. Je ne le suis pas dans celui-ci non plus. Je suis seule et j'ai peur. Mais je dois trouver ma propre place. Je ne peux pas revenir à grand-mère, à une vieille croyance, une fausse sécurité. D'ailleurs elle continue à ne pas m'aimer et à me mépriser, presque autant que je me méprise moi-même. Cela facilite les choses.

Je n'apparaîtrai pas à ses côtés à Saint Margaret, pareille à la fille prodigue.

Elle prit conscience que sa grand-mère parlait. Lady Ursula avait cessé d'écrire. Les deux mains appuyées sur la table, elle disait :

« Puisque vous êtes là toutes les deux, il faut que je vous demande quelque chose. Le revolver d'Hugo et ses munitions ont disparu du coffre-fort. L'une de vous sait-elle qui les a pris ? » Barbara Berowne baissait la tête sur son plateau chargé de petites bouteilles. Elle leva les yeux, mais ne répondit pas. Sarah tressaillit et pivota vers son aïeule.

« Vous êtes sûre, grand-mère ? »

Sa surprise devait avoir été manifeste. Lady Ursula la regarda.

« Ce n'est donc pas vous qui avez pris le revolver et je suppose que vous ne savez pas qui l'a fait ?

— Évidemment que je ne l'ai pas pris. Quand avez-vous constaté sa disparition ?

— Mercredi dernier, peu avant l'arrivée de la police. Je pensais alors que Paul avait pu se suicider et qu'il m'avait peut-être laissé une lettre avec ses papiers. J'ai donc ouvert le coffre. Il ne contenait rien de nouveau, mais le revolver avait disparu.

— Quand a-t-il été pris, le savez-vous ? demanda Sarah.

— Cela fait des mois que je n'ai pas eu l'occasion de regarder dans le coffre. C'est une des raisons pour laquelle je n'en ai pas parlé à la police. Cette arme n'y était peut-être plus depuis des semaines. Sa disparition n'avait peut-être aucun rapport avec la mort de Paul et c'était inutile d'attirer l'attention de Scotland Yard sur cette maison. Ensuite, j'ai eu une autre raison de me taire.

— Quelle autre raison pouviez-vous bien avoir ? fit Sarah.

— Je pensais que l'assassin de Paul l'avait peut-être pris pour la tourner contre lui si jamais la police était sur sa piste. Cet acte-là me paraissait tout à fait raisonnable et je ne voyais pas pourquoi je l'aurais empêché. Maintenant j'estime qu'il est temps d'avertir la police.

— Cela me paraît évident », déclara Sarah, l'air sombre. Elle ajouta : « Ça ne pourrait pas être Halliwell qui l'aurait pris en guise de souvenir ? Il était très attaché à oncle Hugo. Il craignait peut-être que cette arme ne tombe entre les mains de quelqu'un d'autre.

— C'est possible, et je partage son inquiétude, répondit lady Ursula d'un ton sec. Mais entre les mains de qui ? »

Barbara Berowne leva la tête.

« Paul l'a jeté il y a plusieurs semaines, déclara-t-elle de sa voix de petite fille. Il m'a dit que c'était dangereux de le garder. »

Sarah la regarda.

« Le jeter l'était presque autant, à mon avis. Il aurait pu le remettre à la police. Mais pour quelle raison ? Il avait un permis et le revolver était parfaitement en sûreté dans le coffre. »

Barbara Berowne haussa les épaules.

« Je ne peux que vous répéter ce qu'il m'a dit. Mais quelle importance cela peut-il avoir ? Il n'a pas été tué d'une balle. »

Avant que l'une des deux femmes ait pu répondre, on entendit la sonnette de l'entrée.

« Il y a des chances que ce soit la police, dit lady Ursula. Dans ce cas, elle revient plus tôt que je ne m'y attendais. J'ai l'impression qu'elle arrive au bout de son enquête.

— Vous savez tout, n'est-ce pas ? demanda Sarah avec brusquerie. Depuis le début ?

— Je ne sais rien et je n'ai pas de véritable preuve, mais je commence à deviner. »

Elles tendirent l'oreille, attendant les pas de Mattie dans le vestibule de marbre. Mais il semblait que la gouvernante n'eût rien entendu.

« Je vais ouvrir, dit Sarah avec impatience. Pourvu que ce soit la police ! Il est temps que nous affrontions la vérité, tous autant que nous sommes. »

5

Il se rendit d'abord à Shepherd's Bush pour prendre le revolver. Il ne savait pas très bien pourquoi il en avait besoin, ni pourquoi il l'avait volé dans le coffre-fort. Quoi qu'il en fût, il ne pouvait le laisser chez Bruno ; il était temps de le cacher ailleurs. De plus, l'avoir avec lui renforçait son impression de toute-puissance, d'invulnérabilité. Parce qu'il avait appartenu avant lui à Paul Berowne, l'objet était un talisman autant qu'une arme. Quand il le tenait, quand il visait, ou qu'il en caressait le canon, il retrouvait un peu le sentiment de triomphe qu'il avait éprouvé alors. Il avait envie de l'éprouver de nouveau. C'était curieux comme il s'estompait vite. Pour cette raison, il était parfois tenté de dire à Barbie ce qu'il avait fait pour elle, de le lui dire tout de suite, bien avant qu'il ne fût prudent de se confier. En imagination, il voyait les yeux bleus de sa sœur s'écarquiller de terreur, d'admiration, de gratitude et, enfin, d'amour.

Bruno était dans son atelier. Il travaillait à sa dernière maquette. Comme il avait l'air répugnant, se dit Swayne, avec son énorme poitrine velue à moitié nue où une amulette, une tête de chèvre en argent pendant au bout d'une chaînette, glissait entre les poils, avec ses doigts boudinés auxquels les délicats morceaux de carton, qu'il mettait patiemment en place, semblaient coller.

« Je croyais que tu avais déménagé pour de bon, dit Bruno sans lever les yeux.

— Tu as raison. Je suis juste venu chercher les quelques affaires que j'avais encore ici.

— Rends-moi la clé, alors. »

Sans dire un mot, Swayne la déposa sur la table.

« Qu'est-ce que je dis aux flics s'ils viennent me voir ? demanda Bruno.

— Ils ne viendront pas. Ils savent que je n'habite plus chez toi. De toute façon, je pars à Édimbourg pour une semaine. Tu peux toujours leur dire ça s'ils viennent fouiner par ici. »

La petite pièce du fond, aux murs couverts de rayonnages, servait à la fois de chambre d'ami et d'entrepôt pour les vieilles maquettes. On n'y déplaçait jamais rien, on n'y faisait jamais le ménage. Swayne monta sur le lit pour atteindre l'étagère supérieure encombrée. Il tâtonna sous une maquette du château de Dunsinane, trouva le *Smith and Wesson* et les munitions. Il les glissa dans un petit sac en toile à bandoulière avec le reste de ses chaussettes et deux chemises. Puis, sans un mot d'adieu à Bruno, il partit. Il n'aurait jamais dû venir habiter là. Bruno n'avait jamais vraiment voulu de lui. Et puis, cet appartement était un véritable taudis. Il se demanda comment il avait pu supporter d'y vivre si longtemps. La chambre à coucher de Paul, à Campden Hill Square, lui convenait beaucoup mieux. Il dévala l'escalier, tout heureux de n'avoir plus jamais à le remonter.

Il arriva sur le chemin de halage en avance, juste après trois heures et demie. Ce n'était pas l'anxiété qui l'avait poussé à se dépêcher. Il savait que le garçon viendrait. Depuis sa conversation avec miss

Wharton, il avait l'impression d'être porté par les événements, non pas comme un simple jouet du destin, mais d'une façon triomphale, sur la crête d'une vague de chance et d'euphorie. Jamais encore il ne s'était senti aussi fort, sûr de lui, maître de la situation. Il savait que le garçon viendrait, tout comme il savait que cette entrevue serait importante pour des raisons qu'il ignorait encore.

Même la remise du message à Darren avait été plus facile qu'il n'avait osé l'espérer. L'école, un bâtiment victorien en brique sale, se trouvait derrière une grille. Il avait flâné à proximité, évitant de se planter devant pour ne pas attirer l'attention du groupe de mères qui attendaient leurs marmots. Il ne s'était approché du portail qu'en entendant les premiers cris des enfants libérés. Comme messager, il avait choisi un garçon. Une fille, se disait-il, risquait d'être plus curieuse, plus observatrice, plus susceptible de poser des questions à Darren. Il avait arrêté l'un des plus jeunes.

« Tu connais Darren Wilkes ?

— Oui. C'est le garçon là-bas.

— Tiens, donne-lui ça, tu veux ? C'est de la part de sa maman. C'est très important. »

Il lui avait remis l'enveloppe et une pièce de cinquante pence. Presque sans un regard, le gosse avait pris l'enveloppe et s'était emparé de l'argent comme s'il craignait que cet adulte inconnu ne se ravisât. Ensuite, il avait traversé la cour au galop et s'était approché d'un gamin qui envoyait un ballon de football contre le mur. Swayne avait attendu de voir l'enveloppe changer de mains, puis s'était éloigné tranquillement.

Il avait choisi le lieu du rendez-vous avec soin : une épaisse aubépine qui poussait près du canal. A l'abri de ce buisson, il pouvait surveiller la longue étendue du chemin à sa droite et la quarantaine de mètres qui menaient à l'entrée du tunnel. Derrière lui, à quelques mètres à droite, se trouvait un des portails de fer du halage. Après une brève inspection, Swayne avait constaté qu'il conduisait à un passage bordé de garages fermés, de cours cadenassées et de mornes bâtiments industriels anonymes. Ce n'était pas le genre de rue qui pouvait tenter un promeneur par un sombre après-midi d'automne ; en revanche, elle lui fournissait une issue en cas de danger. Mais il n'était pas vraiment inquiet. Cela faisait vingt minutes qu'il était là et il n'avait encore vu personne.

Le garçon arriva lui aussi en avance. A quatre heures moins dix, Swayne vit apparaître une petite silhouette qui flânait au bord du canal. Le gosse avait l'air anormalement propre. Il portait un jean, de toute évidence neuf, et un blouson blanc et marron à fermeture Éclair. Swayne recula un peu, s'adossa contre un tronc d'arbre et le regarda approcher à travers un écran de feuilles. Soudain il disparut et Swayne connut un moment d'affolement. Puis il vit que le gamin était descendu dans le fossé d'où il réapparaissait maintenant, tenant à la main une vieille jante de bicyclette. Il se mit à la faire rouler sur le chemin. La roue tanguait et bondissait. Swayne sortit de sa cachette et l'attrapa. Le garçon, qui n'était plus qu'à une douzaine de mètres de lui, s'arrêta net et le regarda, méfiant comme un animal. On aurait dit qu'il allait tourner les talons et s'enfuir. Aussitôt, Swayne sourit et lui renvoya la jante. Le gamin la bloqua tout en continuant à fixer sur lui un regard scrutateur plein de gravité. Soudain il agita la roue en l'air, tourna maladroitement sur lui-même, vacilla et la lâcha. Le cercle métallique s'éleva au-dessus de l'eau et retomba dans un énorme bruit d'éclaboussures. Swayne s'attendit presque à voir le chemin de halage se remplir soudain de monde. Mais personne ne vint, on n'entendit ni cris ni pas précipités.

Les ondulations s'élargirent, puis disparurent. Swayne s'approcha du garçon.

« Il était réussi, ton plouf ! dit-il. On en trouve beaucoup de ces vieilles roues dans le fossé ? »

Le gosse détourna le regard. Contemplant l'eau, il répondit :

« Une ou deux, des fois.

— Tu es bien Darren Wilkes, n'est-ce pas ? Miss Wharton m'a dit que je te trouverais ici. Je te cherchais. Je suis un inspecteur de la Special Branch. Sais-tu ce que cela veut dire ? »

Swayne sortit son portefeuille qui contenait ses cartes de crédit et sa vieille carte d'étudiant. Quelle bonne idée il avait eue de ne pas rendre celle-ci après son premier et dernier désastreux semestre à l'université ! Elle portait sa photo. Il la montra rapidement au gosse sans lui donner une chance de l'examiner de plus près.

« Où c'est qu'elle est, miss Wharton ? »

La question avait été posée avec une nonchalance voulue. Darren ne voulait pas trahir son besoin, à supposer qu'il en eût un. Il s'était toutefois donné la peine de venir. Il était là.

« Elle ne peut pas venir. Elle m'a chargé de te dire qu'elle le regrettait beaucoup. Elle est un peu souffrante. As-tu apporté le mot qu'elle t'avait envoyé ?

— Qu'est-ce qu'elle a ?

— Oh, un simple rhume, rien de grave. As-tu apporté la lettre, Darren ?

— Oui, je l'ai. »

Le gosse enfonça son petit poing dans sa poche et en sortit le papier. Swayne prit la page froissée, y lança un bref coup d'œil, puis la déchira méticuleusement. Le garçon le regarda en silence jeter les fragments dans le canal. Les morceaux flottèrent un moment à la surface, pareils à de délicats pétales printaniers. Ensuite, ils se mirent à dériver avant de disparaître.

« Il vaut mieux prendre toutes les précautions nécessaires. Je devais m'assurer que tu es vraiment Darren Wilkes, tu comprends. C'est pour cela que cette lettre avait autant d'importance. Il faut que nous ayons une petite conversation.

— Au sujet de quoi ?

— Du meurtre.

— J'sais rien là-dessus. J'ai déjà parlé aux flics.

— Aux flics ordinaires oui, je sais. Mais ils ne sont pas au parfum. Cette affaire est plus compliquée qu'ils ne le pensent. Beaucoup plus. »

Ils remontaient lentement le chemin ensemble, en direction de l'entrée du tunnel. Les buissons y étaient plus épais, tellement épais par endroits qu'ils fournissaient un écran sûr entre le sentier et le bord du canal. Swayne entraîna le garçon à leur ombre.

« Je vais te confier un secret, Darren. Si je le fais, c'est parce que j'ai besoin de ton aide. Nous, les gars de la Special Branch, nous pensons qu'il ne s'agit pas d'un meurtre ordinaire, tu comprends ? Sir Paul a été assassiné par un groupe de terroristes. Tu connais la tâche de la Special Branch ?

— Oui, elle s'occupe d'espionnage.

— Exact. Notre boulot, c'est attraper les ennemis de l'État. On l'appelle "special" parce que c'est vraiment ce qu'elle est. Spéciale et secrète. Sais-tu garder un secret ?

— Oui. J'en garde plein. »

Le garçon parut bomber son maigre torse. Il leva les yeux vers Swayne. Sa figure ressembla soudain à celle d'un malin petit singe.

« C'est pour ça, alors, que vous étiez là-bas ? demanda-t-il. Pour le surveiller ? »

Swayne eut l'impression de recevoir un coup de poing dans la poitrine. La douleur fut si forte qu'il en resta comme paralysé. Quand il retrouva l'usage de la parole, il fut surpris par le calme de sa voix.

« Qu'est-ce qui te fait croire que j'étais là-bas ?

— Ces boutons marrants que vous avez sur votre veste. J'en ai trouvé un. »

Le cœur de Swayne bondit, parut s'arrêter, pareil à un poids mort qui l'entraînait vers le sol. Puis il sentit de nouveau son battement régulier ; un flot de chaleur, de vie et de confiance en soi irrigua son corps. Il savait à présent pourquoi il était ici, pourquoi tous les deux y étaient.

« Où, Darren ? Où l'as-tu trouvé ?

— Sur le sentier qui passe près de l'église. Je l'ai ramassé. Miss Wharton croyait que je cueillais une fleur. Elle m'a pas vu. Elle m'avait donné dix pence pour un cierge, comme d'habitude. Je reçois toujours dix pence pour la BVM. »

Pendant un moment, Swayne crut qu'il perdait la raison. Il ne comprenait plus rien à ce que disait le gosse. Il vit la figure pointue de Darren, d'un vert maladif dans l'ombre du buisson, se lever vers lui avec une expression voisine du mépris.

« La BVM. La statue de la dame en bleu. Miss Wharton me donne toujours dix pence pour la boîte. Puis j'allume un cierge, vous pigez ? Pour la BVM. Sauf que cette fois, j'ai gardé les dix pence et que j'ai jamais eu le temps d'allumer le cierge parce que miss Wharton m'a appelé.

— Et qu'as-tu fait de ce bouton, Darren ? »

Swayne fut obligé de serrer les poings pour empêcher ses mains d'encercler le cou du garçon.

« Je l'ai mis dans la boîte, évidemment ! Sauf qu'elle l'a jamais su. Je lui ai jamais dit.

— Et tu ne l'as dit à personne d'autre ?

— Personne m'a jamais rien demandé. »

Darren leva de nouveau la tête, cette fois avec un regard rusé.

« J'crois pas que miss Wharton serait contente.

— Non, et la police, la police ordinaire, je veux dire, non plus. Prendre cet argent pour ton usage personnel, les flics appellent ça du vol. Et tu sais ce qu'ils font aux petits garçons qui volent, n'est-ce pas ? Ils essaient de les faire enfermer, Darren. Ils cherchent un prétexte pour les mettre dans une maison de redressement. Ça aussi, tu le sais, n'est-ce pas ? Tu pourrais avoir de sérieux ennuis. Mais si tu gardes mon secret, je garderai le tien. On va jurer tous les deux sur mon revolver.

— Vous avez un revolver ? »

Malgré l'indifférence qu'affectait l'enfant, une note d'excitation perça dans sa voix.

« Bien sûr. Les agents de la Special Branch sont toujours armés. »

Swayne sortit le *Smith and Wesson* de son sac à bandoulière et le coucha sur sa paume. Le garçon regarda le revolver, fasciné.

« Pose ta main dessus et jure que tu ne parleras à personne de ce bouton, de moi, de ce rendez-vous. »

Darren s'empressa d'étendre la main. Il la posa sur le canon.

« Je le jure », dit-il.

Swayne mit sa propre main sur celle du gosse et la pressa contre l'arme. Elle semblait petite, très douce et, chose étrange, détachée du corps de l'enfant, comme si elle avait été un jeune animal doté d'une vie propre.

« Et moi je jure que je ne révélerai pas un mot de notre conversation », dit-il d'un ton solennel.

Il prit conscience du désir du garçon.

« Tu veux le tenir ? demanda-t-il.

— Il est chargé ?

« — Non. J'ai des balles sur moi, mais il n'est pas chargé. »

Darren le prit et le pointa d'abord sur le canal, ensuite, avec un rire, sur Swayne, puis de nouveau sur le canal. Il le tenait comme il avait dû voir les flics le faire à la télévision : des deux mains, tendu droit devant lui.

« Je vois que tu te débrouilles bien. On pourrait peut-être te prendre à la Special Branch quand tu seras grand. »

Soudain, ils entendirent un bruissement de roues de bicyclette. Tous deux s'enfoncèrent instinctivement dans l'abri offert par les buissons. Ils virent passer un homme d'âge mûr coiffé d'une casquette. Il pédalait en faisant gicler la boue, les yeux fixés au sol. Retenant leur souffle, ils attendirent, immobiles, qu'il eût disparu. Mais le passant avait rappelé à Swayne qu'il lui restait peu de temps. Le chemin de halage allait s'animer. Des gens rentreraient peut-être chez eux en coupant par ce raccourci. Il devait faire ce qu'il avait à faire, vite et sans bruit.

« Ce n'est pas tellement prudent de jouer au bord du canal, dit-il. Tu sais nager ? »

Le garçon haussa les épaules.

« Est-ce qu'on ne t'a pas appris à nager, à l'école ?

— Non. Mais j'y ai pas tellement été, à l'école. »

C'était presque trop facile. Swayne réprima une brusque envie d'éclater de rire. Il aurait voulu se coucher là, sur la terre spongieuse, lever les yeux vers l'entrelacs des branches et crier son triomphe. Il était invincible, hors de leur atteinte, protégé par la chance et l'habileté, et par quelque chose qui n'avait aucun rapport avec l'une ou l'autre, mais qui, maintenant, faisait à jamais partie de lui. La police ne pouvait pas avoir trouvé le bouton. Sinon, les flics l'auraient déjà confronté à sa veste, avec sa bride de fil révélatrice sur l'ourlet. Ils devaient avoir vu cette attache. Ils devaient avoir su que le bouton de rechange manquait quand ils avaient examiné le vêtement. Pourtant, une femme flic au visage empreint de sérieux le lui avait rendu sans commentaire. Depuis, par une sorte de superstition, il le portait presque tous les jours, et se sentait mal à l'aise quand il ne l'avait pas sur le dos. Récupérer le bouton ne présentait pas de difficulté. Il s'occuperait d'abord du gosse. Ensuite, il irait à l'église. Non, pas tout de suite. Il avait besoin d'un ciseau pour forcer le tronc. Il pourrait s'en procurer un à Campden Hill Square. Ou, mieux encore, en acheter un dans le magasin Woolworth le plus proche. Parmi la foule de clients qui s'y pressait, personne ne le remarquerait. Et puis, il n'achèterait pas que le ciseau. Il réunirait quelques petits articles bon marché avant de faire la queue à la caisse. De cette façon, il y aurait moins de chances que le caissier se rappelât le ciseau. L'effraction du tronc serait prise pour un simple cambriolage. Cela arrivait tout le temps. Il doutait que quelqu'un prît la peine de le signaler à la police. Et, dans ce cas, comment relier ce délit au meurtre ? Soudain, il se dit que le tronc avait peut-être déjà été vidé. Cette idée le dégrisa un peu de son sentiment de triomphe, mais pas pour longtemps. Si c'était vrai, le bouton aurait été soit remis à la police, soit jeté à la poubelle. Or il ne pouvait avoir été remis à la police : les flics le lui auraient déjà agité sous le nez. Et même si, par malchance, il était toujours en la possession de quelqu'un, seul le garçon savait où il avait été trouvé. Or le garçon serait mort, noyé accidentellement : un enfant de plus qui avait eu l'imprudence de jouer au bord du canal.

Il quitta l'abri des buissons. Le garçon le suivit. Des deux côtés, le chemin s'étendait, désert ; le canal coulait, épais et brun comme de la vase, entre les berges usées. Il frissonna. Pendant une seconde, il eut l'illusion que Darren et lui étaient les seuls survivants d'un monde vide et mort. Même le silence avait quelque chose de sinistre. Il se rendit compte que, depuis son arrivée sur le halage, il n'avait pas entendu un seul bruit animal, pas un seul cri d'oiseau.

Il s'aperçut que Darren ne marchait plus à ses côtés. Il s'était accroupi au bord de l'eau. S'arrêtant près de lui, Swayne vit qu'un rat mort était coincé dans la fourche d'un rameau ; son long corps lisse ridait la surface du canal, son museau pointait comme une proue. Swayne s'accroupit à son tour et tous deux contemplèrent le cadavre. Avec ses yeux vitreux et ses petites pattes levées comme en une prière ultime et désespérée, le rat avait quelque chose d'étrangement humain. « Le veinard », dit Swayne. Ce commentaire était absurde, pensa-t-il aussitôt après. Cette chose qui avait été un rat n'avait ni veine ni déveine. Elle n'existait pas. Rien de ce qu'on pouvait en dire n'avait de sens.

Il regarda le gosse saisir le bout du rameau et commencer à remuer le rat sous l'eau. Ensuite, il le souleva. Des remous se créèrent au-dessus de la tête de l'animal, puis son corps luisant, plié en deux, sortit de l'eau fétide.

« Ne fais pas ça, Darren », ordonna Swayne d'un ton acerbe.

Le garçon lâcha le rameau. Le rat replongea dans le canal où il se mit à dériver lentement au fil du courant.

Ils poursuivirent leur chemin. Soudain, Darren partit comme une flèche et, poussant un grand cri, fila dans le tunnel. Le cœur de Swayne bondit dans sa poitrine. Pendant une affreuse seconde, Swayne se dit que sa victime avait deviné ses intentions et s'enfuyait. Il courut après lui dans la pénombre, et

respira. Braillant à tue-tête Darren passait ses mains
sur la paroi de l'arche, puis, les bras tendus, sautait
pour essayer de toucher le haut de la voûte. De
soulagement, Swayne sauta presque avec lui.

Cet endroit était évidemment idéal. Cela ne lui
prendrait qu'une minute, voire quelques secondes.
Il devait agir vite et sans hésitation. Rien ne devait
être laissé au hasard. Il ne suffirait pas de le jeter
simplement dans le canal : il lui faudrait s'accroupir
et maintenir la tête de l'enfant sous l'eau. Le garçon
se débattrait peut-être, mais pas longtemps. Il avait
l'air trop frêle pour résister beaucoup. Swayne ôta
sa veste, la plia et la mit sur son épaule. Ce n'était
pas la peine d'éclabousser ce précieux vêtement. Le
bord du chemin était bétonné. Il pourrait s'age-
nouiller sans risquer de tacher son pantalon d'une
boue révélatrice.

« Darren ! » appela-t-il doucement.

Continuant à sauter vers le plafond, le garçon ne
lui prêta aucune attention. Swayne allait l'appeler
de nouveau quand la petite silhouette devant lui se
mit soudain à chanceler, s'affaissa, tomba aussi
silencieusement qu'une feuille et resta couchée,
inerte, sur le sol. Il crut d'abord que Darren lui
faisait une blague, mais, en approchant, il s'aperçut
que l'enfant s'était évanoui. Il gisait les membres
étendus et si près du canal que l'un de ses maigres
bras dépassait le bord du quai, son petit poing à
demi fermé touchant presque l'eau. Sa totale immobilité aurait pu faire penser qu'il était mort, mais
Swayne savait qu'il aurait reconnu la mort. Il
s'accroupit et contempla la figure inanimée. La
bouche du garçon était entrouverte et il crut entendre
le doux soupir de sa respiration. Dans la pénombre,
les taches de rousseur se détachaient sur la peau
blanche comme des éclaboussures d'une peinture
dorée et il distinguait à peine les cils peu fournis

594

recourbés contre la joue. Ce gosse doit être malade, se dit-il. Un garçon ne s'évanouit pas comme ça, sans raison. Il fut envahi d'un mélange de pitié et de colère. Le pauvre petit bougre. Ils l'ont traîné devant le tribunal pour enfants, l'ont placé sous la surveillance d'une assistante sociale, mais ils sont incapables de s'occuper de lui. Ils ne voient même pas qu'il est malade. Qu'ils aillent se faire foutre, tous ces salauds !

Mais maintenant que sa tâche lui était rendue encore plus facile — une petite poussée, et ça y était —, elle était soudain devenue très ardue. Il glissa son pied sous le garçon et le souleva. Le corps monta sur sa chaussure, si léger qu'il le sentait à peine. Mais Darren ne bougea pas. Il suffirait d'une simple détente de la jambe, songea Swayne. S'il avait cru en un dieu, il lui aurait dit : « Tu n'aurais pas dû me faciliter autant les choses. Rien ne devrait être aussi facile. » Un grand calme régnait dans le tunnel. Il entendait des gouttes de condensation tomber lentement de la voûte, le canal clapoter contre le quai de pierre, sa montre à quartz cliqueter comme une bombe à retardement. L'odeur forte et aigre de l'eau lui monta aux narines. Les croissants de lumière qui brillaient aux deux bouts du tunnel lui parurent soudain très loin. Il les imagina en train de rétrécir, de se réduire à de fins arcs, avant de disparaître complètement, le laissant lui et l'enfant enfermés dans des ténèbres aux senteurs d'humidité.

Puis il se dit : suis-je vraiment obligé de le tuer ? Ce gosse ne m'a rien fait. Berowne méritait de mourir, mais pas lui. Et il ne parlera pas. Il n'intéresse plus les flics, de toute façon. Et une fois que j'aurai récupéré le bouton, peu importe s'il me trahit. Ce sera ma parole contre la sienne. Et sans le bouton, que peuvent-ils prouver ? Il reprit sa

veste sur son épaule et, alors qu'il sentait la doublure glisser sur ses bras, il comprit qu'il était en
train d'accomplir une action décisive. Le gamin
aurait le droit de vivre. Pendant un moment, il
savoura une extraordinaire sensation de puissance
et cet instant lui parut encore plus agréable, plus
grisant que lorsqu'il s'était enfin retourné pour
regarder le corps de Berowne couché à terre. Voilà
ce qu'on devait ressentir quand on était un dieu. Il
avait le pouvoir d'ôter ou de donner la vie. Cette
fois, il avait choisi d'être miséricordieux. Il offrait
au gosse le plus beau cadeau qu'il fût capable de
donner et l'enfant ne saurait jamais que c'était à lui
qu'il le devait. Mais il le dirait à Barbie. Un jour,
quand le danger serait passé, il parlerait à Barbie
de cette vie qu'il avait prise, de cette autre qu'il
avait eu la bonté d'épargner. Il éloigna un peu le
petit corps du bord de l'eau. Le garçon gémit, ses
paupières frémirent. Comme s'il craignait de rencontrer le regard de ces yeux sur le point de
s'ouvrir, Swayne bondit sur ses pieds, puis se mit à
courir vers le bout du tunnel, anxieux d'atteindre
ce croissant de lumière avant que les ténèbres ne
se referment sur lui pour toujours.

6

Ce fut Sarah Berowne qui leur ouvrit. Sans dire
un mot, elle les conduisit à la bibliothèque. Lady
Ursula était assise à la table de la salle à manger
devant trois tas bien ordonnés de lettres et autres
documents. Une partie des feuillets était bordée de
noir comme si la famille avait sorti d'un fond de

tiroir les faire-part qui avaient été à la mode du temps de la jeunesse de la vieille dame. A l'entrée de Dalgliesh, celle-ci releva la tête et lui fit un signe, puis elle inséra son coupe-papier dans l'enveloppe suivante et la fendit en produisant un petit crissement. Sarah Berowne s'approcha de la fenêtre et resta là, le dos légèrement voûté, à regarder dehors. A travers les carreaux mouillés, on voyait les lourdes branches des sycomores pendre tristement dans l'air saturé d'humidité. Pareilles à des peaux de chamois, les feuilles mortes arrachées par l'orage parsemaient de taches brunes les frondaisons encore vertes. On n'entendait presque aucun bruit. Même le chuintement de la circulation dans l'avenue n'était guère plus fort qu'un faible ressac sur une grève lointaine. Cependant, la pièce semblait encore receler un peu de l'air étouffant de cette journée orageuse. Dalgliesh sentit augmenter le mal de tête diffus qui le tourmentait depuis le matin et qui se mua en une douleur aiguë derrière l'œil droit.

Jamais encore il n'avait connu dans cette demeure une atmosphère paisible ou détendue. Aujourd'hui, elle paraissait électrique. Seule Barbara Berowne semblait y être insensible. Elle aussi était assise à la table, occupée à se vernir les ongles, des flacons brillants et de petits bouts de coton hydrophile disposés devant elle sur un plateau. Quand Dalgliesh entra dans la pièce, le pinceau au bout luisant s'immobilisa un instant dans l'air.

Sans se retourner, Sarah Berowne dit :

« Ma grand-mère est préoccupée, entre autres choses, par l'organisation de la cérémonie commémorative. Je suppose, Commandant, que vous n'avez pas d'opinion particulière quant au choix approprié de l'un de ces deux hymnes : *Fight the Good Fight* ou *O Lord and Master of Mankind* ? »

Dalgliesh traversa la pièce pour s'approcher de

lady Ursula et lui montra le bouton qu'il tenait sur sa paume.

« Avez-vous déjà vu un bouton comme celui-ci, lady Ursula ? » demanda-t-il.

La vieille dame lui fit signe de venir plus près, puis pencha la tête vers sa main comme si elle voulait flairer le bouton.

« Pas à ma connaissance, répondit-elle. On dirait qu'il provient d'une veste d'homme, probablement assez chère. Je ne peux pas vous aider davantage.

— Et vous, miss Berowne ? »

La jeune fille quitta la fenêtre et vint les rejoindre. Après avoir brièvement examiné le bouton, elle déclara :

« Non, il n'est pas à moi.

— Ce n'est pas ce que je voulais savoir. Je demandais si vous l'aviez déjà vu, ou un autre qui lui ressemble.

— Si je l'ai vu, je ne m'en souviens pas. Mais je ne m'intéresse que très peu aux vêtements ou à ce genre de futilités. Pourquoi ne le demandez-vous pas à ma belle-mère ? »

La main gauche en l'air, Barbara Berowne soufflait doucement sur ses ongles. Seul celui du pouce n'avait pas encore été verni. A côté des quatre extrémités roses des autres doigts, il avait l'air d'une difformité. Comme Dalgliesh s'approchait d'elle, elle saisit de nouveau son pinceau et se mit à couvrir l'ongle en question de traits appliqués. Cela fait, elle jeta un coup d'œil au bouton, puis détourna rapidement la tête.

« Il ne provient d'aucun de mes vêtements. Et je ne pense pas qu'il ait appartenu à Paul. En tout cas, je ne l'ai jamais vu. Est-ce important ? »

Il savait qu'elle mentait, mais ce n'était pas par peur, pensa-t-il, ni par un quelconque sentiment de danger. Pour elle, mentir en cas de doute était la réaction la plus simple, et même la plus naturelle, une façon de gagner du temps, d'éluder des choses déplaisantes, de remettre les ennuis à plus tard. Il se tourna vers lady Ursula.

« J'aimerais m'entretenir également avec miss Matlock, si vous le permettez. »

Ce fut Sarah Berowne qui alla à la cheminée et tira le cordon de sonnette.

Quand Evelyn Matlock entra, les trois dames Berowne se tournèrent d'un même mouvement et la dévisagèrent. La gouvernante demeura un moment les yeux fixés sur lady Ursula, puis elle se dirigea vers Dalgliesh, raide comme un soldat en service commandé.

« Miss Matlock, dit-il, je vais vous poser une question. Prenez votre temps pour répondre. Réfléchissez bien avant de parler et dites-moi la vérité. »

La femme le fixa d'un air furieux. C'était le regard d'un enfant récalcitrant, obstiné et malveillant. Il ne se souvenait pas avoir jamais vu tant de haine sur un visage. Il sortit de nouveau le bouton de sa poche et le lui tendit sur la paume de sa main.

« Avez-vous déjà vu ce bouton ou un autre pareil à celui-ci ? » demanda-t-il.

Il savait que les yeux de Massingham seraient, tout comme les siens, rivés sur la figure de la gouvernante. Dire un mensonge, une brève syllabe, était facile. Simuler l'était moins. Miss Matlock réussit à maîtriser le timbre de sa voix, à lever les yeux et à le dévisager hardiment, mais le mal était déjà fait. Dalgliesh n'avait pas manqué de noter la lueur de reconnaissance dans son regard, son léger tressaillement, la rougeur montée à son front. Cette dernière réaction, surtout, était incontrôlable.

« Approchez-vous, ajouta-t-il. Examinez-le avec soin. C'est un bouton très particulier qui provient vraisemblablement d'une veste d'homme, et pas une veste ordinaire. Quand avez-vous vu pour la dernière fois un bouton comme celui-là ? »

La femme s'était mise à réfléchir. Il pouvait presque l'entendre penser.

« Je ne me souviens pas.

— Voulez-vous dire que vous ne vous souvenez pas avoir jamais vu un bouton pareil à celui-ci, ou que vous ne savez plus quand vous avez vu celui-ci pour la dernière fois ?

— Vous m'embrouillez. »

Miss Matlock se tourna vers lady Ursula.

« Si vous voulez voir un avocat avant de répondre, vous en avez le droit, dit celle-ci. Je peux appeler Mr. Farrell.

— Je ne veux pas voir d'avocat. Pourquoi aurais-je besoin d'un avocat ? Et, même si c'était le cas, je ne choisirais pas Antony Farrell. Il me regarde toujours comme si j'étais de la saleté.

— Alors je vous conseille de répondre à la question du commandant. Elle me paraît assez simple.

— Il me semble avoir vu quelque chose de similaire. Je ne sais plus où. Il doit y avoir des centaines de boutons semblables à celui-ci.

— Essayez de vous rappeler, dit Dalgliesh. Vous pensez avoir vu quelque chose de similaire. Où ? Dans cette maison ? »

Tout en évitant soigneusement le regard de Dalgliesh, Massingham, qui avait dû attendre cette occasion pour intervenir, dit d'une voix qui se voulait à la fois brutale, méprisante et ironique :

« Êtes-vous sa maîtresse, miss Matlock ? Est-ce pour cela que vous le protégez ? Car c'est bien cela, n'est-ce pas, vous le protégez ? Et que vous a-t-il donné en échange ? Une petite demi-heure dans votre lit, vite fait, entre son bain et son dîner ? Ce n'était pas cher payé, vous ne trouvez pas, pour un alibi dans une affaire de meurtre ? »

Massingham était vraiment maître en la matière. Chaque mot était intentionnellement insultant. Mon dieu, se dit Dalgliesh, pourquoi est-ce toujours lui qui fait les sales besognes à ma place ?

Le visage de miss Matlock s'empourpra. Lady Ursula émit un petit gloussement moqueur.

« Franchement, Commandant, dit-elle, je trouve cette hypothèse aussi ridicule qu'offensante. C'est grotesque. »

Evelyn Matlock se tourna vers elle, les poings serrés, le corps tremblant de colère.

« Pourquoi serait-ce ridicule ? Pourquoi grotesque ? Vous ne pouvez pas l'accepter, n'est-ce pas ? Et pourtant, vous avez eu vous même assez d'amants à une époque. C'est de notoriété publique. Mais maintenant vous êtes vieille, percluse, laide et personne ne veut plus de vous, ni homme ni femme et vous ne supportez pas l'idée que quelqu'un puisse me désirer. Pourtant c'était le cas, et ça l'est encore. Je l'aime. Nous nous aimons. Il s'intéresse à mon sort. Il sait quelle vie je mène dans cette maison. J'en ai assez, je suis épuisée et je vous déteste tous. Vous l'ignoriez, n'est-ce pas ? Vous pensiez que j'étais reconnaissante. Reconnaissante pour quoi ? Pour la corvée de vous laver comme un bébé, de s'occuper d'une bonne femme trop paresseuse pour ramasser ses propres vêtements sur le plancher ? Ou encore pour la pire chambre de la maison, pour un foyer, un lit, un toit, un repas assuré ? Cet endroit n'est pas un foyer. C'est un musée. C'est mort. C'est mort depuis des années. Et vous ne vous intéressez qu'à vous-même. Faites ceci, Mattie ; cherchez-moi ça, Mattie ; faites couler mon bain, Mattie. J'ai un vrai nom. Lui, il m'appelle Evelyn. C'est mon nom. Je ne suis ni un chat ni un chien ni un quelconque animal domestique. » Elle s'adressa à Barbara Berowne : « Et vous ? Il y a plein de choses que je pourrais raconter à la police au sujet de ce cousin à vous. Vous aviez jeté votre dévolu sur sir Paul avant même que votre fiancé ne soit enterré, avant même que sa propre femme ne soit morte. Vous n'avez pas couché avec lui. Bien sûr que non. Vous étiez bien trop maligne pour ça. Et vous, sa fille ? Teniez-vous vraiment à lui ? Ou à cet amant que vous avez ? Celui-là vous ne l'avez pris que pour blesser votre père. Aucune de vous ne sait ce que cela veut dire, aimer quelqu'un. » Elle s'adressa de nouveau à lady Ursula. « Il y a aussi mon père. Je suis censée être reconnaissante pour ce que votre fils a fait pour lui. Mais qu'a-t-il obtenu, en fait ? Il n'a même pas pu empêcher que mon père soit jeté en prison. Et la prison pour lui, c'était un véritable supplice. Il souffrait de claustrophobie. Il ne l'a pas supporté. Il en est mort. Ça vous est bien égal, à vous tous, je suppose. Sir Paul estimait que me donner du travail et un soi-disant foyer, c'était bien assez. Il croyait racheter ainsi sa faute. Mais il n'a jamais rien racheté. C'est moi seule qui ai payé.

— Je ne savais pas que vous pensiez tout cela, dit lady Ursula. J'aurais dû m'en douter. Je me le reproche à présent.

— Ce ne sont là que de belles paroles. Vous ne vous êtes jamais rien reproché. Jamais. Rien. A aucun moment de votre vie. Oui, j'ai couché avec lui. Et je le ferai encore. Vous ne pouvez pas m'en empêcher. Cela ne vous regarde pas. Vous ne possédez ni mon corps ni mon âme, même si vous vous en croyez les maîtres. Il m'aime et je l'aime.

— Ne soyez pas ridicule, dit lady Ursula. Il se servait de vous. Pour obtenir un repas gratuit, un bain chaud, pour avoir des vêtements propres et repassés. Et, à la fin, il vous a utilisée pour avoir un alibi. »

Barbara Berowne avait terminé son travail de manucure. Maintenant, elle examinait ses ongles vernis avec une satisfaction puérile. Puis elle releva la tête.

« Je sais qu'elle et Dicco ont couché ensemble. Il me l'a dit lui-même. Mais, bien entendu, il n'a pas assassiné Paul. C'est absurde. Au moment de la mort de Paul, c'était précisément ce qu'il faisait. Il faisait l'amour avec elle sur le lit de Paul. »

Evelyn Matlock pivota vers elle.

« C'est un mensonge ! Il ne vous l'aurait pas dit !

— C'est pourtant ce qu'il a fait. Il pensait que cela m'amuserait. Il trouvait cela très drôle. »

Barbara Berowne lança à lady Ursula un regard de connivence amusé et méprisant, comme pour l'inviter à partager une plaisanterie personnelle.

« Je lui ai demandé comment il pouvait supporter de la toucher, poursuivit-elle de sa voix aiguë et enfantine, mais il m'a répondu qu'il était capable de faire l'amour avec n'importe quelle femme à condition de fermer les yeux et d'imaginer qu'il s'agissait d'une autre. Il a ajouté qu'il s'efforçait de penser au bain chaud et au repas gratuit. En fait, cela ne le gênait pas tellement de faire l'amour avec elle. Il disait qu'elle n'était pas mal faite et qu'il pouvait y trouver du plaisir tant que la lumière était éteinte. Ce qui était pénible, c'était toutes ces fadaises sentimentales, toutes ces attentions dont elle l'accablait après. »

Evelyn Matlock s'était affalée sur une des chaises contre le mur, le visage enfoui dans ses mains. Puis elle regarda Dalgliesh et murmura si bas qu'il dut pencher la tête pour l'entendre.

« Il est sorti cette nuit-là. Il m'a dit qu'il voulait parler à sir Paul. Il voulait savoir ce que deviendrait lady Berowne. Il m'a dit qu'en arrivant là-bas, il les avait trouvés morts. La porte était ouverte et ils étaient morts. Tous les deux. Il m'aimait. Il me faisait confiance. Oh, mon Dieu, comme je voudrais qu'il m'ait tuée moi aussi ! »

Soudain, elle se mit à pleurer. De grands sanglots hoquetants lui déchirèrent la poitrine ; ils s'intensifièrent, jusqu'à la secouer comme une quinte de toux. Sarah Berowne s'approcha vivement et, d'un geste maladroit, lui prit la tête entre ses bras.

« Ce bruit est épouvantable, dit lady Ursula. Emmenez-la dans sa chambre. »

Comme si ces mots, qu'elle avait à peine pu entendre, représentaient une menace, Evelyn Matlock essaya de se maîtriser. Sarah Berowne regarda Dalgliesh.

« Comment Dominic Swayne pourrait-il être le coupable ? dit-elle. Il n'a pas eu assez de temps pour commettre deux meurtres et se laver après. A moins qu'il n'ait disposé d'une voiture ou d'une bicyclette. Il n'aurait jamais osé prendre un taxi. S'il avait emprunté la bicyclette, Halliwell l'aurait vu ou entendu.

— Halliwell n'était pas là », révéla lady Ursula.

Elle souleva le combiné et composa un numéro.

« Halliwell, voudriez-vous avoir l'obligeance de venir ici ? »

Plus personne ne parla. On n'entendait que les sanglots étouffés de miss Matlock. Lady Ursula regarda la gouvernante d'un air calme, pensif, dénué de pitié et même, pensa Dalgliesh, d'intérêt.

Bientôt des pas résonnèrent sur le sol de marbre du hall et la silhouette trapue du chauffeur apparut sur le seuil. Il portait un jean et une chemise à manches courtes et col ouvert. Très à l'aise, il jeta un bref coup d'œil aux policiers, aux trois dames Berowne, puis à la silhouette sanglotante blottie dans les bras de Sarah Berowne. Ensuite, il ferma la porte et regarda calmement lady Ursula, sans déférence particulière, détendu tout en restant sur ses gardes. Bien que plus petit que les deux autres hommes, on eût dit pendant un moment qu'il dominait la pièce de son assurance tranquille.

« Halliwell m'a conduite à Saint Matthew le soir où mon fils est mort, déclara lady Ursula. Dites au commandant ce qui s'est passé, Halliwell.

— Dois-je tout raconter, madame ?

— Bien sûr. »

Le chauffeur s'adressa directement à Dalgliesh.

« Lady Ursula m'a téléphoné à six heures moins dix et m'a demandé de préparer la voiture. Elle m'a dit aussi qu'elle me rejoindrait au garage et que nous devrions partir aussi silencieusement que possible par la porte de derrière. Une fois assise dans la Rover, elle m'a prié de la conduire à Saint Matthew, à Paddington. Comme je ne connaissais pas bien l'itinéraire, j'ai dû consulter une carte. »

Ils étaient donc partis presque une heure avant que Dominic Swayne n'arrive, se dit Dalgliesh. Il n'y avait donc eu personne dans l'appartement situé au-dessus du garage. Swayne avait dû penser que Halliwell avait déjà quitté Campden Hill Square pour son congé du lendemain.

« Nous sommes arrivés à l'église, poursuivit le chauffeur, et lady Ursula m'a demandé de me garer devant le portail sud, à l'arrière de l'édifice. Madame a sonné et sir Paul est venu ouvrir. Elle est entrée. Une demi-heure plus tard, elle est ressortie pour me demander de les rejoindre. Il devait être environ sept heures. Sir Paul était là ainsi qu'un autre homme, un clochard. Sur la table il y avait une feuille de papier avec à peu près huit lignes manuscrites. Sir Paul m'a expliqué qu'il était sur le point de signer cet écrit et qu'il désirait que je certifie sa signature. Ensuite il a signé et j'ai apposé ma signature sous la sienne. Le clochard a fait de même.

— Encore heureux que Harry ait su écrire, commenta lady Ursula. Mais c'était un homme âgé. Il avait été dans une école publique à l'époque où les enfants apprenaient ces choses.

— Était-il ivre ? » demanda Dalgliesh.

Ce fut Halliwell qui répondit.

« Il avait l'haleine avinée, mais il tenait debout et pouvait écrire son nom. Il n'était pas ivre au point de ne pas savoir ce qu'il faisait.

— Avez-vous lu ce qui était écrit sur ce papier ?

— Non, monsieur. Cela ne me regardait pas et je ne l'ai pas fait.

— Comment était-ce écrit ?

— Apparemment avec le stylo de sir Paul. Il s'en est servi pour signer et il me l'a passé ensuite ainsi qu'au clochard. Quand nous avons terminé, il a séché l'encre avec un buvard. Après, le clochard est sorti par la porte qui se trouve à droite de la cheminée. Lady Ursula et moi-même avons également quitté les lieux. Sir Paul est resté dans la sacristie. Il ne nous a pas reconduits à la porte. Lady Ursula a dit qu'elle aimerait que je l'emmène faire un tour avant de rentrer à la maison. Nous sommes allés jusqu'à Parliament Hill Fields, puis à Hampstead Heath. Là elle est restée assise dans la voiture, au bord de la lande, pendant près de vingt minutes. Ensuite, je l'ai ramenée à la maison où nous sommes arrivés vers neuf heures et demie. Lady Ursula m'a demandé de la laisser à la porte d'entrée principale de manière à pouvoir entrer dans la maison sans se faire remarquer. Elle m'a prié de garer la voiture dans Campden Hill Square, ce que j'ai fait. »

Ils avaient donc pu partir et revenir sans être vus. Et lady Ursula avait demandé qu'on lui monte son dîner sur un plateau : thermos de potage et saumon fumé. Personne ne la dérangerait jusqu'à ce que miss Matlock vînt l'aider à se coucher.

« Sir Paul a-t-il dit quelque chose après que vous ayez signé ce papier ? » demanda Dalgliesh à Halliwell.

Le chauffeur regarda lady Ursula, mais, cette fois, il n'obtint aucune aide.

« A-t-il dit quelque chose ? insista Dalgliesh. A vous ? A Harry Mack ? A sa mère ?

— Harry n'était plus là. Comme je vous l'ai dit, après avoir signé il est parti d'un pas plus ou moins assuré. A mon avis, ce n'était pas quelqu'un de très porté sur la compagnie ou la conversation. Sir Paul s'est adressé à madame. Il a prononcé quatre mots, pas plus : "Prends soin de lui". »

Dalgliesh se tourna vers lady Ursula. Assise immobile, les mains sur les genoux, elle semblait contempler au-delà de la pièce, au-delà de la tapisserie verte des arbres, quelque avenir imaginé. Il crut distinguer sur ses lèvres un soupçon de sourire. Il s'adressa de nouveau à Halliwell.

« Reconnaissez-vous maintenant avoir menti quand je vous ai demandé si une voiture ou si la bicyclette avait pu être utilisée ce soir-là ? Vous avez aussi menti quand vous m'avez affirmé être resté dans votre logement toute la soirée, n'est-ce pas ?

— Oui, monsieur, j'ai menti, répondit Halliwell calmement.

— C'est moi qui lui ai demandé de mentir, intervint lady Ursula. Ce qui s'était passé entre mon fils et moi dans cette sacristie n'avait aucun rapport avec sa mort, qu'il se soit suicidé ou non. L'important, pour moi, c'était que vous consacriez tout votre temps et tous vos efforts à trouver son assassin et non pas que vous vous mêliez des affaires privées de notre famille. Mon fils était vivant quand je l'ai quitté. J'ai prié Halliwell de garder le silence sur cette visite. Il a l'habitude de respecter les consignes.

— Certaines consignes, madame », dit le chauffeur.

Il la regarda et grimaça un bref sourire. Elle y répondit par un léger hochement satisfait de la tête. Dalgliesh eut l'impression qu'ils étaient devenus momentanément oublieux des autres personnes présentes dans la pièce, unis et complices dans un monde à part qui avait ses propres règles. Ils étaient solidaires maintenant comme ils l'avaient été depuis le début. Dalgliesh n'avait aucun doute quant à la nature du lien qui existait entre eux. Hugo Berowne avait été le chef de Halliwell ; elle était la mère de sir Hugo. Pour elle, il aurait été prêt à faire bien plus que mentir.

Ils avaient presque oublié Barbara Berowne. Celle-ci bondit soudain de sa chaise et se précipita vers Dalgliesh. Ses doigts aux bouts roses agrippèrent sa veste. Abandonnant toute sa fausse sophistication, elle ne fut plus qu'une enfant effrayée qui s'accrochait à lui.

« Ce n'est pas vrai ! Ce n'est pas lui qui l'a tué ! cria-t-elle. Dicco n'est pas sorti de la maison. Vous ne comprenez pas ? Mattie est jalouse parce qu'il ne s'est jamais vraiment soucié d'elle. Comment l'aurait-il pu ? Regardez-la ! Et la famille Berowne l'a toujours détesté, lui, et moi aussi d'ailleurs. » Elle se tourna vers lady Ursula : « Vous n'avez jamais voulu qu'il m'épouse. Vous ne me trouviez pas assez bonne pour vos précieux rejetons, ni pour l'un ni pour l'autre. Eh bien, cette maison est à moi maintenant et je pense qu'il serait préférable que vous partiez.

— Je crains qu'il n'en soit autrement », répondit lady Ursula d'une voix calme.

Se retournant avec difficulté, elle décrocha la

poignée de son sac à main du dossier de son fauteuil. Les autres regardèrent ses doigts déformés ouvrir maladroitement le fermoir. Puis la vieille dame sortit une feuille de papier pliée.

« Ce que mon fils a signé, c'était son testament. En ce qui vous concerne, Barbara, il vous a légué de quoi vivre convenablement mais sans extravagances. Quant à cette maison et au reste de ses biens, ils m'ont été laissés en fidéicommis pour son enfant encore à naître. Si cet enfant mourait, ils me reviendraient. »

Les yeux de Barbara Berowne s'emplirent de larmes de frustration.

« Pourquoi a-t-il fait ça ? Comment l'avez-vous persuadé d'agir ainsi ? »

Lady Ursula se tourna vers Dalgliesh comme si c'était à lui qu'elle devait une réponse.

« J'étais allée le voir pour lui faire des remontrances, pour apprendre s'il était au courant de l'existence de l'enfant et s'il savait que celui-ci était bien de lui, pour lui demander ce qu'il avait l'intention de faire. C'est la présence du clochard qui m'a donné l'idée du testament. Vous comprenez, j'avais les deux témoins requis. J'ai dit à mon fils : "Si elle est enceinte de votre enfant, je veux m'assurer que celui-ci ne sera pas démuni à sa naissance. Je veux assurer son avenir. Si vous deviez mourir cette nuit, votre femme hériterait de tout et votre enfant aurait Lampart pour beau-père. Est-ce cela que vous voulez ?" Il n'a pas répondu. Il s'est assis à la table. J'ai pris une feuille de papier dans le tiroir supérieur du bureau et je l'ai posée devant lui. Sans dire un mot, il a écrit le testament, ces huit lignes. Des revenus annuels raisonnables pour sa femme et tout le reste en fidéicommis pour l'enfant. Peut-être a-t-il voulu se débarrasser de moi ? Je crois que oui. Peut-être tout cela lui était-il indifférent ? C'est bien possible. Il a dû se dire qu'il serait certainement encore vivant le lendemain et ferait établir alors des documents plus officiels. La plupart d'entre nous pensent être encore là le jour suivant. Ou avait-il l'intuition qu'il ne survivrait pas à cette nuit ? Mais une telle pensée est tout à fait ridicule, bien sûr.

— Vous avez menti quand vous avez dit que vous aviez parlé à Halliwell plus tard dans la soirée, dit Dalgliesh. Après qu'on ait découvert les corps, vous saviez qu'il serait soupçonné. Sur votre demande, il allait mentir. Vous avez pensé que vous lui deviez au moins un alibi. Et vous avez aussi menti au sujet de l'agenda de votre fils. Vous saviez qu'à six heures ce soir-là cet objet se trouvait dans la maison. Vous êtes descendue dans le bureau et vous l'avez pris dans le tiroir de la table de travail quand le général a téléphoné.

— A mon âge, la mémoire est parfois défectueuse. » Lady Ursula ajouta avec une certaine satisfaction sardonique : « Je ne crois pas avoir jamais menti à la police auparavant. Dans mon monde, nous en avons rarement besoin. Mais quand nous le faisons, je puis vous assurer que nous sommes aussi experts en la matière, sinon plus, que les autres gens. Mais je suppose que vous n'en avez jamais douté.

— Vous attendiez, bien sûr, de voir ce que nous avions découvert, de vous assurer que la mère de votre petit-fils n'était pas une meurtrière ou la complice d'un assassin. Vous saviez que vous cachiez des renseignements essentiels, ce qui aurait pu permettre à l'assassin de votre fils de rester en liberté. Mais cela vous importait peu, n'est-ce pas, tant que votre lignée continuait, que votre belle-fille produisait un héritier ?

— Un héritier légitime, précisa doucement la

vieille dame. Cela vous paraît peut-être insignifiant, Commandant, mais j'ai plus de quatre-vingts ans et vous et moi avons des priorités différentes. Barbara n'est pas une femme intelligente, mais elle sera une bonne mère. J'y veillerai. Cet enfant aura une vie normale. Mais grandir en sachant que votre mère a été la complice de son amant dans l'assassinat de son père, voilà un héritage qu'aucun enfant ne devrait avoir à supporter. Je ne voulais pas que mon petit-fils connût un tel malheur. Paul m'a demandé de veiller sur son fils. C'est ce que j'ai fait jusqu'ici. Les dernières volontés d'un homme qui vient de mourir ont quelque chose de particulièrement impérieux. Dans le cas présent, elles coïncidaient avec les miennes.

— C'est tout ce qui vous importe ?

— J'ai quatre-vingt-deux ans, commandant. Les hommes que j'ai aimés sont tous morts. Qu'y a-t-il d'autre au monde dont j'aurais encore envie de me préoccuper ?

— Bien entendu, nous aurons besoin de nouvelles dépositions, de chacun de vous.

— Évidemment. Vous autres policiers, vous en voulez toujours. Ne courez-vous pas quelquefois le risque de penser que tout ce qui est important dans la vie peut être mis en mots, dûment signé et classé comme preuve ? Je suppose que c'est d'ailleurs ce qui fait l'intérêt de votre travail. Tout cet embrouillamini réduit en mots sur une feuille de papier ou en pièces à conviction proprement étiquetées et numérotées ! Mais vous êtes poète — ou vous l'avez été. Vous ne pouvez pas vraiment penser que ce que vous essayez d'atteindre ainsi, c'est la vérité. »

Dalgliesh ne releva pas cette remarque.

« Dominic Swayne habite ici, n'est-ce pas ? fit-il. Quelqu'un d'entre vous sait-il où il est ? »

Il n'y eut pas de réponse.

« Dans ce cas, nous laisserons un agent ici jusqu'à son retour. »

Le téléphone se mit à sonner. Barbara Berowne sursauta et regarda l'appareil, puis Dalgliesh, avec ce qui semblait être de la peur. Lady Ursula et Sarah Berowne n'y prêtèrent pas la moindre attention comme si la pièce et son contenu ne les intéressaient plus du tout. Massingham s'approcha de l'appareil et décrocha. Il déclina son nom, écouta en silence pendant un instant, pendant lequel personne ne bougea, puis dit quelques mots, mais à voix basse et inintelligible, et raccrocha. Dalgliesh alla vers lui. Massingham dit doucement :

« Darren est arrivé chez lui. Il ne veut pas dire où il a été et Robins estime qu'il cache quelque chose. Sa mère n'est pas encore rentrée et personne ne sait où elle est. On est allé dans les pubs et les boîtes de nuit qu'elle fréquente d'habitude. Deux agents restent auprès de Darren en attendant qu'on ait retrouvé Swayne. Ils ont appelé les services sociaux pour essayer de joindre l'assistante sociale du gosse, mais il est trop tard : les bureaux sont déjà fermés.

— Et Swayne ?

— Pas la moindre trace jusqu'ici. Ce décorateur avec lequel il partageait un appartement à Shepherd's Bush dit qu'il y est passé pour prendre des affaires. Il partait pour Édimbourg.

— Édimbourg ?

— Il paraît qu'il a des amis là-bas, des gens qu'il a connus quand il participait à un spectacle *off* au festival de cette année. Robins a pris contact avec Édimbourg. On pourra peut-être l'intercepter et le faire descendre du train.

— A condition qu'il l'ait pris. »

Dalgliesh se dirigea vers Evelyn Matlock. Elle leva vers lui un visage ravagé par le chagrin et il crut lire dans son regard quelque chose qui ressemblait tellement à de la confiance qu'il en fut tout retourné.

« Il a exploité votre affection et vous a fait mentir pour lui, dit-il. Il vous a donc trahie. Cependant, ses sentiments pour vous, et ceux que vous lui portez, ne regardent que vous deux. Personne, à part vous, ne peut connaître la vérité à leur sujet.

— Il avait besoin de moi, dit-elle d'un ton pressant comme pour mieux se faire comprendre. Il n'a jamais eu quelqu'un d'autre. C'était de l'amour, de l'amour. »

Dalgliesh ne répondit pas. La gouvernante ajouta d'une voix si faible qu'il eut du mal à saisir les mots :

« C'est vrai qu'il a emporté une boîte d'allumettes en partant. Je ne m'en serais pas rendue compte si la bouilloire électrique n'avait pas été en panne. Halliwell l'avait prise pour la réparer. J'ai dû me servir du gaz et j'ai eu besoin d'allumettes. Il a fallu que je sorte une nouvelle boîte. Celle qui était près de la cuisinière avait disparu. »

Elle se remit à pleurer, presque sans bruit cette fois, et ce flot silencieux de larmes qui lui ruisselait sur le visage traduisait un épuisement et un désespoir au-delà de la souffrance.

Cependant, il avait encore des questions à poser. Mieux valait le faire maintenant qu'elle avait dépassé l'extrême limite du chagrin et acceptait sa défaite.

« Quand Mr. Swayne est arrivé, est-il allé seul dans des pièces de la maison autres que votre petit salon et la cuisine ?

— Seulement dans la salle de bains pour y porter sa trousse de toilette. »

Il avait donc eu, éventuellement, l'occasion d'entrer dans le bureau.

« Et quand il est revenu, portait-il quelque chose ?

— Seulement son journal du soir. Il l'avait avec lui à son arrivée. »

Pourquoi ne l'avait-il pas laissé dans la cuisine ou l'appartement de la gouvernante ? Pourquoi emporter un journal dans la salle de bains, si ce n'était parce qu'il se proposait d'y cacher quelque chose : livre, dossier, lettres personnelles. Habituellement, les candidats au suicide détruisent leurs papiers. Il trouverait dans la maison quelque chose à prendre avec lui et à brûler. C'était probablement par hasard qu'il avait ouvert le tiroir et aperçu l'agenda.

Dalgliesh se tourna vers Sarah Berowne.

« Miss Matlock est manifestement bouleversée. Je crois qu'une tasse de thé lui ferait du bien. L'une de vous se donnerait-elle la peine de lui en préparer une ?

— Vous nous méprisez, n'est-ce pas ? répondit-elle. Chacune de nous.

— Miss Berowne, je suis ici en qualité de policier chargé d'une enquête. A ce titre, je n'ai aucun autre droit, aucune autre fonction. »

Massingham et Dalgliesh avaient déjà atteint la porte quand lady Ursula leur dit d'une voix forte et résolue :

« Commandant, avant que vous ne partiez, il faut que vous sachiez qu'un revolver a été subtilisé dans le coffre-fort du bureau. Il appartenait à mon fils aîné : c'est un *Smith and Wesson*. Ma belle-fille m'a assuré que Paul s'en était débarrassé mais je crois qu'il vaudrait mieux présumer qu'elle... qu'elle se trompe », ajouta-t-elle avec une légère ironie.

Dalgliesh se tourna vers Barbara Berowne.

« Votre frère aurait-il pu le prendre ? Connaissait-il la combinaison du coffre ?

— Certainement pas. Pourquoi Dicco aurait-il voulu cette arme ? Paul s'en est débarrassé. Il me l'a dit. Il pensait que c'était dangereux de la garder.

Il l'a jetée. Il l'a jetée dans la Tamise. » Ignorant sa belle-fille, lady Ursula intervint de nouveau.

« Je pense que vous pouvez tenir pour certain que Dominic Swayne connaissait la combinaison du coffre. Mon fils l'a modifiée trois jours avant sa mort. Il avait l'habitude d'inscrire la nouvelle combinaison au crayon sur la dernière page de son agenda. Il ne l'effaçait que lorsqu'il était sûr que lui et moi la savions par cœur. Il entourait d'un cercle certains chiffres choisis dans le calendrier de l'année suivante. Commandant, je crois que c'était la page que vous m'avez montrée et dont il manquait la moitié. »

7

Il était presque cinq heures quand il eut fait l'emplette d'un ciseau, le plus résistant qu'il avait pu trouver. Finalement, il n'avait pas eu le temps de l'acheter dans un des magasins Woolworth, mais il s'était dit que cela n'avait pas d'importance, et se l'était procuré dans une quincaillerie près de Harrow Road. Le vendeur pourrait éventuellement se souvenir de lui, mais qui allait venir lui poser ces questions ? On ne verrait dans ce vol qu'une simple effraction. Ensuite, il jetterait l'outil dans le canal. En l'absence de celui-ci, et donc sans la possibilité de le comparer avec les traces laissées sur le couvercle du tronc, il n'y avait aucun moyen de relier sa personne à ce délit. Le ciseau était trop long pour la poche de sa veste ; il le mit dans le sac de toile, avec le revolver. Cela l'amusait de porter en bandoulière ce sac tout ordinaire et de sentir la masse de l'arme et de l'outil lui heurter le côté. Il ne craignait pas que quelqu'un l'arrête. Qui aurait voulu l'arrêter, lui, un jeune homme à la mise tout à fait correcte rentrant tranquillement chez lui à la fin d'une journée ? Mais son assurance avait des racines plus profondes. Il marchait dans les rues mornes la tête haute, invincible, et il avait envie de s'esclaffer à la vue de ces visages gris et stupides qui regardaient droit devant eux quand ils le croisaient, ou passaient courbés vers le sol comme s'ils espéraient trouver quelque pièce de monnaie. Prisonniers de leurs vies sans espoir, ils se traînaient le long des mêmes parcours sans attrait, esclaves de leurs routines et de leurs conventions. Lui seul avait eu le courage de s'affranchir. Il était roi parmi les hommes, un esprit libéré. Dans quelques heures, il serait en route pour l'Espagne et le soleil. Personne ne pourrait l'en empêcher. La police ne disposait d'aucun élément qui lui eût permis de le retenir. Le seul objet qui pût constituer la preuve matérielle d'un lien entre lui et le lieu du crime était maintenant à portée de sa main. Il avait assez d'argent pour survivre deux mois. Ensuite, il écrirait à Barbie. Le moment n'était pas encore venu de tout lui raconter, mais un jour il le ferait. Il faudrait que ce fût bientôt. Le besoin de parler devenait obsédant. L'autre jour, après avoir bu quelques verres à l'hôtel Saint-Ermin, il s'était presque laissé aller à faire des confidences à cette pitoyable vieille fille. Après coup, cette folle envie de se confier, de faire admirer son intelligence et son courage l'avait presque effrayé. Mais c'était surtout à Barbie qu'il voulait parler. Elle avait le droit de tout savoir. Il lui expliquerait qu'elle lui devait son argent, sa liberté, son avenir. Elle saurait lui témoigner sa reconnaissance.

Il faisait si sombre à cette heure de l'après-midi

qu'on se serait cru le soir. Le ciel était lourd, opaque ; l'air, presque irrespirable, avait cet âcre goût métallique d'un orage imminent. Celui-ci éclata au moment précis où, tournant le coin de la rue, il aperçut l'église. Un premier éclair illumina le ciel, suivi presque aussitôt d'un coup de tonnerre. Deux grosses gouttes s'aplatirent sur le trottoir devant lui et l'averse se déclencha. Il courut s'abriter sous le porche de l'église, riant tout haut. Même le temps était avec lui : jusqu'ici la principale voie d'accès à l'église avait été déserte, et maintenant son regard ne rencontrait qu'une masse d'eau. En face, la rangée de maisons commençait à trembloter derrière le rideau de pluie. Sur la chaussée jaillissaient de véritables fontaines et les gouttières dégorgeaient des torrents.

Il tourna doucement la grande poignée en fer de la porte. Elle était ouverte et même entrebâillée. Mais cela ne l'étonna pas. Une partie de lui croyait que les églises et autres sanctuaires et lieux de superstition demeuraient ouverts en permanence pour les fidèles. De toute façon, rien ne pouvait le surprendre, rien ne pouvait aller de travers. La porte grinça quand il la referma derrière lui, et il pénétra dans le silence embaumé.

L'église était plus vaste qu'il ne l'avait imaginé, si froide qu'il frissonna, si silencieuse qu'il crut un bref instant entendre le halètement d'un animal avant de se rendre compte qu'il s'agissait de sa propre respiration. Il n'y avait pas d'éclairage à part un seul lustre et, dans une chapelle latérale, une lampe qui projetait une lueur rougeâtre. Le double rang de cierges qui se consumaient devant une statue de la Vierge s'était mis à vaciller dans le courant d'air de la porte. Il y avait un coffret fermé à clé accroché au candélabre, mais il savait que ce n'était pas celui-ci qu'il cherchait. Il avait posé des questions précises au garçon. Le tronc contenant le bouton se trouvait dans la partie ouest de l'édifice, devant la grille en fer forgé. Il n'était pas pressé. Il s'avança au milieu de la nef centrale, face à l'autel et ouvrit grand les bras comme s'il voulait prendre possession du vaste espace vide du sanctuaire, de son air parfumé. Devant lui, les mosaïques de l'abside brillaient de tous leurs ors. En se tournant, tête levée, vers la claire-voie, il entrevit dans la pénombre les rangs de personnages peints, unidimensionnels, naïvement sentimentaux comme les découpages d'un livre d'images pour enfants. La pluie dégoulinait de ses cheveux et mouillait son visage. Goûtant sa saveur douceâtre, il se mit à rire. Une petite flaque s'était formée à ses pieds. Lentement, presque cérémonieusement, il descendit la nef en direction du candélabre placé devant la grille.

Le tronc était muni d'un cadenas, mais celui-ci était petit et le tronc même lui parut plus fragile qu'il n'avait pensé. Il inséra le ciseau sous le couvercle et le souleva. D'abord, celui-ci résista, mais bientôt le bois se fendit. Il fit un nouvel effort et, soudain, le cadenas éclata. Le bruit résonna dans l'église comme un coup de feu. Presque simultanément, un violent coup de tonnerre lui fit écho. Les dieux m'applaudissent, se dit-il.

C'est alors qu'il aperçut l'ombre noire qui s'avançait vers lui. Puis il entendit une voix calme, légèrement autoritaire, qui lui disait :

« Si vous cherchez le bouton, mon fils, vous arrivez trop tard. La police l'a déjà trouvé. »

La nuit précédente, le père Barnes avait de nouveau fait le même rêve que la nuit du crime. Un rêve aussi effrayant au réveil que lorsqu'il y repensa plus tard. Et comme tous les cauchemars, celui-ci lui avait laissé l'impression qu'il ne s'agissait pas d'un simple fantasme, mais qu'il était profondément ancré dans son subconscient, nourri par sa propre terrible réalité, prêt à ressurgir. Un film d'horreur en Technicolor. Il était en train de regarder passer une procession. Il se tenait au bord du trottoir, seul, sans qu'on lui prêtât attention. En tête marchait le père Donovan revêtu de sa plus belle chasuble. Il se pavanait devant la croix tandis qu'une foule de fidèles sortaient de son église, hilares, bondissant au rythme d'instruments à percussion métalliques, le corps en sueur. David dansant devant l'Arche du Seigneur, se dit-il. Ensuite venait le saint sacrement porté très haut sous le dais. Cependant, quand il s'en était approché, il s'était aperçu que ce n'était pas vraiment un dais, mais le tapis fané et crasseux de la petite sacristie de Saint Matthew, ses franges tressautant avec le mouvement des brancards, et que ce qu'il avait pris pour le saint sacrement était le corps de Berowne, rose et nu comme un cochon égorgé, une plaie béante au cou.

Il s'était réveillé en criant et avait cherché sa lampe de chevet à tâtons. Récurrent pendant plusieurs nuits, le cauchemar l'avait mystérieusement quitté le dimanche passé et, depuis, il avait pu dormir d'un sommeil paisible et profond. Alors qu'il s'apprêtait à fermer l'église obscure et vide après le départ de Dalgliesh et de miss Wharton, il se surprit à prier Dieu de continuer à lui épargner ce tourment.

Il consulta sa montre. Cinq heures et quart, mais il faisait aussi sombre qu'en pleine nuit. Quand il atteignit le portail, il commença à pleuvoir. Il y eut d'abord un coup de tonnerre, si violent qu'il sembla ébranler les murs de l'église. Ce bruit étrange, si caractéristique, qui tenait le milieu entre un grognement et une explosion, avait un côté surnaturel, se dit-il. Pas étonnant que les hommes l'aient toujours craint, comme s'il était une manifestation du courroux céleste. Aussitôt après, la pluie se mit à ruisseler du toit du porche, telle une paroi liquide. Il serait ridicule de partir pour le presbytère par un orage pareil, se dit-il. En l'espace de quelques secondes il serait trempé. S'il n'avait pas tenu à rester quelques minutes de plus après le départ de Dalgliesh, pour inscrire la somme correspondant à la vente de cierges dans son livre de caisse, il aurait probablement pu se faire ramener chez lui. Le commandant allait déposer miss Wharton devant sa maison avant de poursuivre son chemin jusqu'au Yard. Maintenant, il ne restait plus qu'à attendre.

Soudain, le père Barnes se rappela le parapluie que Bert Poulson, le ténor du chœur, avait oublié dans la grande sacristie, après la messe du dimanche. Il pourrait l'emprunter. Il retourna dans l'église en laissant le portail entrebâillé, ouvrit la porte de la grille et pénétra dans la grande sacristie. Le parapluie était encore là. Il ferait peut-être bien de laisser un mot accroché au porte-manteau, se dit-il. Bert risquait d'arriver tôt le dimanche et de commencer à faire des histoires en constatant la disparition de son bien. Ce serait dans son caractère. Le père Barnes entra dans la petite sacristie et écrivit sur une feuille de papier prise dans le bureau : « Le parapluie de Mr. Poulson se trouve au presbytère. »

Il avait à peine fini et remettait son stylo à bille

dans sa poche quand il entendit un bruit ; un craquement très fort et tout proche. Instinctivement, il sortit de la petite sacristie et s'engagea dans le couloir. Derrière la grille, devant le tronc des offrandes grand ouvert se tenait un jeune homme blond, un ciseau à la main.

Le père Barnes comprit aussitôt. Il sut à la fois qui était cette personne et ce qu'elle venait faire là. Il se rappela les paroles de Dalgliesh : « A partir du moment où il saura que nous avons trouvé le bouton, personne ne courra plus de risques. » Pourtant, pendant une seconde, pas plus, il fut saisi d'une peur panique, paralysante, qui lui ôta l'usage de la parole. Puis la terreur disparut, le laissant transi et sans forces, mais tout à fait lucide. Il fut envahi d'un calme immense, du sentiment qu'il n'y avait rien à faire, rien à craindre. Tout était arrangé. Il s'avança avec autant d'assurance que s'il accueillait un nouveau fidèle. Sur son visage, il plaqua l'expression adéquate d'intérêt et de sympathie. D'une voix parfaitement ferme, il dit :

« Si vous cherchez le bouton, mon fils, vous arrivez trop tard. La police l'a déjà trouvé. »

Le jeune homme le dévisagea férocement de ses yeux bleus. De l'eau dégoulinait sur ses joues comme des larmes. On aurait dit le visage d'un enfant désespéré, terrifié, la bouche entrouverte, sans voix. Le père Barnes perçut un gémissement et vit, incrédule, deux mains tremblantes qui se tendaient vers lui, deux mains qui serraient la crosse d'un revolver. Il s'entendit crier : « Oh non, je vous en prie ! » tout en sachant qu'il n'implorait pas la pitié car il ne pouvait y en avoir. C'était une dernière protestation impuissante contre l'inévitable. Alors même qu'il prononçait ces mots, il sentit un coup sourd et son corps eut un soubresaut. Il n'entendit la détonation qu'au moment de toucher le sol.

Quelqu'un perdait du sang sur le carrelage de la nef. Il se demanda d'où pouvait provenir cette tache qui allait s'élargissant. Du nettoyage en plus, se dit-il. Ça sera difficile à enlever. Miss Wharton et ses assistantes ne seront pas contentes. Le liquide rouge serpentait, visqueux comme de l'huile, entre les dalles. Quelque part, quelqu'un geignait. Un bruit horrible. Pourquoi ne le faisait-on pas cesser ? Puis il se dit : mais c'est mon sang, c'est moi qui saigne. Je vais mourir. Il ne sentit aucune peur, seulement une affreuse faiblesse, suivie d'une nausée plus terrible que toutes les sensations physiques qu'il eût jamais connues. Mais ce malaise disparut aussi. Si c'est cela mourir, se dit-il, ce n'est pas si difficile. Il savait qu'il y avait des mots qu'il aurait dû dire, mais il n'était pas certain de pouvoir se les rappeler et cela n'avait pas d'importance. Il faut que je me laisse aller, se dit-il encore, tout simplement me laisser aller. Ce fut sa dernière pensée.

Quand le sang cessa enfin de couler, il était inconscient. Il n'entendit pas, une heure plus tard, le portail s'ouvrir lentement et les pas lourds d'un policier descendre la nef dans sa direction.

9

Dès qu'elle était entrée dans la salle des urgences et avait vu sa grand-mère, Kate avait compris qu'elle n'avait plus le choix. La vieille dame était assise sur une chaise contre le mur, une couverture d'hôpital rouge sur les épaules, un pansement sur le front. Elle lui était apparue toute menue et terrorisée, avec un visage plus gris et plus fripé que jamais.

Ses yeux fixaient anxieusement la porte d'entrée. Cela rappela à Kate le chien perdu qu'on avait amené au commissariat de Notting Hill Gate pour le faire transférer au refuge pour chiens de Battersea. Attaché par une corde à un banc, l'animal tremblant avait fixé la porte avec ce même regard rempli d'une attente désespérée. En s'approchant de sa grand-mère, elle eut l'impression bouleversante de ne pas l'avoir vue depuis des mois. Les signes annonciateurs de la décrépitude, de l'affaiblissement et de la perte de sa dignité qu'elle avait omis ou refusé de voir lui sautaient maintenant aux yeux. Les cheveux, auxquels sa grand-mère avait toujours essayé de redonner artificiellement leur couleur rousse d'origine, pendaient de chaque côté de ses joues creuses en mèches d'un curieux mélange de blanc, de gris et d'orange. Ses mains couvertes de taches brunes étaient décharnées comme des serres d'oiseau. Ses ongles étaient striés de traces d'un vernis vieux de plusieurs mois, pareil à du sang coagulé. Ses yeux, quoique toujours vifs, brillaient maintenant d'un début de paranoïa. Ses vêtements mal entretenus et sa peau mal lavée dégageaient des relents aigres.

Sans la toucher, Kate vint s'asseoir près d'elle sur la chaise libre. Il ne faut pas qu'elle ait à me le demander, pensa-t-elle, surtout pas maintenant que c'est devenu si important. Qu'au moins je lui épargne cette humiliation ! De qui ai-je hérité ma propre fierté si ce n'est d'elle ?

« Pas de problème, mémé, dit-elle. Tu viens avec moi à la maison. »

Elle n'avait pas hésité. Elle n'avait pas le choix. Elle ne pouvait pas regarder ces yeux, y lire pour la première fois une réelle peur, un réel désespoir, et refuser. Elle l'avait quittée quelques instants pour parler à l'infirmière en chef et s'assurer que sa grand-mère pouvait sortir de l'hôpital. Ensuite, elle l'avait conduite, docile comme une enfant, jusqu'à la voiture, l'avait emmenée à son appartement et mise au lit. Après tant de manœuvres et de souffrance, après tous ces alibis et cette ferme décision prise un jour qu'elles n'habiteraient plus jamais sous le même toit, voilà que son geste avait été aussi simple et inévitable que ça.

Le lendemain avait été pour toutes les deux une journée très chargée. Le temps pour Kate de passer au commissariat du quartier, de ramener sa grand-mère à son appartement, de mettre dans une valise ses effets ainsi que les menus objets dont son aïeule ne voulait pas se séparer, le temps aussi de laisser des mots aux voisins pour leur expliquer ce qui se passait et de voir les services sociaux et de logement, il était plus de quatre heures. A leur retour à Charles Shannon House, il avait fallu faire le thé, vider des tiroirs et une armoire pour y ranger les affaires de sa grand-mère, rassembler son matériel de peinture et le mettre dans un coin. Dieu sait quand je pourrai de nouveau m'en servir, se dit-elle.

Il était six heures passées quand elle put se rendre au supermarché de Notting Hill Gate pour acheter assez de nourriture pour les jours suivants. Elle espérait pouvoir reprendre son travail le lendemain, et que sa grand-mère serait en état de rester seule. La vieille dame avait insisté pour l'accompagner et elle avait bien supporté la fatigue des diverses démarches. Mais elle semblait lasse à présent et Kate se tourmentait à l'idée qu'elle ne voudrait peut-être pas la lâcher le lendemain matin. Elle s'était cogné le front et fait mal au bras droit quand les loubards l'avaient agressée. Mais ceux-ci s'étaient contentés de lui arracher son sac sans la frapper et les contusions étaient superficielles. On lui avait fait des radios de la tête et du bras, et les médecins de l'hôpital estimaient qu'elle était en état de rentrer chez elle s'il y avait quelqu'un pour s'occuper d'elle. Eh bien il y avait en effet quelqu'un, la seule personne qui lui restât au monde.

Tout en poussant son Caddie dans les allées du supermarché, Kate s'étonnait de la quantité de nourriture supplémentaire qu'il fallait se procurer dès qu'on était deux. Elle n'avait pas besoin de liste. Ces denrées-là, elle les avait achetées chaque semaine pour sa grand-mère. En les empilant dans le chariot, elle avait encore à l'oreille sa vieille voix autoritaire et maussade. Des biscuits au gingembre : « Pas ceux-là, ils sont trop mous pour tremper » ; du saumon en boîte : « Bien rouge, n'oublie pas, je ne peux pas avaler cette saloperie rose » ; des poires en conserve : « Celles-là au moins, on ne se casse pas les dents dessus » ; des sachets de crème anglaise en poudre ; des tranches de jambon sous plastique : « Elles se gardent mieux et on peut voir ce qu'on achète » ; du thé en sachets, le plus fort possible : « Je ne m'aviserais pas de laisser un triton prendre un bain dans ce truc que tu m'as acheté la semaine dernière. » Cet après-midi, cela avait été différent. Depuis qu'elle était arrivée dans l'appartement, elle était restée assise dans un coin, sans se plaindre, une pauvre vieille, fatiguée et docile. Même l'inévitable critique émise à propos de sa dernière peinture — « Je me demande pourquoi tu accroches ça au mur ; on dirait un dessin de gosse » — lui avait paru être une sorte d'objection rituelle, une tentative de retrouver son insolence passée plutôt qu'une véritable insulte. Elle avait laissé Kate partir faire les courses sans autre réaction qu'un regard soudain plus apeuré, et cette question :

« Tu ne sors pas pour longtemps, dis ?

— Non, mémé, pas pour très longtemps. Le

temps d'aller jusqu'au supermarché de Notting Hill Gate. »

Elle était déjà à la porte quand son aïeule la rappela pour lui dire, dans un sursaut de fierté :

« Je ne te demande pas de m'entretenir. J'ai ma pension.

— Je sais, mémé. Il n'y a pas de problème. »

Tandis qu'elle manœuvrait son Caddie le long des rangées de fruits en conserve, elle se dit : « Je ne crois pas avoir besoin de religion, de surnaturel. Ce qui est arrivé à Paul Berowne dans cette sacristie m'est aussi étranger que la peinture l'est à un aveugle. Pour moi, il n'existe rien de plus important que mon travail. Pourtant, la loi ne peut être à elle seule une morale personnelle. Il faut qu'il y ait quelque chose de plus si je veux vivre en paix avec moi-même. »

Elle avait l'impression d'avoir fait une découverte extrêmement importante à propos d'elle-même et de son travail, et elle sourit en pensant que cela s'était produit pendant qu'elle hésitait entre deux marques de poires en conserve, dans un super-marché de Notting Hill Gate. Étrange aussi que cela se fût produit pendant cette affaire. Si elle était toujours dans la brigade à la fin de l'enquête, elle aimerait dire à A.D. : « Merci de m'avoir mise sur cette affaire, merci de m'avoir choisie. J'ai appris certaines choses sur mon travail et aussi sur moi-même. » Mais, tout de suite, elle se rendit compte qu'elle ne le ferait pas. Ces paroles étaient trop explicites, ressemblaient trop à une confidence. Elle ne pourrait jamais repenser sans rougir à cette manifestation d'enthousiasme juvénile. Mais pourquoi pas, après tout ? Il ne va pas me rétrograder pour cela. Et puis, c'est la vérité. Je ne le dirai pas pour l'embarrasser ni pour l'impressionner ni pour toute autre raison. Je le dirai simplement parce que c'est vrai et que j'ai besoin de le dire. Elle savait qu'elle se tenait trop sur la défensive et qu'en cela elle ne changerait sans doute jamais. Elle ne pouvait abolir le passé ni l'oublier. Mais elle pouvait bien abaisser un petit pont-levis sans pour cela livrer la forteresse toute entière. Et cela serait-il si grave si cette forteresse tombait ?

Elle était trop lucide pour espérer que son excitation durât longtemps, mais elle fut tout de même un peu déçue de constater qu'elle s'estompait si vite. Le vent soufflait en rafales autour de Notting Hill Gate ; des détritus mouillés arrachés aux plates-bandes vinrent tourbillonner autour de ses chevilles. Assis sur le muret, un vieil homme en guenilles entouré de sacs en plastique pleins à craquer ronchonnait d'une voix faible après le monde entier. Elle n'était pas venue en voiture. C'était une gageure d'essayer de se garer près de Notting Hill. Mais les deux sacs étaient plus lourds qu'elle n'avait pensé et leur poids commença à lui peser, à la fois sur le moral et sur les muscles de ses épaules. C'était très bien de se complaire dans l'autosatisfaction, de méditer sur les impératifs du devoir, mais à présent la réalité de la situation la frappait comme un coup physique et l'emplissait d'une tristesse proche du désespoir. Sa grand-mère et elle seraient désormais associées jusqu'à ce que la vieille femme disparût. Elle était maintenant trop âgée pour assumer son indépendance. Bientôt, même, elle se consolerait de l'avoir perdue en se racontant qu'elle ne voulait plus vraiment d'elle. Et comment lui donnerait-on à présent priorité pour un logement, ou une place dans un foyer du troisième âge — en admettant qu'elle acceptât cette solution —, alors qu'il y avait tant de cas plus urgents sur la liste d'attente ? Que ferait-elle quand sa grand-mère serait trop âgée pour rester seule à la maison ? Comment pourrait-

627

elle continuer à exercer sa profession et en même temps prendre soin d'une vieille dame valétudinaire ? Elle savait ce que dirait l'administration : « Ne pouvez-vous demander un congé spécial pour raisons de famille ou trouver un travail à temps partiel ? » Les trois mois deviendraient un an, puis ce seraient deux ans, trois ans. Et sa carrière serait terminée. Plus question de se faire accepter pour le stage à Bramshill, de préparer sa promotion. Quel espoir, même, pouvait-elle avoir de rester dans la brigade spéciale avec ses longs horaires imprévisibles et l'obligation d'un engagement total ?

A présent, l'orage s'était éloigné, mais des grands platanes de Holland Park Avenue tombaient encore de grosses gouttes de pluie froide qui s'infiltraient désagréablement dans le col de son manteau. L'heure de pointe battait son plein et le vacarme de la circulation lui déchirait les oreilles, nuisance qu'en temps normal elle aurait à peine remarquée. Alors qu'elle attendait sur le bord du trottoir pour traverser Ladbroke Grove, un camion passa trop vite dans le caniveau et lui éclaboussa les pieds. Elle protesta vivement, mais ses cris se noyèrent dans le fracas des voitures. L'orage avait arraché aux arbres leurs premières feuilles d'automne. Elles tombaient mollement le long des troncs, petits squelettes délicatement veinés, avant de se poser sur le trottoir poisseux. En longeant Campden Hill Square, elle leva les yeux vers la maison des Berowne. Bien que la demeure fût cachée par les arbres de la place, elle put imaginer sa vie secrète et dut se retenir pour ne pas traverser la rue, s'en approcher et voir si la Rover de la police était garée devant. Elle avait l'impression que son absence à la brigade durait depuis des semaines.

Elle fut contente de s'éloigner du vacarme de l'avenue et de pénétrer dans la zone de calme relatif de sa rue. Quand elle s'annonça à l'interphone, sa grand-mère ne répondit pas, mais il y eut un bourdonnement et la porte s'ouvrit avec une étonnante rapidité. La vieille femme avait dû attendre près de l'entrée.

Elle pénétra dans l'appartement et, comme d'habitude, referma à clé derrière elle. Ensuite, elle porta les sacs à provisions sur la table de la cuisine et s'apprêta à traverser le couloir pour entrer dans la salle de déjour. Un silence anormal régnait dans le logement. Pourquoi sa grand-mère n'avait-elle pas allumé la télévision ? Quelques détails auxquels, toute à sa tristesse et à sa rancœur, elle n'avait pas attaché d'importance, se regroupèrent soudain : la porte de la salle de séjour fermée alors qu'elle l'avait laissée ouverte, la réaction rapide mais muette à son coup de sonnette, le silence anormal. Alors que sa main tournait la poignée de la porte du séjour, elle sut de façon absolument certaine que quelque chose clochait. Mais déjà il était trop tard.

Le jeune homme avait bâillonné sa grand-mère et l'avait attachée avec des bandes de tissu blanc — probablement un drap déchiré en morceaux — à une des chaises. Il se tenait derrière l'aïeule, les yeux brillants, souriant, formant avec elle une sorte de bizarre tableau allégorique représentant la jeunesse triomphante et la vieillesse. Il serrait le revolver des deux mains, bras tendus. Elle se demanda s'il avait l'habitude du maniement des armes à feu ou s'il imitait le style de quelque héros de film policier vu à la télé. Elle se sentait l'esprit curieusement détaché. Elle s'était souvent demandé ce qu'elle éprouverait face à une situation de ce genre, et elle nota avec intérêt que ses réactions étaient conformes à ses prévisions : incrédulité, choc, peur, puis la décharge d'adrénaline et les rouages du cerveau qui se mettaient à fonctionner.

Quand leurs regards se croisèrent, le jeune homme abaissa lentement les bras et appuya le canon du revolver contre la tête de la vieille femme. Au-dessus du bâillon, les yeux de celle-ci étaient écarquillés, deux grands puits noirs de terreur. Leur regard affolé exprimait une intense supplication. Kate fut saisie d'une telle pitié et d'une telle colère que, pendant un instant, elle n'osa pas parler.

« Enlevez-lui ce bâillon, dit-elle. Sa bouche saigne. Elle a déjà été traumatisée par une agression une fois. Vous voulez la faire mourir de peur et de souffrance ?

— Oh, elle ne mourra pas. Ces vieilles sorcières ne crèvent jamais.

— Elle n'est pas très forte et un otage mort ne vous servirait à rien.

— Oui, mais je vous aurai encore, vous. Une femme-flic, ça a beaucoup plus de valeur.

— Vous croyez ? Tout ce qui m'arrive me serait égal si ma grand-mère n'y était pas mêlée. Si vous voulez obtenir de moi la moindre collaboration, enlevez-lui ce bâillon.

— Pour qu'elle se mette à hurler comme un porc qu'on égorge ? Ce n'est pas que je sache comment crient les porcs égorgés, mais j'imagine le ramdam qu'elle va faire. Je suis d'humeur particulièrement irritable et je n'ai jamais supporté le bruit.

— Si elle crie vous pourrez toujours le lui remettre. Mais elle ne criera pas. J'y veillerai.

— D'accord. Venez le lui enlever vous-même. Mais attention. N'oubliez pas que j'ai ce revolver appuyé contre sa tête. »

Elle s'avança, s'agenouilla et, tout en lui caressant la joue, murmura :

« Je vais t'enlever le bâillon. Il ne faut pas que tu fasses de bruit. Absolument pas. Si tu cries, il te le remettra. C'est promis ? »

En guise de réponse, elle ne lut d'abord que de la terreur dans les yeux vitreux. Puis la vieille femme hocha par deux fois la tête.

« N'aie pas peur, mémé, dit Kate. Je suis là. Tout ira bien. »

Les vieilles mains raides et déformées de sa grand-mère agrippaient les extrémités des bras du fauteuil comme si elles y étaient clouées. Kate les couvrit de ses propres mains. Elles étaient froides et inertes, sèches comme du crêpe. Pressant ses paumes chaudes contre elles, Kate eut la sensation physique de transmettre un peu de vie et d'espoir. Très doucement, elle passa sa main droite sur la joue de sa grand-mère tout en se demandant comment elle avait jamais pu trouver cette peau flétrie repoussante. Cela fait quinze ans que nous ne nous sommes plus touchées, pensa-t-elle. Et voilà que je la touche à présent, et avec tendresse.

Quand elle eut ôté le bâillon, le jeune homme lui fit signe de reculer.

« Mettez-vous là contre le mur. Tout de suite. »

Elle obéit tandis qu'il la suivait des yeux.

Attachée à son fauteuil, sa grand-mère ouvrait et fermait spasmodiquement la bouche comme un poisson en train de suffoquer. Un peu de mucosités sanguinolentes dégoulinaient sur son menton. Kate attendit un moment. Quand elle fut sûre de pouvoir maîtriser sa voix, elle dit avec froideur :

« A quoi rime cette panique ? Nous n'avons pas encore de véritable preuve. Vous devez le savoir.

— Oui, mais maintenant vous en avez une. »

Sans bouger le revolver, il releva de sa main gauche le bord de sa veste.

« Le bouton de rechange. Les gars de votre labo n'auront certainement pas manqué de remarquer ce bout de fil cassé. Dommage que ces boutons soient si reconnaissables. Voilà ce qui arrive quand on a des goûts de luxe. Papa a toujours dit que ça me perdrait. »

Swayne parlait d'une voix aiguë, crispée. Ses yeux étaient brillants et dilatés comme s'il avait pris de la drogue. Il n'est pas aussi calme qu'il veut le faire croire, pensa Kate. De plus, il a bu. Il a probablement trouvé mon whisky pendant qu'il attendait. Il n'en est que plus dangereux.

« Un unique bouton, ça ne suffit pas, dit-elle. Voyons, ne soyez pas bête. Cessez cette comédie. Remettez-moi le revolver. Rentrez chez vous et appelez votre avocat.

— Je ne crois pas que je puisse faire ça. Plus maintenant. Il y a ce foutu pasteur trop zélé. Ou plutôt, il y avait ce foutu pasteur trop zélé. Il avait le goût du martyre, le pauvre con. J'espère qu'il y trouve son plaisir à présent.

— Vous l'avez tué ? Le père Barnes ?

— Je l'ai abattu. Alors, comme vous voyez, je n'ai plus rien à perdre. Si je vise Broadmoor plutôt qu'une prison de haute sécurité, vous pourrez dire : plus on est de fous plus on rit. »

Elle se rappela qu'un tueur avait dit précisément cela. Qui était-ce ? Haigh ?

« Comment avez-vous trouvé mon adresse ? demanda-t-elle.

— Par l'annuaire du téléphone, bien sûr. La rubrique était plutôt réservée quant à votre profession, mais je me suis dit que ça ne pouvait être que vous. Après, il n'y a eu aucun problème pour me faire ouvrir la porte par la vieille. Il a suffi que je dise que j'étais l'inspecteur principal Massingham.

— Je vois. Et maintenant, que pensez-vous faire ?

— Quitter le pays. Aller en Espagne. Dans le port de Chichester, il y a un bateau que je sais manœuvrer. Le *Mayflower*. J'ai déjà navigué dessus. Il appartient à l'amant de ma sœur, si vous voulez tout savoir. Vous allez m'y conduire.

— Certainement pas maintenant. Pas avant que les routes ne soient dégagées. Vous savez, j'ai autant envie de vivre que vous. Je ne suis pas le père Barnes, je ne suis pas une martyre. La police me paie bien, mais ce n'est quand même pas le Pérou. Je vous emmènerai à Chichester, mais il faut attendre que l'A3 soit libre si nous voulons arriver à destination. Pour l'amour du ciel, nous sommes en pleine heure de pointe ! Vous connaissez la circulation en direction des banlieues. Je n'ai aucune envie de me faire coincer dans un embouteillage avec un revolver sur la nuque et tous les autres conducteurs nous dévisageant.

— Pourquoi le feraient-ils ? La police recherche un homme seul, pas un homme accompagné de son épouse et de sa chère vieille grand-mère.

— Ils ne recherchent encore personne, bouton ou pas bouton. A moins qu'ils n'aient trouvé le pasteur ou appris que vous avez le revolver. Pour autant qu'ils le sachent, rien ne presse. Ils ne savent même pas que vous avez découvert la perte de votre bouton. Si nous devons sortir d'ici vite fait et passer inaperçus, il nous faut des routes dégagées jusqu'à Chichester. En plus, ça ne sert à rien de traîner ma grand-mère avec nous. Elle ne fera que nous gêner.

— C'est possible. Mais elle vient quand même. J'ai besoin d'elle. »

Bien sûr qu'il avait besoin d'elle. Son plan était évident. Elle conduirait tandis qu'assis à l'arrière, il braquerait l'arme sur la tête de la vieille dame. Quand ils arriveraient au port, elle serait censée l'aider pour le bateau, au moins jusqu'à ce qu'ils soient en mer. Que se passerait-il après ? Deux détonations, peut-être ? Deux corps basculés par-dessus bord ? Swayne semblait réfléchir.

« D'accord, nous allons attendre. Une heure, pas plus. Qu'est-ce qu'il y a à manger dans la maison ?

— Vous avez faim ?

— Ça viendra. Et nous aurons aussi besoin de provisions. Tout ce que vous avez de transportable. »

Il y avait là quelque chose qui pourrait s'avérer utile. Avoir faim, partager un besoin de nourriture, satisfaire ensemble un besoin naturel. Oui il y avait peut-être là la possibilité d'établir une complicité dont dépendrait éventuellement leur survie. Elle se rappela ce qu'on lui avait enseigné au sujet des situations de siège. Les prisonniers s'identifiaient à leurs ravisseurs. L'ennemi, c'étaient désormais tous ces yeux qui les guettaient de l'extérieur, ces inconnus avec leurs fusils et leurs appareils spéciaux collés aux murs pour capter leurs conversations, ces gens qui tramaient des plans dans l'ombre et parlaient avec des voix faussement convaincantes. Elle ne s'identifierait en aucun cas avec lui ou avec des individus comme lui, même s'ils devaient rester ensemble jusqu'à ce qu'ils meurent de faim. Par ailleurs, il y avait certaines choses qu'elle pouvait faire. Dire « nous » et pas « vous » quand elle lui parlait. Essayer de ne pas le provoquer. Essayer d'alléger la tension, et, si nécessaire, lui faire à manger.

« Je pourrais aller voir ce qui nous reste, dit-elle. Je ne garde jamais de grandes quantités de denrées périssables dans la maison, mais il y a sûrement des œufs, des conserves, des pâtes, et je pourrais nous préparer ce que j'avais prévu pour ce soir : des spaghetti à la bolognaise.

— Sans couteau, précisa-t-il.

— Il est difficile de faire de la cuisine sans un couteau. J'aurai besoin de couper des oignons et aussi le foie. Ma recette comporte du foie haché.

« — Eh bien, on s'en passera. »

Des spaghetti à la bolognaise. Un goût assez fort. Que pouvait-elle mettre dans la sauce pour neutraliser Swayne ? Elle passa en revue le contenu de son armoire à pharmacie. Mais elle abandonna ce projet. Elle n'aurait pas l'occasion de le mettre à exécution. Il n'était pas fou. Il y aurait pensé. Il ne toucherait à rien qui ne soit partagé. Sa grand-mère se mit à marmonner quelque chose.

« Il faut que je lui parle, dit Kate.

— D'accord, mais gardez vos mains derrière le dos et faites attention. »

Il fallait qu'elle s'empare du revolver, mais le moment n'était pas encore venu. L'arme était toujours appuyée contre la tête de sa grand-mère. Au moindre mouvement suspect de sa part, il appuierait sur la détente. Elle s'approcha de nouveau du fauteuil et se pencha. Sa grand-mère lui chuchota quelque chose à l'oreille.

« Elle veut aller aux toilettes, expliqua Kate.

— Tant pis. Elle reste où elle est. »

Kate se mit en colère.

« Dites donc, vous voulez que ça pue dans la pièce pendant l'heure qui vient ? Et aussi dans la voiture, pendant que vous y êtes ? Moi, ça me dérange, même si cela ne vous gêne pas. Laissez-moi l'emmener. Quel danger peut-elle présenter ? »

Il y eut de nouveau un instant de silence pendant lequel Swayne réfléchit.

« D'accord. Déliez-la. Mais laissez la porte ouverte. Et n'oubliez pas que je vous surveille. »

Elle mit une bonne minute à défaire les nœuds grossiers, mais finalement les bandes de tissu tombèrent et sa grand-mère s'affaissa dans ses bras. Tout en la soutenant avec douceur et en lui chuchotant des paroles de réconfort, comme elle l'aurait fait pour un enfant, Kate l'emmena aux cabinets.

La maintenant d'un bras, elle lui fit glisser sa culotte et l'assit sur le siège, consciente que Swayne se tenait derrière elle, adossé au mur du corridor, à moins de deux mètres, le revolver pointé sur sa tête. Sa grand-mère murmura :

« Il va nous tuer.

— Mais non, mémé. Bien sûr qu'il ne va pas nous tuer. »

La vieille dame lança un regard haineux par-dessus l'épaule de Kate.

« Il a bu ton whisky, le salaud.

— Je sais, mémé. Aucune importance. Il vaut mieux te taire maintenant.

— Il va nous tuer. Je le sais. » Puis la vieille femme ajouta : « Ton père était flic ».

Un policier ! Kate faillit éclater de rire. N'était-ce pas extraordinaire d'apprendre cela maintenant, en ce lieu, à ce moment-ci, et même tout simplement de l'apprendre ? Tout en continuant à protéger le corps de sa grand-mère avec le sien, elle demanda :

« Pourquoi ne me l'as-tu pas dit ?

— Tu ne m'as jamais posé de questions. Il n'y avait aucune raison de te le dire. Il a été tué dans un accident de voiture alors qu'il pourchassait un criminel. Il avait une femme et deux gosses. La pension de policier pouvait à peine leur suffire ; alors pourquoi mentionner ton existence ?

— Alors, il ne l'a jamais su ?

— Non. Et mieux valait ne rien dire non plus à sa femme. De toute façon, que pouvait-elle faire ? Cela n'aurait fait que causer plus de chagrin et d'ennuis.

— Je te suis donc restée sur les bras, pauvre mémé. Je ne t'ai pas servi à grand-chose.

— Tu as été très bien. En tout cas, pas pire que n'importe quelle autre môme. Mais moi, je ne me suis jamais sentie à l'aise à ton sujet. Je me suis toujours sentie coupable.

— Coupable ! Toi ! Et pourquoi donc ?

— Quand ta mère est morte, j'aurais préféré que ce soit toi. »

Voilà donc ce qui avait été à l'origine de leur éloignement. Elle se sentit envahie de joie. Accroupie à côté d'une cuvette de W.-C., avec un revolver pointé sur sa tête et peut-être à quelques secondes de mourir, elle avait envie de rire. Elle passa ses bras sous ceux de sa grand-mère, l'aida à se lever et la maintint contre elle tandis qu'elle lui remontait sa culotte.

« Ça se comprend, bien sûr. C'était normal. Elle était ta fille. Tu l'aimais. C'était naturel de préférer que ce soit moi qui meure si l'une de nous devait disparaître. » Mais Kate n'arriva tout de même pas à ajouter : Cela aurait été mieux que ce fût moi qui meure.

« Je m'en suis voulue pendant toutes ces années, chuchota sa grand-mère.

— Alors cesse de t'en faire maintenant. Nous avons encore beaucoup d'années devant nous. »

Kate entendit Swayne qui s'approchait de la porte et sentit son haleine sur sa nuque.

« Sortez de là, dit-il, et commencez à préparer ce repas. »

Mais il y avait encore quelque chose que Kate devait demander. Plus de vingt années s'étaient écoulées sans qu'elle posât cette question, sans même qu'elle s'en souciât. Mais maintenant, à sa surprise, c'était devenu important. Ignorant Swayne, elle demanda à sa grand-mère :

« Est-ce qu'elle était contente de m'avoir, ma mère ?

— Elle en avait l'air. Avant de mourir, elle a dit :

"Ma douce petite Kate". Voilà pourquoi je t'ai appelée Kate. »

Cela avait donc été aussi simple que ça, aussi merveilleux que ça.

« Je vous ai dit de sortir de là, fit Swayne d'une voix exaspérée. Emmenez-la à la cuisine. Attachez-la à une des chaises, contre le mur, près de la porte. Je garderai mon revolver contre sa tête pendant que vous cuisinerez. »

Elle fit ce qu'il demandait et alla chercher les bandes de tissu dans le séjour. Après avoir mis doucement les bras de sa grand-mère derrière son dos, elle lui attacha les poignets de la façon la plus lâche possible, en prenant grand soin de ne pas lui faire mal. Les yeux fixés sur les nœuds, elle dit :

« Écoutez, il y a quelque chose que je dois absolument faire. Il faut que j'appelle mon ami. Il est censé venir dîner à huit heures.

— Aucune importance. Laissez-le venir. Nous serons partis d'ici là.

— Au contraire, c'est important. S'il trouve l'appartement vide, il saura que quelque chose ne va pas. Il vérifiera si la voiture est là. Ensuite, il appellera Scotland Yard. Il faut que nous l'éloignions.

— Comment puis-je savoir que vous l'attendez vraiment ?

— Vous trouverez ses initiales sur l'agenda mural qui est fixé sur la panneau derrière vous. »

Tout en installant sa grand-mère sur sa chaise, elle se réjouit d'avoir téléphoné à Alan pour annuler leur rendez-vous, tout en omettant d'effacer ses initiales inscrites au crayon ainsi que l'heure de leur rendez-vous.

« Il faut que nous arrivions à Chichester avant qu'on n'apprenne que nous sommes partis. Mon ami ne sera pas tellement surpris d'être décommandé. Nous nous sommes disputés lors de sa dernière visite. »

Swayne réfléchit en silence.

« D'accord, dit-il. Quel est son nom et son numéro de téléphone ?

— Alan Scully. Il travaille à la bibliothèque théologique Hoskyns. Il doit encore y être. Il travaille tard le jeudi.

— Je vais téléphoner de la salle de séjour. Attendez près du mur et ne vous approchez pas de l'appareil avant que je vous le dise. Quel est le numéro ? »

Elle suivit Swayne dans la salle de séjour. Il lui fit signe d'aller se placer contre le mur, à gauche de la porte, et se dirigea vers le téléphone placé sur une des étagères d'un meuble de rangement, près du répondeur et des annuaires empilés avec soin. Elle se demanda s'il se préoccuperait d'éventuelles empreintes. Comme s'il avait lu sa pensée, il tira un mouchoir de sa poche et en enveloppa le combiné.

« Qui répondra ? demanda-t-il. Scully ou une secrétaire ?

— A cette heure-ci, ce sera lui. Il sera seul dans son bureau.

— Espérons-le. Et vous, n'essayez pas de tenter quoi que ce soit. Si vous le faites, je vous abattrai la première et ensuite ce sera le tour de la vieille sorcière. Et il se pourrait même qu'elle ne meure pas tout de suite. Vous oui, mais pas elle. Je pourrais d'abord m'amuser un peu, allumer la cuisinière électrique et lui maintenir les mains sur une plaque, par exemple. Pensez-y au cas où vous auriez la moindre velléité de me jouer un tour. »

Elle ne pouvait croire que, même en ces circonstances, il agirait ainsi. C'était un assassin, mais pas un tortionnaire. Pourtant, ces paroles et l'horrible vision qu'elles évoquèrent la firent frissonner. La menace de mort était tout à fait réelle. Il avait déjà tué trois personnes. Qu'avait-il à perdre ? Certes, il préférerait disposer d'un otage vivant pour conduire la voiture et aussi pour l'aider sur le bateau, mais s'il fallait tuer, il le ferait. Il se dirait qu'avant qu'on ne découvre les corps, il serait déjà loin.

« Alors, ce numéro ? » fit-il.

Elle le lui donna et, le cœur battant, le regarda tourner le cadran. On répondit immédiatement. Swayne resta silencieux, mais moins de quatre secondes après, il lui tendit le combiné. Elle s'approcha pour le prendre, puis se mit à parler fort et très vite, anxieuse d'empêcher toute question, toute réaction de la part de son interlocuteur.

« Alan ? C'est Kate. Pas question de nous voir ce soir. Je suis crevée. J'ai eu une journée très chargée et j'en ai marre de faire la cuisine pour toi chaque fois que nous nous voyons. Inutile de me rappeler. Tu n'as qu'à venir demain si tu en as envie. Tu pourrais peut-être m'emmener dîner, pour changer. Et n'oublie pas de m'apporter le livre que tu m'as promis. Pour l'amour du ciel, tu sais bien de quoi je parle : *Peines d'amour perdues* de Shakespeare. A demain, et n'oublie pas le Shakespeare. »

Elle raccrocha brutalement. Elle s'aperçut alors qu'elle retenait sa respiration ; elle la laissa aller doucement et sans bruit, tout en craignant que Swayne ne se rendît compte de ce relâchement de tension. Ses paroles avaient-elles été le moins du monde crédibles ? Le message lui paraissait si manifestement faux. Swayne pouvait-il vraiment avoir été dupe ? Mais pourquoi pas, après tout. Il ne connaissait pas Alan, pas plus qu'il ne la connaissait elle. Cela pouvait très bien être leur façon habituelle de se parler.

« Ça va. Il ne viendra pas.

— Ce sera mieux pour lui. »

Swayne lui fit signe de retourner à la cuisine et reprit sa faction près de la vieille femme, le revolver de nouveau appuyé contre la tête de celle-ci.

« Vous avez du vin, je suppose ? dit-il.

— Vous devriez le savoir. Vous vous êtes déjà servi au bar.

— En effet. Nous boirons du beaujolais. Et nous emporterons le whisky et une demi-douzaine de bouteilles de bordeaux. Je crois que j'aurai besoin de pas mal de gnôle avant d'avoir fini de traverser la Manche. »

Quelle était son expérience de marin ? se demanda-t-elle. Quel type de bateau était le *Mayflower* ? Stephen Lampart en avait fait une description, mais elle ne s'en souvenait pas. Comment Swayne pouvait-il savoir si le plein de gasoil avait été fait et si le yacht était prêt à prendre la mer ? Et la marée ? Serait-elle haute ? Ou bien Swayne avait-il franchi les frontières de la raison et d'un fragile équilibre mental pour entrer dans un monde imaginaire où même les marées lui obéiraient ?

« Alors, vous vous y mettez ? pressa-t-il. Nous n'avons pas tellement de temps devant nous. »

Elle savait que chaque geste devait être lent, délibéré, naturel, que tout mouvement brusque pouvait être fatal.

« Je vais essayer d'atteindre le haut du buffet pour prendre une poêle, annonça-t-elle. Ensuite, j'aurai besoin de la viande hachée et du foie qui sont dans le frigo, d'un tube de concentré de tomate et des épices qui se trouvent dans cette armoire, à ma droite. D'accord ?

— Épargnez-moi les leçons de cuisine. Et rappelez-vous : pas de couteau. »

Tout en commençant ses préparatifs, elle pensa à Alan. Que faisait-il en ce moment ? Que pensait-il ? S'arrêterait-il brièvement pour réfléchir et, après

641

être parvenu à la conclusion qu'elle était ivre, hystérique ou folle, retournerait-il à ses livres ? Mais ce n'était pas possible ! Il devait bien savoir qu'elle n'était rien de tout cela, et que si un jour elle devait devenir folle, ça ne serait pas de cette façon-là. Pourtant, elle n'arrivait pas à se l'imaginer passant à l'action, appelant la police et demandant à parler au commandant Dalgliesh. C'était comme si elle attendait de lui qu'il jouât un rôle aussi étranger à son caractère que pour elle de faire son travail à lui, par exemple, d'établir un catalogue pour la bibliothèque. Pourtant, l'allusion aux *Peines d'amour perdues* était évidente. Il devait comprendre qu'elle avait essayé de lui transmettre un message urgent, de lui dire qu'elle se trouvait dans une situation critique. Il ne pouvait pas avoir oublié leur conversation au sujet de Berowne, le gentilhomme, membre de la suite royale. Il lit les journaux, pensa-t-elle, il doit bien savoir que de telles choses arrivent. Il ne peut pas ne pas savoir dans quel genre de monde nous vivons. Jamais, en temps normal, elle ne lui aurait parlé sur ce ton. Il devait suffisamment la connaître pour en être sûr. Était-ce bien certain ? Cela faisait deux ans qu'ils couchaient ensemble avec beaucoup de plaisir. Chaque partie de son corps lui était familière, et réciproquement. Mais depuis quand cela signifiait-il que deux êtres humains se connaissent vraiment ?

Adossé au mur, le revolver toujours pressé contre la tête de la vieille dame, Swayne ne quittait pas Kate des yeux. Celle-ci prit le paquet de viande hachée et le foie dans le frigo pour les faire frire.

« Avez-vous jamais été en Californie ? lui demanda-t-il.

— Non.

— C'est l'endroit idéal pour vivre. Le soleil. L'océan. La lumière. Des gens qui n'ont pas le teint gris ni l'air effrayé et à moitié mort. Mais vous n'aimeriez pas. Ce n'est pas votre genre d'ambiance.

— Pourquoi n'y retournez-vous pas ?

— Je n'en ai pas les moyens.

— Vous parlez du prix du voyage ou des frais pour vivre là-bas ?

— Ni l'un ni l'autre. Mon beau-père me paie pour que je n'y refasse pas surface. Je perdrais ma pension si j'y retournais.

— Vous pourriez y trouver un boulot ?

— C'est que je risquerais d'y perdre encore autre chose. Il y a cette petite histoire du Seurat de mon beau-père.

— Vous voulez dire un tableau du peintre Seurat ? Que lui est-il arrivé ?

— Petite futée ! Comment savez-vous tout cela ? L'histoire de l'art ne figure pourtant pas au programme d'études des flics, n'est-ce pas ?

— Que lui est-il arrivé ?

— Je l'ai lacéré à coups de couteau. J'avais envie d'abîmer un objet auquel il tenait. En fait, il n'y tenait pas tellement. C'était sa valeur qui l'intéressait. Mais ç'aurait été pire si j'avais planté le couteau dans le corps de maman, vous ne trouvez pas ?

— Parlez-moi de votre mère.

— Elle prend le parti de mon beau-père. Elle ne peut pas vraiment faire autrement. C'est lui qui a le fric. De toute façon, elle ne s'est jamais beaucoup intéressée aux enfants, aux siens, en tout cas. Barbara est beaucoup trop belle. Elle ne l'aime guère. C'est parce qu'elle a peur que son mari puisse la trouver trop à son goût.

— Et vous, dans tout cela ?

— Ils préfèrent oublier mon existence. Ils ne se sont jamais souciés de moi. Ni le beau-père actuel, ni celui qui a précédé. Maintenant, ils entendront certainement parler de moi. »

Kate fit tomber la viande du papier dans la poêle et se mit à la remuer avec une spatule. D'une voix neutre, comme s'il s'agissait d'un dîner ordinaire et d'un invité ordinaire, elle dit sur un fond de grésillement :

« Il faudrait vraiment y ajouter des oignons.

— Laissez tomber les oignons. Et votre mère à vous ?

— Ma mère est morte et je n'ai jamais connu mon père. Je suis une enfant illégitime. »

Autant le lui dire, pensa-t-elle. Cela pourrait peut-être éveiller en lui quelque émotion : curiosité, pitié, mépris. Non, pas de la pitié. Mais même du mépris pouvait être utile. C'était une réaction humaine. Si elles voulaient survivre, elle devait établir avec lui une relation qui ne serait ni de la peur, ni de la haine, ni de l'antagonisme. Cependant, quand il reprit la parole, sa voix n'exprima qu'une condescendance amusée.

« Vous êtes donc de ceux-là ? Tous les bâtards sont un peu tordus. Je suis bien placé pour le savoir. Je vais vous raconter quelque chose sur mon père. Quand j'avais onze ans, il m'a fait faire une analyse de sang. Un médecin est venu et m'a planté une aiguille dans le bras. J'ai vu mon sang monter dans la seringue. J'étais terrifié. Il l'a fait pour tenter de prouver que je n'étais pas son fils.

— C'est une chose terrible à faire à un enfant, dit-elle, sincère.

— C'était un homme terrible. Mais je me suis vengé. Est-ce pour cela que vous êtes entrée dans la police, pour vous venger sur nous tous ?

— Non, c'était seulement pour gagner ma vie.

— Il y a d'autres moyens. Vous auriez pu être une prostituée sympathique. Il n'y en a pas assez, de celles-là.

— C'est ce genre de femmes que vous aimez, les prostituées ?

— Non. Ce que j'aime est beaucoup plus rare : l'innocence.

— Comme Theresa Nolan ?

— Vous êtes donc au courant ? Mais je ne l'ai pas tuée. Elle s'est suicidée.

— Parce que vous l'aviez obligée à avorter, à se débarrasser de votre enfant ?

— Comment aurait-elle pu l'avoir, cet enfant ? Et comment pouvez-vous être certaine qu'il s'agissait bien du mien ? On ne peut jamais savoir. S'il n'est pas passé à l'acte, Berowne mourait en tout cas d'envie de coucher avec elle. Dieu, qu'il en avait envie ! Sinon, pourquoi m'aurait-il jeté dans le fleuve ? J'aurais pu faire beaucoup de choses pour lui, j'aurais pu l'aider s'il l'avait voulu. Mais il ne daignait même pas m'adresser la parole. Pour qui se prenait-il ? Il voulait se séparer de ma sœur, ma propre sœur, pour cette putain ou pour son bon Dieu, peu importe. Il voulait vendre sa maison, nous laisser pauvres et méprisés. Il m'a humilié devant Diana. Eh bien, il s'est trompé de victime. »

Il parlait toujours à voix basse, mais sa voix semblait résonner dans la pièce, chargée de colère et de triomphe.

Je peux aussi bien le lui demander, se dit-elle. Il voudra certainement en parler. Tout en pressant le tube de sauce tomate dans la poêle et en attrapant le bocal d'herbes sur l'étagère, elle dit sans intonation particulière :

« Vous saviez qu'il serait dans la sacristie. Il n'aurait pas quitté la maison sans dire où on pouvait le joindre, car il y avait la possibilité qu'un moribond le fasse appeler. Vous avez demandé à miss Matlock de nous mentir, mais elle savait où il était et vous l'a dit.

— Il lui avait donné un numéro de téléphone. J'ai supposé que c'était celui de l'église, mais j'ai vérifié auprès des renseignements. Le numéro qu'ils m'ont indiqué pour Saint Matthew était celui que m'avait indiqué Evelyn.

— Comment vous êtes-vous rendu de Campden Hill Square à l'église ? En taxi ? En voiture ?

— A bicyclette, sa bicyclette à lui. J'ai pris la clé du garage dans le placard d'Evelyn. Halliwell était déjà parti, quoi qu'il ait dit à la police. Il n'y avait plus de lumière chez lui et la Rover n'était plus là. Je n'ai pas voulu prendre la Golf de Barbie. Trop voyante. C'était tout aussi rapide d'aller à bicyclette et cela me permettait de me planquer dans l'ombre en attendant que la voie soit libre, et de m'éloigner ensuite à toute allure. Je ne l'ai pas laissée devant l'église, où on pouvait facilement la repérer. J'ai demandé à Paul la permission de la rentrer et de la garer dans le couloir. La nuit était belle et je n'avais pas à me préoccuper d'éventuelles traces boueuses de pneus sur le carrelage. Comme vous voyez, j'ai pensé à tout.

— Pas à tout. Vous avez emporté les allumettes.

— Oui, mais je les ai remises à leur place. Les allumettes ne prouvent rien.

— Et il vous a laissé entrer, vous et votre vélo ? C'est cela qui me paraît bizarre.

— C'est encore plus bizarre que vous ne pensez. Beaucoup plus étrange. Je ne m'en suis pas rendu compte sur le moment, mais vraiment maintenant, oui. Il savait que je viendrais. En fait, il m'attendait. »

Kate fut secouée d'un grand frisson, d'une horreur quasi superstitieuse. Elle faillit s'écrier : « Mais non, ce n'est pas possible ! Il ne pouvait pas savoir ! »

« Et Harry Mack ? demanda-t-elle. Aviez-vous vraiment besoin de le tuer ?

— Bien sûr. Il a eu la malchanche de venir se fourrer dans cette situation. Mais de toute façon, cela valait mieux pour lui. Le pauvre couillon. Ne vous en faites pas póur Harry. Je lui ai fait une faveur en le supprimant. »

Kate se tourna vers lui.

« Et Diana Travers ? L'avez-vous tuée, elle aussi ? »

Il eut un sourire narquois et son regard sembla se perdre derrière elle comme s'il revivait un plaisir secret.

« Je n'ai pas eu besoin de le faire. Les joncs s'en sont chargé pour moi. Je nageais et je l'ai regardée plonger. J'ai vu comme une zébrure blanche fendre la surface de l'eau. Puis celle-ci est devenue lisse et il n'y a plus rien eu à part cette eau sombre. J'ai attendu quelques instants, puis une main a émergé tout près de moi. Rien qu'une main, pâle, comme séparée du corps. C'était effrayant. Comme ceci, regardez, comme ceci. »

Swayne leva sa main gauche, les doigts écartés et tendus. Kate pouvait voir les tendons rigides sous la peau laiteuse. Elle ne dit rien. L'autre relâcha les doigts et laissa retomber le bras.

« Et puis, cela aussi a disparu. Et encore une fois, j'ai attendu. Mais plus rien ne s'est produit, même pas une ride sur l'eau.

— Et vous vous êtes éloigné à la nage en la laissant se noyer ? demanda-t-elle.

Presque avec effort Swayne ramena son regard sur elle. Quand il répondit, elle perçut de nouveau cette charge de haine et de triomphe dans sa voix.

« Elle s'était moquée de moi. Personne n'a le droit de faire ça. Et personne ne le fera jamais plus.

— Qu'avez-vous ressenti après coup en pensant à ce que vous aviez fait dans la sacristie, cette tuerie, tout ce sang ?

— On a besoin d'une femme et j'en avais une

sous la main. Pas celle que j'aurais choisie, mais il fallait saisir l'occasion. Et puis, c'était habile. Je savais qu'après ça, elle ne parlerait pas.

— Vous voulez dire miss Matlock ? Vous l'avez exploitée de plus d'une manière.

— Pas plus que ne le faisaient les Berowne. Ils pensent qu'elle leur est dévouée. Savez-vous pourquoi ? Parce qu'ils ne prennent jamais la peine de se demander ce qu'elle pense vraiment. Si efficace, si sûre ! Presque un membre de la famile, sauf qu'elle ne l'est pas, naturellement. Elle ne l'a jamais été. Elle les hait. Elle ne le sait pas, pas vraiment, pas encore, mais elle les hait et un jour elle en prendra conscience. Comme moi. Quelle horrible vieille sorcière, cette lady Ursula ! Je l'ai vue s'efforcer de ne pas frémir de dégoût quand Evelyn la touchait.

— Evelyn ?

— Mattie. Elle a un nom bien à elle, vous savez. Mais ils lui ont donné un surnom, comme pour un chat ou un chien.

— S'ils l'ont tellement exploitée toutes ces années, pourquoi n'est-elle pas partie ?

— Elle avait bien trop peur. Elle avait fait une crise de démence. Quand ils savent que vous avez séjourné dans un hôpital psychiatrique et que votre père était un assassin, les gens se méfient de vous. Ils se demandent toujours s'ils ne prennent pas de gros risques en vous laissant garder leurs précieux rejetons ou en vous confiant leur cuisine. Les Berowne l'avaient à leur botte. Croyez-vous qu'ils aient jamais pensé que cela lui faisait plaisir de s'occuper de cette vieille femme égoïste, de la laver sous ses vieux seins flétris ? Bon dieu, j'espère que je ne deviendrai jamais vieux.

— Vous avez pourtant des chances. Là où vous irez, on prendra soin de vous. Nourriture saine, exercices quotidiens, et, comme vous serez bouclé la nuit, sécurité assurée. »

Swayne se mit à rire.

« Mais ils ne me tueront pas, n'est-ce pas ? Ils n'en ont pas le droit. Et je sortirai de là guéri. Vous serez étonnée de voir comme ils auront vite fait de me guérir.

— Pas si vous abattez un policier.

— Dans ce cas, espérons que je n'aurai pas à le faire. Quand est-ce que cette bouffe sera prête ? Je ne veux pas m'éterniser ici.

— Ça ne sera plus très long. »

La cuisine s'était remplie de l'odeur savoureuse de la sauce. Kate saisit le bocal de pâtes et jeta une poignée de spaghetti dans l'eau après les avoir brisés. Ce léger bruit sembla résonner très fort. Elle se dit que si Alan avait téléphoné à la police, ses collègues pouvaient bien être déjà là, dehors, à percer l'écran des murs, à regarder, à surveiller, à écouter. Quelle tactique adopteraient-ils ? Le téléphone, puis un long processus de négociations ? Ou défonceraient-ils la porte ? Ni l'un ni l'autre, probablement. Tant que Swayne ne se rendrait pas compte de leur présence, ils se contenteraient d'observer et d'écouter, sachant que tôt ou tard le criminel quitterait l'appartement avec ses otages. Cela leur offrirait une meilleure occasion de le maîtriser. Si toutefois ils étaient là, si toutefois Alan avait agi.

« Dieu ! Que cet endroit est minable ! s'écria soudain Swayne. Vous ne le remarquez pas, n'est-ce pas ? Vous le trouvez bien ? Plus que bien, même. Remarquable. Vous en êtes fière. Quel bon goût insipide, traditionnel, abominablement conventionnel. Ces six horribles chopes accrochées à leurs petits crochets. Il ne vous en faut pas plus, n'est-ce pas ? Six personnes, c'est bien assez. Aucun autre invité ne peut entrer : il n'aurait pas de chope. C'est pareil dans le buffet. J'ai regardé. Six de chaque. Rien de cassé, ni d'ébréché. Tout est là, bien rangé. Six grandes assiettes, six assiettes à soupe, six assiettes à dessert. Bonté divine ! Il me suffit d'ouvrir ce meuble derrière moi pour savoir qui vous êtes. N'avez-vous jamais envie de cesser de compter la vaisselle et de commencer à vivre ?

— Si vivre veut dire pour vous désordre et violence, non merci. J'en ai eu assez dans mon enfance. »

Sans bouger le revolver, il leva la main gauche et fit glisser la targette du buffet. Il sortit les assiettes l'une après l'autre et les disposa sur la table.

« Elles n'ont pas l'air réelles, vous ne trouvez pas ? On n'a pas l'impression qu'elles sont cassables. »

Il saisit une des assiettes et la brisa sur le rebord de la table, où elle se rompit en deux moitiés égales. Puis il en prit une autre. Bien que consciente de chaque craquement, Kate continua calmement à préparer le repas. Sur la table, le tas de morceaux de porcelaine montait. Chaque assiette éclatait avec un bruit pareil à celui d'un coup de feu. Si les policiers étaient vraiment arrivés, se dit-elle, et s'ils avaient posé leurs appareils d'écoute, ils devaient enregistrer tous ces sons et essayer de les identifier. Swayne sembla avoir la même pensée.

« C'est heureux pour vous que les flics ne soient pas là. Ils se demanderaient ce que je fabrique. Ce serait dommage pour la vieille s'ils entraient. Des assiettes cassées ne créent pas un merdier, mais essayez d'empiler du sang et de la cervelle sur une table !

— Comment avez-vous fait ? demanda-t-elle. Comment avez-vous réussi à le surprendre ? Parce que vous avez tout de même dû faire irruption à demi nu, le rasoir à la main ? »

Elle lui avait posé cette question pour l'amadouer, pour le flatter. Mais elle n'avait pas prévu sa réponse. Celle-ci lui échappa avec passion, comme s'ils avaient été amants et qu'il avait éprouvé une irrésistible envie de se confier.

« Mais non ! Vous ne comprenez pas ! Il voulait mourir, que le diable l'emporte ! C'est tout juste s'il ne m'a pas demandé de le tuer. Il aurait pu m'arrêter, me supplier, discuter, opposer une quelconque résistance ! Il aurait pu implorer ma pitié, me dire "Je t'en prie, ne fais pas ça, je t'en supplie". C'est tout ce que je voulais de lui. "Je t'en prie. " Rien que ces mots-là. Le pasteur les a bien dits, mais pas lui. Pas Paul Berowne. Il m'a regardé avec un immense mépris, puis il m'a tourné le dos. Je vous assure, il m'a tourné le dos. Lorsque j'étais entré à moitié nu, son rasoir à la main, nous nous étions regardés quelques instants. Il avait compris. De toute évidence, il savait. Quant à moi, je n'aurais rien fait si seulement il m'avait parlé comme à quelqu'un au moins d'à moitié humain. J'ai épargné le gosse. Je suis capable de pitié. Ce garçon est d'ailleurs malade. Si vous sortez vivante d'ici, pour l'amour du ciel, faites quelque chose pour lui. Ou est-ce que vous vous en foutez ? »

Ses yeux bleus étaient soudain devenus très brillants. Il pleure, se dit-elle. Il pleure vraiment. Et en effet, il pleurait, sans émettre le moindre son, le visage complètement immobile. Kate se sentit envahie d'un froid glacial : elle se rendit compte que tout était possible. Elle n'éprouvait aucune pitié, seulement une sorte de curiosité détachée. Elle osait à peine respirer. Elle était terrifiée à l'idée que la main de Swayne pût trembler et que le revolver, qu'il tenait de nouveau fermement pressé contre la tête de sa grand-mère, partît tout seul. Elle pouvait voir les yeux de la vieille femme grands ouverts et vides comme si elle était déjà morte, son corps rigide de frayeur.

« Bon dieu, je devais avoir l'air fin, reprit Swayne moitié pleurant, moitié riant. Nu, ou presque. Avec seulement mon slip. Et le rasoir. Il a certainement dû voir le rasoir. Je n'essayais pas de le cacher. Alors, pourquoi ne m'a-t-il pas arrêté ? Il n'a même pas eu l'air surpris. Il aurait dû être terrifié. Il aurait dû m'empêcher de le tuer. Mais il savait pourquoi j'étais venu. Il m'a simplement dévisagé comme pour dire : "Ah ! c'est toi. Comme c'est étrange que ça doive être toi." Comme si je n'avais pas le choix. Rien qu'un instrument. Sans conscience. Pourtant, j'étais libre de choisir. Lui aussi. Mon dieu, il aurait pu m'arrêter. Pourquoi ne l'a-t-il pas fait ?

— Je ne sais pas, répondit Kate. Je ne sais pas pourquoi il ne vous a pas empêché de le tuer. » Elle ajouta : « Vous avez dit que vous aviez épargné le gosse. Quel gosse ? Avez-vous parlé à Darren ? »

Swayne ne répondit pas. Il la fixait du regard, mais on aurait dit qu'il ne la voyait pas, qu'il était ailleurs, dans un autre monde. Puis il se remit à parler, d'une voix si froide, si menaçante, qu'elle eut du mal à la reconnaître.

« Cette histoire de Shakespeare, *Peines d'amours perdues*, c'était un code, n'est-ce pas ? »

Il se mit à sourire méchamment, avec suffisance. Oh mon dieu, se dit-elle, il sait et il est tout content d'avoir compris ma ruse. Maintenant il a l'excuse qu'il cherchait pour nous tuer. Son cœur commença à battre très fort, comme un animal frénétique enfermé dans sa poitrine. Elle réussit toutefois à maîtriser sa voix.

« Pas du tout. Qu'est-ce qui a bien pu vous donner cette idée ?

— Votre bibliothèque. J'y ai jeté un coup d'œil pendant que j'explorais votre appartement en vous attendant. Plutôt autodidacte, non ? Il y a là tous les habituels bouquins emmerdants que les gens pensent devoir posséder pour impressionner les visiteurs. Ou est-ce votre ami qui essaie de faire votre éducation ? Quel boulot ! En tout cas, vous avez un Shakespeare. »

Les lèvres sèches et comme distendues, elle maintint :

« Ce n'était pas un code. Quelle sorte de code voulez-vous que ça soit ?

— Je souhaite pour vous que vous disiez la vérité. Je ne vais pas me laisser enfermer dans ce trou avec la police dehors en train d'attendre un prétexte pour donner l'assaut et me descendre. Du travail propre. Pas de questions embarrassantes. Je sais comment ils opèrent. Puisqu'il n'y a plus de peine de mort, ils ont formé leur propre peloton d'exécution. En tout cas, cela ne marchera pas avec moi. Vous feriez bien de prier pour que nous nous tirions d'ici sans problèmes avant qu'ils n'arrivent. Vous pouvez laisser tomber la bouffe. On s'en va. »

Mon Dieu, il le pense vraiment, se dit-elle. Il aurait mieux valu ne rien faire, ne pas téléphoner à Alan et avoir quitté l'appartement aussi rapidement que possible en comptant sur un éventuel accident provoqué qui aurait mis la voiture hors d'usage. Soudain, son cœur faillit littéralement s'arrêter de battre. Elle fut prise d'une sueur froide. Elle venait de percevoir un changement dans l'atmosphère de la pièce, dans l'appartement en général. Puis elle comprit ce qui se passait. Le bruit de fond assourdi, mais constant, de la circulation dans l'avenue avait cessé. Plus aucun véhicule ne passait dans Ladbroke Road. La police avait dévié le flot de voitures et les deux artères étaient fermées. Ils ne voulaient pas prendre le risque d'une fusillade si le ravisseur tentait une sortie. Le siège avait commencé. D'un instant à l'autre, Swayne pouvait s'en rendre compte lui aussi.

Cette situation est intolérable, se dit-elle. Swayne ne tiendra jamais le coup. Nous non plus, nous n'y résisterons pas. Il a parlé sérieusement tout à l'heure. Dès qu'il s'apercevra que la police est dehors, dès qu'on sonnera, il nous abattra. Il faut absolument que je m'empare du revolver, maintenant.

« Écoutez, tout est prêt, dit-elle. Autant manger. Cela ne prendra que quelques minutes. Et il ne peut être question de s'arrêter en route. »

Il y eut un silence, puis Swayne reprit d'une voix glaciale :

« Je veux voir ce texte de Shakespeare. Allez le chercher. »

Elle attrapa quelques bouts de spaghetti dans la casserole avec une fourchette et les goûta d'une main tremblante. Sans se retourner, elle dit :

« C'est presque cuit. Vous voyez bien que je suis occupée. Vous ne pouvez pas aller le chercher vous-même ? Vous savez où il se trouve.

— Allez le chercher, répéta-t-il, à moins que vous ne vouliez vous débarrasser de ce vieux tas.

— D'accord. »

Il fallait agir maintenant.

Elle s'efforça de maîtriser la tension de ses mains. De la gauche, elle défit les deux boutons du haut de son chemisier, comme si la température de la cuisine était devenue insupportable. Devant elle, sur l'égouttoir de l'évier, se trouvait la tranche de foie saignante, dans son emballage. Elle s'en empara des deux mains, tira dessus et la tritura jusqu'à ce qu'elle eût les mains couvertes de sang. Puis ce fut l'affaire de quelques secondes. D'un geste vif, elle frotta brutalement sa gorge, fit volte-face, les yeux écarquillés, la tête rejetée en arrière, et projeta en avant ses mains ensanglantées. Avant même que n'éclate la terreur dans les yeux de Swayne, que ne sorte de sa bouche un cri étouffé pareil à un sanglot, elle se jeta sur lui et tous deux roulèrent sur le sol. Elle perçut le bruit du revolver qui lui échappait et tombait à terre pour aller ensuite ricocher contre la porte.

Il avait fait de l'entraînement. Il était aussi bon qu'elle au corps à corps. Et il était très fort, beaucoup plus qu'elle ne l'avait prévu. Soudain, d'une violente torsion, il fut sur elle, bouche contre bouche, féroce comme un violeur, lui projetant son souffle haletant dans la gorge. Elle lui envoya son genou dans le bas-ventre, entendit son hurlement de douleur, desserra l'étreinte des mains de son ennemi sur sa gorge et tâta le sol de ses mains sanglantes, à la recherche du revolver. Elle faillit hurler quand il lui enfonça les pouces dans les yeux. Soudés l'un à l'autre, ils essayaient désespérément tous les deux d'atteindre l'arme. Mais elle n'y voyait plus : ses yeux n'étaient plus qu'un ballet d'étoiles douloureuses et colorées. Et ce fut Swayne qui, de sa main droite, attrapa le revolver.

La détonation déchira l'air comme une explosion. Puis une deuxième explosion retentit et la porte de l'appartement s'ouvrit brusquement. Kate eut la sensation bizarre de voir des hommes bondir en l'air, puis s'immobiliser, les bras tendus, serrant leurs armes, et se dresser au-dessus d'elle comme de sombres colosses. Puis quelqu'un la releva. Il y eut des cris, des ordres, un hurlement de douleur. Ensuite, elle aperçut Dalgliesh dans l'embrasure de la porte. Il s'avançait vers elle d'un mouvement à la fois délibéré et doux, comme dans un film au ralenti, prononçant son nom, comme s'il essayait de capter son regard et de le garder fixé sur lui. Mais elle tourna la tête et vit sa grand-mère. Au fond de leurs orbites, les yeux de la vieille femme étaient toujours empreints de terreur. Ses cheveux pendaient encore en mèches multicolores. Le pansement lui barrait encore le front. Mais à part cela, il n'y avait plus rien. Plus rien. Le bas du visage avait été emporté par la déflagration. Ligotée à sa chaise de condamnée par les bandes de tissu que Kate avait nouées, elle ne pouvait même pas s'écrouler. Pendant le bref instant où Kate supporta cette vision d'horreur, il lui sembla que cette figure rigide la fixait d'un regard plein d'une tristesse étonnée et de reproche. Elle éclata en sanglots violents, la tête enfouie dans la veste de Dalgliesh, s'accrochant à lui de ses deux mains ensanglantées. Elle l'entendit murmurer :

« Tout va bien, Kate. Tout va bien. Tout va bien. »

Mais c'était faux. Cela ne pourrait plus jamais aller bien.

Dalgliesh restait debout, l'étreignant au milieu du bruit de voix masculines, d'ordres lancés, de piétinement. Elle s'arracha à ses bras, s'efforçant de se ressaisir, et vit par-dessus son épaule les yeux bleus, brillants et remplis de triomphe, de Swayne. Il avait les menottes aux mains. Un policier qu'elle ne connaissait pas, l'entraînait hors de la pièce. Swayne se retourna et la regarda comme si elle s'était trouvée seule dans le logement. Puis d'un mouvement de la tête, il désigna le corps de la vieille femme.

« Vous voilà débarrassée d'elle à présent, lança-t-il. Alors, vous ne me dites pas merci ? »

Septième partie

LES SÉQUELLES

1

Massingham n'avait jamais pu comprendre pourquoi il était de tradition pour les officiers de police d'assister aux enterrements des victimes d'un meurtre. Cela se justifiait peut-être quand l'énigme n'était pas encore résolue, quoique, personnellement, il ne crût guère à la théorie selon laquelle l'assassin avait des chances de se montrer en public pour l'unique plaisir de voir le corps de sa victime descendre en terre ou partir dans un four. Il avait également l'incinération en horreur. Depuis des générations, les membres de sa propre famille préféraient savoir où reposaient les ossements de leurs ancêtres. Il détestait la musique religieuse enregistrée, la liturgie sans grâce qu'on employait dans ces lieux, l'hypocrisie avec laquelle on essayait de conférer dignité et signification à une simple mesure d'hygiène.

Les funérailles de Mrs. Miskin lui permirent de donner libre cours à ses préjugés. Son dégoût s'accrut encore lorsqu'au moment de regarder les couronnes, une maigre rangée de combinaisons florales posées contre le mur du crématorium, il s'aperçut que l'une d'elles, particulièrement bariolée, avait été offerte par la brigade. Il se demanda qui avait été chargé de l'acheter et si le message de sympathie emphatique qu'elle comportait s'adressait à Mrs. Miskin, qui ne le verrait pas, ou à Kate, qui le refuserait. Mais au moins la cérémonie avait été brève et, par un coup de chance, avait coïncidé avec les funérailles vulgaires et dispendieuses d'une pop star dans la chapelle voisine. De ce fait, le public et la presse n'avaient manifesté qu'un faible intérêt pour le divertissement beaucoup plus discret qui avait été le leur.

Il avait été convenu qu'ils retourneraient à l'appartement de Lansdowne Road. Alors qu'il attendait Dalgliesh dans la voiture, Massingham se prit à espérer que Kate avait prévu une quantité suffisante de rafraîchissements : il avait grand besoin d'un verre. L'épreuve du service funèbre semblait avoir mis également son chef de mauvaise humeur. Pendant qu'ils roulaient vers le sud, en direction de Londres, il se montra encore plus taciturne que de coutume.

« Avez-vous lu l'article du père Barnes paru dans l'un des journaux du dimanche, sir ? D'après lui, il s'est produit une sorte de miracle à Saint Matthew. Après sa nuit passée dans la sacristie, Paul Berowne aurait eu des stigmates aux poignets. »

Dalgliesh garda les yeux fixés sur la route.

« Oui, je l'ai lu.

— Croyez-vous que ce soit vrai ?

— Assez de gens voudront croire que ça l'est et rempliront l'église pour un temps. La paroisse va pouvoir se payer un tapis neuf pour la petite sacristie.

— Je me demande ce qui a poussé le père Barnes à faire cette déclaration. Elle ne peut qu'ennuyer lady Ursula. Et Berowne aurait été furieux, j'imagine.

— C'est probable. A moins qu'il eût trouvé cela amusant. Comment diable pourrais-je le savoir ? Quant au motif du père Barnes, il faut croire que même un prêtre ne résiste pas toujours à la tentation de devenir un héros. »

Ils roulaient déjà dans Finchley Road quand Massingham reprit la parole.

« En ce qui concerne Darren, sir, il paraît que sa mère a définitivement fichu le camp. L'autorité locale demande au tribunal pour enfants de changer la surveillance en placement dans une famille. Le pauvre petit bonhomme. Maintenant il est tombé pour de bon entre les griffes de l'État-providence.

— Oui, je sais, répondit Dalgliesh sans quitter la route des yeux. Le directeur du service social a trouvé le temps de m'appeler. Finalement, ce n'est pas plus mal ainsi. Ils pensent que le gosse est atteint de leucémie.

— C'est moche.

— Il a de très bonnes chances de guérir. La maladie a été prise à temps. L'enfant a été hospitalisé hier à Great Ormond Street. »

Massingham sourit. Dalgliesh lui lança un regard de biais.

« Qu'est-ce qui vous amuse, John ?

— Rien, sir, répondit l'inspecteur. Je pensais à Kate. Elle va sans doute me demander si je crois sérieusement que Dieu a voulu faire mourir Berowne et Harry pour que le jeune Darren puisse guérir de sa leucémie. Après tout, c'est Swayne qui a fait remarquer le premier que le gosse était malade. »

C'était une gaffe.

« Cela témoignerait d'un extraordinaire gaspillage des ressources humaines, vous ne trouvez pas ? répliqua son chef avec froideur. Surveillez votre vitesse, John. Vous dépassez la limite.

— Excusez-moi, sir. »

Massingham leva le pied de l'accélérateur et ne dit plus un mot pendant le reste du trajet.

2

Une heure plus tard, une assiette de sandwiches au concombre en équilibre sur les genoux, Dalgliesh se disait que toutes les réunions consécutives à des obsèques se ressemblaient étrangement : on y trouvait ce même mélange de soulagement, de gêne et d'irréalité. Celle-ci fit toutefois surgir en lui un souvenir plus fort et plus intime. Agé de treize ans à l'époque, il était revenu en compagnie de ses parents dans une ferme du Norfolk, après l'enterrement, célébré par son père, d'un métayer de la région. En regardant la jeune veuve, en vêtements de deuil neufs qu'elle ne pouvait pas vraiment se permettre, offrir des petits pains à la saucisse faits à la maison, des sandwiches et, à lui, de ce cake aux fruits dont elle savait qu'il raffolait, il s'était senti pour la première fois un adulte. Il avait vu l'immense tristesse lovée au cœur même de la vie et admiré la grâce avec laquelle les pauvres et les humbles pouvaient y faire face. Il n'avait jamais pensé à Kate comme à quelqu'un d'humble. Elle n'avait rien de commun avec cette veuve campagnarde, sa solitude et son avenir incertain. Pourtant, quand il la vit apporter la collation — les sandwiches qu'elle avait préparés avant d'aller au crématorium, puis couverts de papier sulfurisé pour leur conserver leur fraîcheur, le cake aux fruits —, il constata que c'étaient les mêmes victuailles. Et elles firent naître en lui la même pitié. Sans doute

Kate avait-elle eu du mal à décider quelle boisson servir : de l'alcool ou du thé ? Elle avait tranché judicieusement en faveur de cette dernière. De l'avis de Dalgliesh, c'était bien de thé dont ils avaient besoin.

La petite assistance était assez hétéroclite. Un Pakistanais, ancien voisin de la grand-mère, avec sa femme, une véritable beauté ; assis gentiment côte à côte avec beaucoup de dignité, ils semblaient être plus à l'aise à ces funérailles qu'ils ne l'auraient sans doute été à une fête. Alan Scully aidait à distribuer les tasses avec une sorte d'effacement. Dalgliesh se demanda s'il essayait de donner l'impression qu'il n'avait pas le moindre droit de se conduire comme s'il était chez lui. Puis il décida que cette interprétation péchait par une excessive subtilité. Scully était certainement un homme qui ne se préoccupait nullement de ce que les gens pouvaient penser. Le regardant faire passer les plats avec une extrême gaucherie, Dalgliesh se rappela l'étonnante conversation téléphonique qu'il avait eue avec lui, l'insistance avec laquelle le jeune homme avait demandé à lui parler personnellement, la clarté de son message, l'extraordinaire calme de sa voix, et la non moins extraordinaire perspicacité qu'avaient dénoté ses dernières paroles.

« Ce n'est pas tout. Quand j'ai décroché, il y a eu comme un silence avant qu'elle ne commence à parler, et ensuite, elle a parlé très vite. Je crois que quelqu'un a composé le numéro pour elle et lui a passé le combiné. J'ai bien réfléchi à la question. Il n'y a qu'une seule interprétion qui colle avec tous les faits : quelqu'un est en train de la menacer. »

Détaillant la silhouette dégingandée d'un mètre quatre-vingt-six de Scully, ses doux yeux derrière ses lunettes cerclées d'écaille, son maigre et assez beau visage, ses longs cheveux blonds en bataille, il se dit qu'il faisait un amant bien improbable pour Kate, en supposant qu'il le fût. Puis il saisit le regard que le jeune homme lançait à Kate, en conversation avec Massingham : un regard pensif, fervent, rendu momentanément vulnérable par l'évidence de son désir. Il est amoureux d'elle, se dit-il. Il se demanda si Kate le savait et, dans ce cas, quelle importance elle attachait à ce fait.

Ce fut Alan Scully qui partit le premier. Il s'éclipsa discrètement plutôt qu'il ne sortit. Quand Mr. et Mrs. Khan eurent pris congé à leur tour, Kate porta les tasses et les assiettes à la cuisine. Il y eut cette sorte de flottement inconfortable qui se produit souvent à la fin d'une réunion vaguement mondaine. Les deux hommes se demandèrent s'ils devaient offrir à Kate de l'aider à faire la vaisselle ou si elle préférait qu'ils débarrassent le plancher. Puis Kate déclara soudain qu'elle voulait retourner au Yard avec eux. Et il n'y avait en effet aucune raison pour qu'elle restât chez elle.

Dalgliesh fut cependant un peu surpris quand elle le suivit dans son bureau et se planta devant lui, toute raide, comme s'il l'avait convoquée pour la réprimander. Levant les yeux, il vit que son visage était rouge et comme gonflé d'embarras.

« Merci de m'avoir prise dans la brigade, fit-elle d'un ton brusque. J'y ai beaucoup appris.

— Oui, on ne cesse d'apprendre, répondit-il avec douceur. C'est ce qui rend souvent la chose si douloureuse. »

Elle fit un petit signe de tête comme si c'était elle qui le congédiait, se tourna et marcha, très droite, vers la porte. Soudain elle pivota et cria :

« Je ne saurai jamais si j'ai voulu que ça arrive. Sa mort, je veux dire. Si je l'ai provoquée. Je ne le saurai jamais. Vous avez entendu ce que Swayne m'a lancé : "Alors, vous ne me dites pas merci ?"

Il savait. Vous l'avez entendu. Comment pourrai-je jamais en être certaine ? »

Il dit les choses qu'il était possible de dire.

« Bien sûr que non, vous n'avez pas voulu sa mort. En y réfléchissant calmement, vous verrez que c'est évident. Vous vous sentez forcément une part de responsabilité. C'est notre lot à tous quand nous perdons un être cher. C'est là un sentiment de culpabilité normal, bien qu'irrationnel. Vous avez fait ce qui vous a semblé juste sur le moment. Personne ne peut faire plus. Vous n'avez pas tué votre grand-mère. C'est Swayne qui l'a fait. C'était sa dernière victime. »

Mais dans une affaire de meurtre, il n'y avait jamais de dernière victime. Tous ceux qui avaient été touchés par la mort de Berowne changeraient : lui-même, Massingham, le père Barnes, et même cette pathétique vieille fille, miss Wharton. Kate le savait fort bien. Pourquoi se croirait-elle différente ? Alors même qu'il les prononçait, ses paroles rassurantes, banales, lui parurent fausses et faciles. Et puis, il y avait des faits avec lesquels elles ne collaient pas : le pied de Berowne appuyant à fond sur l'accélérateur dans un virage dangereux ; les mains sanglantes de Kate projetées vers l'assassin. Dès qu'il y avait action, il y avait des conséquences. Mais Kate était solide, elle tiendrait le coup. A la différence de Berowne, elle apprendrait à accepter et à porter son fardeau personnel de culpabilité, tout comme il avait appris à porter le sien.

3

Le seul hôpital pour enfant que miss Wharton eût jamais connu, c'était celui de son comté natal où, cinquante plus tôt, on l'avait opérée des amygdales. Great Ormond Street ne pouvait être plus éloigné des souvenirs traumatisants qu'elle avait gardé de cette épreuve. Elle eut l'impression d'arriver dans une fête enfantine. La salle remplie de lumière, de jouets, de mères et d'une joyeuse activité lui parurent incompatibles avec l'idée qu'elle se faisait d'un tel lieu. Puis elle remarqua les frimousses pâles et les corps maigres des petits patients. Ils sont malades, se dit-elle alors, ils sont tous malades et certains d'entre eux sont condamnés.

Darren se trouvait parmi ceux qui restaient au lit, mais il était assis, très animé, un puzzle étalé devant lui sur un plateau.

« On peut mourir de ce que j'ai, annonça-t-il avec fierté. C'est un copain qui me l'a dit.

— Oh, non, Darren ! Tu ne mourras pas ! protesta miss Wharton d'une voix presque trop forte.

— Je suppose que non. Mais ça serait possible. Je suis chez des parents adoptifs maintenant. On vous l'a dit ?

— Oui, Darren. C'est merveilleux. Je suis si contente pour toi. Tu les aimes bien ?

— Ouais, ils sont sympa. L'oncle m'emmènera à la pêche dès que je sortirai d'ici. Ils viennent me voir plus tard. Et puis, ils m'ont donné une bicyclette, un Chopper. »

Il fixait déjà la porte. C'était tout juste s'il l'avait regardée, elle, depuis son arrivée. Quand elle s'était approchée de lui, elle avait aperçu sur sa figure une expression gênée, étrangement adulte. Soudain, elle s'était vue par ses yeux, par les yeux de tous les enfants qui étaient là : une pitoyable vieille femme un peu stupide tenant à la main un saintpaulia.

« Tu me manqueras à Saint Matthew, tu sais.

— Oui ? J'suppose que j'aurai plus le temps de vous accompagner, maintenant.

— Évidemment. Tu habiteras avec tes parents adoptifs. C'est tout à fait normal. »

Elle faillit ajouter : « Mais nous avons passé de bons moments ensemble, n'est-ce pas ? » Puis elle se ravisa. Ç'aurait été humiliant de lui demander une chose qu'il ne pouvait pas donner.

Elle lui avait apporté le saintpaulia parce que ce petit pot était plus facile à transporter qu'un bouquet. Mais Darren lui avait à peine accordé un regard. Maintenant, alors qu'elle promenait les yeux autour de la salle remplie de jouets, elle se demanda comment elle avait pu imaginer un seul instant que cette fleur était un cadeau approprié. Darren n'en avait pas besoin, tout comme il n'avait pas besoin d'elle. Il veut se débarrasser de moi avant l'arrivée de son nouvel oncle, pensa-t-elle. Ce fut tout juste s'il remarqua son départ. Elle remit le saintpaulia à une infirmière en sortant.

Elle prit le bus jusqu'à Harrow Road, puis se rendit à pied à l'église. Elle avait beaucoup de travail. Refusant son congé de maladie, le père Barnes était de retour depuis à peine deux jours, mais le nombre des offices et celui des fidèles avait considérablement augmenté ; ce soir, après les vêpres, une queue de pénitents attendrait devant le confessional. Saint Matthew ne serait plus jamais la même. Elle se demanda combien de temps encore elle y aurait sa place.

C'était la première fois depuis les meurtres qu'elle se rendait seule à l'église. Mais, dans sa tristesse, elle ne sentit presque aucune appréhension jusqu'au moment où elle inséra sa clé dans la serrure et constata, comme en ce matin fatal, qu'elle ne pouvait pas la tourner. Comme la dernière fois, la porte était ouverte. Le cœur battant, elle la poussa.

« Mon père ? C'est vous, mon père ? » cria-t-elle.

Une jeune femme sortit de la petite sacristie, une fille normale, respectable, qui n'avait rien d'effrayant. Elle portait une veste et un foulard bleu sur la tête. Remarquant la pâleur de miss Wharton, elle dit :

« Excusez-moi. Je vous ai fait peur, n'est-ce pas ? »

Miss Wharton réussit à ébaucher un sourire.

« Ce n'est pas grave. Simplement, je ne m'attendais pas à trouver quelqu'un ici. Est-ce que je peux vous renseigner ? Le père Barnes ne vient que dans une demi-heure.

— Non, merci. J'étais une amie de Paul Berowne. Je voulais visiter la petite sacristie, y rester seule un moment. Je voulais voir où tout cela s'était passé, où il était mort. Je m'en vais, maintenant. Le père Barnes m'a dit de rapporter la clé au presbytère, mais je pourrais peut-être vous la laisser puisque vous êtes là. »

Elle la tendit à miss Wharton. Celle-ci la regarda gagner la porte. Quand elle l'atteignit, l'inconnue se tourna.

« Le commandant Dalgliesh avait raison, dit-elle. Ce n'est qu'une pièce tout à fait ordinaire. Il n'y avait rien à voir là-dedans. »

Puis elle partit. Encore toute tremblante, miss Wharton ferma le portail à clé. Ensuite, elle descendit le couloir jusqu'à la grille et leva les yeux vers la lueur rouge de la lampe qui brûlait devant l'autel. Et ça aussi, pensa-t-elle, ce n'est qu'une lampe ordinaire en cuivre et en verre coloré. On peut la démonter, la nettoyer, la remplir avec de l'huile ordinaire. Et les hosties consacrées, derrière ce rideau fermé, que sont-elles ? Seulement de fins disques transparents confectionnés avec de la farine et de l'eau et qui arrivent, proprement emballés, dans de petites boîtes. Ensuite, le père Barnes les prend dans ses mains et prononce les paroles qui les changent en Dieu. Mais elles n'étaient pas vraiment changées. Dieu n'habitait pas cette petite niche située derrière la lampe de cuivre. Il n'était plus dans l'église. Comme Darren, il était parti. Elle se rappela alors ce que le père Collins avait dit un jour dans un sermon, quand elle venait d'arriver à Saint Matthew : « Si vous voyez que vous avez perdu la foi, faites comme si vous l'aviez toujours. Si vous sentez que vous ne pouvez pas prier, continuez à dire les paroles. » Elle s'agenouilla sur le dur carrelage et se tint des deux mains à la grille de fer. Puis elle prononça les mots par lesquels elle commençait toujours ses prières personnelles : « Seigneur, je suis indigne de Vous recevoir sous mon toit, mais une seule parole de Vous et mon âme sera guérie. »

Les policiers du Livre de Poche

Extrait du catalogue général

Composition réalisée par C.M.L., Montrouge

IMPRIMÉ EN FRANCE PAR BRODARD ET TAUPIN
Usine de La Flèche (Sarthe).
LIBRAIRIE GÉNÉRALE FRANÇAISE - 6, rue Pierre-Sarrazin - 75006 Paris.

ISBN : 2 - 253 - 04859 - 3 ◈ 30/6585/1